LE PLUS GRAND SALAUD
D'AMÉRIQUE

ANTHONY SUMMERS

LE PLUS GRAND SALAUD D'AMÉRIQUE

J. E. Hoover, patron du FBI

TRADUIT DE L'ANGLAIS
PAR ROLAND VALLIER

ÉDITIONS DU SEUIL
27, rue Jacob, Paris VIe

© Anthony Summers, 1993
ISBN original 0-399-13800-5
Titre original : *Official and Confidential.*
The Secret Life of J. Edgar Hoover
Première publication : G. P. Putnam's Sons, New York, 1993

ISBN 2-02-020713-3

© Éditions du Seuil, septembre 1995, pour la traduction française

A Robbyn

Prologue : le mythe

8 octobre 1971, dans le bureau ovale de la Maison-Blanche.
Le président des États-Unis, son ministre de la Justice et ses principaux conseillers débattent d'un problème complexe concernant un vieil homme, dont le chef d'État a peur :

> RICHARD NIXON : Pour un tas de raisons, il faut qu'il démissionne... Il doit foutre le camp d'ici... Peut-être que... mais j'en doute... peut-être que si je l'appelle et lui dis de démissionner... Ça pose des problèmes... S'il s'en va, il faut que ce soit de sa propre volonté... C'est pour ça qu'on est dans la merde... Je pense qu'il va rester jusqu'à ce qu'il soit centenaire.
>
> JOHN MITCHELL : Il va rester jusqu'à ce qu'on l'enterre ici. L'immortalité...
>
> RICHARD NIXON : Je crois que nous devons éviter qu'il s'en aille sur un éclat... Nous avons sur les bras un homme qui peut faire écrouler le temple avec lui... y compris moi... Ça va être un problème.

Sept mois plus tard, le 2 mai 1972, le « problème » du président est résolu avec le décès de J. Edgar Hoover, directeur du FBI, mort en service à l'âge de soixante-dix-sept ans.

Le gardien aurait trouvé le corps étendu à côté du lit à colonnes de sa maison de Washington : à première vue, il s'agissait d'une simple attaque cardiaque survenue pendant la nuit. On ne fit pas d'autopsie.

Cependant, dans la capitale fédérale, quelqu'un de puissant se sentait menacé par Hoover, même mort. Lorsque les employés des pompes funèbres arrivèrent sur les lieux pour emporter le corps, un spectacle extraordinaire les attendait. En haut des marches, un vieil homme assis dans un fauteuil regardait dans le vide. Tout autour de lui des jeunes gens allaient et venaient, sortaient et entraient dans les pièces, se livrant à de mystérieuses occupations. Quatre heures à peine après la découverte du cadavre, ces individus fouillaient la maison de fond en comble. Ils pillaient les tiroirs, enlevaient un à un les livres des étagères, les feuilletaient puis se les passaient. Le vieil homme dans son fauteuil, le plus proche ami du défunt – son amant, disaient certains – semblait inconscient de ce remue-ménage.

Le lendemain, le corps de J. Edgar Hoover fut transporté en grande pompe au Capitole et placé sur le catafalque noir qui avait servi dans le passé pour Abraham Lincoln et huit autres présidents. A l'intérieur, les citoyens défilèrent pour présenter leurs derniers hommages, au rythme d'un millier par heure. A l'extérieur, quelques centaines de manifestants scandaient la « litanie de guerre » : la liste des noms des 48 000 Américains tués au Viêt-nam. Mêlés à la foule, dix hommes de Nixon étaient chargés de provoquer des incidents pour dissoudre le rassemblement. Parmi eux se trouvaient des exilés cubains impliqués dans de précédents rassemblements et qui devaient bientôt être pris en flagrant délit dans l'affaire du Watergate. Tandis qu'ils attendaient ce soir-là à quelques mètres du Capitole où il reposait, deux d'entre eux parlèrent du défunt. L'un d'eux étonna son camarade. Selon lui, la maison de Hoover avait été la cible d'un récent cambriolage à l'instigation de la Maison-Blanche. Puis il se tut. En dire plus, avoua-t-il, aurait été « dangereux ».

La veille, dans le bureau ovale, le président Nixon aurait accueilli la nouvelle de la mort de Hoover par un long silence, puis il aurait dit : « Nom de Dieu ! Ce vieil enculé ! » Un de ses assistants se souvient qu'à l'exception de cette exclamation le président n'avait fait preuve d'aucune émotion.

Officiellement, Nixon honora la dépouille de Hoover comme celle d'un héros américain. Il ordonna que les honneurs lui soient rendus au Capitole, une distinction dont n'avait jamais bénéficié jusque-là un fonctionnaire civil. Il fit son éloge : « Un des géants… un symbole national de courage, de patriotisme, d'une honnêteté et d'une intégrité à toute épreuve. »

Pour des millions d'Américains, Hoover était effectivement un héros. Au cours des années vingt, il avait créé le FBI, pour en faire une brillante organisation. Il était ainsi devenu le « flic numéro 1 », le pourfendeur des bandits du Midwest, Dillinger, Kelly la Mitraillette et bien d'autres. Plus tard, Hoover était devenu bien plus que le premier des justiciers. Chargé par le président Roosevelt de protéger la sécurité interne des États-Unis, il s'était dressé en champion de la nation contre ses adversaires les plus insidieux : d'abord les nazis, puis ses ennemis personnels, les communistes, ainsi que tous ceux qui osaient exprimer leur désaccord politique.

Une campagne de publicité ininterrompue avait fait de Hoover une icône vivante comblée d'honneurs. Le président Truman lui avait accordé la médaille du Mérite pour « services exceptionnels ». Le président Eisenhower l'avait choisi comme premier titulaire de la Distinction civile fédérale. Son nom était devenu synonyme de la sécurité de la nation, des valeurs fondamentales de la société américaine, et aussi (mais peu se seraient risqués à le reconnaître ouvertement)... de la peur. Comme la plupart des huit présidents qu'avait servis Hoover, Richard Nixon avait éprouvé cette crainte. Ses relations avec le directeur du FBI étaient anciennes. En effet, lorsqu'il n'était qu'un jeune homme dégingandé, il avait posé en vain sa candidature auprès des services de Hoover. Il s'était alors lancé dans la politique et, lorsqu'il avait été élu membre du Congrès, il s'était engagé avec succès dans la croisade contre la gauche que Hoover avait largement inspirée. Il avait gagné ses faveurs et son aide, et avait souvent dîné avec lui dans ses restaurants favoris. Nixon et le vieil homme avaient les mêmes ennemis, partageaient les mêmes secrets et la même avidité du pouvoir. Quand finalement le plus jeune des deux avait accédé à la présidence, cette fonction suprême à laquelle Hoover avait lui-même aspiré, les deux hommes semblaient être des alliés naturels.

Mais le président Nixon aussi était entré en conflit avec Hoover. Le temps passant, le vieux directeur était devenu impossible à vivre. Il avait coupé tout lien avec les autres organismes de renseignements. Plus pour se protéger lui-même que par principe, il avait saboté le plan de lutte du président contre les militants de gauche. Il avait exaspéré Nixon en freinant l'enquête sur Daniel Ellsberg, qui avait détourné des documents confidentiels du Pentagone sur la guerre du Viêt-nam et les avaient communiqués au *New York Times* pour être publiés. Son comportement capricieux était devenu une gêne pour le gouvernement. Mais, en dépit de tout, Richard Nixon n'avait jamais osé le révoquer. Il avait cependant essayé à plusieurs reprises. A l'automne de 1971, on crut que le sort de Hoover allait être réglé. Il n'en fut rien. Bien que Nixon n'eût jamais voulu l'admettre, le vieil homme détenait l'arme la plus sûre : le renseignement.

Les archives de la Maison-Blanche récemment divulguées montrent que le président et ses collaborateurs étaient inquiets des dégâts que Hoover était susceptible de faire. A l'instigation de Nixon, ils se mirent fébrilement en quête des documents prouvant que le président avait donné l'ordre de placer certains journalistes sur écoute. Mais ce n'est pas tout. Il semble que Hoover ait été informé de quelques délits de la Maison-Blanche avant l'affaire du Watergate. Il aurait eu également des informations personnelles sur Nixon et sur un éventuel scandale impliquant une femme.

Nixon n'était pas le seul dont le directeur du FBI connaissait les péchés secrets. Lorsque Hoover mourut, ce fut la panique générale à la pensée des informations que pouvait receler son bureau. Le directeur de cabinet de la Maison-Blanche griffonna une note sèche : « ... Trouvez ce qu'il y a, de qui cela dépend et quels sont les cadavres. »

Au Congrès, de nombreux sénateurs et représentants vivaient dans la terreur des dossiers que Hoover détenait sur eux. Maintenant que la loi sur la liberté de l'information (*Freedom of Information Act*) est en vigueur, on se rend compte que leurs craintes étaient justifiées. De nouveaux documents prouvent que les agents du FBI faisaient régulièrement des rapports détaillés sur la vie sexuelle des hommes politiques, qu'ils fussent hétérosexuels ou homosexuels. Un témoignage indique qu'un sénateur célèbre eut si peur en prenant connaissance de son dossier au FBI qu'il en fut réduit à l'inaction.

Un des plus proches collègues de Hoover, William Sullivan, le décrivit après sa mort comme un « maître chanteur ». Mais ce n'est qu'un des aspects de l'individu. On sait maintenant que cet homme tout-puissant souffrait d'un trouble secret. Après une enfance pénible auprès d'un père malade mental et d'une mère dominatrice, sa vie d'adulte avait été gâchée par des problèmes émotionnels et un profond désarroi sexuel. L'homme qui pendant des années avait prêché la rectitude morale à l'Amérique avait des relations homosexuelles, allant jusqu'à se déguiser en travesti.

Hoover lui-même ne cessait d'alerter l'opinion sur les homosexuels, plus vulnérables au chantage, et donc les cibles préférées des services de renseignements ennemis, en particulier de sa bête noire : l'Union soviétique. Le directeur du FBI était si tourmenté par sa propre faille secrète qu'il avait consulté un psychiatre de Washington.

Et si le maître chanteur avait été lui aussi victime d'un chantage ? Nombreux sont ceux qui s'étonnent que Hoover se soit si longtemps abstenu de traquer l'organisation criminelle la plus insidieuse de toutes : la Mafia ! Plusieurs de ses membres affirment maintenant que Hoover n'était pas une menace pour elle. Entre lui et les caïds, il y avait un « arrangement ». Dès le début de sa carrière, Hoover avait été piégé par son homosexualité. Le gangster Meyer Lansky, expert dans l'utilisation d'informations pour manipuler les personnalités influentes, aurait disposé contre lui de preuves compromettantes, probablement des photos. En tout cas, jusqu'à ce que les frères Kennedy s'attaquent au crime organisé, Lansky se vantait en privé d'avoir Hoover « dans sa poche ». Il est maintenant évident que, derrière son masque public de moraliste puritain, ce héros américain était un être corrompu. Il vivait comme un potentat oriental et puisait dans la caisse du FBI pour son profit personnel. Pour être à l'abri d'enquêtes judiciaires, des hommes riches s'attiraient ses faveurs et son amitié grâce à leurs largesses et leur hospitalité... et en lui communiquant des tuyaux judicieux pour jouer à la Bourse.

La répression par le FBI des militants des droits civiques et des libéraux était le révélateur de la haine venimeuse que leur portait Hoover. Sa rage contre l'attribution du prix Nobel de la paix à Martin Luther King fut d'autant plus grande qu'il estimait le mériter lui-même. Un public averti aurait dû comprendre à l'époque que son image était trop belle pour être vraie. Mais il n'en fut rien, surtout à cause de la pusillanimité de la presse. Un téléspectateur écrivit à la chaîne NBC peu de temps avant la mort du grand homme : « Si nous n'avions pas Mr Hoover et le FBI, je ne sais comment vous et moi pourrions exister. » La plupart des citoyens pensaient de même. Quelques-uns cependant étaient d'un autre avis. Pour le romancier Norman Mailer, le FBI était le « temple de la médiocrité ».

Le Dr Benjamin Spock déclara en apprenant la mort de Hoover : « C'est un soulagement que soit réduit au silence cet homme qui n'avait rien compris à la philosophie profonde de notre gouvernement ou des droits de l'homme, un individu qui disposait d'un pouvoir aussi considérable qu'il utilisait pour harceler ceux qui n'étaient pas de la même opinion politique que lui et qui a intimidé des millions d'Américains en les privant de leur droit de juger par eux-mêmes de la valeur des diverses tendances politiques. »

Qu'un homme au psychisme si instable et capable du pire soit devenu le symbole du Bien est un des paradoxes de notre temps. Dans un hommage rendu après sa mort, un membre de la Cour suprême déclara que Hoover avait été « l'incarnation du rêve américain ». En revanche, des psychiatres de renom considèrent qu'il aurait été parfaitement à sa place à un poste élevé dans l'Allemagne nazie !

De telles contradictions méritent que l'on remonte le cours de notre siècle, cette période de tromperies et d'illusions sur nos valeurs, nos libertés et nos héros. Si la vie de Hoover s'est déroulée pendant que le rêve américain était aussi dangereusement mensonger, comprendre l'homme peut nous aider à nous comprendre nous-mêmes.

Pour lui donner la dimension d'un mortel, nous appellerons souvent J. Edgar Hoover – l'enfant et l'adulte – « Edgar » dans cet ouvrage.

L'histoire d'« Edgar » commence par une froide matinée de Nouvel An, il y a près de cent ans...

1

Dans le giron
de sa mère

« Le dimanche 1ᵉʳ janvier 1895 [1], à 7 h 30 du matin, est né J. Edgar Hoover de mon père et de ma mère. Le temps était froid et neigeux mais clair. Le docteur s'appelait Mallan. Je suis né au 413 Seward Square, Washington DC... »

Dès son enfance, celui qui devait devenir le policier le plus célèbre du monde a tenu à jour son propre dossier. L'annonce de sa naissance remplit une page entière d'un carnet relié en cuir portant l'inscription d'une écriture enfantine : « Mr Edgar Hoover. Personnel. » Il se trouve maintenant dans un fouillis de mémoires, papiers et photos jaunis, conservés à la Maison du Temple, siège du Conseil suprême des francs-maçons de Washington. Il nous ramène dans l'univers du XIXᵉ siècle.

Edgar est né alors que la Guerre civile était encore présente dans les souvenirs et que l'assassinat d'Abraham Lincoln n'était pas plus loin dans les mémoires que l'est dans la nôtre la mort du président Kennedy. L'Union que Lincoln avait mise en place ne comportait que quarante-cinq États. En 1895, on parlait de guerre avec l'Angleterre à propos des territoires d'Amérique latine. Bientôt ce serait le conflit avec l'Espagne, qui aboutirait à la conquête des Philippines par les États-Unis. Quatre ans seulement avant la naissance d'Edgar, la lutte de l'homme blanc contre les Indiens s'était terminée par le massacre de Wounded Knee.

Edgar, qui devait mourir à l'ère du jumbo-jet, est né alors que les deux inventions d'Edison, le phonographe sur cylindre de cire et le kinétoscope, n'étaient encore que des merveilles de la science. Le téléphone était réservé aux personnalités officielles et aux riches. On ne trouvait guère plus de deux cents kilomètres de routes pavées dans tout le pays pour quelques milliers de voitures. Dans les villes, les bicyclettes de tous formats et de tous styles étaient les engins à la mode.

---

1. Le 1ᵉʳ janvier 1895 était en réalité un mardi. Mais Hoover a écrit « dimanche ». [*N.d.A.*]

Les cités américaines étaient déjà surpeuplées, bien que la grande vague de l'urbanisation n'eût pas encore commencé. Les premiers migrants noirs étaient à nouveau en proie aux persécutions tandis que les États du Sud renforçaient les lois de ségrégation raciale. Le matin de la naissance de Hoover, un Noir fut lynché par une foule de Sudistes, événement banal à l'époque.

La maison en bois peint où est né Edgar, à un kilomètre de la Maison-Blanche, était à l'abri de ces violences. Le père, Dickerson Hoover, âgé de trente-huit ans à la naissance de son fils, descendait de colons qui avaient immigré à Washington au début du siècle. Plus tard, les services de propagande du FBI ont précisé que Dickerson avait fait « carrière au service du gouvernement ». C'est exact, mais il y occupait un poste très subalterne. Comme son père avant lui, il était imprimeur au service de la cartographie.

La mère d'Edgar, Anna, ou « Annie » pour les intimes, âgée de trente-quatre ans, était d'origine plus distinguée. Ses aïeux, notables du village suisse de Klosters, étaient fiers de leurs armoiries ancestrales et de leur belle maison jouxtant l'église locale. Un membre de la famille était même devenu évêque. Le grand-père d'Annie avait été le premier consul général de Suisse aux États-Unis. La grand-mère, qui avait eu treize enfants, était elle-même célèbre. Infirmière diplômée, connue sous le nom de « Mère Hitz », elle avait été la Florence Nightingale des soldats blessés de l'Union pendant la Guerre civile. Anna, la mère, avait reçu une éducation privilégiée à l'école Sainte-Cécile de Washington puis dans un couvent en Suisse. Sa petite-fille qui l'a le mieux connue, Dorothy Davy, évoque une « véritable dame, à l'intéressante personnalité. Elle était très affectueuse, mais également très fière. Grand-père était aimable et gentil, mais c'était elle qui menait la maison ».

Sur une photographie de famille, le père d'Edgar donne l'image d'un membre de la classe cléricale victorienne, peu à son aise, engoncé dans un costume conventionnel avec un grand col dur, un chapeau melon sur les genoux. Sa femme se tient derrière lui, l'air sévère dans la blouse qui lui serre le cou, les cheveux en chignon au sommet de la tête, les lèvres pincées, esquissant un sourire gêné. L'union du couple, quinze ans avant la naissance d'Edgar, est restée dans la famille comme « le plus grand mariage qui ait eu lieu sur Capitol Hill », ce qu'Annie devait considérer comme normal. Mais pour Dickerson, d'origine modeste, l'événement dut être exceptionnel.

Edgar était le dernier de quatre enfants. L'aîné, Dickerson Jr, naquit en 1880, suivi de deux sœurs, Lillian et Sadie. Quand Edgar fut conçu, ses parents étaient encore affligés par la mort de Sadie à l'âge de trois ans, victime de la diphtérie. Les premières photos d'Edgar montrent un petit garçon renfrogné à côté de ses parents, dans une veste aux boutons de cuivre rehaussée d'une chaîne de montre et des culottes bouffantes. On raconte qu'il était « nerveux, maladif et très craintif, cramponné au giron de sa mère chaque fois qu'il le pouvait ». Il entra à six ans à l'école élémentaire de Brent en 1901, alors que Theodore Roosevelt allait devenir président. Il fut toujours un élève modèle.

« Dès la première année, j'étais cinquième de ma classe avec une moyenne de 93,8 », a écrit Hoover dans son carnet de cuir. Les rapports de l'école le confirment. De la troisième à la huitième, il fut noté « excellent plus » ou au minimum « bon » en arithmétique et algèbre, grammaire et orthographe. De son côté, il notait également ses maîtres : « Miss Hinkle, en quatrième, m'a appris la discipline… Miss Snowden m'a développé dans l'intellectuel *(sic)*… Miss Dalton, en huitième, m'a formé moralement. »

Quand il fut assez grand, Edgar Hoover partait à pied à travers les rues de Washington, sans danger à l'époque, pour aller retrouver son père à son bureau. Il semble que Dickerson Sr ait misé sur son cadet. Son affection pour lui ainsi que ses origines modestes transparaissent dans le style d'une lettre qu'il lui écrivit de Saint-Louis en 1904 et que Hoover a conservée : « Mon petit vieux. Je voudrais que tu es *(sic)* là pour que je me batte avec toi le matin. Maman pense que tu n'es pas fort, mais laisse-la essayer de se battre avec toi, et elle verra… Sois un bon garçon. Gros bisous. Papa. »

Lorsque le père écrivait : « Ne travaille pas trop dur », Annie était d'un avis différent : « Étudie bien tes leçons et ta musique, et essaie d'être un bon garçon. J'ai été très contente d'apprendre que tu avais été parfait en orthographe et en arithmétique. Prends bien soin de tout et ne vas pas courir les rues. » Annie était très stricte, mais, de l'avis de Dorothy Davis, la nièce d'Edgar, « de tous ses enfants, Edgar fut le plus gâté ».

En 1906, lorsqu'il eut onze ans, Edgar Hoover commença à publier un hebdomadaire qu'il persuada son frère aîné, alors âgé de vingt-six ans, d'imprimer. Chaque semaine, il rassemblait deux pages d'informations. Cette *Revue de la semaine* était vendue un cent à la famille et aux amis. On trouvait dans la *Revue* des échos, des nouvelles familiales, ainsi que des articles sur Abraham Lincoln et Benjamin Franklin. L'un d'eux raconte le mariage de la fille du président, Alice Roosevelt, une femme belle, courageuse et non conformiste qui était la coqueluche du moment.

En 1908, à l'âge de treize ans, Edgar tenait son journal intime dans lequel il notait chaque jour la température et le temps qu'il faisait, les événements familiaux, ce que lui rapportaient ses menus travaux occasionnels, et même la taille de ses chapeaux, de ses chaussettes et de ses cols. « Toute la famille, dit Dorothy, avait la hantise de l'organisation. Chaque chose devait être à sa place, cataloguée, et chaque tableau bien aligné sur le mur. Toujours. Cela semble stupide, mais nous étions tous comme cela. »

Le dimanche soir, un vieil homme à la longue barbe blanche venait dîner. La visite chez les Hoover de John Hitz, ce grand-oncle de la famille d'Annie, se traduisait toujours par une séance solennelle de lecture de la Bible. Toute la famille se mettait à genoux lorsque priait l'oncle John, un fervent calviniste. Mais, contrairement aux apparences, aucun des parents d'Edgar n'était particulièrement pieux. Le père se considérait comme luthérien. Annie le suivait, quoique, selon Dorothy Davy, « elle fût plutôt catholique. La mère d'Edgar avait fréquenté des écoles catholiques et elle devait mourir avec un crucifix dans la main ». Le neveu de Hoover, Fred Robinette, confirme qu'Annie n'était pas une « fanatique de la Bible ». D'ailleurs, ni elle ni son mari n'allaient régulièrement à l'église.

Cet amalgame religieux engendra l'inquiétude et la confusion. Plus tard, la sœur d'Edgar, Lillian, devait un jour jeter la bible familiale dans le feu. Hoover, qui s'affirmait publiquement presbytérien, n'en consultait pas moins souvent des prêtres catholiques. Lui aussi devait ultérieurement dénigrer la Bible. Mais, durant sa jeunesse, il suivit les traces pieuses de son frère aîné. Dickerson Jr était d'une piété sincère, et l'Église lui offrait plus qu'une simple consolation spirituelle. Elle constituait la clé de voûte de toute la société des Blancs, dont dépendaient les relations sociales et professionnelles. C'est dans la congrégation luthérienne que Dickerson se trouva une femme.

Le jeune Edgar suivait avec enthousiasme. Il servit comme enfant de chœur, chanta comme soprano dans la chorale de l'église, et, à treize ans, fut baptisé par le pasteur luthérien qui avait marié son frère. Il nota dans son journal qu'il assista à un spectacle sur la Passion, qu'il suivit le catéchisme et qu'il participa à l'activité d'un groupe d'études chrétiennes. Il écrivit un jour : « Ai lu un peu de *L'Évangile de Judas Iscariote*, un grand bouquin. » Il s'agissait d'une fiction écrite du point de vue de celui qui trahit le Christ. La symbolique de Judas devait marquer à jamais l'esprit d'Edgar, au point que, plus tard, il allait demander à des agents du FBI de vérifier pour lui les détails de l'histoire biblique, obsédé qu'il était par la possibilité d'être lui-même trahi, par des êtres réels ou imaginaires.

Les documents sur l'enfance d'Edgar Hoover montrent qu'il s'amusait comme les autres petits garçons. Il jubile en mentionnant que, le

jour des poissons d'avril, il a « mystifié beaucoup de gens ». Il pré-
tendra aussi des années plus tard, avec moins de crédibilité, que
lorsqu'il jouait aux gendarmes et aux voleurs, il « voulait toujours être
dans le camp des voleurs ». Edgar était fasciné par l'aviation naissante
et il construisit des modèles d'aéroplanes avec un ami. En 1909, à l'âge
de quatorze ans, il assista au vol d'Orville Wright de Washington à
Alexandria et retour. Dans son journal, il mentionna avec orgueil qu'il
avait été « le premier profane à serrer la main d'Orville ».

A l'automne de 1909, Edgar entra dans une nouvelle école, située
à plus de quatre kilomètres de chez lui, qu'il faisait à pied matin et
soir. Ce furent ses premiers pas vers la réussite et la puissance. Car il
ne s'agissait plus du petit établissement scolaire local qu'avaient fréquenté son frère et sa sœur. « Sa mère, dit Dorothy, ne l'estimait pas
assez bon pour lui. Alors elle l'envoya au Central College. »

Cette institution était le centre de formation de l'élite de Washington,
un véritable tremplin vers le succès. Elle était comparable aux meilleures écoles anglaises et, comme elles, attachait une grande importance au sport. Alors qu'Edgar y était élève, l'équipe de football, qui
comprenait un futur général et un futur président de la chambre de
commerce de Washington, étonna tout le monde en écrasant l'université du Maryland par 14 à 0. Mais Edgar, lui, n'était pas très sportif.
« J'ai toujours voulu être un athlète, a-t-il dit avec amertume, mais je
ne pesais que 60 kilos. » Pour prouver qu'en dépit de cela il avait du
cran, Edgar prétendait que son célèbre profil de bulldog était dû à une
blessure au cours d'un match. Une balle perdue lui aurait écrasé le nez
pendant une partie de base-ball. Mais, selon sa nièce Margaret Fennell,
son nez écrasé était la conséquence d'un furoncle mal soigné.

Edgar Hoover avait un profond respect pour les hommes bien bâtis.
En particulier Lawrence « Biff » Jones, qui devait devenir le brillant
capitaine de l'équipe de football de West Point. « Nous étions copains
et passions tout notre temps ensemble, dit Edgar, ce qui faisait bien
rire nos amis à la vue de ce grand gaillard de "Biff" accompagné de
ce jeunot qui n'avait que la moitié de sa taille. » Hoover se lança à
fond dans une autre activité : le corps des cadets. Son école envoyait
régulièrement des diplômés à l'école militaire de West Point : dans la
génération d'Edgar, ce furent le célèbre « Biff » et de nombreux futurs
généraux.

Edgar était connu sous le surnom de « Rapide » qui devait lui rester
pendant très longtemps. Sa biographie officielle suggère, ce qui est fort
improbable, que ce terme avait trait à son adresse au football. Hoover,
lui, prétendait que cela remontait à son enfance, quand il se faisait de
l'argent de poche en portant les paquets des clients du magasin local,

parce qu'il courait alors très vite. Aucune de ces explications n'est valable selon Francis Gray, un de ses camarades de classe : « Nous l'appelions Hoover le Rapide parce qu'il parlait très vite. » Son élocution extrêmement rapide devait être son signe distinctif. « Mitraillette », « staccato », « sec comme le coup de fouet d'un charretier »..., tels sont les termes utilisés pour la décrire. « Je peux suivre deux cents mots à la minute, se plaignit un correspondant judiciaire, mais cet homme doit bien en sortir quatre cents ! » William Sullivan[1], un directeur adjoint du FBI qui devait servir trente ans sous Hoover puis rompit avec lui, propose une autre explication, moins bienveillante : « Il ne voulait pas que quelqu'un lui pose de questions. Alors il n'arrêtait pas de parler à toute vitesse, puis arrêtait brusquement l'interview, serrait la main de son interlocuteur et partait aussitôt. » De nombreux journalistes font écho à l'explication de Sullivan. Hoover, le directeur du FBI, ne parlait pas *avec* les gens, il parlait *aux* gens.

Dès son adolescence, Edgar était préoccupé par les questions qui allaient dominer son époque. Avec le recul, ses prises de position au cours des débats des étudiants sont révélatrices. Cuba, qui constituait alors un problème politique aussi sérieux qu'aujourd'hui, était un thème d'actualité. Edgar fit approuver la motion : « Cuba devrait être annexé aux États-Unis. » En marge de la proposition d'abolition de la peine de mort, il écrivit « Neg » (pour « négatif »). Il raisonnait ainsi : 1) La Bible est favorable à la peine capitale. 2) Toutes les nations chrétiennes l'appliquent. 3) L'abolition aurait un effet déplorable sur le pays. Hoover devait rester toute sa vie un partisan de la peine de mort. Au cours des débats, il réussit également à prendre position avec violence contre les revendications des femmes, et en particulier le droit de vote.

A dix-sept ans, sa réussite scolaire ne faiblissait pas. Il était noté « excellent » dans presque toutes les matières, avec une moyenne minimale de 90 sur 100. Il ne manqua l'école que quatre fois en quatre ans. Edgar Hoover ne pouvait pas supporter de n'être que deuxième. Un de ses camarades se souvient de sa réaction alors qu'il était capitaine d'une unité de cadets et que sa compagnie ne réussit pas à l'emporter au cours d'une épreuve de manœuvres : « Lorsque nous sortîmes du terrain d'exercices, je me demandais si Edgar pleurait parce qu'il était furieux ou était furieux parce qu'il pleurait. »

---

1. William Sullivan servit le FBI de 1941 à 1971, pour terminer sa carrière à la troisième place dans la hiérarchie. Il mourut d'un coup de fusil apparemment accidentel au cours d'une partie de chasse en 1977, juste avant de témoigner devant la commission du Congrès enquêtant sur l'assassinat du président Kennedy. [*N.d.A.*]

En mars 1913, le capitaine des cadets J. Edgar Hoover descendit à la tête de sa compagnie Pennsylvania Avenue lors de la parade inaugurale pour l'élection du président démocrate Wilson. Seize ans de gouvernement du parti républicain prenaient fin et l'Amérique entrait dans une période de bouleversements. Tandis que la révolution accablait la Russie et la guerre l'Europe, les troubles sociaux étaient la préoccupation majeure des États-Unis. Près de la moitié de la population laborieuse était soumise à des horaires excessifs et des conditions de travail déplorables, et logeait dans des taudis minables. Les États-Unis allaient connaître une vague de grèves tandis qu'un million de socialistes américains réclameraient le renversement du capitalisme.

Bientôt les unités de la Garde nationale iraient mitrailler les travailleurs de l'Ohio. Des membres du syndicat des métallurgistes seraient lynchés, d'autres jetés en prison. Leur droit de protester serait remis en question par ceux qui prétendaient qu'eux, et eux seuls, étaient « 100% américains ».

Pendant ce temps, la vie poursuivait son cours au *college*. Pour leur dix-huit ans, Edgar Hoover et ses camarades se préparèrent aux rites et au cérémonial de remise des diplômes. Dans leur superbe uniforme bleu et blanc, ils se rendirent à l'hôtel du Caire pour le bal des cadets. « Nous n'étions pas des danseurs émérites, se souvient l'un d'eux. Nous portions tous nos sabres qui bringuebalaient dans nos jambes. » A l'époque, un bal se déroulait suivant un cérémonial établi. Chaque jeune homme devait tenir son carnet, sur lequel il inscrivait les noms de ses partenaires féminines pour les valses et les fox-trot. Sur celui d'Edgar, qu'il conserva toute sa vie, les pages destinées à ses danseuses sont complètement blanches. Comme on sait qu'il écrivait méticuleusement tout, on peut en déduire qu'il n'y dansa avec personne. Un de ses camarades a dit qu'Edgar « ne sortait pas avec les filles ». Sa nièce Dorothy le confirme : « Edgar n'a jamais eu de petite amie. Jamais ! » Ses camarades se moquaient de lui en disant qu'il n'était amoureux que du corps des cadets.

Sur la photo de classe de cette année-là, Edgar Hoover, la bouche pincée et austère, semble plus fragile que ses camarades bien bâtis. Au-dessous de son nom figure la mention : « Gentleman au courage intrépide et à l'honneur sans tâche. » C'est lui qui prononça le discours d'adieu de sa promotion.

Dans le dernier rapport du corps des cadets, il écrivit : « Il n'y a rien de plus agréable que de faire partie d'un groupe composé d'officiers et d'hommes dont vous sentez qu'ils sont de cœur et d'âme avec vous. Le plus triste moment de l'année fut quand j'ai compris que je devais me séparer de camarades qui avaient fait partie de mon existence. »

Et il conclut en vantant les mérites de la compétition. La discussion est comme la vie, dit-il, « rien de plus ou de moins que l'affrontement de l'esprit d'un homme contre un autre ». Et c'est avec ces certitudes, curieusement ancrées s'agissant d'un jeune de dix-huit ans, qu'il entra dans le monde des adultes.

Edgar Hoover n'a jamais parlé de son père, même avec ses plus proches amis. Ceux de la génération qui grandit pendant la Première Guerre mondiale n'ont de lui qu'un souvenir vague. Pour eux, Dickerson Sr reste « Daddy », un homme aimable avec une petite moustache qui aimait emmener les enfants à la cave pour leur faire goûter la boisson au gingembre qu'il fabriquait lui-même. Mais, la plupart du temps, Daddy n'était pas à la maison. Il était souvent absent car, pendant la guerre, les médecins l'avaient envoyé dans un asile à quelque vingt kilomètres de Washington. On ne parlait jamais de sa maladie en présence de ses petits-enfants. L'un d'eux se souvient simplement qu'il avait eu une « dépression nerveuse ». Il avait cinquante-six ans lorsque Edgar quitta le *college*, et travaillait toujours comme imprimeur au service cartographique. Il gagnait correctement sa vie mais pas assez pour faire oublier à sa femme Annie qu'elle s'était mariée au-dessous de sa condition. A la maison, il avait toujours été le second en tout. Vers la cinquantaine, il commença à souffrir de dépression et de craintes irrationnelles. De fréquents séjours à l'asile n'améliorèrent pas son état qui continua à se dégrader. Au cours des huit années qui lui restaient à vivre, le père d'Edgar devint un individu pitoyable. Son certificat de décès, datant de 1921, indique qu'il est mort de « mélancolie » accompagnée d'« inanition ». A l'époque, « mélancolie » était le terme employé pour ce que les médecins appellent aujourd'hui « dépression ». L'inanition peut être la conséquence de cette maladie si le sujet perd l'envie de vivre et cesse de manger pour en finir.

Cette tragédie eut un effet traumatisant sur Edgar. Son frère aîné et sa sœur, âgés d'une trentaine d'années, étaient partis depuis longtemps, s'étaient mariés et avaient des enfants. Seuls Annie et le jeune Edgar restaient à la maison et faisaient preuve de peu de patience à l'égard de leur père. « Ma mère, dit Dorothy, avait coutume de dire que mon oncle Edgar n'était pas très gentil avec le malade. Il avait honte de lui. Il ne pouvait supporter que grand-père ait une déficience mentale. Il ne pouvait tolérer quoi que ce soit qui ne fût parfait. »

Dorothy, une institutrice à la retraite qui connaît bien les épreuves de la vie, pense que peut-être « tout le clan Hoover était un peu dérangé de la tête ». La famille était sérieusement perturbée. Le fils aîné, Dickerson, était très distant, et sa sœur Lillian était « froide, très froide ». Le jeune Edgar, qui venait souvent chez Dorothy pour jouer au croquet, semblait au début « agréable à fréquenter ». Puis il changea brusquement d'humeur pour devenir très renfermé, « avec des tendances à nous repousser ».

« J'ai souvent pensé, dit sa nièce Margaret, qu'il avait peur... je ne sais comment dire cela... de trop s'impliquer avec les gens. » Cinquante ans plus tard, William Sullivan exprime la même opinion. Edgar, dit-il, « n'avait pas la moindre affection pour un seul être humain de son entourage ».

« Je n'avais aucun respect ou amour pour lui en tant qu'oncle, dit Dorothy Davy. Quoi qu'il ait fait pour le pays, il ne nous a servi à rien comme parent. » D'autres membres de la famille confirment, parfois timidement, comme si Edgar était toujours en vie pour les réprimander, qu'il ne se préoccupait pas beaucoup de ses liens familiaux. Lorsque sa sœur, qui était veuve, fut frappée par la maladie de Parkinson, il ne fit rien pour l'aider. Quand elle mourut, sa présence aux funérailles fut si brève qu'elle sembla insultante.

Le seul lien familial permanent pour Edgar devait être sa mère, Annie. Lorsqu'ils furent libérés du fardeau du père, ils devinrent inséparables. Edgar resta auprès d'elle jusqu'à ce qu'il ait plus de quarante ans. Ce n'est que lorsqu'elle mourut, en 1938, qu'il quitta le domicile familial de Seward Square pour s'installer dans une maison à lui, mais pour y vivre seul.

2

L'échec d'un amour
de jeunesse

En quittant l'adolescence, Edgar Hoover mit fin au journal intime qu'il avait tenu à jour depuis l'enfance. On ne dispose donc plus d'éléments, sauf quelques rares lettres, pour connaître les soixante années de sa vie intime d'adulte. En outre, pour respecter ses désirs, sa secrétaire détruisit après sa mort sa correspondance privée, et probablement bien d'autres documents.

Néanmoins, il reste suffisamment de preuves de la personnalité cachée de Hoover. L'homme qui imposait au public une image de moralité rigide et d'intégrité sans faille était un mythe si subtilement fabriqué qu'il y croyait peut-être aussi lui-même.

Tout ce qu'il raconte de son passé doit toujours être considéré avec méfiance. « C'était un maître fourbe, dit de lui son ancien assistant William Sullivan, le plus grand qu'ait produit ce pays, ce qui implique une vive intelligence, beaucoup d'astuce et de perspicacité. »

En 1913, en sortant de l'école militaire à dix-huit ans, Hoover décida de suivre des études juridiques. « Je ne sais vraiment pas pourquoi j'ai choisi le droit, déclara-t-il plus tard. Lorsque l'on se trouve à un carrefour, on va d'un côté ou de l'autre. » Le second chemin qui l'attirait, prétendait-il, était l'Église.

La propagande du FBI a toujours insisté sur cette histoire du jeune homme hésitant entre les deux voies de la vertu : l'Église et la Loi. Selon cette version, le directeur du FBI allait régulièrement à l'église, gardait toujours une bible usagée sur son bureau et prenait la religion très au sérieux. Mais, en réalité, aucun de ses parents n'a le souvenir qu'Edgar ait été déchiré entre la « religion » et le droit. C'était son frère aîné Dickerson, et non Edgar, qui connut ce dilemme.

D'ailleurs, Edgar Hoover n'utilisa vraiment l'artifice de « l'appel de l'Église » qu'après la mort en 1944 de son frère qui aurait pu le contredire. Pour la belle-fille de Dickerson, Virginia Hoover, « tout cela est faux. Dans notre famille on le savait bien ».

Était-il croyant ? Certainement durant son enfance et son adolescence, ce qui marqua, selon la propagande officielle, le début d'une vie entière de dévotion. Un article paru en 1960 avec l'approbation du FBI rapporte : « Chaque dimanche matin, à 9 heures très précises, il remonte l'allée latérale de l'église presbytérienne de Washington. » Et pourtant, l'ancien pasteur déclare : « Mr Hoover n'assistait pas régulièrement au service... seulement à certaines cérémonies. » Un ancien agent du FBI qui lui servait de chauffeur chaque fois qu'il voyageait dans le Sud ne se souvient pas que son patron ait été une seule fois à l'église... durant les vingt Noëls qu'il passa en Floride.

La prétendue piété de Hoover n'était qu'une invention, de même que les motifs qui l'ont amené à faire des études de droit. « Il n'y avait pas d'homme de loi dans la famille, affirmait-il. Alors j'ai soudain pris le virage et su ce que je voulais être : un juriste. » En réalité, on en comptait trois parmi ses cousins dont un au ministère de la Justice et un autre qui devait devenir juge à la Cour suprême.

La faculté de droit de l'université George-Washington, où Hoover s'inscrivit en 1913, n'était pas la plus réputée. Mais les cours y étaient donnés le soir, ce qui lui permettait de gagner sa vie pendant la journée.

Les cordons de la bourse de la famille étaient très serrés, surtout depuis la maladie du père. A dix-huit ans, Edgar était chef de famille et devait gagner sa vie. Un cousin de sa mère, William Hitz, lui trouva un emploi à 30 dollars la semaine comme coursier à la Bibliothèque du Congrès.

Pendant les quatre années qui suivirent, Hoover se rendait à pied de la maison de Seward Square jusqu'à son lieu de travail. A 17 heures, il partait pour l'université où il restait jusqu'à 19 heures. Ensuite, il étudiait chez lui. Il devait conserver toute sa vie ses vingt-six cahiers remplis de notes d'une écriture très soignée. Une photographie de cette époque montre Edgar Hoover au milieu des étudiants, le visage austère, les mains enfoncées profondément dans les poches et une fleur à la boutonnière. « Il était mince, sombre et tendu, se souvient l'un de ses camarades. Il avait réponse à tout et aucun de nous ne le connaissait vraiment bien. » Comme président de l'association des étudiants, il se révéla un despote en herbe. « Il portait un jugement moral mesquin sur certaines activités de notre salle de réunion, comme les parties de dés, le poker et les séances de beuverie, dit un autre camarade. Il alla même jusqu'à jeter nos jeux sur le ciment de l'allée. Il nous persécutait avec sa morale. »

Edgar n'avait pas de temps à consacrer aux écrivains et penseurs du monde entier qui remettaient en cause les comportements sociaux et politiques, les Freud, George Bernard Shaw, Karl Marx ou Bertrand Russell. Son auteur favori était Robert Service qui proclamait qu'en Amérique « seuls les forts connaîtraient le succès, les faibles périraient certainement et seuls ceux qui s'adapteraient parviendraient à survivre ».

Pendant l'été de 1916, Edgar obtint son diplôme, mais sans mention. L'Amérique se préparait alors à entrer en guerre en Europe, tandis que les problèmes sociaux se faisaient plus pressants : bombes d'anarchistes, grèves, manifestations des ouvriers pour la diminution de leurs heures de travail. Henry Ford fut contraint d'accorder dans ses usines automobiles le même salaire aux femmes qu'aux hommes, 5 dollars par jour. Une femme fut pour la première fois élue au Congrès. Le président Wilson promit qu'elles auraient toutes bientôt le droit de vote. Le 6 avril 1917, après qu'il eut déclaré au Congrès que « la démocratie devait être assurée dans le monde », les États-Unis déclarèrent la guerre à l'Allemagne.

Ce même jour, le père Dickerson, de plus en plus handicapé par sa maladie mentale, abandonna définitivement son travail. Bien qu'Edgar Hoover fût le jeune le mieux payé de la Bibliothèque du Congrès, la famille connaissait de sérieuses difficultés financières. Le 25 juillet, lorsqu'il apprit qu'il avait réussi son examen, Edgar quitta la Bibliothèque. Le lendemain, il commença à travailler au ministère de la Justice, pour quelques dollars de plus.

Hoover prétendit toujours qu'il avait décroché ce poste au service du gouvernement de sa propre initiative. En réalité, il l'avait obtenu grâce au cousin de sa mère William Hitz, qui occupait une situation importante au ministère de la Justice et comptait le président et un juge de la Cour suprême parmi ses amis. Avec de telles relations, il lui avait été facile de trouver un emploi à un jeune parent dans le besoin.

Edgar prétendit qu'il était greffier. En réalité, il travaillait dans la salle du courrier sous les ordres de George Michaelson qui parla de lui un jour à un haut fonctionnaire, Bruce Bielaski. Il cita par hasard le nom du jeune juriste qui triait les lettres, « un garçon très brillant ».

« Vous n'avez pas besoin de quelqu'un d'intelligent pour ce boulot, dit Bielaski.

– Si vous le voulez, répondit Michaelson, vous n'avez qu'à le prendre. »

Ce banal dialogue devait se révéler fatal pour l'Amérique. Car Bruce Bielaski était directeur du Bureau d'investigation, précurseur de ce qui est aujourd'hui le FBI (*Federal Bureau of Investigation*).

Le Bureau avait été créé en 1908, malgré les craintes des représentants et sénateurs qui redoutaient que ses pouvoirs ne soient utilisés à des fins politiques de répression et qu'il ne finisse par être sous le contrôle d'un seul homme. Son rôle consistait à enquêter sur les affaires dépassant les frontières d'un État, à poursuivre les infractions aux lois antitrusts et les violations du *Mann Act* selon lequel il était criminel de conduire une femme dans un autre État dans un « but immoral ».

Bielaski n'oublia pas le jeune homme qui lui avait été recommandé, mais il ne le fit pas entrer tout de suite au Bureau d'investigation. En revanche, il le recommanda au chef de la Division des mesures de guerre, John Lord O'Brian, qui l'engagea le 14 décembre 1917. C'est ainsi qu'un mois avant son vingt-troisième anniversaire Hoover cessa de trier le courrier pour décider du sort des étrangers suspects. Trois ans de propagande avaient rendu hystérique une nation effrayée par l'espionnage et le sabotage allemand, même si le Bureau n'avait jamais réussi à arrêter un seul espion ou saboteur.

Les premiers rapports de Hoover sont bien à l'image de sa future et étonnante carrière. Un Allemand de dix-huit ans avait été arrêté à la frontière du Texas pour avoir exprimé son soutien au Kaiser : Hoover demanda qu'il soit détenu jusqu'à la fin de la guerre. Un autre Allemand avait traité le président Wilson de « salaud » et de « voleur » : Hoover réclama son internement. Il fut désavoué pour le motif que des paroles prononcées sous le coup de la colère ne méritaient pas un châtiment si sévère.

En 1918, Hoover travaillait au recensement de toutes les femmes allemandes aux États-Unis. Selon le *Washington Post*, l'enquête n'avançait pas vite. Hoover s'empressa de le démentir. Toute sa vie il détesta le *Washington Post* et le *New York Times*, les excluant délibérément de ses conférences de presse, parce qu'ils « déformaient et faussaient les informations ». Il avait coutume de dire : « Lorsque ces journaux publient des attaques contre le FBI, je suis ravi comme si on m'adressait des compliments. »

Il travaillait sept jours par semaine et souvent tard dans la nuit. Son patron l'avait noté : « Hoover est consciencieux et honnête. » Au cours de sa première année au ministère de la Justice, il fut augmenté trois fois jusqu'à doubler son salaire initial. Et pourtant, son cas était étrange : pourquoi ce jeune homme de vingt-trois ans n'était-il pas parti à la guerre ?

Tous les Américains entre vingt et un et trente ans étaient mobilisables dès les premières semaines du conflit. Trois millions d'hommes devaient être incorporés avant la fin de la guerre et cent cinquante mille d'entre eux allaient y trouver la mort. Une vague de colère justifiée visait les jeunes gens qui y échappaient. Au cours d'une rafle, 60 000 recrues potentielles furent ramassées à New York et 27 000 à Chicago.

Hoover était le type même du parfait conscrit : âgé d'une vingtaine d'années, il avait reçu un début de formation d'officier dans son collège qui entretenait des liens étroits avec l'académie militaire de West Point. La plupart de ses anciens camarades de classe devaient partir pour les camps d'entraînement et être envoyés dans les tranchées françaises. Pas Edgar. Plus tard, il devait insister sur son empressement à servir sa patrie... mais seulement après que l'enfer de la Première Guerre mondiale fut passé ! En 1922, il fut nommé commandant du corps des officiers de réserve. Au cours de la Seconde Guerre mondiale, alors qu'il avait plus de quarante ans, il obtint le grade de lieutenant-colonel des services de renseignements de l'armée et ne démissionna que sur l'insistance du ministre de la Guerre, qui estima qu'il servirait mieux son pays comme directeur du FBI.

Vingt ans plus tard, Hoover expliqua à un journaliste qu'il n'avait pas revêtu l'uniforme en 1917-1918 pour la même raison : « Ses supérieurs l'avaient persuadé qu'il rendrait plus de services dans le travail d'espionnage. » Cependant, son dossier militaire, volumineux pendant la période de la Seconde Guerre, ne dit pas un mot de la Première. En outre, son nom ne figure pas sur la liste des 102 employés du ministère de la Justice qui eurent droit à une exemption temporaire. Et si les fils qui pouvaient prouver qu'ils étaient soutiens de famille bénéficiaient d'une dispense, on ne sait pas si Hoover en fit la demande.

S'il avait vraiment voulu servir, comme la plupart de ses camarades, il aurait été aussitôt mobilisé. Le jeune homme qui s'était enthousiasmé pour le corps des cadets de son collège, l'homme qui devait cultiver amitiés et contacts avec les militaires, celui qui allait persécuter plus tard les opposants à la guerre du Viêt-nam, aurait dû normalement se précipiter au bureau de recrutement. Mais il s'était abstenu.

Hoover, dont le célibat devait provoquer d'incessants commérages, avait envisagé de se marier vers la fin de la guerre. L'épisode se termina par un échec, qui dut avoir des conséquences essentielles sur son comportement sexuel.

On connaît l'histoire grâce à Helen Gandy qui fut pendant cinquante-trois ans la secrétaire personnelle de Hoover. Avant de mourir, en 1988, celle qui n'avait jamais rien dit révéla le triste épisode de cette frustration amoureuse. Alors qu'il avait vingt-quatre ans, Hoover fréquentait beaucoup une jeune femme prénommée Alice qui travaillait dans le même service que lui et était la fille, séduisante, d'un important avocat de Washington, ce qui ne pouvait qu'accroître l'intérêt d'Edgar. Car si la paix mettait fin à son travail au ministère de la Justice, il espérait se recaser dans l'étude du futur beau-père.

Le jour de l'armistice, le 11 novembre 1918, Hoover fut invité avec Alice par un de ses amis qui donnait ce soir-là son dîner de fiançailles au restaurant Harvey à Washington. Hoover décida d'annoncer en même temps les siennes avec Alice. Mais elle ne vint pas au dîner. Peu de temps après, elle déclara qu'elle allait se marier avec un jeune officier, qui, à la différence d'Edgar, était parti se battre en France.

Helen Gandy n'a jamais révélé le nom de famille d'Alice, mais il n'y a aucune raison de douter de son récit, puisqu'elle était également présente ce soir-là au restaurant et fut témoin de l'humiliation de Hoover, qu'elle connaissait déjà sans qu'il y eût entre eux une attirance particulière. Quelques mois plus tard, lorsqu'il eut besoin d'une secrétaire, il fit appel à elle et elle resta à ses côtés jusqu'à la fin.

Helen Gandy considère que l'échec avec Alice fut pour Hoover un « choc qui ne s'est jamais effacé ». Il fut d'autant plus grand qu'il découvrit ensuite que la fille qu'il voulait épouser entretenait une romance épistolaire avec l'officier au front pendant tout le temps qu'il la fréquentait. « C'est peut-être pour cela, explique Helen, que Mr Hoover n'a jamais eu confiance dans les femmes et qu'il ne s'est jamais marié. »

Hoover devait encore penser à Alice lorsque, en 1955, il commenta ainsi ses relations avec les femmes : « J'ai été une fois amoureux lorsque j'étais jeune. Je pense que vous appelleriez cela des amours enfantines. » A une autre occasion, il reconnut que toutes les femmes qu'il avait voulu épouser étaient engagées auprès d'un autre homme. Au cours d'une interview exceptionnellement franche, en 1939, Hoover devait dire : « Je vais vous avouer quelque chose. Si j'épouse une femme et qu'elle me trompe, qu'elle cesse de m'aimer et que nous divorcions, ce sera ma perte. Mon état mental ne le supporterait pas, et je ne serais plus responsable de mes actes. » (Il faut noter que la dernière phrase fut supprimée lors de la publication.)

Au cours du même entretien, Hoover donna plus de détails sur son comportement : « J'ai toujours mis les jeunes filles et les femmes sur un piédestal. Voilà quelque chose que les hommes devraient toujours faire : honorer et respecter leur compagne. S'ils le faisaient, la vie des couples n'en serait que meilleure. C'est la conception que j'ai eue des femmes toute ma vie. »

La nièce de Hoover, Margaret, qui fréquenta beaucoup son oncle pendant les dix ans qui suivirent sa déception amoureuse, ne l'a jamais vu en compagnie d'une femme de son âge. Elle en rejette la responsabilité sur Annie, la mère : « Edgar n'aurait jamais pu se marier. Annie exerçait une autorité matriarcale telle qu'elle aurait tout arrêté. » Elle avait d'ailleurs déjà essayé de le faire en s'efforçant d'empêcher le mariage de son fils aîné, sous prétexte que l'élue n'était pas assez bonne pour lui. Dans ce cas, elle avait échoué, mais elle ne devait pas desserrer son emprise sur Edgar.

Après cet amour de jeunesse déçu, Hoover devait dire, des années plus tard, que son travail avait pris la place des femmes : « Je suis devenu tellement attaché au FBI que je crois qu'aucune femme n'aurait pu me supporter. » Pendant les dix ans qui suivirent l'échec avec Alice, Hoover n'eut d'autre lien sentimental qu'avec sa mère. Il rentrait chaque soir à Seward Place et vivait seul avec elle. La tension qui existait dans leurs rapports se révélait dans des mesquineries. Margaret, la nièce d'Edgar qui vécut avec eux au cours des années vingt, se souvient qu'il se comportait en enfant gâté : « C'était un vrai tyran pour la nourriture. Son petit déjeuner, alors qu'Annie tenait la maison bien qu'ils eussent une cuisinière, était une véritable cérémonie. Son plat favori était un œuf poché sur un toast. Si le jaune était crevé, il ne le mangeait pas et le renvoyait à la cuisine pour qu'on lui en fasse un autre. Il en absorbait une bouchée, puis donnait le reste au chien. » Anna, la sœur de Margaret, les juge ainsi : « Ils avaient deux fortes personnalités et c'était à qui dominerait la situation. Elle entretenait une belle maison pour lui, tandis qu'il lui fournissait l'argent nécessaire. Il était très bon avec elle et lui offrait souvent des cadeaux et des bijoux, certains très beaux. »

Avec son travail au ministère de la Justice, Hoover comblait les espérances de sa mère, et même au-delà. En novembre 1918, deux mois avant ses vingt-quatre ans, il fut nommé procureur, avec un salaire de 2 000 dollars par an, autant que son père gagnait à l'âge de soixante ans. Bien qu'il ne fût pas encore connu, il commençait à forger son image. Jusque-là, il avait signé les documents de ses initiales « J. E. H. » ou bien « J. E. Hoover » avec une fioriture dans la courbe du J. Mais le célèbre « J. Edgar Hoover » ne devait pas tarder à s'imposer.

Hoover prétendit qu'il avait modifié sa signature la première fois en 1933, quand un magasin d'habillement lui avait refusé un crédit parce qu'un autre John E. Hoover n'avait pas payé sa facture. Comme la plupart des légendes du passé, elle est inexacte. C'est beaucoup plus tôt, le 30 décembre 1918, qu'il changea de style sur un rapport destiné à son patron John Lord O'Brian. Il le signa, avec des enjolivures compliquées : « J. Edgar Hoover ».

Il est possible que, quelques semaines seulement après sa rupture avec Alice, Edgar ait simplement voulu renforcer son ego. Mais l'homme qui dirigeait à l'époque le Bureau d'investigation et qui l'avait aidé dans sa carrière signait « A. Bruce Bielaski ». Les mauvaises langues du ministère de la Justice de l'époque considérèrent que Hoover singeait Bielaski pour mieux faire son trou dans la hiérarchie bureaucratique.

O'Brian, qui avait également poussé Hoover au pouvoir, a toujours parlé de lui avec prudence lorsqu'il était en vie. Il lui survécut quelques mois jusqu'à quatre-vingt-dix-huit ans. Avant sa mort, on le questionna sur son rôle lorsqu'il avait favorisé la carrière du jeune homme qui devait devenir J. Edgar Hoover : « Ça, répondit-il, c'est quelque chose que je préfère chuchoter dans des coins sombres. C'est un de ces péchés qu'il me faut expier. »

3

La terreur
des « Rouges »

Hoover progressa dans la profession grâce à un ministre de la Justice opportuniste, militant anticommuniste de la « chasse aux sorcières ».

Avec la fin de la guerre, le destin de Hoover devenait incertain. Son service des urgences de guerre allait être dissous et il devrait chercher un nouveau travail. Il présenta sans succès sa candidature au Bureau de l'immigration, puis se tourna vers son patron, John Lord O'Brian, pour demander à être transféré au Bureau d'investigation. Il n'obtint pas ce poste-là non plus, mais O'Brian mentionna son nom au ministre de la Justice Mitchell Palmer.

Tout un groupe de hauts fonctionnaires, y compris O'Brian, s'était empressé de quitter le Bureau dès que Palmer avait été désigné. Peut-être parce que, pendant la guerre, alors qu'il était responsable des biens étrangers, des millions de dollars d'avoirs allemands s'étaient retrouvés dans les poches de ses amis démocrates. Il ambitionnait de devenir président et considérait le ministère de la Justice comme un tremplin. Et c'est alors qu'éclata l'hystérie antibolchevique.

Palmer entra en fonctions au printemps de 1919 alors que Lénine lançait son appel à la révolution mondiale. Après des mois marqués d'anecdotes horribles sur les soulèvements en Europe, la classe moyenne américaine était traumatisée par les vagues de grèves aux États-Unis : trois mille cette année-là. Puis commença une campagne d'attentats à la bombe, y compris une attaque au milieu de la nuit contre le domicile du nouveau ministre de la Justice. Le Sénat réclama une étude sur l'éventualité d'un complot visant à renverser le gouvernement et la Chambre des représentants exigea une enquête approfondie sur tous les mouvements de gauche.

La grande terreur des « Rouges » était déclenchée. Palmer engagea l'ancien chef des Services secrets, William Flynn, pour prendre la tête du FBI, avec comme adjoint l'ancien expert russe des Services secrets. En recherchant des collaborateurs, il se souvint d'Edgar Hoover, un des deux seuls membres qui avaient demandé à rester au ministère après la dissolution de leur service. Et c'est ainsi que, après une enquête banale des Services secrets, Edgar devint, à vingt-quatre ans, collaborateur de Palmer à la tête d'une nouvelle section chargée de recueillir des preuves contre les « groupes révolutionnaires et d'extrême gauche ».

Son travail quotidien dépendait de l'autorité directe du ministre adjoint de la Justice, Francis Garvan, fanatique adversaire de la subversion, qui vouait une haine viscérale aux étrangers. Hoover fut rapidement connu comme le « chouchou » de Garvan. Ce jeune homme méticuleux qui se plaisait à classer ses livres et à conserver la liste des mensurations de ses vêtements et qui avait passé beaucoup de temps au milieu des rayonnages de la Bibliothèque du Congrès avait trouvé une place taillée sur mesure. Edgar utilisait maintenant son expérience à établir sur une grande échelle un fichier des gens de gauche.

Le classement des dossiers était pour l'époque d'une étonnante efficacité, très voisine de celle des ordinateurs d'aujourd'hui. En quelques minutes, on pouvait retrouver les noms et les renvois aux autres documents. Cinq cent mille individus furent indexés au cours de cette première opération d'envergure de Hoover, ainsi que soixante mille notices biographiques.

En même temps, Hoover se plongea dans la littérature communiste, les textes de Marx, d'Engels et de Lénine, ainsi que les activités de la Troisième Internationale. Il en rendit compte ainsi à ses supérieurs : « Ces doctrines menacent le bonheur de notre communauté et la sécurité de chaque individu… Elles pourraient mettre gravement en danger la paix dans notre pays. »

Bien qu'à la lecture ces périls aient été plausibles, peu d'historiens estiment qu'il y ait eu un risque réel de révolution violente aux États-Unis au cours des années vingt. Mais, suite à la vague des attentats à la bombe, et grâce aussi à Palmer et à ses jeunes collaborateurs, le pays perdit son sang-froid.

Hoover s'était choisi comme adjoint George Ruch, un ami de collège aux opinions d'extrême droite. Sa conception de la démocratie est résumée dans un de ses rapports : il y manifestait son étonnement que les gens de gauche puissent, comme les autres citoyens, « être autorisés à exprimer par l'écriture et la parole tout ce qu'ils souhaitaient d'hostile au gouvernement ». Les deux complices firent savoir à leurs supérieurs qu'une des façons de régler le problème des dangereux gauchistes consistait à les expulser du pays, en appliquant la loi suivant laquelle l'appartenance à une organisation de gauche constituait un délit passible d'expulsion.

L'opération commença le 7 novembre 1919, jour soigneusement

choisi comme deuxième anniversaire de la révolution bolchevique, avec des descentes de police dans les bureaux du syndicat des travailleurs russes d'une douzaine de villes. Des centaines de suspects furent arrêtés, et nombre d'entre eux furent durement frappés. La plupart furent ensuite relâchés, soit parce qu'ils n'étaient pas étrangers, soit parce que l'on pouvait difficilement les taxer de révolutionnaires. Les expéditions furent menées par la police et les hommes du Bureau d'investigation, mais sur l'initiative du ministère de la Justice et de Hoover.

L'étape suivante de l'offensive fit connaître le nom de Hoover – lorsque l'affaire alla devant les tribunaux. C'est grâce à lui en effet que fut expulsée Emma Goldman, connue aujourd'hui des amateurs de cinéma (grâce au film *Reds* de Warren Beatty) comme une anarchiste, critique de la religion et militante du contrôle des naissances. Elle était également une partisane active de l'amour libre. Cette « gauchiste prostituée » était la bête noire de Hoover. Mais obtenir l'expulsion d'Emma Goldman n'était pas une mince affaire. Elle vivait aux États-Unis depuis trente-quatre ans, bien avant qu'Edgar soit né ; son père et son premier mari étaient devenus citoyens américains. Hoover réussit cependant à la faire condamner en affirmant, grâce à de nombreux documents, que la citoyenneté du mari avait été obtenue frauduleusement et que les discours de Goldman avaient inspiré l'assassin du président McKinley, dix-huit ans plus tôt. Quatre jours avant la Noël de 1919, à 2 heures du matin, Hoover et William Flynn montèrent sur une vedette pour Ellis Island, dans le port de New York. Ils y retrouvèrent Emma Goldman, son amant Alexander Berkman et 247 autres expulsés en train d'embarquer sur le transport de troupes qui les emmenait en Russie. Hoover raconta avec jubilation la scène le lendemain à la presse et promit que « d'autres rafiots communistes retourneraient en Europe, dès que ce serait nécessaire, pour débarrasser le pays des dangereux gauchistes ». Au Nouvel An, Hoover eut peu de temps pour célébrer son anniversaire. Le compte à rebours avait commencé pour la plus grande rafle « rouge » de tous les temps. Le 2 janvier, la police et les agents du Bureau d'investigation arrêtèrent près de dix mille personnes dans trente-trois villes, en général avec brutalité et en violant les droits civiques. Mais la plupart d'entre elles furent reconnues innocentes et ultérieurement relâchées.

Le ministre de la Justice, Mitchell Palmer, et ses services furent vivement critiqués. Louis Post, ministre adjoint du Travail, prit position contre les expulsions et qualifia l'opération de « gigantesque et cruelle supercherie ». Bien que Hoover eût soutenu qu'il n'avait rien à y voir et que ce n'était pas de sa responsabilité, il est clair que lui et Ruch dirigeaient l'état-major la nuit des raids. En effet, les ordres expédiés à travers le pays par le sous-directeur du Bureau, Frank Burke, intimaient aux agents de « téléphoner à Mr Hoover tous les événements importants qui pourraient survenir pendant les arrestations ». Selon un des agents, Burke « s'était entiché de Hoover, lui avait appris tout ce qu'il savait, l'avait entraîné et avait développé ses talents ».

Hoover se servit du Bureau pour espionner les avocats qui défendaient les victimes et soutenaient la thèse de la violation des droits civiques. Une de ses cibles préférées était Felix Frankfurter, futur juge à la Cour suprême et à l'époque brillant professeur de droit à Harvard. Hoover ne cessa pas de le surveiller pendant cinquante ans et disait de lui en privé qu'il était « l'homme le plus dangereux des États-Unis ». En 1961, alors que Frankfurter était à la Cour suprême, un vieux rapport ressortit au détriment d'Edgar. Daté de 1921 et portant sa signature, il accusait le juge de « diffuser la propagande bolchevique ». Dans ce remue-ménage, Hoover essaya de faire croire que le rapport avait une autre source.

« Hoover ment lorsqu'il nie sa responsabilité dans la rafle rouge, affirma Frankfurter. Il était en plein dedans, jusqu'au cou ! » Hoover prétendit qu'il n'avait fait qu'exécuter les ordres. Mais le juge Anderson, qui présidait les auditions sur les expulsions, affirma sèchement : « C'est le devoir de chaque citoyen qui a connaissance de l'idéal américain de démissionner s'il reçoit de telles instructions. »

Mais ni Hoover, ni Palmer, ni le reste de l'équipe n'eurent à souffrir des conséquences qui auraient dû résulter de la rafle des « Rouges ». Les enquêtes du Congrès traînèrent tant en longueur – jusqu'à ce qu'un nouveau président ait désigné un nouveau ministre de la Justice – que tous les responsables échappèrent aux sanctions.

Hoover comprit qu'il était possible d'espionner les gens et de les persécuter non pour des délits mais pour leurs idées politiques. Il savait maintenant que, pour éviter d'être pris en faute, il était vital de s'assurer que la « voie légale » fût respectée, techniquement du moins. Il apprit également qu'il fallait trouver un moyen de mettre à l'abri de la curiosité publique le plus grand trésor de l'enquêteur : ses dossiers secrets. Trop de documents embarrassants avaient été révélés pendant les auditions sur la rafle « rouge ». Plus tard, lorsqu'il devint directeur du FBI, Hoover allait perfectionner un système de fiches qui, sauf en de rares occasions, seraient inaccessibles aux curieux. Des documents pourraient être parfois divulgués, mais uniquement lorsque ce serait dans l'intérêt du directeur.

Il apprit également ce qu'était la politique et le risque d'être fidèle à un seul homme. En juin 1920, lorsque Palmer lutta à la convention démocrate de San Francisco pour se faire nommer candidat du parti à la présidence, Hoover fut à ses côtés. A l'époque, il considérait que son avenir était lié à la carrière politique de son patron et il mobilisa tous ses contacts pour servir sa cause. Après l'échec de la désignation de Palmer, puis la défaite des démocrates, une enquête du Sénat révéla que Hoover et trois autres personnalités officielles avaient voyagé jusqu'à San Francisco aux frais du contribuable. Edgar prétendit qu'il effectuait une enquête de routine sur les gauchistes.

La découverte du Sénat aurait pu lui coûter son poste. A partir de ce moment-là, il prétendit toujours être au-dessus de la politique. Il ne s'inscrivit à aucun parti et ne vota jamais. « Je n'aime pas les étiquettes, affirmait-il en public, et je ne fais pas de politique. » Mais, en réalité, il fut un partisan farouche de l'extrême droite du parti républicain de 1921 jusqu'à la fin de sa vie. Dans une lettre privée à un de ses collègues après la victoire de son homonyme Herbert Hoover à l'élection présidentielle de 1929, il écrivit : « J'ai toujours été d'accord avec les intérêts des républicains, et les résultats de l'élection me causent un réel plaisir. » Ses collaborateurs n'ont jamais douté de cette fidélité. D'ailleurs, peu de ceux qu'il appelait ses amis étaient démocrates.

Cependant, il savait le dissimuler quand il le fallait. Comme le dit William Sullivan : « Il pouvait être tout pour tout le monde. Après lui avoir parlé, un libéral sortait de son bureau en pensant : "Seigneur, mais Hoover est libéral !" Si un membre du groupe réactionnaire extrémiste de John Birch arrivait une heure plus tard, il le quittait convaincu que Hoover était de tout cœur avec lui. C'était un brillant caméléon. » Il savait aussi retourner sa veste. Frank Burke, le directeur adjoint du Bureau d'investigation, qui avait fait tout ce qu'il pouvait en faveur de la carrière d'Edgar, apprit un jour que, dans son dos, il le traitait de « minable ». Dans sa colère, il menaça de « foutre en l'air » Hoover. A leur rencontre suivante, se souvient l'agent James Savage, « le jeune et maigrichon Hoover était entouré de trois gardes du corps costauds, membres de son service ».

Les choses allaient de mal en pis au ministère de la Justice. Harry Daugherty, nommé par le nouveau président, l'insignifiant Harding, était un politicien combinard, encore moins apte au poste que ne l'avait été Palmer. La prévarication continua de plus belle, aggravée d'une bonne dose de corruption. En 1921, la réorganisation des services par Daugherty permit à Hoover de rejoindre enfin l'agence qui devait être son foyer professionnel pour le reste de sa vie. Le 22 août, il fut nommé directeur adjoint du Bureau d'investigation sous les ordres de William Burns. Le nouveau directeur, ancien policier de New York aux allures de play-boy, distribuait les postes comme des faveurs politiques.

Daugherty était aussi acharné à écraser les communistes et les gauchistes que son prédécesseur. Son système incluait également l'espionnage des représentants et sénateurs, et certains des résultats parvenaient à Hoover. Plus tard, Hoover soutint toujours que personne n'avait jamais fourré son nez chez les membres du Congrès depuis qu'il était directeur. C'était sans aucun doute un mensonge, mais, comme patron, il pouvait en effacer les traces.

Dickerson Jr était loin d'être impressionné par le titre pompeux de son frère cadet et n'arrêtait pas de se moquer de lui. Une nuit, Edgar, qui retournait seul à la maison, se rendit compte qu'il était suivi. Une ombre se cachait dans les buissons, puis elle réapparut à la lumière avec un hurlement à glacer le sang. C'était Dickerson ! Edgar se précipita chez sa mère pour se plaindre de son frère. Annie exerça des représailles sur la femme de Dickerson, que de toute façon elle détestait.

Hoover supportait mal les plaisanteries sur les détectives. Il prétendait « détester » les romans policiers. Cependant, il possédait une collection complète de *Sherlock Holmes* et on l'a vu souvent acheter dans les kiosques des magazines d'histoires criminelles bon marché. Son image et son statut représentaient beaucoup pour lui. Ainsi Edgar Hoover était-il devenu franc-maçon et avait-il participé à l'étrange cérémonie d'initiation : les yeux bandés, un nœud coulant autour du cou il avait juré sur la pointe d'un poignard de ne jamais révéler les secrets de l'ordre. Hoover devait progresser dans la hiérarchie maçonnique jusqu'au plus haut grade, le trente-troisième degré, qu'il atteint à soixante ans.

Au cours des années vingt, alors que l'Amérique était fanatique de jazz et de marathons de danse, Hoover menait une vie très guindée. Il n'avait pas de petite amie, mais voyait beaucoup un camarade de classe qu'il avait fait entrer au ministère de la Justice. Élégamment vêtus de costumes blancs, tous deux allaient ensemble au nouveau cinéma Fox le samedi soir. Ils devaient rester longtemps amis, jusqu'à ce que l'autre se marie.

Hoover à l'époque n'avait qu'un seul grand amour : Spee De Bozo, le chien qu'il avait adopté en 1922. L'airedale accompagnait chaque matin son maître lorsqu'il allait acheter son journal et s'asseyait à table pour finir la nourriture dont Edgar ne voulait plus. Sur son bureau trônait une photo, non celle d'un ami ou d'un parent, mais celle de Spee, qui devait être le premier d'une série de sept chiens. Lorsque Spee De Bozo mourut, Hoover organisa ses funérailles. Avec trois de ses camarades, il se rendit au cimetière des animaux d'Aspin Hill. Le chapeau sur le cœur en signe de respect, ils regardèrent descendre dans la tombe l'airedale dans son linceul blanc. « C'est un des plus tristes jours de ma vie », dit Hoover.

Le FBI se servait souvent pour sa propagande de cet amour des chiens. Au cours d'une conférence, un des adjoints de Hoover raconta avec le plus grand sérieux à son auditoire de l'université de Yale : « Je me souviens qu'un jour un condamné à mort, avant d'aller sur la chaise électrique, écrivit à Mr Hoover pour lui demander de prendre soin de son chien et lui dit qu'il apprécierait ce qu'il pourrait faire pour lui. » Hoover aimait ressasser l'histoire de l'arrivée à la maison du successeur de Spee, un terrier appelé Scottie : « Je revois encore ma mère, les larmes qui coulaient de ses yeux pour exprimer sa surprise et sa joie. »

En réalité, la vie à la maison était pesante. La plupart du temps, Edgar se retirait dans sa chambre dès qu'il rentrait, et travaillait sur ses dossiers tard dans la nuit. Depuis qu'il était directeur adjoint, il devait parfois prononcer des discours, et il les avait en horreur. De sa chambre voisine, sa nièce Margaret l'entendait souvent s'entraîner. « Pendant un certain temps, dit-elle, il a eu un problème : il bégayait. »

Un membre du Congrès, l'observant au cours de sa chasse aux communistes, voyait en lui « une pile électrique survoltée ». Il s'était mis à fumer, beaucoup trop, des cigarettes turques de la marque Fatima. En 1924, toujours bouffi en dépit de son faible poids, il commençait à se plaindre de problèmes d'estomac.

A vingt-neuf ans, Edgar était solitaire et tendu. Mais il devait bientôt faire le pas décisif de sa carrière, ce qui allait combler de joie sa mère.

4

« Napoléon le Kid »

En 1924, le jour de la fête des Mères, Annie Hoover offrit à son fils une bague, un saphir serti de diamants qu'il devait porter jusqu'à la fin de sa vie. La veille, le 10 mai, Edgar avait été promu à la tête du Bureau d'investigation. Il a souvent raconté qu'il avait été appelé ce samedi-là par Harlan Stone, le nouveau ministre de la Justice, qui avait pour mission d'épurer ses services. Stone avait déjà renvoyé William Burns, et Hoover s'attendait à subir le même sort. Mais, au lieu de cela, Stone avait grommelé : « Jeune homme, je vous veux comme directeur. » Ce n'est qu'après la mort de Stone que Hoover présenta cette version, dont il passa sous silence un aspect moins flatteur. En réalité, Stone avait pris ses fonctions sans connaître ses adjoints et savoir à qui il pourrait faire confiance. Il demanda alors conseil à ses collègues du gouvernement, y compris au ministre du Commerce, Herbert Hoover.

Edgar Hoover n'avait aucun lien de parenté avec son homonyme mais il était depuis longtemps en contact avec quelques-uns de ses proches collaborateurs, en particulier Lawrence Richey, un ancien agent du Bureau qui l'appelait affectueusement « J. E. ». Apprenant que le ministre de la Justice était en quête d'un nouveau chef pour le Bureau, Richey réagit aussitôt : « Pourquoi diable cherchent-ils ailleurs, alors qu'ils ont l'un des plus brillants juristes déjà sur place ? » Et c'est ainsi que le nom de Hoover parvint aux oreilles de Stone. Mais sa nomination ne fut pas annoncée à la presse, et Stone fit clairement savoir que l'affectation n'était pas définitive. « Je veux le type le meilleur, dit-il. Jusqu'à ce que je l'ai trouvé, j'ai l'intention de superviser moi-même le Bureau. » La préoccupation majeure du ministre, après les abus de l'époque Daugherty, était de restaurer la confiance. Hoover dut donc s'accrocher à son poste durant cette période délicate et persuader Stone qu'il avait fait le bon choix.

Suivant un article inspiré par Hoover, « il y avait au Bureau une pièce où les fainéants se réunissaient pour se raconter des histoires cochonnes et abuser de la bouteille ». Le nouveau directeur fit fermer le local et mit à la porte de nombreux agents. « Hoover, dit l'article, était autant révolté par l'immoralité de ces pratiques que par le gaspillage du temps de travail. » Parmi toutes ses réussites, l'épuration des agents du FBI fut la plus efficace à long terme. Depuis la prise de ses fonctions jusqu'à aujourd'hui, on n'a pratiquement jamais entendu parler de corruption chez eux. Leur intégrité leur a valu l'admiration et la confiance du public et fait d'eux les joyaux de la couronne de Hoover.

Le nouveau directeur avait à son actif un autre élément qui devait satisfaire Stone, violemment critique à l'égard des excès du Bureau lors de la rafle contre la gauche. Il découvrit qu'Edgar le chasseur de Rouges était brusquement devenu modéré. Dix jours après sa nomination, Hoover assura une commission du Sénat que le Bureau cesserait d'enquêter sur les citoyens en raison de leurs opinions politiques. A la demande de Stone, il prit contact avec Roger Baldwin, le directeur de l'Union américaine des libertés civiques (*American Civil Liberties Union*, ou ACLU). Baldwin accusait le Bureau d'entretenir « un service de police secrète » ; il avait vu lui-même l'installation d'écoutes téléphoniques et avait été averti du projet de créer un faux syndicat local truffé d'informateurs du gouvernement. Après que Hoover eut assuré qu'une « ère nouvelle » commençait, Baldwin écrivit à Stone qu'il « s'était trompé sur l'attitude de Mr Hoover ».

Pourtant, après la mort d'Edgar, Baldwin, âgé de quatre-vingt-treize ans, put prendre connaissance des archives du Bureau sur l'ACLU. Il y découvrit que, même du temps de Stone, Hoover continuait à recevoir d'un agent des rapports complets sur ses réunions. Le Bureau utilisait les renseignements de la police pour espionner le groupe et, jusqu'en 1977, a toujours refusé de dire si ces opérations continuaient.

Hoover essaya de faire nommer comme adjoint son meilleur ami, l'extrémiste de droite George Ruch. Le ministre de la Justice refusa à la suite d'un tollé général, mais il confirma la nomination de Hoover à la tête du *Bureau of investigation* (le terme *federal* ne devait être ajouté qu'en 1935, le BI devenant le FBI). L'annonce en fut faite le 22 décembre 1924, dix jours avant le trentième anniversaire d'Edgar. Il allait conserver ce poste pendant quarante-huit ans.

Tant qu'ils furent en vie, Hoover se coucha à plat ventre devant Stone et Herbert Hoover, les deux hommes responsables de sa promotion. Tous deux allaient recevoir fréquemment des lettres flagorneuses et trouver à chacun de leurs voyages des agents du FBI les attendant pour leur souhaiter la bienvenue. Hoover s'empressa de faire des recherches confidentielles pour satisfaire son homonyme. Il dénicha un job d'été pour le chauffeur de Stone. En fait, il ne manqua aucune occasion de leur témoigner sa reconnaissance pour la chance qu'ils lui avaient donnée.

Edgar Hoover s'était dégagé des ruines de l'ancien Bureau. Il pouvait maintenant commencer à construire son empire.

Hoover allait créer une des plus puissantes organisations des États-Unis, une des plus inquiétantes aussi. Son succès serait dû à un ensemble de circonstances : rapide mutation sociale et politique et beaucoup de chance. Il mit au service de sa mission son propre talent d'organisateur, sa clairvoyance sur la mentalité du pays et une capacité d'auto-promotion sans équivalent dans la vie publique. Il prit ses fonctions au bon moment. Après la débâcle de la présidence de Harding, l'Amérique avait mis sa foi dans la compétence des administrateurs, leur formation intellectuelle et les merveilles de la technologie. Le nouveau directeur répondait à ces trois besoins.

Hoover commença par faire des coupes claires parmi les agents malhonnêtes et ferma plus de vingt agences locales. En cinq ans, au lieu de l'accroître, il réduisit le nombre de ses employés à 339, un quart de moins que lorsqu'il avait pris la direction. Puis il engagea de nouvelles recrues qui devaient être âgées de vingt-cinq à trente-cinq ans et avoir des connaissances juridiques et économiques.

L'impétrant, muni de la lettre d'engagement de Hoover, touchait un salaire de 2 700 dollars par an, plus une allocation de frais de transport, et acceptait de se rendre n'importe où à travers les États-Unis à n'importe quel moment. Pendant son travail, il devait porter un costume, une chemise blanche, une cravate et un chapeau classiques. Au début, il signait un document concis dans lequel il s'engageait à défendre la Constitution « contre tout ennemi, étranger ou de l'intérieur ». Plus tard, les nouveaux venus durent prêter un extraordinaire serment rédigé par Edgar, qui ressemblait à une sorte de catéchisme, aux nuances maçonniques :

> Reconnaissant humblement les responsabilités qui me sont confiées, je fais serment de toujours considérer la vocation de faire respecter la loi comme une profession honorable, dont les charges sont à la fois un art et une science... dans l'accomplissement de mon devoir je m'efforcerai, comme un prêtre, d'apporter bien-être, conseils et aide... comme un soldat, je mènerai une guerre sans merci contre les ennemis de mon pays... comme un médecin, je m'évertuerai à éliminer les parasites criminels qui gangrènent notre organisme politique... comme un artiste, je veillerai à me servir de toute mon habileté pour que chaque mission accomplie soit un chef-d'œuvre.

Une des recrues, Edward J. Armbruster qui servit le Bureau de 1926 à 1977 comme spécialiste de la fraude financière, en est un exemple typique : abstinent, franc-maçon, instructeur religieux, habitant une maison préfabriquée, il fit entrer sept de ses élèves au FBI. Edgar le considérait comme un modèle et lui permit de continuer à travailler longtemps après l'âge de la retraite.

Un agent de la nouvelle génération a dressé le portrait d'un vétéran : « Il s'affuble d'un tas de trucs désuets : anneaux, insignes et broches de pierres précieuses. Une épingle à tête de lion maintient sa cravate bien droite. Des boutons ferment ses manchettes blanches. Il porte l'anneau de son collège à la main droite pour se différencier des incultes, et un anneau maçonnique pour se protéger spirituellement. A l'annulaire de la main gauche, il a une alliance, même s'il n'est pas marié, pour se défendre des avances des femmes qu'il peut être amené à interroger. »

Un autre agent de la première génération décrit ainsi le genre d'homme que voulait Hoover : « Il fait partie du gratin de la classe moyenne. Il mange correctement et s'habille bien mais ne possède jamais de brillante voiture de luxe ni de maison somptueuse... Pour le meilleur et pour le pire il est marié à son emploi vingt-quatre heures sur vingt-quatre. Il appartient corps et âme au Bureau, et n'est que prêté à sa famille et à ses amis. Il apprend à réévaluer sa vie en fonction de son travail, s'abstient des plaisirs ordinaires des simples mortels et il oublie souvent comment se relaxer. La devise de sa vie est : "Pour Dieu, pour la Patrie et pour J. Edgar Hoover." »

Sous le manteau, les agents en vinrent à appeler Hoover : « Napoléon le Kid ». Il était dictatorial et de petite taille – entre 1,65 et 1,70 mètre –, le chiffre le plus élevé étant celui qu'il avait inscrit lui-même sur son dossier. Il compensait cette infériorité par des astuces. Il prenait place dans un fauteuil pivotant remonté le plus haut possible pour dominer ses visiteurs, eux-mêmes assis dans un canapé très bas. En outre, siège et bureau étaient installés sur une petite estrade. « Il m'accusait de porter des chaussures spéciales pour être aussi grand que lui, raconte un autre agent. C'était drôle parce que je mesure 1,85 mètre ! » En réalité, c'était Edgar qui se faisait faire sur mesure des chaussures à semelles hautement compensées.

Hoover était un véritable tyran. Pendant la Prohibition, qui coïncida avec ses dix premières années au Bureau, il congédia des agents surpris à boire en dehors des heures de service. En 1940, alors que la vente d'alcool était depuis longtemps légale, il réduisit le salaire d'un agent simplement parce qu'il avait été vu en compagnie d'un collègue ivre dans une boîte de nuit.

Les célibataires étaient censés vivre comme des moines. Lorsque Hoover apprit un jour qu'un de ses agents avait eu des relations sexuelles avec une femme dans le bureau de Knoxville, dans le Tennessee, il ne se contenta pas de licencier les deux coupables, mais il dispersa à travers le pays tous les autres employés de l'agence. Bien qu'il ait soutenu ne souhaiter nullement que ses hommes restent célibataires, il s'efforça au début de faire obstruction à des mariages qui ne lui plaisaient pas. Il alla jusqu'à employer des moyens clandestins pour briser des couples qui n'avaient pas son accord. C'est ainsi que la femme d'un agent reçut des lettres anonymes pour l'informer, à tort, que son mari était infidèle.

En 1959, l'agent responsable de San Diego se vit interdire de servir de témoin à un de ses employés, catholique, qui épousait une protestante divorcée. Bien qu'il se soit incliné, il fut dégradé pour avoir soutenu la protestation des catholiques de son agence.

Lorsque les employés étaient mariés, Hoover continuait sa surveillance. Les chefs des agences locales avaient l'ordre de l'informer de toute relation extra-conjugale. Des générations d'agents vécurent dans la terreur des équipes d'inspection, qu'ils appelaient les « gorilles ». Ils faisaient des descentes sans prévenir pour relever les infractions même mineures, comme ranger des horaires d'avion dans un tiroir réservé aux documents officiels, ou cacher des vêtements sales derrière un radiateur. Les peccadilles se traduisaient par une lettre d'avertissement – la plupart des agents en avaient tout un stock. Les fautes plus graves étaient suivies d'un transfert immédiat. Après une série de mutations, le coupable finissait au « bureau bicyclette » destiné à pousser au départ un agent dont les torts ne méritaient pas le renvoi. Ainsi, celui qui avait été condamné à changer de poste tous les deux mois en arrivait à démissionner.

La sanction ultime, le renvoi « pour faute grave », avait des conséquences désastreuses et sur le long terme. La victime ne pourrait jamais plus être fonctionnaire et n'aurait aucune aide pour obtenir un nouveau travail.

Les agents menaient une vie dangereuse, surtout à l'ère du gangstérisme des années trente. Jusqu'en 1934, ils ne portèrent d'arme qu'en cas d'impérieuse nécessité et vingt-deux d'entre eux moururent pendant que Hoover était à la direction. Mais en dépit des risques et de la discipline draconienne, ils étaient contents de servir sous ses ordres. Leur salaire et leurs avantages étaient supérieurs à ceux des autres fonctionnaires fédéraux et ils entretenaient un esprit de corps qui faisait envie. Hoover gagna leur respect en supervisant personnellement la chasse au meurtrier du premier agent tué en service, qui devait aboutir à sa capture. Il veillait aussi à ce que l'on s'occupe des veuves et de leur pension et il leur garantissait un emploi de bureau si elles le désiraient.

Hoover pouvait tout aussi bien, sans prévenir ou se justifier, jouer le patron humain que le père fouettard. Un des agents se souvient de l'empressement avec lequel le directeur lui accorda un transfert pour rester près de sa femme enceinte. En revanche, un autre, à qui l'on proposait une promotion et qui avait demandé qu'elle soit repoussée d'un mois pour qu'il puisse s'occuper de son nouveau-né, fut laissé dans le rang, sans avancement.

Hoover était autant aimé que haï par ses hommes. Dans la dure période de récession des années vingt et trente, il fit du Bureau, comme c'était le cas de l'armée, un véritable refuge institutionnel pour son personnel et un abri contre le monde extérieur. Les instructeurs enseignaient aux recrues : « C'est la plus grande organisation imaginée par un esprit humain. » On leur apprenait également qu'une « institution est l'ombre portée d'un homme »... lequel était bien sûr le directeur. Le Bureau était devenu une grande famille et Edgar Hoover le patriarche, façon XIXe siècle, récompensant ou châtiant suivant son bon vouloir.

Mais il avait rendu le Bureau unique et indispensable. Alors que dans ce domaine l'Amérique avait peu progressé depuis l'époque de la marche vers l'Ouest, Edgar introduisit le modernisme dans l'application de la loi. Lorsqu'il s'installa à la direction, en 1924, il apporta avec lui plusieurs caisses de fiches dotées d'empreintes digitales, auxquelles vinrent s'ajouter les 800 000 envoyées par le pénitencier de Leavenworth, qui devaient devenir la source d'une révolution technologique. Hoover rêvait d'un organisme qui détiendrait les empreintes digitales de tous les citoyens, innocents aussi bien que coupables. Il n'y parvint jamais, mais il réussit tout de même à centraliser toutes celles que détenaient les divers services de police à travers le pays, ainsi que celles de milliers d'employés fédéraux et plus tard, au cours de la Seconde Guerre mondiale, de tout soldat, marin ou aviateur, ainsi que de tous les travailleurs de l'industrie de guerre.

Le bureau des empreintes digitales, au début une simple salle d'archives, évolua pour devenir un grand centre du ministère de la Justice, puis un bâtiment de six étages occupant tout un bloc de la ville. Au cours des années soixante, on disait que les cartes empilées les unes sur les autres atteindraient une hauteur très supérieure à celle de l'Empire State Building. A la mort de Hoover, le Service d'identification sur ordinateurs permettait de trouver immédiatement les spires des doigts de 159 millions d'individus.

Hoover mit également sur pied un très important laboratoire de criminologie où une équipe d'experts s'occupait des études de balistique et analysait les poisons, les cheveux et les fibres de tissu. D'autres membres du Bureau ont passé toute leur vie à étudier les tampons en caoutchouc, les caractères d'imprimerie, les signatures de chèques, les cartes d'identité, les modèles de machines à écrire, les dossiers de lettres anonymes. Le laboratoire de criminologie devint rapidement le plus moderne du monde et la clé de l'expansion de l'empire de Hoover. La première étape consista à persuader les diverses polices des États américains, toujours jalouses de leurs prérogatives, que dans une nation de plus en plus mobile un système central d'empreintes digitales était indispensable. Lorsque les polices locales commencèrent à envoyer les copies de leurs fichiers à Washington, au rythme de milliers par jour, l'augmentation considérable des arrestations et des condamnations prouva la justesse du raisonnement d'Edgar.

La centralisation et la modernisation technique transformèrent le Bureau : la petite agence du début, à la compétence limitée, devint un organe vital dont dépendaient tous les autres secteurs policiers. Puis furent mises sur pied les « Annales du crime », un miracle de la bureaucratie qui rassemblait les statistiques de millions de crimes et délits commis à travers tout le pays. Ensuite, ce fut le « Bulletin du respect de la loi », la première liste centralisée de recherche de coupables qui devint un magazine transmettant habilement le point de vue du Bureau, c'est-à-dire de Hoover, à chaque policier du pays. Ainsi le FBI détenait le monopole virtuel de toute l'information criminelle, non seulement à destination des professionnels mais pour le pays tout entier, comme un véritable évangile du Mal.

Le lien final avec l'ensemble des forces de police des divers États fut établi en 1935, lorsque Hoover fonda l'école d'entraînement qui devait devenir l'Académie nationale du FBI. A une époque où les policiers n'avaient pas de qualification professionnelle, ceux qui suivaient les cours devinrent l'élite. Sur les meilleurs élèves sortis de l'école, un sur cinq finit à la tête de divers services de police à travers le pays. La remise des diplômes donnait lieu à une cérémonie à laquelle assistaient le président et le ministre de la Justice. L'Académie était considérée comme le West Point ou le Harvard de la police.

Mais Edgar Hoover était clairvoyant. Il savait qu'un sentiment de crainte demeurait à l'égard d'une police fédérale trop forte. Aussi ne cessait-il d'affirmer qu'un tel pouvoir était préjudiciable à tout bon fonctionnement. Cependant, grâce à la fraternité policière qu'il mettait en place, il instaurait bien le contraire de ce qu'il déclarait publiquement. Tout dépendait entièrement du Bureau, et le Bureau, tout le monde le savait, c'était Hoover. Il sut limiter ses activités à des opérations au succès garanti. Par exemple, il évita d'assumer la responsabilité du trafic de drogue, car il craignait d'exposer ses agents à la corruption et parce qu'il y avait peu de chances de réussite rapide. Ainsi ce furent d'autres agences qui s'occupèrent de la drogue, de la contrebande, des faussaires et de l'immigration clandestine. En réalité, tant que Hoover en fut le directeur, le Bureau n'eut de juridiction que sur 1% des délits commis aux États-Unis. Il se réservait des objectifs simples qui lui offraient un prestige facile.

Hoover pratiquait l'autopromotion mieux qu'aucune autre personnalité politique. Aux frais du contribuable, il créa la Division 8, désignée par euphémisme « Annales du crime et communication ». Son ancien camarade d'université Louis Nichols en prit la tête et installa ses bureaux à New York, dans Madison Avenue, le temple de la publicité, pour la plus grande gloire de Hoover et du FBI.

L'organisme avait de multiples fonctions, l'essentiel étant de communiquer au public des messages n'ayant rien à voir avec la répression policière, mais destinés à diffuser les sermons d'Edgar. Son langage faisait appel à l'émotion, en particulier la peur, et dénonçait « la détérioration morale », « la maladie de l'indifférence », « la jeunesse irrespectueuse », « les actes dépravés des adolescents », « la décadence morale », « les éléments anarchistes », « les chacals des médias », « les menaces contre la sécurité de notre pays », « le nouveau spectre qui hantait l'Occident ». De toutes ces horreurs il résultait que seuls Hoover et le FBI pouvaient se dresser entre l'Amérique et le cataclysme.

Hoover avait mis au point un style insidieux qu'il utilisait dans des circonstances délicates, en particulier pour salir la réputation de ceux qu'il considérait comme des ennemis politiques. On en trouve un exemple dans sa conclusion d'un compte rendu à propos de « prétendues indiscrétions sur les rapports sexuels inter-raciaux » d'un juriste de la section des droits civiques du ministère de la Justice. Elle s'achève ainsi : « Ces propos n'ont pas été rapportés directement à des représentants du FBI, mais à une tierce personne. Par conséquent, le FBI n'est pas en mesure de porter de jugement sur la véracité de la source ; cependant, cette personne a fourni d'autres informations, dont certaines sont discutables, ce qui laisse subsister un doute sur la crédibilité de l'informateur. » Ainsi, en faisant planer le doute sur la source de l'information, Edgar protégeait le Bureau tout en salissant la personne visée. D'ailleurs, cette enquête, comme des milliers d'autres, n'avait rien à voir avec des activités proprement policières.

Mais toutes ces mesquineries ne devaient bientôt être que brouilles. La puissance politique de Hoover devait grandir considérablement lorsque, à la veille de la Seconde Guerre mondiale, le président Roosevelt lui confia la mission de protéger la sécurité nationale. Grâce au mandat destiné essentiellement à enquêter sur les fascistes, Hoover se trouvait à nouveau en mesure de s'attaquer à ses ennemis préférés, les gauchistes.

Disposant de la propagande des « Annales du crime », d'un FBI en pleine expansion avec plus de trois mille agents en 1946, et de la décision du président d'utiliser tous les moyens de la police, y compris les écoutes téléphoniques, la voie était libre pour une nouvelle chasse aux Rouges. Des milliers de citoyens américains furent persécutés, directement ou indirectement, par le FBI. Hoover entretenait la version que les communistes étaient responsables de tous les problèmes sociaux des États-Unis, depuis la libération sexuelle jusqu'à la délinquance juvénile.

Le protégé de Hoover, le sénateur McCarthy, devait développer les mêmes arguments, mais il allait être victime de sa propre démagogie. Tandis qu'Edgar veilla soigneusement à ne pas occuper le centre de la scène et réussit à maintenir l'illusion qu'il était « au-dessus de la politique ». Il s'était depuis longtemps assuré de la loyauté absolue des organismes puissants que représentaient les polices, les procureurs, des États et fédéraux, les innombrables agences qui dépendaient du FBI pour assurer la sécurité, et les organisations patriotiques comme l'American Legion, que Hoover avait systématiquement courtisée et infiltrée, et qui en avait fait un dieu. Une série de sondages montre que, vers la fin des années quarante, la majorité de la population estimait que Hoover et le Bureau ne pouvaient pas agir mal. Les critiques furent pratiquement inexistantes jusqu'au milieu des années soixante, et lorsque certaines s'exprimaient, Hoover trouvait le moyen de les étouffer. Des journalistes impertinents furent ainsi contraints au silence par la crainte ou la calomnie.

A la fin de la guerre, Edgar avait également le Congrès à son service. Le Bureau possédait un dossier sur tous les hommes politiques du Capitole et entretenait des contacts avec chacun. Ceux qui occupaient des positions importantes étaient particulièrement courtisés, et la plupart d'entre eux étaient heureux de partager les projecteurs avec Hoover. Au lieu d'être obligé de mendier pour obtenir des crédits, comme la plupart des autres chefs d'agence, c'était lui qui tirait les ficelles. Lorsqu'il comparaissait chaque année devant la Commission du budget de la Chambre des représentants, il faisait avec succès le même numéro. Il produisait une quantité de statistiques prodigieuses sur le crime, une liste de réussites stupéfiantes du FBI accompagnées d'avertissements inquiétants pour l'avenir afin de justifier ses demandes de fonds. Elles ne furent jamais rejetées, et de 1924 à 1971 il n'y eut pas une seule audition publique consacrée au budget du FBI.

Hoover se présentait toujours comme le serviteur obéissant, voire même obséquieux, de l'autorité. En théorie, son patron était le ministre de la Justice. Mais, en réalité, lorsque au cours des années trente il devint un héros public, cette subordination se révéla illusoire. Aucun ministre de la Justice ne se serait risqué à affronter l'homme qui s'était mué en symbole national d'intégrité. En revanche, les huit présidents qu'il servit avaient, eux, le pouvoir de le mettre à la porte. Un ou deux faillirent le faire, et d'autres en mouraient d'envie, mais aucun ne réussit. Edgar savait faire en sorte que ses services semblent essentiels, et les présidents qui en doutaient n'osèrent pas scandaliser les forces puissantes qui estimaient que la cause d'Edgar était la leur.

Les dossiers de Hoover constituaient son stock commercial. Il en était aussi fier que de sa technologie de pointe. Les présidents et les hommes politiques étaient condamnés à vivre avec la menace, réelle ou imaginaire, que leur dossier pourrait les foudroyer. Des bordereaux de routine aux rapports de scandales, des analyses détaillées aux bribes d'informations aléatoires, la montagne des papiers de Hoover était autant un rêve bureaucratique qu'un cauchemar démocratique. Même aujourd'hui, peu de gens hors du FBI sont en mesure de comprendre son système de fiches. Quand il était vivant, personne de l'extérieur n'en savait quoi que ce soit. Le secret, sous couvert de protéger la vie privée, était sa sauvegarde. Son classement était réparti en catégories portant des titres comme : « Obscène », « Déviations sexuelles », « Officiel et confidentiel », « Personnel et confidentiel ». Il y avait même une catégorie « Ne pas classer », où se trouvaient les rapports sur les effractions illégales commises par le Bureau.

Tous les dossiers sont toujours restés sous le contrôle d'un seul homme. Les adjoints de Hoover pouvaient être brillants dans leur spécialité ou de vulgaires porte-couteaux, des êtres d'une grande intégrité ou des créatures capables du pire, ils dépendaient tous de lui au sein d'un univers fermé et compartimenté qui ne permettait à aucune alliance de menacer sa position.

Hoover avait créé son propre domaine clos de telle sorte qu'il détenait le pouvoir absolu sur ceux qui le servaient et les armes pour défier ceux qui lui résistaient. Mais il avait surtout mis au point un instrument susceptible de saper les libertés civiques.

5

Le gendarme
de la Dépression

Ceux qui le connaissaient bien se rendaient rapidement compte que Hoover avait une obsession. Le petit garçon de Seward Square, le rejeton d'un père perturbé et d'une mère ambitieuse, insistait pour que tout se déroulât exactement comme il en avait donné l'ordre et correspondît à sa notion de la perfection.

Ce comportement se retrouvait dans des détails, comme son obsession pour l'ordre. Chez lui, les domestiques se faisaient insulter si un dessus-de-lit était légèrement de travers, si un coussin n'était pas à sa place ou si une feuille morte avait été oubliée devant l'entrée. Sa secrétaire se souvient que chaque matin en arrivant il époussetait ses chaussures, au cas où elles auraient perdu leur brillant pendant son trajet en voiture. Au quartier général, qu'il considérait comme le siège de son gouvernement, un des cadres supérieurs se fit réprimander un jour simplement parce que le store de la fenêtre de son bureau avait été trop descendu. « Cela fait désordre vu de l'extérieur », lui reprocha le directeur.

Comme le millionnaire excentrique Howard Hughes, Hoover avait peur des microbes. Pour s'en défendre, il exigeait que son bureau soit toujours frais et avait fait installer un appareil produisant des rayons ultraviolets pour éliminer les bacilles. Un employé armé d'une tapette était chargé de chasser les mouches. En outre, le directeur évitait le contact physique avec des étrangers, en particulier ceux qui avaient la main moite. Il protégeait sa fragile petite personne comme dans un abri atomique.

Ses collaborateurs avaient appris qu'il ne reconnaissait jamais avoir tort ni que cela fût même possible. Un jour, un chef de poste se sentit obligé de lui faire remarquer qu'il citait des chiffres erronés. Hoover s'assit en silence, rouge comme une écrevisse, jusqu'à ce que son interlocuteur ait quitté le bureau. Plus tard, il punit sévèrement l'agent qui lui avait fourni ces chiffres.

Mais ceux qui travaillaient avec lui savaient comment le prendre.

Lorsque Hoover refusa que l'on fît une enquête approfondie pour prouver que le Mouvement des droits civiques n'était pas, comme il le soutenait, d'inspiration communiste, le chef de service impliqué reconnut simplement avec humilité que son rapport était « inexact ». Quand il traita de « conneries » les rapports qui confirmaient l'existence de la Mafia, l'auteur se garda de discuter. Lorsqu'il exprima sa tristesse à propos de la mort d'un agent qui n'avait été que blessé, les collègues de la victime s'amusèrent à tirer à la courte paille pour désigner celui qui l'achèverait. Le directeur n'avait jamais tort !

Hoover était un maniaque de l'autorité. Un vétéran gâcha un jour une réunion amicale en rappelant au patron le bon vieux temps, lorsque le Bureau était plus modeste :

« Vous pouviez alors suivre personnellement tout ce qui s'y passait.

– Je sais personnellement TOUT ce qui se passe, explosa Hoover. C'est MOI qui fais marcher ce Bureau ! »

Puis il se fit apporter le dossier de l'agent pour y supprimer les appréciations favorables qu'il y avait inscrites auparavant.

Le couloir qui conduisait au sanctuaire de Hoover avait été baptisé le « Pont des Soupirs ». Celui qui dominait le mieux la situation était l'huissier noir Sam Noisette qui introduisait les visiteurs : « S'il neige dehors, disait-il, et que le directeur arrive en disant : "Quelle belle journée !", alors il fait beau. C'est tout. »

A première vue, le corps des agents, fondement de la réputation du Bureau, semblait représentatif des diverses couches sociales. On y trouvait d'anciens paysans, des aviateurs, des journalistes, un boulanger, des joueurs de football professionnels, des cow-boys, des employés des chemins de fer et des mineurs. Quelques-uns avaient une formation militaire et Hoover appréciait particulièrement les anciens Marines. Mais il ne recrutait pas de Noirs, d'Hispaniques ou de femmes et faisait preuve de discrimination à l'égard des juifs.

Lorsqu'il devint directeur, en 1924, trois femmes étaient policières. Deux furent licenciées en un mois. Il conserva la troisième, Leonore Houston, sur la pression du Congrès, mais elle ne resta pas longtemps. Le dossier du FBI précise qu'elle finit ses jours dans un hôpital psychiatrique, « en menaçant de tuer Hoover dès qu'elle serait sortie ». Ensuite, il ne fut plus question d'embaucher de femmes, car, disait le directeur, « elles ne sont pas capables de se servir d'une arme, ce que tous nos agents doivent savoir faire ». Il ne changea jamais, même lorsque deux féministes, près de cinquante ans plus tard, attaquèrent en justice le FBI, estimant que le refus de les engager constituait une violation de leurs droits constitutionnels. Aujourd'hui, on compte près de neuf cents policières au FBI, toutes expertes dans le maniement des armes à feu.

Avec celles qu'il employait comme secrétaires, Hoover se conduisait en vrai gendarme. Il avait grandi à une époque où les femmes étaient arrêtées lorsqu'elles fumaient en public, aussi leur interdisait-il de le faire au bureau. Il s'opposa jusqu'en 1971 à ce qu'elles portent des pantalons et ne capitula que lorsque sa propre secrétaire le persuada que c'était nécessaire pour se protéger du froid en hiver. Il intervenait également dans leur vie privée. Le chef de l'agence de Miami se souvient que « lorsqu'une fille qui travaillait au service des empreintes digitales tomba enceinte alors qu'elle n'était pas mariée, Hoover devint furieux. Il voulait savoir qui avait enquêté sur elle avant que nous l'engagions, et si elle couchait avec n'importe qui. Quand il découvrit qu'elle vivait avec un garçon, il l'a mise aussitôt à la porte. Il ne voulait pas que l'on sache que nous employions des filles comme cela ».

Hoover avait également des préjugés contre les juifs. A Miami, où il passait chaque Noël, il choisissait toujours les hôtels qui, jusqu'à la Seconde Guerre mondiale, affichaient : « Pas de juifs. Pas de chiens. » Dans un de ses rapports, il qualifia le président irlandais Eamon De Valera de « juif portugais » et, cinquante ans plus tard, Robert Mardian, assistant du ministre de la Justice sous Nixon, fut traité de « juif libanais ». Or De Valera avait des origines espagnoles sans une goutte de sang juif, et Mardian était un chrétien arménien. Avec le temps, deux juifs accédèrent à des postes d'adjoints du directeur. Ceux qui étaient de confession israélite obtinrent des congés pour leurs fêtes religieuses. Cependant, Jack Levine, qui entra au FBI en 1960, a calculé que seulement 0,5 % des agents étaient juifs. La discrimination était insidieuse : un des responsables du Bureau déclara que le parti nazi américain n'avait rien de subversif puisqu'il « ne s'opposait qu'aux juifs », et un des instructeurs qualifia un jour quelqu'un de « youpin grassouillet ».

Hoover n'embaucha pratiquement aucun Hispanique. Il disait d'eux : « Le Mexicain moyen est un mythomane… Vous n'avez pas besoin d'avoir peur qu'un président soit abattu par un Portoricain ou un Mexicain. Ils ne savent pas tirer droit. Mais s'il a un couteau à la main, attention ! »

Hoover n'avait aucun ami étranger et méprisait tous les originaires d'un autre pays. A l'exception de deux excursions d'une journée audelà des frontières du Canada et du Mexique, il ne sortit jamais des États-Unis. Il décida un jour que le correspondant du magazine *Newsweek* n'était « pas acceptable pour l'interviewer », car sa femme, une Chinoise de Hongkong, avait rencontré dans le passé des officiers de marine américains. « Il devait avoir peur qu'elle soit une espionne, commenta le journaliste Ben Bradlee. C'était tellement stupide, et d'autant plus ridicule qu'il faisait enquêter sur un excellent journaliste respecté de tous, simplement parce qu'il avait demandé une interview. »

En ce qui concerne les agents noirs, l'attitude de Hoover était celle de la plupart des Blancs du Sud de sa génération. Les gens de « couleur » étaient juste bons à être des serviteurs. Le fait que des officiers de police puissent s'adresser courtoisement à des Noirs lui semblait totalement incongru. « Au lieu de leur dire "Boy, viens ici", ils veulent maintenant qu'on leur dise "Monsieur" ! » commentait-il avec mépris. Il maintint le Bureau dans une sorte d'apartheid aussi longtemps qu'il le put. Il n'avait trouvé qu'un seul policier noir lorsqu'il prit ses fonctions, un « oncle Tom » qui avait commencé sa carrière en gardant les enfants du président Theodore Roosevelt. Il était devenu policier grâce au précédent directeur, William Burns, qui l'avait chargé d'infiltrer les activistes noirs. Il fut le premier agent de couleur et aurait été le dernier si Hoover avait pu faire ce qu'il voulait.

Des neuf Noirs qui obtinrent de l'avancement pendant ses quarante premières années à la tête du FBI, cinq lui servirent de laquais personnels. Son premier larbin fut Sam Noisette, simple commissionnaire qui devint son réceptionniste. Chaque matin, lorsqu'une sonnerie lui annonçait l'arrivée de son maître au parking du sous-sol, Noisette allait l'attendre à la porte de l'ascenseur. Il restait à sa disposition jusqu'à ce qu'il parte le soir, toujours obséquieux, affligé d'un accent « négro » typique.

Mais Noisette était aussi un artiste et Hoover encourageait ses talents. Le portrait qu'il avait peint du chien du directeur, Spee De Bozo, trônait dans le bureau du patron. D'autres étaient exposés dans l'antichambre et Hoover réprimandait ceux qui n'assistaient pas à l'exposition annuelle des œuvres de Noisette. Certains achetaient même des tableaux simplement pour faire plaisir au patron.

Un deuxième Noir, James Crawford, ancien chauffeur de camion, vint rejoindre la suite du maître en 1934, comme chauffeur et homme à tout faire. Il arrivait au domicile de Hoover à 7 heures du matin avec la limousine officielle. Son travail consistait à le conduire au bureau et à attendre toute la journée, parfois jusqu'à minuit. Il devait le servir pendant trente-huit ans et fut gardé ensuite comme domestique et jardinier lorsque son état de santé l'obligea à démissionner du FBI.

Deux autres Noirs, de Los Angeles et de Miami, lui servaient de chauffeurs lorsqu'il prenait des vacances qu'il faisait en général passer comme « voyages d'inspection ». Hoover utilisa rapidement des voitures blindées – Cadillac ou Pierce-Arrow. Il était le seul fonctionnaire fédéral, à part le président, à disposer de tels véhicules, en raison des menaces perpétuelles contre sa vie. Mais le président n'en avait qu'une qui était déplacée à travers tout le pays suivant ses besoins. Hoover, lui, en avait trois à sa disposition – à Washington, en Californie et en Floride –, et même pendant un certain temps une quatrième à New York. Personne ne remit ce privilège en question (même si chacune des voitures blindées coûtait 30 000 dollars pièce à la fin de sa carrière). Le bruit courait à Washington que les chauffeurs devaient laisser tourner le moteur en l'attendant, même si cela devait durer des heures, afin qu'il ne soit pas retardé d'une minute. Le fait a été confirmé par Harold Tyler, du ministère de la Justice sous Eisenhower : « Hoover est venu chez moi un soir. J'ai pensé qu'il s'agissait d'une courte visite, mais il s'est incrusté. Je suis sorti un moment pour faire je ne sais quoi et j'ai trouvé son chauffeur très embarrassé qui m'a dit : "Je n'ai plus d'essence !" Il avait eu peur de couper le contact. »

Un matin de 1946, Hoover remit à Crawford une lettre officielle lui apprenant que, brusquement après treize ans, il était promu agent spécial. Noisette était dans le même cas, ce qui ne les empêcha pas de reprendre leur emploi de domestiques après avoir suivi le programme d'entraînement des policiers. Leur promotion n'avait d'autre but que d'être un élément de propagande de Hoover. Seul le chauffeur de Miami, promu également, devint un véritable agent en compagnie de l'employé de bureau James Barrow. Ils eurent les honneurs soigneusement orchestrés du magazine des gens de couleur *Ebony*. A la fin de l'année, le FBI se vanta d'en avoir engagé 13... sur un total de 6 000 policiers.

Mais Hoover résista obstinément jusqu'à la fin aux injonctions des Kennedy à engager des Noirs au FBI. Après leur départ, il fit le fanfaron : « Je n'accepte pas, et ne le ferai jamais, d'abaisser le niveau élevé que le FBI a toujours exigé. Robert Kennedy était furieux après moi à cause de cela. Mais je ne céderai pas. » Il prétendait que les postulants noirs n'avaient pas de qualité suffisante pour cette fonction. Et ceux qui étaient doués, prétendait-il, préféraient des postes mieux payés ailleurs. Lorsque Hoover mourut, le Bureau ne comptait que 70 agents noirs, et pas un seul n'occupait un poste de responsabilité. En 1991, le chiffre était monté à 500, seulement 4,8% d'un effectif total de 10 360. La discrimination raciale au FBI reste un sujet d'actualité.

Un ancien agent expliqua en 1978 à une commission du Congrès quelle sorte de policier préférait Hoover : « Un Blanc, de préférence un Irlandais conservateur... un bon WASP (Anglo-Saxon blanc protestant) et il l'engageait sans s'occuper de ses compétences. »

Certains postulants se virent refusés à cause de leur tête. Un responsable d'une agence locale, qui examinait la candidature d'un ancien capitaine d'aviation, dit à un de ses collègues : « Tu as remarqué qu'il a les yeux de Robert Mitchum ? Les paupières lui tombent sur les yeux. J'ai peur de le recommander. Un jour, j'ai été muté parce que j'avais soutenu le cas de quelqu'un qui avait de l'acné sur le visage. »

Mais le plus important était encore ce que *pensait* le postulant. Hoover avait beau prétendre : « Nous ne nous intéressons pas aux convictions politiques d'un homme », en réalité le Bureau écartait tout individu dont les interrogatoires précédents indiquaient qu'il avait des idées libérales, ou qu'il déviait des normes de Hoover. Selon Jack Levine, les recrues étaient « sérieusement endoctrinées par une propagande d'extrême droite. » Les libéraux qui passaient à travers les mailles du filet étaient mis de côté, voire même renvoyés, lorsqu'on décelait leur déviation idéologique. La censure s'étendait même au code vestimentaire des agents et interdisait le port de cravates rouges. Il résultait de toute cette formation que les policiers du FBI finissaient par être, au mieux, politiquement neutres, au pire, farouchement d'extrême droite. « Sur une période de près de cinquante ans, raconte un agent, Mr Hoover a réussi à faire entrer des milliers de policiers soigneusement sélectionnés qui étaient aussi à droite que lui-même... Le résultat en a été une influence néfaste et déséquilibrée sur la culture américaine. »

Quelques agents courageux ont attaqué la politique de Hoover peu de temps après qu'il fut devenu directeur. En 1927, le sénateur Thomas Walsh reçut un mémoire de Franklin Dodge, un ancien chef d'agence. Il y parlait de la déformation de faits destinée à ce que le Bureau soit crédité de réussites dues en réalité à la police de l'État. Il mentionnait des poursuites illégales contre des gens de gauche, et des collaborations inconvenantes avec des journalistes d'extrême droite. Quant à Hoover lui-même, il avait « voyagé aux frais de la princesse dans tout le pays » avec « sa nourrice » Frank Baughman, en dépensant l'argent du contribuable pour ses plaisirs personnels.

Deux ans plus tard, un autre responsable d'agence, Joseph Bayliss, envoyait une plainte détaillée au ministre de la Justice expliquant qu'au FBI la bureaucratie était plus importante que la poursuite du crime ; il révélait un système de punitions qui terrorisait les hommes en leur ôtant toute initiative personnelle. Il accusait Hoover de recruter d'anciens camarades d'université, et d'en engager d'autres « pour faire plaisir à des personnalités politiquement influentes, entre autres des sénateurs ». Bayliss se doutait que sa plainte resterait sans suite. Ce fut bien entendu le cas.

Michael Fooner, qui faisait partie de la section technique du Bureau au cours des années trente, commit l'erreur d'apporter son soutien à la formation d'une section du FBI affiliée à la Fédération des fonctionnaires du gouvernement. Lorsque, quarante ans plus tard, il eut connaissance de son dossier grâce à la loi sur la liberté de l'information, il découvrit avec stupeur qu'il avait quinze centimètres d'épaisseur. Le Bureau n'avait cessé de l'espionner tout au long de sa carrière, allant même jusqu'à informer les autres agences gouvernementales qu'il était un personnage subversif. Il en conclut : « Chaque action des employés du Bureau était inspirée par la peur ! »

En 1929, Hoover, âgé de trente-quatre ans, ne connaissait toujours pas la notoriété. Son Bureau réorganisé restait inconnu du public. Le patron aussi. Dans un article sur les personnalités officielles de Washington, parmi ceux qui portaient le nom de Hoover, Edgar était en queue de liste, deux rangs derrière son frère aîné Dickerson, qui occupait alors des fonctions importantes au ministère du Commerce.

A cette époque, Washington broyait du noir. Après les années de laisser-aller de Calvin Coolidge, le président Herbert Hoover commençait le troisième règne successif des républicains à la Maison-Blanche. Cet homme d'affaires fut incapable de comprendre la gravité du krach de Wall Street le 24 octobre et annonça que la Dépression était surmontée alors que la véritable misère était encore à venir. En 1932, plus de 13 millions d'Américains, soit un quart des travailleurs, étaient sans emploi. Des milliers d'hommes et de femmes faisaient la queue à la soupe populaire. Plus d'un million d'entre eux étaient sans abri. Le nom du président Hoover était synonyme de fléau économique. On appelait « couvertures Hoover » les journaux que les clochards utilisaient pour se protéger du froid, les « drapeaux Hoover » désignaient les poches vides, et les « Hoovervilles » étaient les bidonvilles des sans-abri.

Edgar Hoover utilisa le Bureau pour faire taire les critiques incessantes dirigées contre le président. Il envoya au moins cinq agents pour interroger l'éditeur du journal *Wall Street Forecast*, George Menhinick. Edgar révéla avec satisfaction : « [Le journaliste] a été très bouleversé par la visite des agents… Il est foncièrement effrayé et je ne crois pas qu'il recommence à propager des informations sur les banques. »

Mais brusquement, la nuit du 1er mars 1932, la disparition d'un bébé d'une crèche du New Jersey apporta une diversion au président et un début de célébrité à Edgar. Le kidnapping du fils de Charles Lindbergh et la découverte de son corps au mois de mai firent grand bruit. Dans cette période sinistre, le pionnier de l'aviation était le symbole de tout ce qu'il y avait de positif en Amérique. Le président délégua personnellement Edgar sur place.

L'affaire se déroula mal. En dépit de la publicité qui faisait d'Edgar une « autorité mondiale en matière de crime », son intervention n'apporta pas de solution magique. La police locale, qui méprisait le Sherlock Holmes de Washington, prenait plaisir à raconter comment, après avoir repéré un pigeon sur la gouttière du toit de Lindbergh, Edgar s'était demandé s'il ne s'agissait pas d'un pigeon voyageur apportant un message des ravisseurs. Un des agents qui suivaient l'affaire se souvient qu'il avait été « placé dans un hôtel de Trenton, uniquement pour transmettre à Hoover toutes les informations qu'il pourrait ensuite communiquer à la presse... Dans cette affaire, il ne s'intéressait qu'à la publicité ».

Un des plus brillants esprits travaillant sur l'enquête était Elmer Irey, des services de renseignements du Bureau du fisc (*Internal Revenue Service*, ou IRS). C'est lui qui veilla à ce qu'une partie de la rançon (50 000 dollars) soit payée en billets et bons du Trésor identifiables, ce qui conduisit ultérieurement à la capture du présumé assassin, Richard Hauptmann, condamné ensuite à la chaise électrique. Cependant, Edgar Hoover fit tout son possible pour écarter Irey de l'affaire, à la grande contrariété de Lindbergh, et le mit sous surveillance. Ce fut le début d'une longue inimitié. Cinq ans plus tard, alors que l'affaire Lindbergh était depuis longtemps terminée, Irey était toujours sur écoute téléphonique.

Au début de l'été de 1932, l'économie était dans un désordre total, et les démocrates sentaient que la victoire aux élections présidentielles de novembre était à leur portée. A la convention de Chicago, un homme influent nourrissait une rancune tenace contre Hoover. Mitchell Palmer, l'ex-ministre de la Justice qui avait dix ans plus tôt été son allié dans la chasse aux Rouges, pensait maintenant que son ancien jeune protégé l'avait trahi. Selon lui, c'était Edgar qui avait fait courir le bruit qu'il était corrompu. Devenu pour la convention président de la commission de la plate-forme démocrate, il insistait pour que, si le parti revenait au pouvoir, Edgar fût limogé.

Le *New Deal* promis par Franklin Roosevelt lui apporta la présidence dans un raz de marée. En janvier 1933, peu de temps avant l'intronisation, le bruit courut que le ministre de la Justice serait le sénateur

Thomas Walsh, qui avait l'intention de réorganiser complètement le ministère « avec presque uniquement des têtes nouvelles ».

Hoover s'efforça d'écarter rapidement le danger. Les nouveaux élus, lorsqu'ils arrivaient à la gare de Washington, étaient étonnés d'être accueillis par de souriants agents du Bureau qui leur faisaient savoir que Mr Hoover, en signe de bonne volonté, était prêt à les aider dans tous les domaines, même pour leur permettre de trouver un logement confortable.

Edgar Hoover bénéficia d'un sursis inattendu. Walsh, le ministre de la Justice pressenti, mourut, vraisemblablement d'une crise cardiaque, dans le train qui l'amenait à Washington. Mais on n'en continua pas moins à parler de mettre Edgar à la porte et ses amis républicains serrèrent les coudes autour de lui. Le président sortant, Herbert Hoover, intercéda en sa faveur à la dernière minute dans des circonstances assez particulières.

Le jour de l'investiture de Roosevelt, toutes les banques du pays fermèrent leur porte en signe de protestation contre le gouvernement sortant. Une crise nationale était ouverte. Mais tandis qu'ils se dirigeaient vers le Capitole pour la cérémonie, Herbert Hoover, assis dans la voiture aux côtés de Franklin Roosevelt, eut le temps de glisser un mot sur Edgar. Suivant l'agent des Services secrets chargé de leur protection qui entendit la conversation, confirmée d'ailleurs des années plus tard par Herbert Hoover lui-même, il lui dit qu'il espérait qu'il n'y aurait pas de changement à la tête du Bureau. Edgar, dit-il, avait un « excellent dossier ». Roosevelt répondit qu'il étudierait la question.

En fait, le nouveau président, qui nourrissait de sérieux doutes, repoussa sa décision plusieurs mois. On fit en sorte qu'Edgar se sente sérieusement mal à l'aise. Pourquoi avait-il voyagé en première classe pour se rendre en train à New York ? La chambre d'hôtel de Manhattan avait-elle été occupée pour des raisons professionnelles ou personnelles ? En outre, la Maison-Blanche fut informée qu'Edgar était membre du Ku Klux Klan, ce qu'un de ses amis du Congrès s'empressa de réfuter. Le sénateur Kenneth McKellar, de la Commission du budget, supplia le nouveau ministre de la Justice, Homer Cummings, de se débarrasser d'Edgar. Son bureau avait été fouillé au cours des derniers mois de la présidence républicaine et il en tenait le FBI pour responsable.

C'est alors que la chance intervint à nouveau, cette fois-ci avec la mort de Wallace Foster, ancien fonctionnaire du ministère de la Justice, que Homer Cummings envisageait de nommer à la place d'Edgar. Mais Hoover avait un autre rival, Val O'Farrell de New York, qui était soutenu par le ministre des Postes, James Farley. Pour se protéger de ce côté-là, Edgar mit le ministre sous surveillance pendant des mois.

« Edgar était obsédé par lui et le considérait comme le symbole de son échec ou de sa réussite, se souvient un ancien agent. On a mis sur écoute son téléphone de bureau ainsi que ceux de ses domiciles à Washington et à New York. »

Après des mois d'intrigues, Roosevelt lui-même dut prendre une décision. Il faisait confiance à Francis Garvan, qui avait été le supérieur d'Edgar lors de la chasse aux « Rouges » et qui lui avait écrit : « Ne sacrifiez pas ce type sous la pression des autres. Chaque fois que vous aurez des relations avec lui ou son Bureau, vous trouverez qu'il est nécessaire à votre confort et à votre sécurité. »

Le ministre de la Justice, Homer Cummings, souhaitait lui aussi qu'Edgar reste. Roosevelt accepta finalement et la nomination de Hoover fut annoncée le 29 juillet 1933. Un grand président libéral avait paradoxalement mis Edgar Hoover sur le chemin qui allait faire de lui la plus puissante force de pression d'extrême droite, et l'homme le plus détesté par les libéraux. Cummings, en tout cas, devait regretter le conseil qu'il avait donné au président. Il reconnaît tristement : « Ce fut une des plus graves erreurs que j'ai commises. » Il devait découvrir que Hoover était « difficile à manier, ne pouvait pas être contrôlé et attirait beaucoup trop l'attention sur lui ».

Mais, à l'époque, il fallait justement attirer l'attention. Le gouvernement de Roosevelt était contraint d'agir avec vigueur contre le crime, et il était nécessaire que cela se voie. Dans le Midwest, sévèrement affecté, les fermes étaient abandonnées et les boutique fermées, les banques étaient pillées par des bandes armées et les riches capturés pour d'énormes rançons. C'était l'époque de Bonnie, de Clyde, de Kelly la Mitraillette, de John Dillinger et de Floyd le Beau Gosse.

Il s'agissait en fait d'un problème régional, limité à la zone la plus éprouvée par la crise, car les statistiques n'indiquent pas qu'il y ait eu une vague nationale de crimes. Mais le gouvernement y vit l'occasion de faire de gros titres pour détourner l'attention dans une époque difficile. « Nous sommes maintenant engagés, déclara le ministre de la Justice, dans une guerre qui menace le pays tout entier. » Et il prôna une croisade nationale.

Le ministre Cummings réunit à dîner quelques journalistes influents. Drew Pearson se souvient de cette soirée : « Le ministre estimait que la meilleure façon de lutter contre les kidnappings était de développer non seulement la force du Bureau, mais surtout le soutien en sa faveur de l'opinion publique… Il nous a demandé notre avis sur la désignation d'un excellent responsable des relations publiques et nous fûmes tous d'accord pour Henry Suydam. » Suydam était un ancien correspondant de guerre, qui avait travaillé ensuite pour le *Brooklyn Eagle*. Il avait également dirigé les services d'information du Département d'État et était un ami personnel du président. Plus tard, sous Eisenhower, il serait assistant du secrétaire d'État John Foster Dulles puis conseiller du shah d'Iran.

Pendant ce temps, Hoover recrutait aussi son propre scribe, un individu baroque, Courtney Ryley Cooper, qui avait commencé sa carrière comme clown de cirque, puis était devenu attaché de presse du colonel William Cody, mieux connu sous le nom de « Buffalo Bill ». Il était aussi l'auteur de romans à quatre sous et avait pondu environ 750 nouvelles. Il devait devenir l'historiographe du Bureau. Avec Suydam, il amassa et répandit toute la propagande qui devait faire de Hoover un personnage populaire. En 1940, on le trouva pendu dans une chambre d'hôtel, poussé au suicide, selon sa femme, par quelque vilenie d'Edgar.

Au cours de ces années trente, beaucoup de gangsters et de nombreux et braves serviteurs de la loi devaient périr de mort violente. Cummings deviendrait un simple ancien ministre de la Justice oublié. Hoover, comme toujours, allait survivre, et être le seul héros national à émerger de la Dépression.

6

Les célèbres « G-men »

Dans sa campagne contre le banditisme, le principal collaborateur de Hoover était le chef de l'agence de Chicago, Melvin Purvis, âgé de vingt-neuf ans. Les relations entre les deux hommes, mélange d'amitié et de trahison, est le seul aspect de la vie privée d'Edgar sur lequel nous soyons abondamment documentés. Si en effet il ne subsiste aucune correspondance personnelle du chef du FBI, en revanche la famille Purvis a conservé quelque cinq cents lettres que les deux hommes ont échangées entre 1927 et 1936. La plupart sont très intimes et montrent bien que Hoover considérait ce jeune homme comme beaucoup plus qu'un simple agent du Bureau.

La jeunesse de Purvis était à l'image de celle d'Edgar. Fils d'un planteur de Caroline du Sud, il avait dirigé la compagnie de cadets de son école, avait passé son diplôme de droit et était franc-maçon. Il travaillait très dur et était si coquet qu'il changeait de chemise trois fois par jour. Edgar s'enticha de lui dès qu'il l'eut engagé, deux ans avant l'âge réglementaire.

Quand il correspondait avec Purvis, Edgar abandonnait son formalisme rigide et l'appelait « Cher Melvin » ou Cher Mel », en signant « J. E. H. » ou même « Jayee ». Purvis s'en tint à « Monsieur Hoover » jusqu'à ce qu'Edgar lui ait dit d'abandonner le « Monsieur » ; il s'adressa alors à « Cher patron » ou « Cher Jayee ».

Dans ses lettres concernant le travail officiel, Hoover s'arrangeait toujours pour glisser quelques remarques d'un humour puéril. Pour soigner un procureur général souffrant de « mauvaise haleine », suivant l'expression qu'il employait pour ceux qui n'étaient pas d'accord avec lui, il proposa « le traitement de Mussolini, un quart de litre d'huile de ricin administré en doses égales trois fois de suite ».

Dans ses lettres plus personnelles, Hoover ne cessait de critiquer l'attirance que les femmes exerçaient sur Purvis, y compris sa propre secrétaire, Helen Gandy, une belle créature d'une trentaine d'années. Il se gaussa un jour du jeune homme en l'informant que Gandy avait été vue dans les bras d'un autre membre du Bureau. A l'automne de

1932, il assura Purvis que s'il se rendait à Washington pour le bal de Halloween, Gandy viendrait déguisée dans une « robe de Cellophane » transparente. L'année suivante, alors que Hoover se défendait pour conserver son poste, il trouva le temps d'envoyer à Purvis un climatiseur pour faciliter sa respiration difficile. Il lui écrivait sans cesse pour lui exprimer son inquiétude, jusqu'à trois fois en quatre jours.

Tout le battage publicitaire qui accompagna la chasse aux gangsters au cours des années trente eut lieu dans le climat de ces curieuses relations.

En juin 1933, un mois avant que Hoover ne soit confirmé à la tête du Bureau, le propriétaire d'une grande brasserie, William Hamm Jr, fut kidnappé à Saint Paul, dans le Minnesota, et libéré après paiement d'une rançon de 100 000 dollars. Le lendemain, à Kansas City, dans le Missouri, un agent du Bureau et trois policiers locaux furent abattus à la mitraillette. Deux semaines plus tard, un autre richissime homme d'affaires, John Factor, disparut à Chicago. Or, à la suite de la nouvelle loi édictée après la tragédie Lindbergh, les agents du Bureau avaient maintenant le pouvoir d'enquêter sur les kidnappings et étaient autorisés à être armés. Ils se mirent donc au travail.

Purvis réussit brillamment. En quelques semaines, il conclut l'affaire des deux enlèvements de Hamm et de Factor en arrêtant Roger Tuohy « le Terrible », un ancien trafiquant d'alcool de l'Illinois. Hoover qualifia Tuohy de l'un « des plus vicieux et dangereux bandits de l'histoire de la criminalité américaine ». Il ajouta que sa capture devait être portée « au crédit du Bureau tout entier ».

En réalité, Tuohy n'avait pas été découvert par les agents d'Edgar, mais par un policier local désarmé. Plus tard, après que l'attention du public se fut détournée de l'affaire, il s'avéra que Tuohy n'avait rien à voir dans l'enlèvement de Hamm. Bien qu'il ait été condamné pour celui de Factor et ait moisi en prison pendant vingt-cinq ans, on devait établir finalement que le coup avait été monté par d'autres criminels. Le juge fédéral qui le fit relâcher en 1959 critiqua amèrement le refus du FBI de communiquer au tribunal les pièces du dossier.

La gloire de Hoover grandit encore pendant l'été de 1933, lorsque le millionnaire du pétrole Charles Urschel fut enlevé dans sa demeure d'Oklahoma City. Quand il eut été relâché après paiement d'une rançon, le gang responsable fut pris en chasse à travers six États. Un de ses chefs, George Kelly « la Mitraillette », écrivit de nombreuses lettres, mettant au défi Hoover et ses « tapettes de collègues » de le trouver. Il alla même jusqu'à donner des coups de téléphone menaçants à la mère d'Edgar, mais en fait ne tira jamais un seul coup de feu sur quiconque.

Les hommes de Hoover finirent par trouver Kelly. Selon la propagande du Bureau, c'est lui qui aurait inventé le surnom de « G-Men » (*G* pour *Government*) attribué aux agents du FBI Lorsqu'ils découvrirent sa cachette, il aurait crié : « Ne tirez pas, G-Men, ne tirez pas ! » C'est une séduisante histoire mais qui est contredite par les récits des policiers présents à l'arrestation. De toute façon, les criminels continuèrent à appeler les agents de Hoover les *Feds* (les « Fédéraux »), comme ils l'avaient toujours fait dans le passé. La presse en revanche s'empara du terme avec délectation, ce qui correspondait probablement à ce que souhaitait le service de propagande du Bureau.

Hoover soutint que le cerveau de l'enlèvement d'Urschel avait été Kathryn, la femme de Kelly, qui avait prétendument écrit la lettre de demande de rançon. On découvrit en 1970 que le FBI avait fait disparaître le rapport de l'expert graphologue qui innocentait Mrs Kelly. Et c'est ainsi que Kathryn passa vingt-six ans en prison.

« Quand une femme devient une professionnelle du crime, affirma Hoover, elle est cent fois plus vicieuse et dangereuse qu'un homme... elle se comporte avec une froide brutalité que l'on trouve rarement chez un homme. » Il expliqua un jour avec beaucoup de sérieux qu'une femme criminelle « a toujours les cheveux roux... Elle porte une perruque rousse – comme Kathryn Kelly – ou se teint les cheveux ». Il continua de soutenir cette thèse pendant des années [1].

En 1934, alors que Hoover entrait dans sa quarantième année, sa correspondance avec son protégé Melvin Purvis se fit de plus en plus intime, et Edgar se préoccupait sans cesse de lui, même lorsqu'il avait un simple rhume. Lorsque Clark Gable obtint l'*Academy Award* pour *New York - Miami* de Frank Capra, Edgar taquina Purvis sur la façon dont un journal avait décrit l'acteur : « Je ne vois pas comment le cinéma aurait pu se passer d'un tel beau gentleman élancé, aux cheveux blonds et aux yeux vifs. Tous les talents du Clark Gable de mon service. » Il est difficile de ne pas interpréter cette correspondance comme des avances homosexuelles, même si Purvis n'avait pas lui-même de telles tendances.

En mars 1934, John Dillinger devint la cible du Bureau. A trente ans, il venait juste de sortir de prison après avoir purgé une longue peine pour tentative de hold-up. En l'espace de quatre mois, il organisa

1. D'après le Dr Rubye Johnson, professeur de sociologie à l'université de Tulane, cette théorie des « cheveux roux » est totalement ridicule et est réfutée par les statistiques du FBI lui-même. [*N.d.A.*]

une évasion massive d'anciens codétenus. Toute la bande, armée de fusils automatiques et de gilets pare-balles volés dans un poste de police, commença à ravager le Midwest en pillant les banques les unes après les autres. Trois policiers furent tués, mais apparemment pas par Dillinger lui-même. Le bandit était à nouveau incarcéré dans l'Indiana lorsqu'il monta son coup le plus audacieux, qui devait faire de lui la vedette des gros titres de tous les journaux et la tête de Turc de Hoover. Il s'évada de prison armé d'un fusil en bois, vola la voiture du shérif et s'enfuit dans l'Illinois. En franchissant la frontière d'un État à bord d'une voiture volée, Dillinger avait commis pour la première fois un crime fédéral et devenait ainsi la proie de Melvin Purvis.

Les choses tournèrent mal à la fin d'avril, lorsque Purvis fut informé que le bandit s'était terré à Little Bohemia, une station de villégiature au bord d'un lac du Wisconsin. Purvis appela son ami Edgar ; ils se mirent d'accord sur un plan et Purvis se précipita sur place avec un important détachement de police. Mais « Purvis le Nerveux », comme les autres agents l'appelaient derrière son dos, bousilla l'opération. « La fièvre de l'action, avoua-t-il plus tard, en était la cause. » L'équipe ouvrit un feu nourri sur d'innocents clients qui sortaient d'un restaurant où se trouvait la bande. L'un d'eux fut tué et deux autres blessés. Un des gangsters de Dillinger abattit un agent et en blessa un second et tous les bandits s'échappèrent.

C'était la deuxième fois en trois semaines que Dillinger ridiculisait le Bureau. A Little Bohemia, selon un témoin, quelques-uns des célèbres « G-Men » de Hoover s'étaient « mutinés et avaient pris leurs supérieurs en otages ». La presse réclama la démission de Purvis, et même celle du directeur. Hoover, qui gardait pourtant rarement le silence, parla peu de l'incident. Il envoya secrètement à Chicago un inspecteur de confiance de Washington, Sam Cowley, avec une trentaine d'agents sélectionnés pour constituer une équipe spéciale. Bien que Purvis eût commis une infraction flagrante à la règle que tout vétéran gardait à l'esprit : « Ne pas mettre le Bureau dans l'embarras », il resta le responsable de Chicago. « Jayee » veillait sur lui.

Dillinger, que Hoover appelait un « vaurien buveur de bière », devint l'ennemi public numéro 1 : son portrait fut affiché dans tous les États-Unis. Le ministre de la Justice, Homer Cummings, déclara que les agents devaient d'abord « tirer sur lui puis ensuite faire les sommations ». Bien que le bandit lui-même n'ait, d'après ce que l'on savait, jamais tué personne, son élimination était devenue une nécessité impérative pour la renommée du Bureau.

Hoover devait sauver la face et, comme avec Kelly, remporter une victoire personnelle. Dillinger le défiait et se moquait de lui sur les cartes postales qu'il lui envoyait. Comme rien ne se produisait à Chicago, les lettres d'Edgar à Purvis prirent un ton très formel. Soudain, ce ne fut plus « Cher Mel », mais « Cher Monsieur Purvis ».

> 4 juin : J'ai été très troublé aujourd'hui lorsque vous m'avez appris que l'ordre que je vous ai envoyé ce matin n'avait pas été exécuté… Vous n'avez nullement le droit d'ignorer mes instructions…
> 16 juin : J'ai essayé cet après-midi de vous joindre au téléphone… J'ai appris ensuite que vous étiez parti jouer au golf au Country Club… Il n'y a aucune raison pour qu'un agent responsable ne laisse pas d'indications sur le lieu où on peut le joindre à n'importe quel moment…
> Avec mes sentiments distingués,
> J. Edgar Hoover.

Le 21 juillet, Purvis reçut un coup de téléphone qui devait clore le dossier Dillinger. Un policier de l'Indiana l'informa qu'une certaine Anna Sage, une mère maquerelle de Chicago, savait où se trouvait Dillinger et était prête à le trahir. Mrs Sage, une émigrée roumaine en situation irrégulière, espérait ainsi être récompensée par l'obtention d'un permis de séjour aux États-Unis.

Hoover fut informé le lendemain que la capture de Dillinger était imminente. A Chicago, Purvis et l'inspecteur Cowley constituèrent une équipe d'agents spécialement choisis. Au début de la soirée, après un coup de téléphone d'Anna Sage, ils se mirent en position autour d'un cinéma, le Biograph Theater. A Washington, Hoover était chez lui avec sa mère, attendant les nouvelles.

Dillinger sortit du cinéma à 22 h 30 et Purvis donna le signal convenu. « J'étais très nerveux, se souvient-il. C'est d'une petite voix aiguë que j'ai dû crier : "Haut les mains, Johnny ! Tu es cerné !" Dillinger sortit son automatique mais il n'eut pas le temps de tirer. Il s'écroula sur le sol, abattu à bout portant. »

Hoover se précipita à son bureau pour donner une conférence de presse nocturne. Il fit l'éloge de Purvis pour « son audace inimaginable », tandis que le ministre de la Justice envoyait ses chaleureuses félicitations. Hoover accabla le bandit mort de son mépris, insistant sur le fait que les agents n'avaient ouvert le feu qu'après que Dillinger eut sorti son arme. En réalité, on a des preuves du contraire.

Quelle que soit la vérité, Hoover n'avait aucun regret : « Personnellement, dit-il, je suis heureux que l'on ait capturé Dillinger mort… Le seul bon criminel est un criminel mort. »

Dans un livre publié en 1970, Jay Robert Nash soutint la thèse que Dillinger n'était pas mort à Chicago et qu'un type quelconque du Milieu avait été envoyé au cinéma à sa place. Il mentionnait des erreurs

flagrantes dans le rapport d'autopsie ainsi que des témoignages détaillés. Hoover, furieux, soutint avec insistance que l'identité de Dillinger avait été attestée par ses empreintes digitales, mais aucune preuve n'en a été fournie.

Quelques jours après que Dillinger eut été abattu, Hoover montra à la presse le chapeau de paille du mort, ses lunettes tordues, son cigare et un 38 automatique au canon endommagé qui étaient censés appartenir au bandit. Ces objets restèrent pendant des années exposés dans la salle de réception de Hoover, comme des trophées de chasse. Mais l'arme qu'admirait le public était un faux. Son numéro de série, 119702, prouve qu'il n'avait pas quitté l'usine Colt avant décembre 1934, c'est-à-dire cinq mois après la mort de Dillinger.

Un masque en plâtre du visage du mort était également exhibé. Des années plus tard, lorsque quelqu'un suggéra qu'il était temps d'en finir avec cette exposition, Hoover entra dans une colère noire. Le masque mortuaire, un soupçon de sourire aux lèvres, est encore visible aujourd'hui au quartier général du FBI.

Après la mort de Dillinger, il semblait que Melvin ne puisse plus se tromper. Hoover écrivit au père de Purvis : « Il s'est conduit avec cette modestie simple qui est si caractéristique de son comportement... Il a été un de mes plus proches et plus chers amis. »

A l'automne, un bandit soupçonné d'avoir participé au massacre de Kansas City, Floyd le Beau Gosse, fut tué dans un champ de maïs de l'Ohio. Hoover et Purvis furent photographiés ensemble pour célébrer la victoire, tandis qu'Edgar qualifiait Floyd de « salaud de dégonflé qui méritait d'être exécuté ». C'est bien d'ailleurs ce qui lui était arrivé, car, selon un policier présent, Purvis avait donné ordre de tirer sur le bandit alors qu'il gisait blessé sur le sol. Le chef de la police locale porta plainte parce que, au lieu d'appeler une ambulance, Purvis avait téléphoné à Hoover pour l'informer aussitôt de son nouveau coup. Lorsqu'il revint, Floyd était mort.

La semaine ne s'écoula pas sans que d'autres malfaiteurs recherchés par la police soient abattus ou capturés. Après avoir tué deux agents, George Nelson, dit « Face de bébé », mourut de ses blessures à la suite d'une course-poursuite en voiture dans un faubourg de Chicago. En Floride, les agents tuèrent « Ma » Barker et son fils Fred, un des acteurs principaux du kidnapping de Hamm et le responsable d'autres crimes. Insistant une fois de plus sur le rôle de la femme, Edgar qualifia Kate Barker de « louve » et de « cerveau de toute l'organisation ». En réalité, ce n'était pas exact.

Et c'est au faîte de cette série de succès que Hoover laissa brusquement tomber Purvis. « Il était jaloux de lui, témoigna en 1988 la secrétaire de Melvin, Doris Lockerman. A moins de réussir à continuer à plaire au roi, on ne reste pas favori très longtemps... On veilla à ce que Purvis ne reçoive plus d'affectation qui l'aurait fait remarquer du public. Il en fut réduit pendant des mois à interroger les candidats qui sollicitaient un poste d'agent. Tout fut fait pour le dénigrer et l'embarrasser. Il en fut profondément blessé. »

En mars 1935, Hoover envoya à Purvis une courte note qui commençait par « Cher Monsieur » et lui demandait des explications sur un rapport signalant qu'il avait été vu ivre dans une réception à Chicago. Pour Purvis, il s'agissait d'un « mensonge pur et simple ». Puis un journal raconta qu'il était entré dans un magasin de Cincinnati en brandissant son revolver, avait essayé de téléphoner à Edgar, puis était sorti en titubant. Doris Lockerman ne se souvient pas de ces incidents et s'interroge sur leur origine. « Tout le monde, dit-elle, avait peur de Hoover. »

Purvis envoya son télégramme de démission le 10 juillet. L'homme dont Hoover avait prétendu qu'il était « son plus proche ami » devint la cible de son animosité. Lorsque le producteur de cinéma Darryl Zanuck offrit à Purvis un poste de consultant pour les films policiers, Hoover intervint pour l'en empêcher. Il le fit espionner pendant qu'il écrivait son autobiographie. Et pourtant, jamais Purvis ne trahit Edgar. Il ne publia jamais sa correspondance privée qui aurait fait du directeur du FBI la risée du pays tout entier. Il se maria, servit très honorablement comme colonel au cours de la Seconde Guerre mondiale et travailla pour diverses commissions du Congrès.

Mentionner le nom de Purvis à Hoover, selon un ancien agent, « équivalait à lâcher une bombe dans le cratère du Vésuve ». Son nom n'apparaît jamais dans l'histoire officielle du FBI *(The FBI Story)* publiée en 1956. Aucun personnage ne porte son nom dans le film réalisé sous le même titre et produit sous le contrôle d'Edgar. Lorsque Purvis se présenta pour un poste au Sénat, Hoover chargea des personnalités officielles de répandre des « informations défavorables » sur lui.

En 1952, après que Hoover eut réussi à contrer toutes ses chances de devenir magistrat fédéral, la femme de Purvis suggéra une tentative de réconciliation. Les archives du FBI indiquent qu'ils se sont rencontrés... pendant six minutes. Alston, le fils de Purvis, n'a pas oublié la scène : « Je me souviens que nous avons été conduits au bureau de Hoover, qui était en train de téléphoner. Cela a duré une minute pendant laquelle il fit semblant d'ignorer mon père, dont les mains commencèrent à trembler. Alors mon père dit à Hoover : "Espèce d'ordure, quand je t'amène ma femme, tu pourrais au moins te lever..." Hoover s'est levé et c'est ainsi que cela s'est terminé. »

Un matin de 1960, deux mois après que Purvis eut été nommé conseiller d'une commission du Sénat, sa femme entendit un coup de feu. Elle trouva son mari mort, à l'âge de cinquante-six ans, un automatique 45 dans la main. La presse annonça qu'il s'était suicidé parce qu'il souffrait du dos depuis des mois.

Mais la famille de Purvis n'en est pas si sûre. La mort est survenue quelques semaines après l'exécution de l'ancien trafiquant d'alcool Roger Tuohy, juste à sa sortie de prison. Purvis avait été responsable de l'affaire. Trente-six heures avant son suicide, Purvis avait reçu la visite d'un homme au volant d'une grande voiture noire immatriculée dans un autre État. Le lendemain, il avait convoqué un juriste pour lui parler de son testament. En outre, il possédait une imposante collection d'armes, mais c'est un pistolet de gangster des années trente qui fut retrouvé dans sa main le lendemain matin. Hoover n'exprima aucune tristesse, ne fit aucun commentaire à la presse et n'adressa pas de message de condoléances à la veuve. En revanche, celle-ci lui envoya un télégramme amer : « C'est un honneur pour nous que vous ayez ignoré la mort de Melvin. Votre jalousie lui a fait beaucoup de mal mais je crois qu'il vous a aimé jusqu'à la fin. »

En dehors de Hoover, un autre officiel du FBI griffonna des commentaires négatifs dans le dossier de Purvis après sa mort : le directeur adjoint Clyde Tolson. Longtemps auparavant, au cours d'une conversation avec la célèbre coqueluche mondaine Anita Colby, Hoover avait ajouté un nouveau ragot au mythe de Dillinger. « Edgar m'a dit, se souvient Colby, que la capture de Dillinger n'était pas due à Purvis, mais à Clyde Tolson. Ils en ont laissé le crédit à Purvis, mais c'est Clyde qui l'a fait. » Or les archives indiquent que Tolson était au quartier général le jour de la mort de Dillinger. Il a pu néanmoins être un facteur décisif de l'animosité de Hoover contre Purvis : depuis quelque temps, Clyde Tolson était devenu le compagnon d'Edgar et il devait le rester pendant près d'un demi-siècle.

7

Le fidèle compagnon

Clyde Anderson Tolson est né en 1900 dans le Missouri de parents très pauvres qui s'installèrent en Iowa sans y trouver la prospérité. Le père, de confession baptiste, qui fit subsister chichement sa famille d'abord comme ouvrier agricole temporaire, puis comme gardien aux chemins de fer, ne cessait de pousser ses deux fils à partir pour améliorer leur condition.

Quand Clyde eut dix-huit ans, après une année dans une école de commerce, il prit le train pour Washington. C'était un beau jeune homme aux yeux noirs perçants et à la carrure d'athlète. Il s'habillait correctement mais sans fantaisie. Il aurait pu passer, dit plus tard la presse, pour un « jeune employé de banque ».

Clyde obtint un poste de secrétaire au ministère de la Guerre. Il progressa rapidement et, grâce à son amour du travail et son étonnante mémoire, il devint à vingt ans secrétaire particulier du ministre. Huit années plus tard, il jugea que le moment était venu de changer d'emploi et suivit les cours du soir de droit à l'université George-Washington.

Lorsqu'il était gosse, Clyde jouait avec ses copains à « Jesse James », du nom du hors-la-loi. Comme James avait volé le bétail du grand-père de Clyde, ce dernier avait une revanche à prendre et c'est lui qui s'attribuait toujours le rôle dont personne ne voulait, celui du shérif. Il portait une étoile d'argent qu'il garda dans sa poche longtemps après les jeux de son enfance. Tout naturellement, lorsqu'il eut obtenu son diplôme de droit, il posa sa candidature au Bureau d'investigation. Il fut d'abord très déçu car aucun poste n'était vacant. Mais l'année suivante, le ministère de la Défense envoya une recommandation personnelle. Edgar examina le dossier avec la photo d'un jeune homme particulièrement beau, au visage ouvert. Le reste consistait en appréciations chaleureuses de diverses personnalités – des employés fédéraux, un juge, un propriétaire de journal du Missouri et un membre de la direction du parti républicain. Comme Edgar, il avait été président de l'association des étudiants de sa promotion. Il présentait si bien qu'il avait participé à un voyage officiel au canal de Panama. On disait de lui qu'il menait une vie sage et qu'il « ne témoignait pas d'un intérêt particulier pour les femmes ».

Hoover engagea Clyde et le favorisa plus qu'aucune autre recrue du Bureau : en moins de trois ans, le novice fut promu directeur adjoint. Clyde ne devait jamais avoir une quelconque expérience du travail sur le terrain : après qu'il eut passé quatre mois à l'agence de Boston, Hoover le fit rapatrier rapidement à Washington. Au quartier général, Clyde rédigeait des rapports sévères sur l'abus des heures supplémentaires et il se révéla le garde-chiourme dont rêvait Hoover. Un an plus tard, il était devenu directeur adjoint chargé de l'administration, et, en quelques semaines, Hoover insista pour qu'il figure sur les listes des invités de la Maison-Blanche.

Il bénéficiait d'un favoritisme flagrant. La rapidité de son avancement n'avait d'égale dans aucune agence du gouvernement. Elle était due au fait qu'Edgar voyait en lui ce dont il avait exactement besoin : un homme qui fut un adjoint de toute confiance en même temps qu'un compagnon.

Si Hoover n'était que trop ostensiblement expansif, avec sa diction en rafales de mitraillette, Clyde, selon ses collègues, était « un sphinx », « une ombre », un homme si terne qu'il était « invisible devant un mur gris ». Il avait « l'air préoccupé même lorsqu'il était à son aise » et ses longs silences rendaient ses collègues nerveux. De nombreux agents admettaient, souvent à contrecœur, leur attachement envers Edgar, « le Vieux », mais personne ne semble avoir eu un faible pour Clyde. Jim Doyle, ancien spécialiste du crime organisé, dit de lui : « Tolson était un connard de première catégorie. Un comparse. »

Clyde, avec ses yeux perçants, était un homme de glace qui prenait son plaisir à punir ou à licencier ses subordonnés. Une blague circulait sous le manteau dans le Bureau : « Clyde dit à Hoover : "Bon Dieu, je suis déprimé. Je vais rentrer chez moi me coucher. – Ne fais pas ça, répond Edgar. Prends la liste du personnel, choisis-en un au hasard et fous-le à la porte. Tu te sentiras mieux !" Tolson rayonne de satisfaction, puis demande avec sadisme : "Je le fous à la porte pour faute grave ?" »

Même ceux qui étaient les plus proches de Hoover, comme sa secrétaire, se méfiaient de Clyde. « Helen Gandy et Tolson, raconte un témoin, se tournaient autour comme des chats. Ils exerçaient tous les deux une grande influence sur Mr Hoover, mais en avaient une peur bleue. Tolson, avec son esprit tranchant comme une lame de rasoir, était plus malin que Hoover. Mais sa grande faiblesse était de suivre en esclave tous les diktats du patron. »

Hoover aimait à dire : « Clyde Tolson est mon *alter ego*. Il lit mes pensées. » C'est possible, mais il y avait une chose qu'Edgar ne pouvait partager : l'autorité suprême. Comme les autres, Clyde recevait de lui des notes intransigeantes. Si une botte traînait dans le gymnase, c'était Clyde qui était critiqué. Si la pendule de la voiture était en retard, c'était Clyde qui devait s'en expliquer. Après dix ans de service, Clyde se faisait toujours réprimander s'il avait laissé traîner des documents dans le vestiaire de son bureau. Mais, aux yeux de Clyde, Edgar était infaillible. « C'est ce que veut le patron », disait-il à ses collègues réunis pour prendre une décision, et le débat s'arrêtait là. « Le directeur est l'homme du siècle », affirmait-il souvent. Pour beaucoup d'entre eux, Clyde était un personnage pathétique, surtout lorsqu'il prit de l'âge. Il marchait humblement derrière Edgar, en changeant de pas pour rester synchrone.

Au début, Edgar l'appela « Junior », puis simplement « Clyde ». En public, même dans la voiture comme le remarquait un chauffeur, Clyde disait « Monsieur Hoover ». Cependant, certains l'ont parfois entendu dire « Eddie ».

D'après le rythme de leur vie quotidienne, il devint vite évident que Hoover et Clyde n'étaient pas seulement des collègues de travail. Chaque jour à midi, la voiture blindée les emmenait déjeuner à l'hôtel Mayflower. Ils prenaient des hamburgers et des glaces à la vanille, ou, lorsque Edgar soignait sa ligne, de la soupe de poulet et de la salade. Pour sa publicité, la direction de l'hôtel prétend qu'un jour Hoover avait repéré deux tables plus loin un homme recherché par le FBI. Il le fit arrêter, puis continua son repas. Mais selon une version moins bienveillante, Hoover aurait regardé le criminel sans le reconnaître !

Cinq soirs par semaine pendant près de quarante ans, le couple alla dîner au restaurant Harvey. « Ils arrivaient ensemble et s'installaient sur une petite estrade à une certaine distance des autres, raconte le barman George Dunson. Tolson s'asseyait face à la porte pour surveiller ceux qui entraient et Mr Hoover le dos au mur pour que l'on ne puisse pas l'attaquer par-derrière. » Quand Hoover devint célèbre, la direction du restaurant les sépara des étrangers gênants par une desserte à roulettes.

A la suite d'un accord négocié par Clyde, le couple consommait tout ce qu'il voulait dans ce restaurant, un des meilleurs de la ville. Ils ne payaient même pas leurs boissons. L'inspecteur de police de Washington Joe Shimon était au courant : « L'addition était réglée par un ami de Hoover, Harry Viner, qui tenait une grosse affaire de teinturerie. Il en fut récompensé lorsque Hoover engagea un de ses parents comme agent au début de la Seconde Guerre mondiale. Plus tard, quand Harvey ferma pendant quelque temps, Hoover envoya quelqu'un négocier un tarif spécial avec le restaurant voisin. C'était un filou. »

Le soir, Hoover aimait les steaks à point et la soupe de tortue. Lorsque le restaurant organisait un concours du plus gros mangeur d'huîtres, il était en général le gagnant. A la fin de la soirée, il partait avec un sac rempli de restes de jambon et de dinde, fournis par la direction pour son chien.

Hoover, si strict avec ses agents sur la boisson, aimait beaucoup le whisky, et les responsables des agences éloignées devaient se tenir au courant lorsque son goût se portait sur une marque nouvelle. Il ne buvait jamais beaucoup en présence de ses collègues et aucun d'eux ne l'a jamais vu ivre. Mais, en dehors du bureau, c'était différent. Un restaurateur de Miami se souvient des soirées privées où les hommes, y compris Edgar, picolaient ferme. Les garçons du restaurant Harvey aussi l'abreuvaient copieusement. « Aujourd'hui, dit l'un d'eux, Hoover serait considéré comme un alcoolique. »

Le couple devint la légende de Washington : on insinuait qu'ils étaient des amoureux homosexuels. Robert Ludlum écrivit en 1978 dans son roman *The Chancellor Manuscript* ce que personne n'aurait osé dire de leur vivant : « Le visage tendre [de Clyde], faisant des efforts pour paraître mâle, fut pendant des décennies la fleur qui orna les épines du cactus. » Les journalistes évitaient les ragots sur le couple bien que, déjà dans les années trente sous Roosevelt, le magazine *Collier's* ait écrit : « Mr Hoover est petit, gras et a une démarche affectée… Il s'habille avec coquetterie et ne se déplace que dans sa limousine, même pour aller à la cafétéria du coin. » Hoover qualifia l'auteur de l'article d'« alcoolique invétéré » et le journaliste pense même qu'il a été mis sous surveillance pendant quelque temps. Un autre de ses confrères posa la question : « Est-ce que quelqu'un a remarqué que les enjambées de Hoover se sont allongées et sont plus fermes depuis qu'on l'a accusé d'une démarche affectée ? » Les insinuations continuèrent. *Time* relata que Hoover était « rarement vu sans un compagnon masculin, la plupart du temps Clyde Tolson, au visage solennel ». Lorsque les deux amis allèrent se réfugier pour se protéger de la presse dans un hôtel de Kansas City, les reporters à qui l'on annonça que Mr Hoover n'était pas visible repérèrent que Clyde occupait la chambre voisine.

Le message aux lecteurs était assez clair mais les agents du FBI, ne sachant que penser, se contentèrent de s'en amuser. En 1939, lorsque l'un d'eux prénomma son fils J. Edgar, ses camarades le plaisantèrent : « Si ç'avait été une fille, il aurait fallu l'appeler Clyde ! » L'écrivain Truman Capote, lui-même homosexuel, affirma à un journaliste qu'Edgar et Clyde l'étaient aussi. Il envisageait d'écrire une nouvelle qui n'alla pas plus loin que son titre : « Johnny and Clyde », évoquant le couple célèbre.

Dans la collection privée de Hoover, on a retrouvé de nombreuses photos, la plupart prises par lui, de Clyde endormi, en robe de chambre, à la piscine. Cependant, les deux amis n'ont jamais ouvertement vécus ensemble. Clyde continua à garder son appartement lorsque Hoover s'acheta une maison après la mort de sa mère. Au bureau, comme l'attestent leurs anciens collègues, ils ne montrèrent jamais aucun signe d'affection réciproque. Pendant les quarante-quatre ans de leur intimité, ils furent contraints de jouer la comédie.

De nombreuses anecdotes illustrent leurs relations. Un jour, un chauffeur de taxi qui attendait à l'aéroport fut retenu par Hoover. Tolson descendit de l'avion et le chauffeur, étonné, raconte qu'il n'avait jamais vu deux hommes qui « s'embrassaient et se pelotaient comme cela. C'est le genre de truc qui vous fait croire à ce que l'on raconte » !

Harry Hay, fondateur d'une organisation pour la défense des droits des homosexuels, avait de nombreux amis qui se rendaient régulièrement au refuge d'été de Hoover, le champ de courses de Del Mar en Californie. « Dans les années quarante, raconte Hay, des gens que je connaissais venaient me dire : "Tu sais qui j'ai vu aujourd'hui dans la loge d'Untel et Untel ?" Et souvent ils me précisaient que Hoover et Tolson étaient encore là. Moi, je suis homo, ceux qui me racontaient cela aussi et les loges des tribunes dans lesquelles se trouvaient Hoover et Tolson étaient louées exclusivement par des homos. Ils n'auraient pas été là s'ils ne l'avaient pas été aussi. Ils étaient considérés comme des amants. »

La chanteuse de Broadway Ethel Merman, vedette de *Annie Get your Gun* au théâtre, rencontra pour la première fois Hoover et Clyde à New York en 1936. Ils restèrent en contact jusqu'à la fin et Edgar ne manqua jamais de lui envoyer régulièrement des télégrammes affectueux le jour de ses générales. En 1978, lorsqu'un reporter l'interrogea sur Anita Bryant qui animait la campagne anti-homosexuels, Ethel Merman eut cette réponse : « Quelques-uns de mes meilleurs amis sont homosexuels. Tout le monde est au courant pour J. Edgar Hoover, mais il a été le meilleur patron que le FBI ait jamais eu. Beaucoup de types ont toujours été homosexuels. Cela ne regarde qu'eux, et ce n'est pas mon problème. »

Au cours des années trente, Hoover commença à entretenir des relations amicales avec le chroniqueur Walter Winchell qui régna longtemps sur l'Amérique avec sa chronique mondaine et ses potins. Leurs rapports commencèrent pendant la guerre contre le gangstérisme, quand Winchell écrivit sur Hoover des articles qui lui étaient favorables. Edgar lui envoya des agents pour le protéger pendant une visite à Chicago et l'invita à Washington à l'hôtel Shoreham. Ils devinrent vite très amis et Winchell était l'une des rares personnes à appeler Edgar par son prénom « John ».

Au cours des années suivantes, l'échotier régala ses lecteurs avec des anecdotes sur Hoover et quelques informations inédites. Bien que Winchell l'ait toujours nié, son assistant soutient que l'auteur en était souvent Edgar lui-même. « L'information, dit-il, nous arrivait sur papier sans en-tête et dans des enveloppes ordinaires. Le patron prenait la lettre en disant : "Voilà quelque chose de John !" Hoover était comme n'importe quel pigiste envoyant son article. »

C'est grâce à Winchell qu'Edgar réussit à se faire admettre au Stork Club, un club très fermé de New York, « l'endroit où il faut être vu si on veut être un personnage important », disait-on. Entre 1934 et 1965, on compta parmi ses membres plusieurs Kennedy et Rockefeller, Al Johnson et Joe DiMaggio, Grace Kelly et Mme Tchang Kaï-chek, le duc et la duchesse de Windsor.

Winchell était un intime du propriétaire, l'ancien trafiquant d'alcool Sherman Billingsley. Il y tenait régulièrement sa cour à la table 50, où Hoover et Clyde venaient souvent le rejoindre. Bien entendu, le patron veillait à ce qu'ils soient nourris et abreuvés gratuitement. En l'honneur d'Edgar, le barman ne tarda pas à vanter les mérites d'un nouveau cocktail, le « FBI Fizz ».

Le jour du Nouvel An de 1936, plusieurs photos furent prises de la table où Winchell et ses invités souriaient sous des chapeaux de carnaval. On y voit Edgar, Clyde gloussant de joie à ses côtés, qui lève les mains en signe de reddition devant une charmante jeune personne le menaçant d'un jouet en forme de fusil. Ce soir-là, le célèbre mannequin de l'époque Luisa Stuart et son amant Art Arthur, collègue de Winchell, se trouvèrent assis à la même table que Hoover. Luisa Stuart, âgée maintenant de soixante-dix ans, se souvient que le Noir Jim Braddock, champion du monde de boxe des poids lourds, était également dans la salle. « Nous avons plaisanté sur les problèmes raciaux et Hoover a refusé de terminer la soirée au Cotton Club, parce que la grosse caisse y était tenue par un Blanc qui acceptait de jouer dans un orchestre noir. On a fini par y aller quand même dans la limousine du FBI. J'étais assise avec mon ami sur la banquette arrière, tandis que Hoover et Tolson occupaient les deux petits sièges avant. C'est alors que j'ai remarqué qu'ils se sont tenu la main pendant tout le trajet. J'étais naïve à l'époque. J'étais si jeune. Mais je n'avais jamais vu deux hommes se comporter comme cela. Cette nuit-là, je me souviens d'avoir demandé à Art pourquoi ils se tenaient la main. Il m'a simplement répondu : "Oh ! Allons, tu sais bien pourquoi !", ou quelque chose dans ce goût-là. Et c'est quand on en a reparlé plus tard qu'il m'a dit que c'étaient des pédales. »

Comme tous les amants, Hoover et Clyde avaient des hauts et des bas. Après l'épisode du Stork Club, Luisa Stuart revit plusieurs fois Edgar et Clyde au brunch du dimanche que Winchell et sa femme donnaient dans leur appartement de Manhattan. « Un dimanche, raconte Luisa, Hoover, ou "Jedgar" comme on l'appelait, vint seul, annonçant que Clyde était malade. Après son départ, les autres dirent que Clyde n'était pas vraiment malade. Ils avaient eu une grosse bagarre parce que Hoover avait trouvé Clyde au lit avec un autre homme. »

Un autre Noël, Edgar, Clyde et Guy Hottel – un vieil ami de Clyde qui devint agent du Bureau en 1938 et resta pendant plus de dix ans le fidèle compagnon d'Edgar et de Clyde – se trouvaient à l'hôtel Gulfstream de Miami. Au cours d'une querelle avec Clyde, Edgar se précipita dans la salle de bains pour s'y enfermer. Hottel dut forcer la porte pour secouer le directeur par les épaules et le raisonner. Cet épisode était aussi la conséquence de la jalousie, mais cette fois-ci elle n'avait pas pour objet un autre homme. Hottel, qui était plutôt porté sur les femmes, avait demandé à Clyde d'être le quatrième dans une « partie carrée » avec deux prostituées. Clyde avait accepté, d'où la fureur d'Edgar.

« Guy, raconte son beau-frère, était chargé de maîtriser Hoover. Il était vraiment hystérique, et Guy devait parfois passer la moitié de la nuit avec lui pour le calmer. Un des hommes les plus puissants d'Amérique aurait dû en fait être interné. Guy et Clyde devaient le surveiller avec soin. »

8

Homosexuel
et puritain

Hoover éprouvait des sentiments très ambivalents envers les femmes, mais il n'en dédaignait pas leur compagnie pour autant. A certaines époques, il se faisait un devoir d'être vu avec elles pour dissiper les rumeurs sur son homosexualité. Mais peut-être voulait-il aussi se prouver à lui-même qu'il pouvait avoir des relations hétérosexuelles, ce à quoi il n'a jamais réussi. Il était finalement tellement désemparé sur le plan émotionnel qu'il ne put entretenir un lien pleinement satisfaisant avec personne, même pas avec Clyde. Ils avaient pourtant beaucoup de points en commun. De même qu'Edgar était totalement dévoué à sa mère Annie, de même Clyde adorait la sienne. Au fur et à mesure que les années passaient et qu'elles vieillissaient, chacun consacrait beaucoup de temps et d'affection à celle de son amant. Clyde envoya à Annie des cartes pour la Saint-Valentin, la fête des amoureux.

Si Edgar avait été humilié par une jeune femme en 1918, Clyde, lui, avait été rejeté deux fois. La première, son amour d'enfance, se maria avec un autre lorsqu'il partit pour Washington. Puis, alors qu'il était à la faculté de droit, sa petite amie du moment tomba enceinte de quelqu'un qu'elle épousa. Selon un de ses camarades, il en fut bouleversé. Cependant, il restait attiré par les femmes, ce qu'Edgar avait du mal à supporter.

Anita Colby, célèbre mannequin des années trente, rappelle que Clyde eut le « béguin » pour elle, mais que cela n'alla pas plus loin. En outre, en 1939, il courtisa un peu une serveuse d'un restaurant proche du ministère de la Justice. « Il a plus ou moins flirté avec moi, se souvient-elle, et il m'a invitée à dîner. Il m'a parlé un peu d'amour, et nous nous sommes vus cinq ou six fois, mais je me méfiais de lui. Un soir que nous dînions au Mayflower, Hoover est arrivé et s'est joint à nous. J'ai été choquée car il s'est conduit d'une façon odieuse avec moi. Il avait l'air d'un petit Napoléon. Et il y avait entre lui et Clyde une complicité que je ne comprenais pas, quelque chose de pas naturel. C'est seulement plus tard que j'ai appris leur histoire. » Clyde lui tenait la main et lui souhaitait bonne nuit d'un baiser sur la joue. Et c'était tout. « Un soir, je lui ai demandé s'il n'y avait pas quelque chose d'étrange entre Hoover et lui. Il est devenu très sérieux et m'a dit un truc du genre : "Que voulez-vous dire ? Que je suis un anormal, un pédé ?" Je crois que je lui ai répondu : "En tout cas, il y a quelque chose entre vous et votre copain." Peu de temps après, j'ai cessé de le voir. »

En 1939, quand Clyde tomba amoureux d'une femme de New York et commença à parler mariage, Edgar fit tout pour l'en empêcher. Guy Hottel s'en souvient : « Hoover m'a suggéré de parler avec Clyde et de lui dire d'oublier tout cela. C'est ce que j'ai fait. Si Clyde s'était marié, il n'aurait pas continué à dîner avec Hoover tous les soirs. Hoover était très égoïste. »

Mais, curieusement, au moment où Hoover défendait sa relation avec Clyde, il commençait lui-même à fréquenter des femmes. Cela se passa en 1938, après que sa mère fut morte d'un cancer.

Annie avait toujours été à ses côtés ; elle recevait ses collègues du FBI lorsqu'ils venaient en visite, s'inquiétait dès qu'Edgar prenait l'avion. « Je suis fière et heureuse que tu sois mon fils », lui câbla-t-elle de son lit de malade, quand il reçut une distinction pour « services rendus à l'humanité ». Elle mourut peu de temps après, Edgar à son chevet dans la chambre à coucher où elle lui avait donné naissance. Annie ne cessa d'obséder Edgar toute sa vie. Il étonnait ses interlocuteurs, même étrangers, par des accès de culpabilité parce qu'il ne lui avait pas consacré assez de temps quand elle était en vie. C'est à partir de ce moment-là qu'il alla passer tous ses Noëls en Floride pour éviter de rester à Washington où, pendant quarante-deux ans, il avait célébré cette fête avec sa mère.

Quelques semaines après la mort d'Annie, on vit Edgar dîner avec une femme plus âgée que lui. Il s'agissait d'un personnage assez extraordinaire : Lela Rogers, la mère de Ginger Rogers. Elle avait quarante-sept ans, quatre de plus qu'Edgar, et deux mariages derrière elle. Elle avait été une des premières recrues féminines du corps des Marines, où elle avait publié le magazine *Leatherneck* pour la troupe. Politiquement, elle se situait à l'extrême droite et avait un jour déclaré à une commission du Congrès à propos d'un scénario de film que la réplique « Partager équitablement entre tous, c'est la démocratie » était en fait de la propagande communiste dangereuse.

La rumeur courut bientôt que Hoover et elle envisageaient de se marier. Lors de la campagne publicitaire d'une pièce qu'elle avait écrite, elle posa à New York pour les photographes de presse devant un portrait d'Edgar dans un cadre d'argent. Elle glissa dans la conversation qu'il l'avait appelé dans la nuit à 3 heures du matin, pour lui donner les dernières nouvelles d'une chasse à l'homme en cours.

« Allez-vous vous marier ou bien êtes-vous seulement intéressée par les histoires policières ? demanda un reporter.

– Ça, ça dépend de lui », répondit-elle avec un sourire.

Hoover de son côté éludait la question par des réponses embarrassées.

Lela Rogers le comblait de cadeaux – une bague avec son monogramme, un étui de cigarettes en or. « Je crois, dit son amie Anita Colby, que Lela était plus intéressée par lui que lui par elle. » Quand à Ginger Rogers, elle estime que leur relation était « de sincère amitié, mais pas une affaire de cœur. Je me souviens que maman disait toujours que Hoover était au fond un solitaire ».

Mais Edgar dit à ses amis que l'affaire était sérieuse ; Leo McLairen, le chauffeur noir de confiance qui le conduisait en Floride, en est témoin : « Mr Hoover m'a dit un jour qu'il était amoureux de la mère de Ginger Rogers. Il m'a dit qu'elle envisageait de l'épouser, mais quelque chose s'est passé… »

Richard Auerbach, un haut fonctionnaire du Bureau, était aussi dans la confidence : « Ils se faisaient la cour, c'est certain. C'est moi qui m'arrangeais pour qu'elle le rencontre en Floride. Ils étaient très prudents et le mariage est resté une éventualité pendant plusieurs années. Jusqu'en 1955 quand j'ai annoncé un jour à Mrs Rogers que le président voulait que Hoover rentre à Washington le lendemain matin. Alors elle m'a dit : "Cela ne marchera jamais. Je vais retourner à Los Angeles…" Elle a quitté la pièce en pleurant. Je l'ai conduite à l'avion et je ne pense pas qu'ils se soient jamais revus. » A partir de ce jour, Hoover garda ses distances. Quand elle lui écrivait, il faisait renvoyer ses lettres sans répondre.

Deux autres femmes tinrent une place dans sa vie. La première fut Frances Marion, scénariste et lauréate d'un oscar. Elle avait sept ans de plus que lui et s'était mariée plusieurs fois. « Frances m'a dit, se souvient sa belle-fille, qu'Edgar la poursuivait de ses assiduités, mais elle ne voulait pas l'épouser à cause de ses fils. »

La seconde, probablement sa plus importante liaison, était la vedette Dorothy Lamour. Elle avait rencontré pour la première fois Hoover en 1931 quand elle avait été élue « Miss Nouvelle-Orléans » à dix-sept ans, puis lorsqu'elle chantait au Stork Club. Mais ils ne se rapprochèrent qu'après le divorce de Lamour de son premier mari et la mort de la mère d'Edgar. Dans son autobiographie, Dorothy Lamour écrit seulement qu'Edgar fut un « ami de toujours ». Plus tard, en privé, elle parla de sentiments plus profonds. Une de ses amies de Californie raconte : « Elle rougissait quand on mentionnait son nom. Mais elle nous dit qu'elle savait que le mariage n'aurait pas marché. Ils étaient tous les deux trop engagés dans leur carrière. Ils eurent le cœur brisé de cette très triste histoire. »

Après 1942, alors que Lamour avait épousé son second mari, l'homme d'affaires Bill Howard, Hoover leur rendait régulièrement visite. « Personne d'autre n'était invité, dit Howard. Il aimait pouvoir se détendre dans l'intimité. Il s'occupait du barbecue et nous nous installions derrière la maison. Je n'ai jamais blagué avec lui. J'en avais trop peur... »

Lamour et son mari vécurent pendant des années près de Baltimore, près de Washington, et on vit souvent la vedette dîner avec Hoover chez Harvey. Il était parfois à ses côtés sur les plateaux de cinéma ou quand elle donnait des interviews, et les agents du FBI étaient à sa disposition lorsqu'elle se déplaçait. « Quand nos garçons sont nés, dit le mari de Dorothy Lamour, Edgar envoya un agent du FBI prendre les empreintes de leur orteil pour les reproduire sur des petites pièces d'or avec leur nom imprimé derrière. » John, le plus âgé des deux fils Howard, raconte : « Il nous envoyait un tas de lettres signées "Oncle". Mon frère se moquait de moi en me disant que j'étais né dans une éprouvette du FBI. »

Un jour que Dorothy Lamour recherchait de l'argent pour financer une de ses pièces, Hoover l'aida à contacter un millionnaire texan. « Clyde Tolson appela l'agent local responsable du FBI, raconte un de ses collègues de Fort Worth, pour obtenir le numéro de téléphone confidentiel de l'homme d'affaires. Lamour l'appela directement et obtint l'argent. Mais la pièce fut un four et le financier, furieux, s'en prit à Edgar, lui demandant comment Dorothy Lamour avait pu le joindre. Edgar rejeta la faute sur l'agent local, qui fut transféré. »

Après la mort de Hoover, au cours d'une information sur la corruption du FBI, l'enquêteur Joseph Griffin découvrit que le directeur dépensait l'argent du contribuable au profit de sa vedette. « Des témoins nous ont dit qu'un jour il donna une réception pour elle. Comme toutes ses chansons avaient la lune pour thème, Hoover a voulu qu'il y en ait une cette nuit-là. Et c'est une section du FBI qui a installé un gros projecteur tout en haut d'un arbre de son jardin. »

Dorothy Lamour, âgée maintenant de soixante-dix-huit ans, a toujours refusé de dire sur Hoover plus que ce qui figure dans son autobiographie. La véritable nature de leurs relations reste un des mystères de la vie d'Edgar.

Les problèmes touchant la sexualité de Hoover ne se limitaient pas au plan privé. A son époque, comme c'est souvent encore le cas aujourd'hui, une personnalité officielle qui n'était pas ostensiblement hétérosexuelle risquait de voir sa carrière compromise. Edgar était parfaitement conscient du danger et le contrait par une conduite extrêmement agressive envers les autres homosexuels. C'est ainsi qu'il brisa la carrière d'un homme d'État éminent.

A l'automne de 1943, Roosevelt annonça la démission du sous-secrétaire d'État Sumner Welles, âgé de quarante-sept ans, brillant diplomate et ami personnel du président. Bien que le prétexte officiel en ait été la maladie de sa femme, cette décision était la conséquence d'un interminable scandale dans lequel Hoover avait joué un rôle essentiel.

Trois ans plus tôt, au cours d'un voyage de nuit en train avec des membres de son cabinet, Welles aurait essayé de soudoyer des employés noirs de la compagnie des wagons-lits pour qu'ils acceptent d'avoir des relations sexuelles avec lui dans son compartiment. Il s'ensuivit une longue campagne de ragots et Roosevelt, après avoir essayé de le protéger pendant plusieurs mois, fut contraint de se débarrasser de lui.

Le dossier de Hoover semble tout à fait impartial : il fit enquêter sur l'affaire à la demande du président, puis informa les hauts fonctionnaires en se cantonnant au strict nécessaire. Mais le document officiel en cache plus qu'il n'en révèle. Dans le cas de Welles en tout cas, il existe d'autres versions.

Les Mémoires (non publiés) du ministre de l'Intérieur Harold Ickes indiquent que Hoover fit du zèle pour offrir ses services afin de salir l'homme politique. En juin 1941, Ickes affirme qu'il dit détenir « la preuve formelle que Welles est homosexuel... et il ne m'a pas demandé de garder pour moi cette information... A ma grande surprise, j'ai même constaté que sur ce sujet Hoover était lui-même très bavard ».

L'ancien correspondant du *New York Times* Charles Higham a découvert récemment une information concernant le rôle de Hoover. Un ancien fonctionnaire du FBI, aujourd'hui à la retraite, affirme qu'il fut de connivence avec un des ennemis jurés de Welles, William Bullitt, pour le détruire. L'incident du train était une mise en scène du FBI, qui avait payé certains employés du pullman pour se rendre dans le compartiment de Welles.

L'historienne Beatrice Berle, veuve d'Adolf Berle, cousin de Welles, qui appartenait également à l'époque au secrétariat d'État, a récemment confirmé que son mari était persuadé que le scandale était un « coup monté ». La vengeance de Hoover aurait été motivée par sa méfiance à l'égard des tendances libérales de Welles et parce que celui-ci avait une préférence marquée pour les relations sexuelles avec de jeunes Noirs.

A plusieurs reprises, Edgar allait essayer de salir la réputation d'autres personnalités publiques, dont Adlai Stevenson, Martin Luther King et trois conseillers du président Nixon, sans qu'il y ait la moindre preuve de ses assertions.

Le scandale Welles éclata à un moment où circulaient au sein du gouvernement des rumeurs sur les inclinations personnelles de Hoover. Le ministre de la Justice, Francis Biddle, aimait en plaisanter. Un jour qu'il se trouvait près du bureau d'Edgar en compagnie de son adjoint, il dit à haute voix :

« Vous pensez que Hoover est homosexuel ?

– Chut ! répondit son interlocuteur embarrassé.

– Oh, je veux dire un homosexuel rentré ! »

Les rumeurs mettaient Hoover en fureur tout en l'effrayant, et il usa de représailles chaque fois que ce fut possible. Ordre fut donné à tous les agents : il voulait savoir qui disait quoi. Si des commentaires sur ce sujet parvenait au FBI, ils étaient suivis d'interrogatoires officiels. Les rapports assuraient en général que l'offenseur s'était rétracté, souvent par peur. Un assistant a reconnu : « Les agents se sont comportés à l'égard de… [le nom est censuré sur le document] avec beaucoup plus de vigueur que ne l'indique le compte rendu. »

Pour se démarquer encore plus de l'homosexualité, Hoover ordonna à ses agents d'infiltrer les groupes défendant les droits des homosexuels, de collecter les noms de leurs membres, les discours et les photos. Cette surveillance devait continuer pendant vingt-trois ans.

Tant Edgar que Clyde eurent toute leur vie un comportement de machos. Ils se vantaient ostensiblement d'aimer les plaisanteries grivoises et incitaient leurs collègues à inclure des gags osés sur les femmes dans leurs discours. Hoover offrit un jour au ministre de la Justice de Truman un stylo aux initiales « J. E. H. » où l'on voyait une femme nue en transparence. Pour les soixante-dix ans d'Edgar, célébrés le 1ᵉʳ janvier au restaurant Gatti de Miami Beach, Clyde lui remit en cadeau d'anniversaire une poupée ressemblant à Jayne Mansfield.

Hoover condamnait publiquement la pornographie et ne cessait de réclamer d'agir avec vigueur contre les « colporteurs d'immondices », ces « parasites de la plus néfaste espèce ». En 1960, un agent fut semoncé vertement en présence de quarante de ses collègues pour avoir été en possession d'un exemplaire de *Playboy*. « Le directeur, lui dit son supérieur, considère ceux qui lisent de tels magazines comme des dégénérés moraux. » Mais Hoover lui-même non seulement appréciait *Playboy* et se faisait projeter des films pornos dans la Chambre bleue, la petite salle de cinéma du service de criminologie. Un ancien agent, Neil Welch, se souvient que le chef de l'agence de Washington devait apporter dans le bureau d'Edgar tous les documents pornographiques saisis au cours des opérations. Hoover piqua une colère lorsque ses subordonnés ne réussirent pas à lui procurer les images de l'activiste noire Angela Davis faisant l'amour avec son amant. William Sullivan raconte qu'un jour un assistant audacieux ne put résister à la tentation d'aller avec son passe-partout fouiller le bureau de Hoover en son absence. Il y trouva « une littérature corsée du genre le plus ordurier... des images de femmes nues et des magazines cochons illustrant toutes sortes d'activités sexuelles anormales ».

Lorsqu'il s'agit de sexualité, il convient d'être très prudent pour qualifier les individus. Mais deux spécialistes sont arrivés à des conclusions identiques concernant Hoover. Le Dr John Money, professeur de psychologie à la faculté de médecine, considère qu'il avait des tendances bissexuelles ayant refoulé ses tendances hétérosexuelles avec une forte prédominance homosexuelle. Le Dr Harold Lief, professeur de psychiatrie et ancien président de l'Académie de psychanalyse, conclut qu'Edgar était probablement un bissexuel, d'où la séparation nette pour lui entre luxure et amour.

Le conflit entre ses troubles sexuels dans la sphère privée et son image de héros mâle américain dans le domaine public amena Hoover à chercher une aide médicale. Pendant toute sa vie d'adulte, il se fit suivre à la clinique Clark, King et Carter, qui avait comme clients de nombreuses personnalités de Washington. Constatant le malaise de son patient, sans en comprendre exactement la raison, Clark l'envoya après la guerre consulter un éminent psychiatre, le Dr Ruffin, président de la Société psychiatrique de Washington. Sa femme, Mrs Ruffin, déclara en 1990 : « Les notes de mon mari auraient prouvé que... je vais peut-être remuer un panier de crabes en disant cela... mais tout le monde à l'époque, et pas seulement les médecins, avait compris qu'il était homosexuel. Après plusieurs visites, je me suis rendu compte que Hoover devenait paranoïaque dès que quelqu'un le découvrait et avait peur des incidences psychiatriques. » Au bout d'un certain temps, Hoover cessa de consulter le Dr Ruffin mais il retourna le voir en 1971, peu de temps avant sa mort.

Le dossier médical de Hoover n'est plus disponible. Le Dr Ruffin l'a brûlé dans sa cheminée, ainsi que ceux d'autres patients, peu de temps avant sa mort, en 1984. Quant aux autres médecins, ils ont toujours refusé de discuter de l'homosexualité de Hoover.

« Chaque matin, une limousine noire s'arrêtait devant la porte, se souvient un fleuriste de la boutique Schaffer à Washington. Le chauffeur, en général un Noir, venait choisir un œillet d'une espèce spéciale appelée Dubonnet que nous recevions par avion. Il l'emportait dans la voiture et partait. En général, Mr Hoover le portait toute la matinée, mais jusqu'à midi seulement. Après il se fanait, disait-il. Il lui arrivait aussi de commander des fleurs par téléphone. C'était en général une orchidée *Cypripedium* avec des taches vertes et brunes dans un vase de verre au pied en fer forgé qui coûtait 25 dollars. La facture mensuelle de fleurs s'élevait à environ 250 dollars, mais je n'ai jamais su à qui elles étaient destinées. Plusieurs fois, Mr Hoover m'a chargé d'une mission mystérieuse. Il me remettait une clé dans une enveloppe. Je déposais l'orchidée et rendais la clé le lendemain matin... Discrétion, vous comprenez... Un jour, ce fut un appartement au décor très théâtral, avec des meubles blancs sur un tapis de couleur vive. J'ai déposé une enveloppe close avec les fleurs. Je ne sais pas si c'était pour un homme ou pour une femme. Je me suis bien gardé de poser des questions... »

9

A la une des journaux

Au cours de l'été de 1937, Hoover célébra le vingtième anniversaire de son entrée au ministère de la Justice. On lui offrit le badge numéro 1 du FBI, en or, une montre gravée et un chapeau de cow-boy. Il fut photographié avec Clyde, tous deux tirés à quatre épingles dans leurs costumes d'été couleur crème, à demi cachés par d'innombrables bouquets de fleurs.

Pour Hoover, la véritable satisfaction n'était pas d'avoir réussi à subsister sous Roosevelt, mais de s'y être épanoui. Mieux encore, pour la première fois de sa vie, il jouissait d'un réel pouvoir politique. En effet, lorsque Roosevelt eut compris ce qu'il représentait aux yeux du public – un champion de la campagne contre le crime –, il exploita ce potentiel au maximum. Il signa de nouvelles lois répressives en prenant soin que Hoover se tînt debout derrière lui. Il se déplaça en personne pour inaugurer le nouveau bâtiment à colonnes du ministère de la Justice sur Pennsylvania Avenue. On put lire dans la presse à cette occasion : « Cette masse moderne de pierre et d'aluminium, ce rêve de 11 millions de dollars d'une Amérique libérée de ses malfaiteurs et de ses assassins est un géant comparé à Scotland Yard, à la Sûreté française et aux autres. C'est le quartier général de l'Amérique dans la guerre contre le crime. »

Même si la vague de criminalité déferlait toujours, le FBI de Hoover avait incontestablement fait de très nets progrès. Le développement généralisé de la technique des empreintes digitales, les moyens scientifiques d'identification des coupables et la formation d'une équipe disciplinée d'agents respectés étaient sans nul doute des éléments positifs. Mais l'homme qui en était responsable en fut exagérément glorifié. Les éloges étaient justifiés, mais n'auraient pas dû dégénérer en idolâtrie.

Quelques voix cependant s'élevèrent pour protester. Devant une commission, le sénateur du Tennessee Kenneth McKellar accusa Hoover d'utiliser les relations publiques pour embellir son image. Edgar éluda les attaques, se gardant bien d'avouer qu'il disposait de propagandistes travaillant pour lui à temps complet. Puis les questions se firent plus personnelles : « Vous est-il jamais arrivé de procéder vous-même à une arrestation ? » Hoover dut reconnaître qu'il n'avait aucune expérience du travail sur le terrain. En fait, cela n'avait pas plus de sens que si l'on demandait à un officier d'état-major combien il avait tué d'ennemis. Mais Hoover en fut bouleversé. Il avait tout fait pour donner l'image d'un dur face aux criminels et pour que l'on reconnaisse sa haute compétence et son incessante activité. Et voilà que maintenant on mettait en doute sa vigueur combative !

Une deuxième attaque eut lieu peu de temps après, lorsqu'un membre de la Chambre des représentants se moqua de lui, le traitant de « champion de la fiction et dictateur ». Hoover riposta en qualifiant le représentant d'« ennemi public » qui devait être exclu des postes officiels.

Deux jours plus tard, il eut l'occasion de prouver son courage. Lorsque ses agents de La Nouvelle-Orléans parvinrent à localiser Alvin Karpis, la cheville ouvrière des gangs se livrant aux kidnappings, il affréta un avion de quatorze places pour se rendre dans le Sud, initiative étonnante à cette époque. Il était sur les lieux lorsqu'un détachement de dix-huit agents du FBI réussit à surprendre le bandit le 1er mai 1936. Suivant la version de Hoover, c'est lui qui l'aurait personnellement désarmé. Mais le gangster, lorsqu'il fut libéré, vingt-huit ans plus tard, affirma que le directeur était resté caché derrière un bâtiment jusqu'à ce que ses hommes lui aient donné le feu vert. Clyde Tolson alla même jusqu'à se vanter d'avoir « dispersé les opposants à la mitraillette », alors qu'en fait aucun coup de feu ne fut tiré. En outre, c'est un agent du Trésor qui avait repéré Karpis et avait avisé le FBI de l'endroit où il se trouvait.

Quoi qu'il en soit, cette arrestation fit merveille pour l'image de Hoover. Il figura à la une des journaux comme le responsable de l'opération, tandis que Karpis était emmené enchaîné pour être jugé dans le Minnesota. Une semaine plus tard, Hoover repartit en avion avec Clyde pour arrêter un des complices du kidnappeur. Il avait ainsi réduit au silence les critiques du Congrès et prouvé à la nation qu'il était vraiment un dur.

Hoover veillait depuis longtemps à ce que la propagande soit directement sous son contrôle. Il choisit lui-même l'homme qui devait pendant vingt ans embellir l'image du Bureau aux yeux du public. Louis Nichols, surnommé « Nick le Grec », était un ancien champion de football universitaire qui avait gravi les échelons du Bureau d'une façon tout à fait classique : diplôme de droit de l'université George-Washington et appartenance à la franc-maçonnerie. Son dossier personnel, conservé au secret aux archives, révèle aujourd'hui qu'il était un bourreau de travail et un flagorneur, avec la seule obsession de plaire à son maître vu le nombre des cadeaux hors de prix qu'il lui offrait.

Nichols était responsable de la Division 8 du Bureau, plus connue sous le nom d'« Annales du crime » et que Hoover appelait le « plasma sanguin du Bureau ». Les documents des dossiers de Nichols et du FBI, depuis les biographies condensées d'escrocs et de juristes jusqu'aux scénarios de films et ébauches de conférences, illustrent le travail considérable destiné à manipuler les Américains pour la plus grande gloire de J. Edgar Hoover.

On n'y trouve aucune trace d'impartialité. Articles, récits et reportages des grands journaux n'étaient « facilités » que si leur publication plaisait au patron. Ses journalistes favoris appartenaient surtout à la presse de droite du magnat Hearst : le *San Francisco Examiner*, le *Washington Star* et, à une époque, le *Chicago Tribune*. En revanche, comme nous l'avons vu, Hoover éprouvait une aversion profonde à l'égard du *Washington Post*. Il confia un jour à un collègue : « Si un jour je me trouvais d'accord avec ce journal, je remettrais en question ma position. » Au cours des années soixante, sur la suggestion de Clyde, il donna des instructions officielles pour qu'aucune information sur lui ne soit donnée au *New York Times*, ainsi qu'aux magazines *Time* et *Newsweek*, évinçant d'un coup les trois principales publications du pays.

Sa préoccupation constante était de manipuler les journalistes, en en courtisant certains et en en persécutant d'autres. Il cultivait le favoritisme, au besoin avec des cadeaux, sacs de voyage ou clubs de golf. Certains les acceptaient avec plaisir et rendaient la pareille en écrivant les articles que souhaitait Edgar. Les archives du FBI qualifiaient un journaliste en cour de « contact de confiance » ou de « très bon ami du Bureau ». Ce fut le cas de Jeremiah O'Leary, du *Washington Star*. Lorsqu'il publia un « compte rendu très violemment hostile » au livre d'un auteur que Hoover considérait comme un ennemi, le FBI distribua des milliers d'exemplaires de son article à travers le pays. O'Leary aida même le Bureau à identifier les sources d'information d'un autre journaliste. En outre, il soumettait les siens, en précisant, indique son dossier, que le FBI pouvait y apporter « tout changement souhaité ».

En dépit des dénégations du FBI, les journalistes « autorisés » avaient accès aux dossiers. Karl Hess, qui écrivit pendant un temps les discours du sénateur Goldwater et rallia ensuite la gauche, se souvient : « La différence entre un simple journaliste et un journaliste militant anticommuniste, bénéficiant de l'assistance des dossiers secrets du FBI,

était considérable, ne serait-ce que sur le plan de la vanité personnelle… » Les favoris bénéficiaient d'informations transmises sur papier
ordinaire anonyme pour en dissimuler l'origine.

Le journaliste Fletcher Knebel parle de chantage : « Nichols m'a dit
un jour : "On peut faire beaucoup pour votre carrière, si vous jouez le
jeu avec nous…" J'ai compris plus tard ce que cela signifiait. Lorsque
j'ai voulu interviewer le prestigieux directeur pour le magazine *Look*,
ils furent d'accord à condition que j'écrive l'article *avant* de faire
l'interview ! Je suis navré de reconnaître que mes supérieurs acceptè-
rent, et Nichols relut le texte comme une institutrice. Ce qui fut publié
était complètement édulcoré, mais pas assez pour eux, et lorsque,
ensuite, j'ai rencontré de nouveau Hoover, il a refusé de m'adresser la
parole. »

Pour Edgar, les journalistes qui n'appréciaient pas le Bureau
n'étaient que des « putains de la presse ». Parmi eux, Drew Pearson,
éditorialiste du *Washington Post* pendant trente-sept ans, sur lequel
Edgar constitua un dossier de quatre mille pages et qu'il mit sous
surveillance pendant la Seconde Guerre mondiale. Mais Pearson ne se
laissa jamais intimider et ne cessa pas de critiquer le directeur du FBI,
en particulier sur son laisser-aller à l'égard du crime organisé. Au
moment de la mort de l'éditorialiste, en 1969, les notes sur son dossier
n'étaient que gribouillages d'Edgar : « Ce morveux continue à vomir…
C'est un chacal… Des mensonges de psychopathe… »

Le célèbre Walter Lippmann était « une fripouille de la presse »
lorsqu'il déplaisait à Hoover. Tom Wicker, du *New York Times*, « un
type complètement nul qui puait de la cervelle ». Art Buchwald,
« un prétendu humoriste malade… ».

Chaque fois que Hoover pouvait agir secrètement, il poursuivait les
journalistes. Par exemple, le dossier de Carey McWilliams, qui devait
devenir rédacteur en chef du *Nation*, couvre vingt-deux ans de surveillance et d'enquêtes sur sa vie privée pour établir s'il était communiste.
Il ne l'était pas.

Lorsque les journalistes étaient classés comme ennemis, Hoover faisait tout pour les discréditer. Ainsi il informa la Maison-Blanche que
l'éditorialiste Joseph Alsop était homosexuel et il fit savoir aux patrons
du *Los Angeles Times* que le reporter Jack Nelson était un ivrogne.
C'était bien entendu pur mensonge.

Hoover avait rarement des problèmes avec les médias audiovisuels
qui se délectaient des exploits divertissants et spectaculaires du FBI.
Dès 1935, il négocia un contrat lui donnant le contrôle absolu sur
« G-Men », une série radio sur les exploits de son service. Ultérieurement, Nichols organisa la publication du livre *The FBI Story*, qui devait

sous le même titre devenir un film de la Warner Brothers. Hoover cultivait l'amitié de Jack Warner depuis des années. Des agents du FBI venaient l'accueillir dans les aéroports et facilitaient ses déplacements à travers le monde. L'acteur James Stewart, vedette du film, avait droit au même traitement. La série d'émissions de télévision, qui commença à être diffusée en 1965, était complètement contrôlée par Edgar et Clyde et un agent du FBI assistait en permanence au tournage.

Hoover comprit dès 1935 que l'autopromotion intensive était payante lorsqu'il fit pour la première fois la couverture de *Time* qui déclara que son nom était maintenant devenu un mot d'usage courant. Divers organismes commencèrent à le couvrir de décorations. L'université George-Washington où il avait été formé le nomma docteur en droit *honoris causa*, et fut suivie par l'université de New York.

Dès 1936, des millions d'Américains dévoraient la littérature des G-Men et en suivaient les exploits au cinéma. Les enfants s'amusaient avec leurs badges, leurs armes et dormaient dans des pyjamas à leur emblème. Quelqu'un écrivit à Edgar qu'il était le « Jésus américain ». La même année, un sondage auprès de 11 000 écoliers désigna Hoover comme le deuxième homme le plus populaire de la nation. Franklin Roosevelt ne venait qu'en septième place ! Les jeunes auraient préféré en majorité être directeur du FBI que président des États-Unis !

Quelques voix courageuses s'élevèrent dans la presse pour dire que Hoover était « un acteur obsédé de spectacle ». « On devrait faire une revue burlesque sur les G-Men, écrivit l'un d'eux. Ces agents fédéraux en font à leur tête depuis si longtemps qu'ils vont commencer à croire qu'ils sont à moitié aussi bons que les gens l'imaginent. »

Il semble bien que Hoover ait cru à sa propagande. Au printemps de 1936, alors que les candidats républicains à la présidence manœuvraient pour se placer en bonne position pour l'élection, il fit faire une enquête discrète sur ses propres chances politiques, comme le raconte William Sullivan : « Hoover pensait qu'il pouvait se présenter contre Roosevelt... Il croyait être devenu un héros national et estimait que s'il avait le soutien de toute la communauté chargée du respect de la loi à tous les échelons – fédération, États, comtés et villes – il pourrait se présenter comme candidat républicain et balayer Roosevelt et son équipe de libéraux... Il envoya quelques agents de confiance, la plupart originaires du Sud, en mission secrète pour tester le climat politique du Sud et du Sud-Ouest, où il pensait avoir le plus de soutien. L'agent avait pour tâche de prendre contact avec les chefs de la police et les shérifs locaux sous un prétexte mineur, puis de faire dévier la conversation sur Edgar. Il répétait ce qu'on lui avait appris à dire : "Edgar Hoover est un grand homme et il a accompli un travail extraordinaire pour faire appliquer la loi dans tous les domaines à travers le pays. Beaucoup pensent que ce serait beaucoup mieux pour tout le monde s'il devenait président." Puis l'agent attendait la réaction. » Elle fut « négative dans des proportions écrasantes ». Le résultat de l'élection fut un vote de confiance massif en faveur de Franklin Roosevelt. Edgar, surpris, abandonna ses ambitions présidentielles.

Quelques mois plus tard, Hoover reçut le journaliste Jack Alexander dans son cabinet privé de forme octogonale. Il était assis derrière son monumental bureau d'acajou, entouré de fleurs, de cactus exotiques et de drapeaux. Alexander trouva le décor inquiétant : « Derrière le directeur se dressaient deux grandes hampes d'étendard surmontées d'aigles en cuivre d'où se déployaient les emblèmes étoilés du drapeau américain. Il passait la plupart de son temps dans le calme impressionnant de cette pièce et on se demandait à quoi il pouvait bien penser dans ce cadre. Pour des spectateurs libéraux, les aigles symboliques et la grande distance qui séparait le bureau de la porte évoquaient avec malaise le repaire officiel de Mussolini. »

10

La Gestapo américaine

Franklin Roosevelt n'eut pas le temps avant sa mort de témoigner par écrit de ce qu'il pensait vraiment de Hoover. De son côté, des années plus tard, le directeur du FBI allait prétendre que le président et lui avaient été « très proches, aussi bien à titre personnel qu'officiel ». Il s'agit en fait d'un amalgame de vérités et de mensonges.

En public, Hoover jouait le courtisan loyal. Comme à son habitude avec les chefs de l'État, il était irréprochable sur le plan formel, inondant la Maison-Blanche de rapports respectueux. Il escorta Mrs Roosevelt au cours d'une visite du quartier général. Après avoir dîné avec le président à l'issue de l'affaire Dillinger, il écrivit à Roosevelt pour lui demander une photo dédicacée.

Mais, précise William Sullivan : « Hoover n'aimait pas Roosevelt. Il ne laissait jamais passer l'occasion de faire des remarques insidieuses lorsque l'on prononçait son nom, et il ne manquait jamais d'exprimer son sentiment sur lui dans des notes internes au Bureau... Quand je fus affecté à la division de la recherche, j'ai pu voir ses annotations à l'encre bleue au sujet de Roosevelt, en particulier celle-ci : "Il a un complexe d'empereur." » Hoover soupçonnait Roosevelt d'être un gauchiste, toujours selon Sullivan : « Hoover se méfiait des libéraux et F. D. R. en était entouré. Hoover détestait Henry Wallace, ministre de l'Agriculture, ainsi que Harry Hopkins, chargé de quelques-uns des programmes les plus importants du *New Deal*. Et la plupart des autres membres de l'état-major du président étaient également inacceptables pour le directeur. »

Mais l'attitude de Hoover vis-à-vis du président était modérée comparée à son hostilité à l'égard de sa femme Eleanor. Il se méfiait terriblement d'elle, en raison de son enthousiasme pour les causes défendus par la gauche et ses amis du même bord, et il faisait en sorte que le président en soit informé. Lorsque le secrétaire général du puissant syndicat américain AFL vint se plaindre que le FBI enquêtait sur lui, Roosevelt répondit avec un sourire résigné : « Ce n'est rien à côté de ce qu'Edgar Hoover dit de ma femme ! » Et pourtant, le président le supportait et lui faisait même confiance.

Un historien a remarqué que Roosevelt avait une « vision plus ample » du pouvoir exécutif que ses prédécesseurs républicains. Le FBI était pour lui un outil au service d'objectifs plus importants que la simple application de la loi, tels que des raisons d'État ou son propre intérêt politique. C'est pourquoi, paradoxalement, ce président, célèbre pour son libéralisme, dota Hoover de formidables pouvoirs, dont il devait abuser pendant près de cinquante ans.

En 1933, un mois avant l'intronisation de Roosevelt, le nazisme commença sa progression en Allemagne avec l'accession d'Adolf Hitler au poste de chancelier. Puis ce furent le retrait de la Société des nations, le réarmement de l'Allemagne, l'assassinat du chancelier d'Autriche.

Au printemps de 1934, on craignait en Amérique que les groupes extrémistes de droite, dont le mouvement nazi américain, complotent contre le gouvernement. Le 8 mai, Hoover se rendit à la Maison-Blanche pour discuter de la situation avec le président et les principaux membres de son cabinet. Il en résulta que, pour la première fois, il y gagna l'autorisation officielle de mener des enquêtes politiques.

Il commença par s'occuper des nazis américains, mais ne tarda pas à y adjoindre d'autres mouvements. Au cours de l'automne, Roosevelt donna l'ordre à Hoover d'enquêter sur les grévistes de Rhode Island. A Noël, lorsque des représentants de l'Union des libertés civiques américaines (ACLU) demandèrent à être reçus par le président, la Maison-Blanche se fit communiquer au préalable le dossier de l'organisation par le FBI. Or Hoover nourrissait une profonde aversion à l'égard de l'ACLU et c'est sur son instigation que Roosevelt refusa de les recevoir. Lui et ses conseillers prirent l'habitude de solliciter au Bureau des rapports sur des sujets qui n'avaient qu'un lien lointain ou même inexistant avec la police. Le directeur s'empressait de les satisfaire et il devint, suivant la formule d'un historien, « l'espion servile du président ».

Puis ce fut l'affirmation sanglante du pouvoir de Staline à Moscou, le coup de force nazi sur la rive gauche du Rhin et la Guerre civile espagnole. Roosevelt reçut d'inquiétants avertissements sur un complot de droite visant à le renverser, ainsi que sur des menaces d'espionnage de l'étranger. Au matin du 24 août 1936, il convoqua Hoover pour une réunion privée qui devait avoir des conséquences d'une portée incalculable. Nous ne disposons que de la version d'Edgar sur ce qui s'est passé et sur ce que lui a dit le président : « Je vous ai fait venir parce que je voudrais que vous fassiez un travail pour moi, qui doit rester confidentiel. » Roosevelt voulait savoir comment il pourrait obtenir des informations fiables sur l'activité fasciste et communiste aux États-Unis. Hoover lui répondit que le FBI pouvait se charger légalement de cette mission, bien que cela ne relevât pas du domaine de la police, à condition que la demande en soit faite par le Département d'État. Le lendemain, en présence de Hoover, Roosevelt expliqua au secrétaire d'État Cordell Hull que les États-Unis étaient menacés par les services secrets soviétiques et fascistes. Hull aurait répondu : « Allez-y et enquêtez sur cette bande de fumiers ! »

Pour éviter les fuites, le président (d'après le compte rendu de la réunion par Hoover) ne voulait pas d'une demande écrite du Département d'État au FBI. En revanche, il aurait dit qu'« il déposerait dans son coffre de la Maison-Blanche un texte de sa main expliquant qu'il avait donné des instructions au secrétaire d'État pour obtenir ces informations ». La bibliothèque présidentielle n'ayant pas retrouvé ce texte, on ne dispose d'aucun moyen de savoir quelle portée le président avait l'intention de donner à cet ordre. Il est clair en tout cas que ses directives furent secrètes, sans l'accord du Congrès, et que le ministre de la Justice, patron de Hoover, n'en fut informé qu'après.

Ces réunions à la Maison-Blanche eurent pour résultat d'accroître considérablement la liberté d'action d'Edgar. La propagande avait déjà fait de lui un gardien légendaire de la nation, garant de la sécurité de la ménagère. Maintenant, sur l'ordre du président, il exerçait également un pouvoir politique.

Aussitôt après la réunion avec Roosevelt et avant même d'en discuter avec le ministre de la Justice, Homer Cummings, Hoover déclencha une vague massive d'enquêtes contre les syndicalistes et les gens de gauche. La liste des cibles du FBI conservée dans les archives du Bureau incluait les secteurs de l'acier, du charbon et du vêtement, ainsi que les organisations culturelles et les syndicats. Bien que Hoover l'ait nié à l'époque, le Bureau commença également à recruter des informateurs et à préparer des dossiers sur les éléments « subversifs ».

Au printemps de 1938, alors que dix-huit pseudo-espions nazis étaient traduits en justice, le président répondit à la pression publique en augmentant les crédits des services d'espionnage. Hoover recommanda que l'argent soit utilisé pour les besoins internes, en précisant que cela ne nécessiterait pas une législation spéciale. Il écrivit au président qu'une telle mise sous surveillance du pays devait être poursuivie « dans le plus grand secret afin d'éviter critiques et objections de la part de gens mal informés ou secrètement motivés ». A la fin de l'année, au cours d'une réunion privée à bord du train présidentiel, Roosevelt donna son feu vert.

Le Bureau put ainsi engager un nombre impressionnant de nouveaux agents : alors que l'on en comptait moins de mille en 1937, leur effectif grossit jusqu'à près de quatre mille à la fin de 1945. La plupart des recrues furent affectées à la protection de la sécurité nationale pendant la guerre. Mais le Bureau en profita pour amasser simultanément un stock d'informations sur des citoyens ordinaires de conviction libérale ou sur de petites associations parfaitement inoffensives.

Les dossiers du FBI révèlent qu'en janvier 1939 Hoover prit contact avec Harry Bennett, le bras droit du fabricant d'automobiles Henry Ford. Bennett était un impitoyable briseur de grèves et avait passé un accord avec les chefs du crime organisé de Détroit. C'est par ses contacts avec la pègre qu'il réglait les problèmes syndicaux des usines Ford. Des hommes de main se chargèrent de passer à tabac Walter Reuther, responsable du syndicat des ouvriers de l'automobile et une des cibles permanentes d'Edgar, lors d'une distribution de tracts aux alentours de l'usine. Bennett constitua une milice privée, armée de pistolets, de nerfs de bœuf et de matraques en caoutchouc, pour attaquer et disperser les réunions ouvrières. Hoover s'entendait très bien avec Bennett qu'il considérait comme un allié. L'agent du FBI responsable de Détroit avait directement accès aux dossiers de Bennett sur les activités communistes, qui étaient, disait-il, « une de ses meilleures sources d'information ».

Même lorsque le FBI découvrit plus tard que les noms des « communistes » provenaient en fait des dossiers du chef fasciste local, l'enthousiasme de Hoover à l'égard de Bennett n'en fut en rien altéré.

Vers la fin de 1939, le directeur demanda à son équipe, sans en référer à l'autorité supérieure, de préparer la liste des individus qui devraient être incarcérés en temps de guerre. Elle se composait non seulement de ceux qui sympathisaient avec les Allemands et leurs alliés, mais aussi de ceux qui avaient des « sympathies communistes ». On y trouvait des personnes qui n'avaient rien fait pour susciter de tels soupçons, comme le journaliste Harrison Salisbury du *New York Times*. En 1942, alors que le journal voulait l'envoyer comme correspondant à l'étranger, Salisbury eut des difficultés à obtenir son passeport. Ce n'est que quarante ans plus tard qu'il en découvrit la raison. Une voisine excentrique avait informé les autorités que Salisbury était « employé par le gouvernement allemand ». Elle en était convaincue parce qu'il avait du matériel d'enregistrement chez lui. Sa maison fut secrètement fouillée et son dossier ouvert au FBI. D'où ses problèmes de passeport. Son nom figurait sur la liste des suspects passibles d'incarcération avec la mention : « Pro-allemand, employé du gouvernement allemand. » Et ainsi, jusqu'en 1971, le journaliste figura parmi ceux que l'on pouvait arrêter et emprisonner, en cas de péril national.

Hoover résista âprement lorsque, en 1940, le ministre de la Justice, Robert H. Jackson, insista pour que ce soit ses services qui assument le contrôle total de cette « Liste d'internement ». En 1943, le nouveau ministre, Francis Biddle, obtint que la liste soit abolie, arguant que son rôle était de poursuivre ceux qui violaient la loi et non pas de cataloguer les citoyens potentiellement dangereux. Edgar donna l'ordre à ses subordonnés de conserver la liste, mais d'en changer simplement le nom en « Nomenclature de sécurité ». Il agit en secret du ministre et le Sénat ne le découvrit qu'en 1975.

En public, la plupart des ministres de la Justice se comportaient comme si leurs relations avec Hoover étaient bonnes. En privé, elles étaient marquées par de terribles frictions. Frank Murphy, qui occupait le poste en 1939, estimait qu'Edgar avait l'ambition de devenir lui-même ministre et trouvait son comportement très alarmant : « C'est un malade… Il est capable de dénicher quelque chose sur tout le monde. » Il ne croyait pas si bien dire, car le directeur détenait un dossier sur lui, contenant notamment des informations sur sa vie privée.

En juin 1939, la guerre s'annonçant en Europe, le président Roosevelt fut d'accord pour que le FBI, en liaison avec les ministères intéressés, soit chargé de toutes les opérations des services de renseignements. En septembre, tandis que Hitler signait le pacte de non-agression avec la Russie et s'apprêtait à envahir la Pologne, Roosevelt annonça officiellement que Hoover allait prendre la tête du combat contre l'espionnage et le sabotage. En même temps, il l'autorisa à rassembler des informations sur les « activités subversives ». Les ordres étaient vagues et destinés à répondre à l'urgence.

Le premier usage que fit Hoover de sa nouvelle autorité souleva un véritable tollé. En janvier 1940, l'arrestation d'un certain nombre d'agitateurs antisémites, accusés de comploter pour renverser le gouvernement, se termina en fiasco. On découvrit que les suspects avaient été manipulés et armés par un informateur payé par le FBI, et toutes les charges furent abandonnées.

Puis des agents de Détroit et de Milwaukee arrêtèrent treize militants sous prétexte que, trois ans plus tôt, ils avaient recruté des volontaires pour aider les loyalistes dans la Guerre civile espagnole. Ils appliquaient un ancien règlement qui spécifiait qu'un citoyen était en infraction s'il levait une armée sur le sol américain pour un conflit étranger. Mais, dans ce cas précis, le délit avait été commis depuis longtemps et la guerre en question était terminée. Le ministre de la Justice s'empressa d'abandonner l'accusation, pas assez tôt toutefois pour étouffer l'indignation populaire. Les agents du FBI avaient fait une descente de police avant l'aube, brisé les portes, mis les maisons à sac, enfermé pendant neuf heures leurs prisonniers qu'ils avaient obligés à se déshabiller pour les fouiller à deux reprises et ne leur avaient laissé s'entretenir avec un avocat qu'une minute avant leur comparution devant le juge. Tout cela rappelait les rafles rouges de 1920, mais cette fois-ci Hoover ne pouvait en rejeter la responsabilité sur autrui.

La presse compara le FBI aux polices secrètes de l'Allemagne nazie et de la Russie soviétique. Le sénateur George Norris parla de « Gestapo américaine » et ajouta qu'à ce train-là il y aurait bientôt « un espion derrière chaque arbre et un policier dans chaque armoire ». Il voyait juste, car on sait maintenant qu'en 1940 Hoover avait un mouchard parmi les collaborateurs de Norris !

Trois jours après le raid de Détroit, Hoover fut convoqué chez Roosevelt. Puis il partit aussitôt avec Clyde pour des vacances à Miami où il alla se cacher dans une villa dépendant de l'hôtel Nautilus, retraite des millionnaires, afin de se protéger de la vague des critiques.

Pendant ce temps, à Washington, ses assistants intriguaient ferme pour mener une contre-offensive. En coulisse, les agents enquêtaient sur tous ceux qui avaient critiqué les arrestations des partisans de la République espagnole. De son côté, Hoover s'efforçait de convaincre son ministre Jackson de faire une déclaration pour le défendre. Mais Jackson hésitait. Son prédécesseur l'avait mis en garde contre Edgar en l'informant que le FBI espionnait toutes les personnalités du gouvernement et avait placé leur téléphone sur écoute. Hoover nia ces accusations et offrit sa démission. Jackson mit un point final au scandale par une déclaration de compromis où il exprimait sa confiance dans le FBI tout en s'engageant à protéger les libertés civiques.

Hoover surmonta cette crise parce qu'il bénéficiait de la protection du plus puissant de tous : le président. Roosevelt ne chercha même pas à étouffer l'affaire. Au cours d'une réception au Club de la presse à Washington, il s'adressa ostensiblement à Hoover :

« Alors, Edgar, qu'est-ce qu'ils essaient de vous faire ?

– Je ne sais pas, monsieur le président. »

Roosevelt tendit alors les deux mains, le pouce dirigé vers le sol et commenta à haute voix : « Ça, c'est pour eux ! »

Tous les spectateurs comprirent alors que l'avenir de Hoover était assuré pour un bon bout de temps.

Le secrétaire de l'Intérieur Harold Ickes explique : « Hoover a conservé son poste et accru son pouvoir car il réussit à obtenir la confiance totale du président. » Il l'avait acquise, comme ce serait plus tard le cas avec les autres, en inondant la Maison-Blanche d'informations sur des personnalités politiques. « Il le flattait, dit William Sullivan, en lui rapportant des ragots croustillants sur des personnalités de haut rang. » Francis Biddle, qui succéda à Jackson comme ministre de la Justice, connut la même expérience : « Alors qu'il déjeunait seul avec moi, Hoover me fit part de l'extraordinaire étendue de sa connaissance sur la vie intime de mes collaborateurs, ce qu'ils faisaient et disaient, aimaient et détestaient, leurs points faibles et leurs relations. » En juin 1940, lorsque Roosevelt lui écrivit pour le remercier de son « admirable travail », Hoover répondit par la flatterie. Cette lettre est « un des messages les plus encourageants que j'aie jamais eu le privilège de recevoir... le symbole des principes auxquels notre nation est attachée ».

L'espionnage politique du FBI en faveur de la Maison-Blanche devint un travail de routine. Lorsque Roosevelt demanda que soient examinés les télégrammes critiques qu'il avait reçus en masse après son discours radio sur la défense nationale, Hoover s'empressa d'en vérifier les auteurs et d'ouvrir de nouveaux dossiers sur des centaines de citoyens.

Roosevelt sollicita l'aide d'Edgar lorsque le *Chicago Tribune* l'attaqua sur sa politique de défense nationale. Il voulait soutenir un journal rival qui lui serait favorable. « Lorsque le nouveau quotidien, le *Sun*, raconte un journaliste du *Tribune*, essaya de nous couler, le gouvernement utilisa le FBI pour faire pression sur les dirigeants de la presse locale. J'en ai parlé avec Hoover qui m'a dit : "Ouais, mais j'ai une lettre qui m'a donné des instructions." Et il m'a montré l'ordre. Il voulait des garanties avant de faire ce genre de trucs. »

Au fur et à mesure, Roosevelt court-circuitait de plus en plus son ministre de la Justice et communiquait directement avec Hoover. Une pléiade d'entre eux, qui normalement avaient une autorité directe sur le patron du FBI, devaient apprendre à supporter cette humiliation. Ickes écrivit dans son journal, en juin 1941, que Hoover était devenu « si puissant qu'apparemment il pouvait imposer celui qui allait être son chef en titre ». Un des adjoints directs de Francis Biddle, Edward Ennis, estime que les ministres de la Justice étaient intimidés par les relations d'Edgar avec le président, mais « encore plus par la crainte des dossiers qu'il avait sur chacun ». Hoover, précise un autre, « était à la tête d'une police secrète qui n'avait que peu de rapports avec les libertés civiques ».

C'était la première fois dans l'histoire de la nation qu'un fonctionnaire fédéral détenait un tel pouvoir et que ses attaques contre les liberté civiques se révélaient aussi graves et constantes.

En mai 1940, Roosevelt donna le feu vert pour l'utilisation de cet outil indispensable à toute police secrète : les écoutes téléphoniques. Officiellement, Hoover était irréprochable dans ce domaine. En effet, le premier manuel du FBI édité en 1928 précisait que le branchement clandestin sur une ligne était « malhonnête, illégal et immoral ». D'ailleurs, le directeur avait assuré le Congrès que tout agent le pratiquant serait aussitôt licencié. En outre, la législation de 1934 sur les communications semblait avoir mis les écoutes téléphoniques hors la loi, en dépit de quelques imprécisions. Et si une disposition du ministre de la Justice autorisait certaines écoutes après accord préalable, Hoover continuait à soutenir qu'il y était opposé sauf dans des cas où la vie d'une personne était menacée, comme le kidnapping.

Cependant, les témoignages de certains de ses employés montrent bien que ce n'était pas exact. Cinq agents du FBI furent contraints de reconnaître que, pendant deux mois en 1936, le Bureau avait monté une opération d'écoutes téléphoniques permanentes pour enquêter à New York sur une affaire de vol. Les preuves montrèrent que cela n'avait rien d'inhabituel et que le fait s'était reproduit très souvent avec l'équipement technique le plus sophistiqué.

Selon d'autres agents, il arrivait à Hoover d'utiliser les écoutes dans son propre intérêt. Ainsi avait-il dans le passé enregistré les conversations de James Farley, ministre des Postes, qui voulait le remplacer à la tête du FBI. En 1937, lors d'une descente dans les bordels de Baltimore, les journalistes avaient demandé à Hoover s'il était vrai que les téléphones avaient été mis sur écoute pendant l'opération. « On est parfois obligé de le faire », reconnut-il prudemment. On devait découvrir plus tard que le compte rendu de l'écoute des conversations d'un seul bordel remplissait deux volumes pleins. D'anciens agents avouèrent ultérieurement qu'une partie de leur mission consistait à recueillir des informations scabreuses sur des officiers de police qui étaient en conflit avec Edgar.

Le président des Communications fédérales, James Fly, devait écrire : « Seul probablement Mr Hoover peut dire exactement combien de fois il a donné ordre à ses agents de violer la loi que son Bureau était censé appliquer, mais il a choisi de ne pas parler de ces détails. » C'était le témoignage de Fly devant le Congrès qui avait fait rejeter au début de 1940 la demande de Hoover souhaitant atténuer la législation condamnant les écoutes téléphoniques. C'est pourquoi Edgar le détestait au point que, vingt ans plus tard, Fly à la retraite demanda à un journaliste que l'interview ait lieu à l'extérieur, car il craignait que sa maison ne soit sur écoute du FBI.

Au printemps de 1940, Roosevelt contourna la loi et, persuadé qu'elles étaient vitales pour la sécurité nationale, autorisa les écoutes téléphoniques « des personnes suspectées d'activités subversives contre les États-Unis, dont les éventuels espions ». Le ministre de la Justice, Robert Jackson, désapprouvait cette mesure au point qu'il prit ses distances et laissa Hoover seul décider de ceux qu'il mettrait sous surveillance. Quelques mois plus tard, le cas de Harry Bridges devait démontrer qui étaient pour le FBI « les personnes suspectées d'activités subversives ».

Harry Bridges, secrétaire du syndicat des dockers à trente-cinq ans, était une épine dans le dos aussi bien des patrons que du FBI. Cinq ans plus tôt, quand Hoover avait alerté Roosevelt sur la menace communiste, il avait désigné Bridges comme celui qui pouvait paralyser toute la marine marchande. Bridges était vulnérable, car il était né en Australie. Hoover soutenait qu'il était communiste, et les communistes d'origine étrangère pouvaient être expulsés comme « membres d'une organisation susceptible de renverser le gouvernement par la force ». De son côté, Bridges assurait qu'il n'avait jamais été membre du Parti, bien qu'il reconnaissât être « un admirateur de l'État soviétique ».

Au mois d'août 1941, Leon Goodelman, reporter d'un journal de New York, reçut un appel téléphonique concernant Bridges, qui logeait à l'hôtel Edison de la 47e Rue. Bridges avait découvert que son téléphone était sur écoute et invitait le reporter à venir s'en rendre compte par lui-même. Goodelman sentit tout de suite qu'il tenait un scoop. Bridges lui expliqua qu'il logeait par intermittence dans cet hôtel depuis début de juillet. Il avait l'habitude d'être surveillé par le FBI mais ses soupçons s'étaient renforcés car la direction de l'hôtel insistait à chacun de ses passages pour lui donner toujours la même chambre, le numéro 1027. Puis il reconnut un jour un agent du FBI dans le hall. Lorsqu'il en découvrit deux autres, il décida de leur tendre un piège. De sa chambre, il téléphona à un collègue syndicaliste pour lui donner rendez-vous dans une boutique des environs. Bien entendu, un des agents s'y trouvait aussi. Or, il ne pouvait avoir été mis au courant qu'en écoutant la conversation. « Je suis retourné à toute vitesse dans ma chambre. Je me suis couché par terre pour regarder sous la porte de communication avec l'autre pièce. J'ai vu deux pieds et des fils de téléphone… J'ai décidé alors de m'amuser un peu avec eux et je suis sorti en silence. »

Bridges monta sur la terrasse de l'immeuble en face et, avec des jumelles, surveilla sa chambre et la pièce voisine. « Deux types étaient allongés sur les lits jumeaux, les écouteurs aux oreilles, pensant que j'étais toujours à l'intérieur. » Et ainsi, pendant plusieurs jours, Bridges, accompagné de Goodelman et d'un photographe, espionna leurs espions. Les journalistes notèrent que, chaque fois que Bridges quittait sa chambre, un des agents de la pièce voisine se mettait à sa machine à écrire. Avec une lime à ongles Goodelman ouvrit le boîtier du téléphone de la chambre de Bridges et y découvrit un petit micro clandestin. La police fut appelée et l'agent du FBI dut s'échapper par l'escalier de secours. On retrouva sur place les fils qui conduisaient à travers le mur à la ligne téléphonique de Bridges ainsi qu'une feuille de papier à en-tête « Evelle Younger, agent spécial ».

Le FBI avait été pris sur le fait. Francis Biddle, qui venait juste d'être nommé ministre de la Justice, eut à affronter des questions pénibles de la commission juridique du Sénat. « Quand toute l'histoire est sortie dans les journaux, dit-il, je n'ai pas pu m'empêcher de suggérer à Hoover d'en parler directement au président. Nous sommes allés ensemble à la Maison-Blanche. F. D. R. était ravi et, avec son sourire moqueur, donna une grande claque sur le dos de Hoover en disant : "Bon Dieu, Edgar, c'est la première fois que vous êtes pris la main dans le sac !" » Roosevelt n'aurait peut-être pas ri de si bon cœur s'il avait su ce qu'Edgar disait dans son dos et dont se souvient un adjoint du ministre : « Hoover déclara franchement que s'il était officiellement mis en cause, il rétorquerait qu'il en avait reçu l'autorisation du président lui-même... Il n'avait aucune loyauté à l'égard de son commandant en chef. Il l'aurait laissé payer les pots cassés pour avoir permis un acte illégal. »

Roosevelt aurait eu à répondre de certaines questions. Il lui était arrivé de demander à Edgar de mettre sous surveillance téléphonique certains de ses collaborateurs. En outre, au cours de l'élection de 1944, Hoover avait directement fourni à la Maison-Blanche les fiches d'écoutes téléphoniques de politiciens du parti républicain, anticipant de trente ans le scandale du Watergate qui entraînerait la chute de Nixon. Selon ce dernier, Hoover lui aurait dit que « chaque président depuis Roosevelt » lui avait demandé de procéder à des écoutes. En effet, une commission du Sénat devait découvrir en 1975 que les présidents Truman, Eisenhower, Kennedy, Johnson et Nixon avaient tous utilisé le FBI à des fins de surveillance téléphonique qui n'avaient rien à voir avec la sécurité nationale ou des problèmes de criminalité. En se servant du FBI au mépris de la morale et même parfois de la loi, ils étaient tous redevables à Hoover.

Rien d'étonnant donc qu'Edgar trompe le Congrès avec tant de désinvolture. « A Chicago, se souvient un vétéran, le quartier général nous appelait quelques jours avant que Hoover ne fasse son rapport devant la commission de la Chambre des représentants. On nous informait qu'il se préparait à donner le nombre, toujours très bas, des écoutes téléphoniques alors en service. Nous en avions une douzaine dans notre ville et nous avions l'ordre de les réduire à une seule, le parti communiste par exemple. Nous prenions contact avec la compagnie du téléphone pour leur dire : "A partir de mardi minuit jusqu'à mercredi minuit, il n'y a que cette écoute-là en service à Chicago." Hoover se présentait devant la commission, faisait son discours, et communiquait le chiffre très bas des écoutes, exact ce jour-là. Les représentants étaient très impressionnés. Puis, le mercredi, elles étaient toutes de nouveau remises en service. »

Nous ne saurons probablement jamais combien de ces écoutes furent faites sans l'approbation du ministre, car toutes les archives étaient détruites tous les six mois sur ordre de Hoover. Mais la Nomenclature de surveillance contient 13 500 dossiers et on y apprend, entre autres, que le FBI avait mis sur écoute téléphonique 13 syndicats, 85 groupes politiques de gauche et 22 organisations de droits civiques.

En 1940, sûr de ses relations avec Roosevelt, fort de son redoutable pouvoir, Hoover était prêt pour la Seconde Guerre mondiale.

11

L'agent double
et les Japonais

La guerre commença pour Edgar bien avant Pearl Harbor. Au début de 1940, il reçut une lettre d'un boxeur à la retraite, Gene Tunney, ancien champion du monde poids lourd dans les années vingt, qu'il connaissait bien pour l'avoir vu souvent au Yankee Stadium. La lettre de Tunney n'avait rien à voir avec le sport, mais transmettait un message discret de l'un de ses amis devenu un agent secret britannique.

William Stephenson, un Canadien du même âge que Hoover, était un extraordinaire personnage : as de l'aviation durant la Première Guerre mondiale, évadé d'un camp de prisonniers allemand, pionnier de la radio et de la télévision, il était devenu un brillant homme d'affaires en même temps qu'un remarquable agent de renseignements. Il avait été chargé par Churchill, alors Premier Lord de l'Amirauté, de contacter Hoover par l'entremise du boxeur. Churchill correspondait déjà secrètement depuis des mois avec Roosevelt, qui souhaitait ardemment sauver l'Europe des nazis, mais qui n'était pas libre d'agir ouvertement en raison de la vive opposition de nombreux isolationnistes américains et de la prochaine élection présidentielle. Dans cette situation délicate, Churchill choisit Stephenson pour être son représentant personnel aux États-Unis.

En avril 1940, alors que l'invasion allemande menaçait, l'Angleterre avait réussi à découvrir le système Enigma, la clé qui permettait de décoder les communications militaires allemandes et peut-être d'ouvrir la voie vers la victoire. Churchill avait décidé que le président Roosevelt serait, provisoirement du moins, le seul étranger à connaître ce secret. « Lui et lui seul, avait-il dit à Stephenson, doit connaître la vérité… Des analyses quotidiennes de nos renseignements lui seront transmises par l'intermédiaire du FBI. » La coopération de Hoover était vitale, même s'il ne savait rien d'Enigma car le secret fut bien gardé. C'est pourquoi on avait choisi leur ami commun Gene Tunney pour lui remettre la première lettre officieuse de Stephenson. On n'en connaît pas la teneur mais en tout cas le message convainquit Edgar qui téléphona à Tunney pour accepter de rencontrer l'émissaire de Churchill.

L'entrevue entre les deux hommes eut lieu au mois d'avril dans la nouvelle maison qu'occupait Hoover depuis la mort de sa mère. Stephenson fut aussitôt frappé par la luxuriance méticuleuse de la décoration, la profusion de photos d'Edgar, mais aussi d'hommes nus. « Il y en avait partout, se souvient-il, des statuettes, des images suggestives, toujours des hommes nus. » Quand, plus tard, il rencontra Clyde, il comprit tout de suite qu'il avait affaire à un couple d'homosexuels. Stephenson trouva Hoover distant et complexe, très différent de lui. Le directeur du FBI écouta le Canadien proposer une coopération des services de renseignements, mais dit qu'il ne pouvait rien faire sans un ordre spécifique du président. Stephenson retourna à Londres pour revenir rapidement à Washington en mai, après que Churchill fut devenu Premier ministre.

A cette époque, Churchill était déjà fermement déterminé. Un jour qu'il se rasait dans sa salle de bains, son fils Randolph lui confia qu'il ne voyait pas comment l'Angleterre pourrait gagner la guerre contre les Allemands. Churchill se retourna brusquement et répondit qu'il allait « y entraîner les États-Unis ». Peu de temps après, à la Maison-Blanche, à la suite d'un entretien entre Stephenson et Roosevelt, le président décida que serait mise en place « une collaboration aussi étroite que possible entre le FBI et l'Intelligence Service britannique ». En donnant l'ordre d'une telle coopération avec un pays étranger alors que l'Amérique était en paix, Roosevelt prenait un grand risque pouvant aller jusqu'à sa mise en accusation par le Congrès. Dans une certaine mesure, il en était de même pour Hoover qui avait insisté pour que l'accord reste un secret pour le Département d'État. Bien que, des années plus tard, il ait prétendu avoir reçu des instructions écrites du président, on n'a jamais retrouvé le document.

La version officielle des Britanniques crédite Hoover de « courage et prémonition » dans la phase initiale de l'opération Stephenson. Mais on y trouve aussi des commentaires acerbes sur son caractère. C'était une *prima donna* qui ne tolérait aucun rival et « n'avait aucun scrupule pour s'en débarrasser ». Les Anglais avaient compris que le prix de la coopération d'Edgar était « toujours fonction de son ambition féroce pour le FBI ».

Il est difficile de savoir exactement de quel côté penchaient les sympathies personnelles de Hoover, au sein d'un gouvernement qui à l'époque n'était pas encore immunisé contre les sentiments pro-germaniques. Hoover avait reçu un des collaborateurs de Himmler en 1938, alors que l'on connaissait depuis longtemps la vraie nature du régime nazi, et il entretint jusqu'en 1939 une correspondance aimable avec des représentants officiels de la Gestapo. Certains détracteurs critiquent le FBI pour n'avoir coupé définitivement les ponts avec l'Allemagne que trois jours avant Pearl Harbor. Mais cela n'a guère de sens car il n'y avait aucune raison pour qu'un pays en paix se prive de contacts susceptibles de fournir d'utiles informations.

Lorsque l'entrée en guerre devint évidente, Hoover commença par s'assurer que Clyde Tolson, âgé d'une trentaine d'années, ne partirait pas au combat. Il avisa la marine qu'en cas de conflit armé Clyde serait indispensable à son poste actuel. Vers la fin de 1940, alors que le FBI prévoyait d'envoyer deux hauts responsables en Angleterre, Clyde se porta volontaire. Hoover dit qu'il appréciait ce « beau sentiment »... puis délégua quelqu'un d'autre pour subir les rigueurs de Londres sous les bombardements. Il aimait parler de Clyde comme du *commander*, son grade de capitaine de frégate réserviste. Quant à Hoover, âgé maintenant de quarante-cinq ans, il était lieutenant-colonel de réserve dans les services de renseignements et acceptait volontiers que des militaires l'appellent par son grade.

Au début, ce combattant de l'arrière qu'était Edgar impressionna les Anglais. Il fournit le poste émetteur qui permettrait à Stephenson d'être en liaison directe avec Londres, et le FBI contribua à empêcher le sabotage de bateaux britanniques dans les ports américains. Alors que la censure de la correspondance était interdite en temps de paix, Hoover aida Stephenson lorsqu'il eut besoin d'intercepter des lettres : les agents du FBI volaient tout simplement le courrier dans les bureaux de poste.

Les documents pris sur des espions allemands étaient également remis aux Anglais, sans qu'en soient informés les services de renseignements de l'armée américaine, qui étaient encore à cette époque opposés à toute coopération avec les Britanniques. Les rapports n'étaient pas à sens unique. Le FBI découvrit que ses amis anglais étaient experts dans l'art d'ouvrir le courrier des autres sans laisser de trace, et des agents du FBI s'envolèrent vers la colonie anglaise des Bermudes pour s'initier à leur technique. Stephenson partageait avec Hoover les nombreuses informations qu'il recevait de ses agents, en particulier celles d'Amérique latine. Au bout d'un an de coopération, plus de cent mille rapports furent ainsi communiqués au FBI.

Le fait de travailler avec les Britanniques donna l'impression à Hoover que lui aussi se conduisait en héros, tel un agent sur le terrain. En août 1940, lorsque les nazis essayèrent d'intercepter un stock de données scientifiques détenu par un Anglais à l'hôtel Shoreham à Washington, c'est Edgar qui s'y rendit lui-même en voiture pour mettre le matériel en sûreté. Conscient de la vanité de Hoover, Stephenson veilla à ce qu'il soit crédité de chaque réussite britannique contre les services d'espionnage nazis, comme le confirme un membre de l'équipe anglaise : « Il vivait sur sa publicité, tandis que Stephenson la fuyait. Inévitablement, c'était le FBI qui en tirait profit, mais ça nous était complètement égal. »

Tandis que l'Europe était à feu et à sang, les chefs des différents services de renseignements américains, Hoover ainsi que ses collègues militaires, étaient en lutte perpétuelle pour étendre leur empire. Le général Ralph Van Deman, qui connaissait bien Hoover, prévint l'armée que celui-ci avait été « catapulté à un poste dont il ne connaissait pratiquement rien ». Le ministre de la Guerre, Henry Stimson, pensait qu'il « empoisonnait l'esprit du président et se comportait plus comme un enfant gâté que comme un officier responsable ».

Pour mettre fin à ces rivalités, Roosevelt pensa à désigner le colonel William Donovan chef de tous les services de renseignements. Donovan, âgé de cinquante-cinq ans en 1941, était un héros de la Première Guerre mondiale, un juriste éminent et une personnalité politique. Bien que membre du parti républicain, il était très respecté par Roosevelt qui considérait qu'il avait l'étoffe d'un président. En 1924, alors qu'il était assistant du ministre de la Justice, Donovan avait recommandé que Hoover soit confirmé à la tête du Bureau d'investigation. Mais il avait depuis longtemps regretté son geste. Il ne cachait pas que, si le parti républicain revenait au pouvoir, il ferait tout son possible pour le liquider. Hoover était au courant et c'était d'autant plus humiliant pour lui de savoir que Donovan allait être mis à la tête des services de renseignements.

En revanche, une complicité était née entre Donovan et Stephenson. L'agent de Churchill n'avait pas tardé à être déçu par Hoover. Selon les Anglais, il faisait un maigre usage des informations qu'ils lui donnaient et « il raisonnait comme un simple flic ». Stephenson avait besoin d'un partenaire qui eût la mentalité d'un espion, comme c'était le cas de Donovan. Ils s'envolèrent tous les deux vers l'Europe pour étudier les méthodes des Britanniques, qui avaient beaucoup plus d'expérience en ce domaine que leurs collègues américains, ce qu'appréciait Donovan et qui irritait Hoover.

Le chef des services de renseignements de la marine britannique, le contre-amiral Godfrey, accompagné du capitaine de frégate Ian Fleming (le futur créateur de James Bond), arriva en Amérique en mai 1941 pour recommander que le renseignement soit placé sous l'autorité de Donovan et de Hoover. Selon Fleming, Edgar « fit poliment mais clairement savoir qu'il n'était pas intéressé par notre mission... La réponse négative de Hoover fut aussi douce qu'un coup de patte de chat. Avec l'air de nous faire une faveur, il nous pilota à travers les laboratoires et divers services de classement, ainsi que dans la salle de tir du sous-sol. Puis il claqua dans ses mains et nous montra la sortie ».

En juin 1941, Donovan fut promu au nouveau poste de coordinateur des services de renseignements, à la grande satisfaction de Stephenson et à la rage des chefs militaires et de Hoover, qui qualifia cette désignation de « folie de Roosevelt ». Des documents des services secrets britanniques montrent qu'à partir de ce moment le directeur du FBI, conscient de l'engagement de Donovan dans l'équipe britannique, commença à traiter les étrangers avec une « animosité mal dissimulée ». Cette attitude évolua en une réelle hostilité dont les conséquences ont peut-être joué un rôle le 7 décembre 1941 dans l'une des plus grandes tragédies nationales : Pearl Harbor et la destruction de la flotte du Pacifique !

Quatre mois plus tôt, le 14 août 1941, un membre important du FBI avait envoyé à Hoover un rapport sur un dénommé Dusan (« Dusko ») Popov, un Yougoslave qui venait juste d'arriver à New York. C'était un agent double qui travaillait à la fois pour les Alliés et pour les Allemands. Trente ans plus tard, lorsqu'il publia ses Mémoires de guerre en 1976 *(Spy-Counter-Spy)*, il stupéfia le monde en prétendant qu'il avait averti le FBI que les Japonais envisageaient d'attaquer Pearl Harbor. Il avait essayé, dit-il, de donner l'information à Hoover lui-même mais s'était fait agonir d'injures.

Fils d'un riche industriel, Popov était âgé de vingt-neuf ans en 1941. Lorsqu'il était étudiant en droit dans l'Allemagne nazie d'avant-guerre, il s'était lié d'amitié avec un étudiant allemand également riche, Johann Jebsen. Lorsqu'il vint voir Popov à Belgrade, Jebsen lui apprit qu'il travaillait pour l'Abwehr, le service de renseignements militaire allemand, et lui proposa d'en faire autant. Pour les deux hommes, ce fut le début d'un itinéraire tortueux et dangereux qui devait se terminer par la mort de Jebsen.

Si Popov était personnellement opposé aux nazis, le rôle de Jebsen dans l'Abwehr n'était qu'une couverture. Il était lui aussi anti-hitlérien et entretenait d'étroits contacts avec son patron, l'amiral Canaris qui, comme on le sait maintenant, travailla en secret contre Hitler pendant toute la guerre. Lorsque Jebsen lui demanda d'aller en Angleterre comme espion à la solde du Reich, Popov prit contact avec l'Intelligence Service qui lui dit de jouer le jeu avec les Allemands, et de lui faire ensuite son rapport.

Popov se rendit à Londres en passant par le Portugal où il rencontra son supérieur direct, le major Kremer von Auenrode (connu sous le nom de von Karsthoff). A Londres, le lieutenant-colonel T. A. Robertson (ou « Tar »), qui occupait un poste important dans le service de sécurité MI-5, considéra que le Yougoslave était un atout de valeur pour le double jeu. Après une période de formation, Popov retourna à Lisbonne pour transmettre à l'Abwehr une masse d'informations fantaisistes qui lui avaient été préparées par les Anglais. Les Allemands mordirent à l'hameçon. Ainsi l'agent double Popov, dont le nom de code au MI-5 était « Tricycle », passa les six premiers mois de 1941 à faire l'aller-retour entre Londres et le Portugal à la grande satisfaction de l'Abwehr qui faisait ses choux gras de renseignements erronés.

Au mois de mai, von Auenrode, déplorant la faiblesse de l'espionnage allemand aux États-Unis, demanda à Popov d'aller à New York pour y constituer un réseau d'agents secrets. Popov ne pouvait se permettre de refuser s'il voulait conserver la confiance des Allemands. Quant aux Anglais, ils comprirent aussitôt l'avantage qu'ils pourraient en tirer. Stewart Menzies, le chef du service d'espionnage MI-6, approuva le plan projeté. Popov irait aux États-Unis, « prêté » à Edgar et au FBI. S'il réussissait à monter un réseau d'espions comme le souhaitaient les Allemands, les Alliés s'en serviraient dès le début pour leur campagne d'intoxication. En outre, cette collaboration renforcerait les liens avec le FBI et Hoover accepta.

A Lisbonne, alors que Popov se préparait à partir pour l'Amérique, son ami Jebsen lui communiqua une information mystérieuse. Tandis qu'ils bavardaient tous les deux loin des oreilles indiscrètes sur la falaise qui domine l'Atlantique, Jebsen lui raconta le voyage qu'il venait de faire à Tarente, la base navale italienne qui avait été détruite au cours d'une attaque surprise d'avions britanniques en provenance de porte-avions. Jebsen informa Popov que les Japonais avaient insisté auprès des Allemands pour savoir exactement comment les Anglais avaient procédé. L'attaché de l'air allemand à Tokyo s'attendait à ce que les Japonais tentent une opération semblable dans les six mois, vers la fin de 1941. « Mais où ? » demanda Popov. Jebsen répondit : « Si mes déductions t'intéressent, les Japonais vont attaquer les États-Unis. »

En outre, lorsque von Auenrode s'entretint avec Popov sur sa mission américaine, il lui remit une liste de demandes, en particulier un questionnaire détaillé sur Hawaï et des détails précis sur Pearl Harbor. Sur quatre-vingt-dix-sept lignes consacrées à la mission en Amérique, trente-cinq concernaient Hawaï, la position exacte des dépôts de munitions et de pétrole, des hangars, des bases de sous-marins et des mouillages de navires. « Il faut que vous alliez à Hawaï, dit von Auenrode, et le plus vite possible. »

Pour Popov, cet ensemble de faits avait une signification précise : l'intérêt des Japonais pour le raid aérien sur Tarente, la déclaration de l'attaché de l'air à Tokyo sur une attaque surprise, la déduction de Jebsen qu'elle serait dirigée contre les États-Unis, et finalement l'objectif : Pearl Harbor. Popov s'empressa de rapporter le tout à l'Intelligence Service qui prit les choses très au sérieux. « J'ai vu le questionnaire remis à Popov, se souvient le colonel Robertson, et j'ai été très impressionné. J'ai pensé que la première chose à faire était de prévenir les Américains. »

Popov reçut donc l'instruction du MI-6 de transmettre l'information dès qu'il arriverait à New York. « Les Anglais jugeaient préférable, se rappelle Popov, que ce soit moi qui apporte la nouvelle au cas où les Américains auraient voulu me presser de questions. »

Popov arriva à New York le 12 août 1941 à bord d'un hydravion de la Pan Am. Il prit aussitôt contact avec les agents du FBI locaux, en particulier Earl Connelley, un des assistants de Hoover, et Percy Foxworth, chef de l'agence new-yorkaise. Il leur montra pour la première fois la nouvelle technique allemande de transmission de messages par micropoints, qui permettait de réduire des photos à un petit point noir passant inaperçu dans une lettre ordinaire. Popov leur remit le questionnaire sur Pearl Harbor, dans son format initial aussi bien qu'en micropoints.

Foxworth réagit avec méfiance à l'information sur Pearl Harbor. Popov rapporte qu'il aurait dit : « Tout cela est trop précis. Le questionnaire plus les autres informations établissent en détail où, quand, comment et par qui nous allons être attaqués. Cela m'a l'air d'un piège. » Et Foxworth ajouta que les décisions sur Popov et sa mission seraient prises à Washington par Mr Hoover.

Dans le dossier partiellement censuré du FBI, toute la page du compte rendu de Foxworth sur Popov est effacée ainsi que le début du rapport de douze pages de Connelley. En outre, comme ils sont tous morts, on ne pourra jamais savoir ce qui a été dit à Hoover. Mais il est certain que le patron fut personnellement avisé puisque l'on a retrouvé une note griffonnée de sa main à destination de Foxworth : « Voir Connelley à New York et régler cette affaire Popov. »

A New York, Popov commençait à être sérieusement mal à l'aise. Son contact du FBI lui avait dit de ne pas aller à Hawaï, alors que les Allemands comptaient qu'il le ferait le plus tôt possible. En outre, on ne lui fournissait aucune information à transmettre aux Allemands pour maintenir sa crédibilité. « Il doit y avoir un pépin quelque part, dit le contact, entre votre pays, je veux dire les Anglais, et notre agence à Washington. Mr Hoover va venir à New York dans quinze jours et vous verra à ce moment-là. » La véritable raison de ce délai était qu'Edgar était parti en vacances avec Clyde. En attendant son retour, Popov choisit d'occuper son temps par un voyage en Floride, où les Allemands lui avaient demandé d'aller fureter dans les installations militaires américaines. Il décida d'y emmener une petite amie, ce qui consterna le FBI. Agissant probablement sur les instructions de Hoover, les agents prévinrent Popov qu'il contrevenait au *Mann Act*, loi qui interdisait de faire franchir à une femme la frontière d'un État dans un but de prostitution. Popov passa outre. Il resta une semaine en Floride, se déplaçant dans un luxueux coupé Buick qu'il avait acheté à New York. Pour apaiser le FBI, il loua une chambre séparée pour sa petite amie. Lorsqu'il rentra à New York, il avait encore du temps à perdre et se remit à courtiser l'actrice française Simone Simon qu'il avait connue à Paris. « En tout bien tout honneur », dit-elle.

Popov écrit dans ses Mémoires qu'il finit par « rencontrer » Hoover à l'agence new-yorkaise du FBI : « J'emploie le mot à dessein. Il n'y eut pas de présentations, pas de préliminaires, pas de *politesse*. Je suis entré dans le bureau de Foxworth et j'ai trouvé Hoover assis derrière la table comme une masse de forgeron qui va s'abattre sur l'enclume. » Popov se souvient qu'Edgar le regarda avec « dégoût », et qu'il commença aussitôt à tempêter et à « glapir ». Il devint « rouge de rage » et traita Popov d'« espion bidon », qui n'avait rien fait d'utile depuis qu'il était arrivé. Sa diatribe portait surtout sur le fait que le Yougoslave avait emmené une femme en Floride, « courait après les stars de cinéma » et vivait comme un cochon. Edgar dirigeait une organisation propre et Popov la souillait. Popov répondit qu'il avait toujours vécu dans le luxe et que les Allemands, qui le payaient généreusement, auraient trouvé étrange qu'il se comportât autrement. Il n'avait pas fait preuve de beaucoup d'efficacité depuis son arrivée uniquement parce que le FBI ne s'était pas montré coopératif. Mais Hoover devint de plus en plus furieux. La réunion fut close en quelques minutes et Popov sortit tandis qu'Edgar criait : « Bon débarras ! »

Les défenseurs de Hoover estiment que, quatre mois avant Pearl Harbor, il n'avait aucune raison d'attacher plus d'importance à l'information de Popov qu'aux innombrables autres qui affluaient dans ses services. Deux éléments toutefois auraient dû inciter Edgar à écouter plus attentivement Popov. D'abord, le Yougoslave était recommandé par un ami britannique d'Edgar. « Nous avons décidé de mettre Popov en contact avec Hoover, se souvient le colonel Robertson, du MI-5, parce que Guy Liddell, dirigeant du contre-espionnage, connaissait bien Hoover et avait de bonnes relations avec lui. Liddell pensait, à tort comme l'avenir l'a montré, que Hoover prêterait attention à Popov, puisqu'il venait de sa part. Nous avons commis l'erreur de ne pas informer Roosevelt de l'histoire de Pearl Harbor. » Mais, à l'époque, l'information n'aurait peut-être pas non plus retenu l'attention du président. Et Robertson maintient que le FBI en était le destinataire « naturel » et que l'on ne peut tenir les Anglais pour responsables de l'erreur de Hoover.

Le second élément qui aurait dû inciter Hoover à ne pas mépriser l'information de Popov était le suivant : au début de l'année, grâce aux Anglais, il avait eu la preuve que les Allemands, pensant aux Japonais, furetaient du côté de Pearl Harbor. Les censeurs britanniques des Bermudes avaient alerté le FBI qui avait intercepté une lettre du capitaine Ulrich von der Osten, un agent de l'Abwehr travaillant aux États-Unis. Après qu'il se fut rendu à Hawaï, l'espion allemand avait envoyé un rapport sur la défense de l'île, une carte et des photos, en particulier de Pearl Harbor. Et son rapport concluait : « Voilà qui va intéresser grandement nos alliés jaunes. » Mais ni Hoover ni ses adjoints n'établirent de lien entre la lettre de von der Osten et l'information de Popov.

Après son accrochage avec le directeur du FBI, Popov chercha de l'aide auprès de l'équipe de l'Intelligence Service à New York. Hoover ne se laissa pas fléchir. Même pas par Stephenson, l'envoyé spécial de Churchill, qui le rencontra pour en discuter. Un émissaire de Londres, préoccupé par l'entêtement de Hoover, en conclut qu'il risquait de détruire tous les efforts pour faire de Popov un agent double de premier plan.

Popov découvrit un jour que le FBI avait placé des micros dans son appartement de Manhattan. Ses rapports avec les agents du FBI se réduisirent désormais à une série d'accrochages verbaux. Il réussit tout de même à se faire donner quelques bribes d'informations à transmettre aux Allemands et obtint l'autorisation de se rendre au Brésil pour rencontrer un agent de l'Abwehr. Popov quitta New York pour n'y revenir qu'après Pearl Harbor.

Lorsque Popov publia ses Mémoires en 1974, deux ans après la mort de Hoover, le FBI récusa ses allégations. Le nouveau directeur, Clarence Kelley, affirma que le Bureau « n'avait certainement pas reçu d'informations indiquant que les Japonais allaient attaquer Pearl Harbor ». D'après lui, les archives prouvent que Popov « n'avait jamais rencontré personnellement Mr Hoover » et que cette histoire était de la fiction. Un ancien agent de la CIA, Thomas Troy, auteur de *Donovan and the CIA*, affirme que Popov « n'a jamais personnellement prévenu Hoover de l'attaque... Il n'a d'ailleurs prévenu personne ». Selon les deux hommes, Popov n'était guère plus qu'un play-boy gênant.

Mais les anciens agents britanniques de l'Intelligence Service pensent tout le contraire. L'un d'eux considère que Popov était « une personnalité marquante dans l'univers du double jeu ».

Montgomery Hyde, qui travailla avec les agents anglais à New York, déclare qu'il fut « un des plus importants agents doubles ». Ce jugement est partagé par l'écrivain Graham Greene, ancien du MI-6. Quant à Ian Fleming, qui rencontra également Popov pendant la guerre, il peut s'en être partiellement inspiré pour son personnage de James Bond.

Popov était d'ailleurs si bien considéré par les Anglais qu'ils lui décernèrent le grade de colonel honoraire, la citoyenneté britannique, l'ordre de l'Empire britannique, la médaille du *Distinguished Service*... et un tableau de Modigliani, offert par la famille royale. Il était également le parrain des nièces de Stewart Menzies, l'ancien patron du MI-6.

Les dossiers du FBI ne recèlent aucun rapport écrit sur la rencontre à New York entre Hoover et Popov, mais cela ne prouve rien. Hoover était un champion pour brouiller les pistes et cacher des informations dans différents systèmes de classement, ou même pour ne pas les noter. En tout cas, ses dossiers personnels, rendus publics seulement en 1991, indiquent qu'il était bien à New York à la fin septembre de 1941, au moment de la rencontre avec Popov, qui ne pouvait pas connaître cette preuve lorsqu'il écrivit ses mémoires, en 1974.

Contrairement à ce que ses détracteurs suggèrent, Popov n'a pas inventé son histoire pour un livre à sensation. Car il informa de cet épisode ses supérieurs de l'époque. William Stephenson, désireux d'éviter tout ce qui pourrait porter ombrage aux relations anglo-américaines, s'est abstenu de commentaire public sur le cas de Popov. Mais il en parla en privé avec l'auteur de sa biographie qui affirme : « A l'époque, notre conversation n'était pas destinée à être publiée. Mais Stephenson a été très clair. Il m'a dit que Popov avait bien rencontré Hoover et qu'il était lui-même au courant. Il pensait que Hoover avait commis une très grande faute, mais il était tellement collet monté qu'il en négligeait les réalités. Stephenson n'avait aucun doute sur la crédibilité de Popov et il estimait que le FBI avait failli en ne prenant pas en compte ce qu'il essayait de lui dire à propos de Pearl Harbor. »

Stephenson, qui avait lu le questionnaire allemand de Popov, l'avait trouvé « impressionnant ». Il avait surtout été frappé par la demande de précisions sur la profondeur du port de Pearl Harbor, peu de temps après que les Anglais eurent utilisé pour la première fois des torpilles lancées par avion contre la base italienne de Tarente. Il se souvient des années plus tard que, quand il vit cette demande à l'époque, il « ne douta pas que Pearl Harbor était *une* des cibles, et peut-être *la* cible ».

Dès son retour à Londres, Popov fit aussi un compte rendu au colonel Robertson qui se souvient qu'il lui « dit avoir vu Hoover. D'après lui, il n'avait aucune raison d'inventer de toutes pièces cette histoire de la querelle avec Hoover ». Un autre agent anglais au Portugal y a vu Popov lorsqu'il y revint : « Je suis sûr qu'il a rencontré Hoover et qu'il lui a fait part de ce qu'il savait sur Pearl Harbor. Quelques mois plus tard, il était toujours profondément déprimé par ce qui s'était passé. »

Le 20 octobre 1941, sept semaines avant Pearl Harbor, les services de renseignements de la marine et de l'armée reçurent du FBI une version résumée du questionnaire de Popov. Mais il est à peu près certain qu'ils ne furent pas au courant des données qui le complétaient, en particulier les commentaires de l'attaché militaire allemand à Tokyo et les instructions de von Auenrode d'aller immédiatement à Hawaï. Sans ces éléments qui donnaient à l'ensemble sa véritable perspective, l'impact en était grandement atténué.

La Maison-Blanche était encore plus mal informée que l'armée et la marine. Trois mois avant Pearl Harbor, Hoover y remit une description du système de micropoints avec deux spécimens apportés par Popov. Le président put les examiner dans la journée, en dehors de ceux qui concernaient Pearl Harbor, car ces derniers ne furent pas envoyés à la Maison-Blanche, bien que Hoover en connût le contenu. Sa vanité l'avait emporté sur son intelligence. Dans sa hâte à faire savoir qu'il avait découvert un nouveau dispositif allemand d'espionnage, il ne lui était pas venu à l'esprit que le contenu était peut-être plus important que le gadget des petits points noirs.

Le contre-amiral Edwin Layton, chef des services de renseignements de la marine à Honolulu en 1941, a consacré plus tard une étude complète à l'attaque japonaise. Alors que l'on ne connaissait pas encore les révélations rassemblées dans ce chapitre, il concluait que Hoover avait « complètement raté son coup » dans l'histoire Popov. « Son échec représente une impéritie américaine de plus qui devait nous mener à Pearl Harbor. » Et coûter 2 400 morts, 1 300 blessés, 11 navires coulés et 118 avions détruits !

12

Le désastre
de Pearl Harbor

Alors que, le 7 décembre, les avions japonais piquaient sur Hawaï, il était 7 h 55 du matin à Pearl Harbor et 13 h 25 à New York, sur la côte Est, où Hoover se trouvait pour le week-end, ainsi que le chef de l'espionnage, William Donovan.

Pendant ce temps, à l'agence du FBI d'Honolulu, un jeune technicien radio expérimentait du matériel neuf. Duane Eskridge, un des meilleurs experts, avait été engagé quatre mois plus tôt pour mettre au point un nouveau système de communications. Il avait débuté à Washington, à la nouvelle station radio du quartier général, WFBI, qui jusque-là n'était équipé que du récepteur FBI-1, de la limousine d'Edgar, et d'une autre voiture. Eskridge devait se trouver en service de bonne heure chaque matin pour répondre quand Edgar, en se rendant à son bureau, annoncerait : « FBI-1 en service. » Puis il n'y aurait plus d'autre message et Eskridge attendrait, inactif, toute la journée, jusqu'à ce qu'Edgar se signale de nouveau le soir en rentrant chez lui.

A Hawaï où il se trouvait maintenant, une telle absurdité n'était plus de mise, et Eskridge se souvient bien de ce matin-là : « Je testais les transmissions lorsque les avions japonais sont arrivés. Je suis monté sur le toit pour regarder ce qui se passait et j'ai vu les appareils voler juste au-dessus, très bas au point de distinguer nettement les pilotes avec leurs casques. J'ai été chercher un automatique 45 et j'ai commencé à leur tirer dessus. Bien entendu en vain, mais telle fut ma réaction. »

Eskridge était opérateur radio et non pas tireur d'élite et il se précipita vers son émetteur pour envoyer ce qu'il croyait être les premières nouvelles de l'attaque. « Sans prendre le temps de le coder, j'ai expédié le message en morse à San Diego. L'opérateur qui le reçut a cru que je blaguais et j'ai dû le répéter. Son chef de poste alerta le chef de service à Washington. J'ai toujours été persuadé qu'il avait aussitôt prévenu Hoover qui avait transmis à la Maison-Blanche. Personne n'aurait pu faire plus vite. »

En fait, l'annonce de la catastrophe parvint au président au bout d'une demi-heure par le réseau de communications de la marine. En dépit des efforts d'Eskridge, il avait fallu une heure au quartier général du FBI pour communiquer la nouvelle à Hoover, qui s'envola pour Washington. Dès son arrivée, il donna une multitude d'ordres. Des gardes furent envoyés dans toutes les missions diplomatiques japonaises, les ports et terrains d'aviation interdits aux ressortissants japonais, le courrier et les liaisons téléphoniques surveillés. Des mandats d'amener furent dressés et des centaines de Japonais suspects arrêtés. Ce soir-là, Hoover informa la Maison-Blanche que toutes ces mesures, planifiées en prévision d'un tel événement, avaient été efficacement mises en place.

Après que Roosevelt et le Congrès eurent déclaré l'état de guerre entre l'Amérique et le Japon, le lundi 8 décembre à 12 h 30, Hoover commit un acte de censure au profit du gouvernement : la Maison-Blanche lui demanda d'intervenir le 12 décembre lorsqu'elle apprit que l'éditorialiste Drew Pearson allait publier des détails sur l'ampleur de la catastrophe navale. « J'ai reçu un appel téléphonique d'Edgar Hoover pendant le dîner, se souvient Pearson, pour me menacer de me mettre en prison si nous publiions l'article sur la véritable histoire de Pearl Harbor. J'ai répondu à Hoover qu'il était cinglé, qu'il n'existait aucun texte légal lui permettant de m'incarcérer et que ce n'était pas à lui d'interpréter la loi. Il le reconnut et m'avoua que la Maison-Blanche l'avait appelé pour lui demander de me fiche la trouille. »

L'article ne parut pas et Pearson eut bientôt des raisons de constater l'infiltration du FBI dans les médias. Sur l'ordre du chef d'état-major, deux généraux se rendirent à la station de radio NBC pour exiger que Pearson et Walter Winchell soient écartés de l'antenne. Hoover reconnut plus tard dans une conversation téléphonique qu'il avait la « transcription de ce qui s'était passé au cours de cette réunion ». Ce qui prouvait que le bureau de NBC était sur écoute téléphonique.

L'histoire « réelle » de Pearl Harbor reste le sujet d'un débat passionné. Deux choses en tout cas sont certaines. En premier lieu, les services de renseignements américains ont été incapables de sélectionner parmi la masse des informations reçues ce qui était vraiment important pour en tirer la conclusion appropriée. Ensuite, après le désastre, tout le monde chercha à se couvrir et à faire porter le chapeau à d'autres. Or, alors qu'un grave discrédit frappait les militaires, peu de critiques mirent en cause le FBI. Aussitôt après l'attaque, Hoover s'empressa de rejeter le blâme sur les autres, tout le monde sauf le FBI. Cinq jours plus tard, dans son rapport au président, il prétendit que l'armée à Hawaï avait été prévenue du « plan complet » et du moment de l'attaque japonaise par les services d'espionnage de Washington. Il n'existe aucune preuve que cela ait été le cas et le reste du mémorandum est rempli d'inexactitudes. Heureusement pour Hoover, ce texte est resté secret dans les archives de Roosevelt jusqu'après sa mort.

Dans le même rapport, il mentionnait que, trente-six heures avant l'attaque, le FBI avait intercepté une conversation téléphonique entre Mrs Mori, la femme d'un dentiste de Hawaï, et un correspondant japonais. Leur entretien, qui avait duré quarante minutes et coûté 200 dollars, portait sur le temps, la lumière et le genre de plantes actuellement en fleur. Robert Shivers, chef de poste du FBI à Honolulu, précise Hoover, avait jugé cette conversation suspecte dès qu'il en avait eu connaissance le samedi après-midi et avait aussitôt informé la marine et l'armée, mais la réaction des militaires avait été malheureusement inexistante.

Il est exact que le général Short, commandant en chef à Hawaï, n'a pas porté à cet épisode l'attention qu'il méritait. Mais de nouveaux éléments portent à se demander si le FBI a agi comme il convenait. Tout se joue sur une question de date. Hoover dit dans son rapport à la Maison-Blanche que l'appel fut intercepté au cours de l'après-midi du vendredi 5 décembre, traduit, transcrit et communiqué aux militaires dans la soirée du samedi 6, veille de l'attaque. Shivers donne la même information. Mais la transcription officielle indique que l'appel a eu lieu le mercredi 3. Deux des quatre survivants de l'équipe du FBI interrogés en 1990 sont également sûrs du mercredi. Le troisième pense qu'il s'agissait du jeudi et un seul soutient la version d'Edgar. L'ancien agent George Allen, qui se brancha sur la ligne Mori, déclara en 1990 qu'il était certain que l'appel avait eu lieu le mercredi soir et que sa transcription était partie pour Washington le lendemain matin : « Je suis sûr de moi. Nous avons travaillé dessus la nuit de mercredi et avons terminé jeudi matin. »

Dans ce cas, la conversation de Mrs Mori eut-elle lieu plus tôt que le prétend la version officielle ? Bien que sa signification reste encore obscure aujourd'hui, les spécialistes sont d'accord pour dire qu'il s'agissait d'un message codé pour un espion japonais. Si le FBI en avait connaissance quatre jours avant l'attaque, a-t-il été transmis suffisamment vite aux autorités militaires ? S'ils avaient disposé de plus de temps, les spécialistes de l'espionnage auraient peut-être pu faire le nécessaire, ne serait-ce qu'en interrogeant efficacement Mrs Mori.

D'autres faits indiquent qu'avant cet épisode le FBI disposait d'autres informations, indiquant où et quand l'attaque japonaise aurait lieu, et qu'elles n'ont pas été exploitées. John Burns, le responsable du service de renseignements de la police d'Honolulu, n'a jamais oublié la visite qu'il reçut de Shivers, chef du FBI local, une semaine avant le raid. Visiblement troublé, Shivers lui demanda de fermer la porte de son bureau, puis lui confia : « Je ne le dis pas à mes agents, mais je vous le dis, à vous... Nous allons être attaqués avant la fin de la semaine. » Il était si bouleversé, se souvient Burns, qu'il avait les larmes aux yeux. Burns eut l'impression que l'information venait du quartier général de Washington où Shivers avait servi depuis 1920 ; il était très proche de Hoover et en relations directes avec lui à l'époque.

Un mois après Pearl Harbor, une commission d'enquête siégea à Hawaï. Shivers eut un comportement étrange :

« Vous allez être convoqué pour l'enquête, dit-il à Burns. Qu'allez-vous dire ?

– Je leur dirai la vérité, répondit Burns.

– Vous allez vraiment leur dire la vérité ? L'exacte vérité ?

– Oui, monsieur. Y compris ce que vous m'avez dit. »

Finalement, la commission n'interrogea pas Burns. En revanche, elle convoqua Shivers dont le témoignage ne reflète rien de sa conversation prophétique avec Burns. Mais le plus incroyable est encore que Hoover, le responsable de la sécurité de la nation, ne fut jamais interrogé sur Pearl Harbor par aucun organisme officiel. En août 1944, il fut convoqué par une commission de l'armée, mais déclina l'invitation en déclarant que son « absence de la ville rendait sa présence impossible ». Il était en effet absent... parti quatre semaines en vacances avec Clyde. Il se contenta d'envoyer une déclaration sous serment et ne fut jamais interrogé sur Pearl Harbor au cours de quelque enquête officielle que ce soit.

Des faits graves, restés secrets jusqu'en 1992, furent découverts par Henry Clausen, qui travaillait pour le compte du ministère de la Guerre, et dévoilés lorsqu'il publia son livre *Final Judgment*. La longue énumération des stupidités inter-services explique entre autres comment et pourquoi, juste cinq jours avant Pearl Harbor, les services de renseignements de la marine cessèrent brusquement l'écoute téléphonique du consul japonais à Honolulu. C'était la conséquence d'une « querelle puérile » entre eux et Shivers du FBI. Shivers avait envenimé une histoire de liaison entre services, en jouant au gratte-papier ulcéré et en envoyant une plainte officielle aux dirigeants de la compagnie du téléphone. « Je n'ai pas pu m'empêcher de me demander, dit Clausen, ce qui se serait passé si, au lieu de se chamailler, le capitaine de vaisseau et Shivers s'étaient contentés de s'expliquer tranquillement et de laisser tout en place. » Clausen est convaincu que, si l'écoute avait continué, elle aurait peut-être fourni des informations vitales de dernière minute sur les intentions japonaises.

De son côté, Hoover réserva ses récriminations aux autres, en insinuant qu'il avait demandé que soient mis sur écoute les diplomates japonais de Hawaï, mais que l'on n'en avait pas tenu compte. Le consul japonais envoyait la plupart de ses rapports par les circuits commerciaux de la RCA. Et ni le FBI ni les militaires n'avaient le droit de mettre des lignes commerciales sur écoute. Les archives témoignent que Hoover avait demandé aux Communications fédérales de mettre sous surveillance tout le réseau téléphonique entre les États-Unis et le Japon, ainsi que les communications avec l'Allemagne, l'Italie, la France et l'Union soviétique, et que les résultats en soient communiqués au FBI. Son vieil adversaire, le président des Communications, James Fly, avait toujours refusé, expliquant que c'était illégal, à moins que la loi ne soit modifiée ou que le président en donne l'ordre. Selon l'histoire officielle du FBI, Fly y était toujours opposé lorsque Pearl Harbor fut attaqué et, sans son obstination, le désastre aurait pu être évité.

Mais la version de Fly est tout à fait différente : « La section radio des Communications fédérales, dit-il, surveillait toutes les liaisons étrangères de pays potentiellement ennemis, particulièrement les messages chiffrés entre Tokyo et Berlin… Mais nous n'avions personne pour le décryptage. Aussi toutes les écoutes avant Pearl Harbor ont été transmises au FBI, ainsi qu'aux services de renseignements de l'armée et de la marine. Hoover demanda que l'on cesse de les lui communiquer car le FBI n'était pas en mesure de déchiffrer le code. Mais, sur mes instructions, nous avons continué à les lui transmettre. Parmi les écoutes, nos services ont enregistré le fameux message crucial sur "le vent". Il se trouvait sur le bureau du FBI le dimanche 7 décembre alors que Hoover était à New York pour le week-end… Et la flotte a été coulée. »

Toutes les missions diplomatiques japonaises avaient été prévenues de l'importance de ce message urgent dès le 19 novembre : au cas où les communications normales seraient interrompues, l'ordre de détruire leur code leur serait donné par un bulletin météorologique : « *Higashi no kaze ame* » (Vent d'est et pluie), qui annoncerait une rupture imminente avec les États-Unis. Ce message fut capté par le service d'écoutes des États-Unis le 4 décembre, mais les commandants de Hawaï n'en furent pas informés. Les documents sur ce sujet furent ensuite cachés aux commissions d'enquête.

En tout cas, les archives prouvent que les Communications fédérales ont bien mis sur écoute les liaisons téléphoniques avec le Japon, qu'elles ont intercepté le message essentiel du « vent » le 4 décembre et qu'elles l'ont communiqué aux services de renseignements de la marine dans les vingt-quatre heures. Il n'y a aucune raison de douter de Fly lorsqu'il affirme que l'information a également été communiquée au FBI bien avant l'attaque.

Dusko Popov entendit les premières informations sur Pearl Harbor alors qu'il voguait dans les Caraïbes en direction de New York. « La gravité de ce moment historique se lisait sur tous les visages, se souvient-il. Sauf sur le mien. C'était la nouvelle que j'attendais... J'étais sûr que la flotte américaine avait remporté une grande victoire... J'étais très, très fier d'avoir pu prévenir les États-Unis quatre mois auparavant... Puis les informations nous arrivèrent goutte à goutte... Les Japonais avaient réussi une attaque surprise... Je ne pouvais pas y croire... Nous savions qu'ils allaient venir... Il devait bien y avoir une explication quelque part... »

Arrivé à New York, Popov demanda à ses contacts du FBI ce qui n'avait pas marché. On n'avait pas tenu compte de ses informations ? L'agent Foxworth lui conseilla de ne pas poser de questions, de « faire comme tout le monde ». Popov se souvient qu'il lui dit : « Rechercher une vérité hors de votre portée peut être très dangereux. Cela pourrait donner des idées à Mr Hoover... Mr Hoover est un homme très vertueux. »

Deux de ses contacts britanniques rencontrèrent Popov. « Je me suis bien rendu compte, se souvient Montgomery Hyde, à quel point il était furieux contre le FBI. Il était convaincu qu'ils n'avaient tenu aucun compte de son avertissement sur les Japonais et Pearl Harbor. »

Les relations de Popov et des Américains dégénérèrent complètement. Le FBI refusa de lui dire quelles informations il avait transmises aux Allemands par radio clandestine, qui étaient censées provenir de Popov. « Les Allemands avaient brusquement changé d'opinion sur Popov, constate l'autre officier anglais, Ewen Montagu. Il leur avait fourni des informations sans valeur. Il n'avait pas mis en place le réseau d'espions escompté. Mais il était dans une situation d'autant plus dangereuse qu'il ne pouvait espérer s'expliquer sur les questions qu'ils allaient lui poser à propos de tout ce qui leur avait été envoyé en son nom. »

Au cours de l'été de 1942, en dépit du risque mortel d'être démasqué comme agent allié, Popov retourna travailler au Portugal. Il réussit à regagner la confiance des Allemands, puis joua un rôle important en leur transmettant des plans inexacts de l'invasion alliée en Europe. En revanche, il n'en fut pas de même pour l'ami de Popov, Johann Jebsen, qui avait alerté les États-Unis sur une possible attaque surprise et

116

n'avait cessé de transmettre des informations vitales aux Alliés. Après avoir été arrêté par la Gestapo et interrogé sous la torture, il fut fusillé.

Cependant, Hoover, en sécurité à Washington, visait désormais par ses insinuations sur Pearl Harbor le président lui-même. En février ou mars 1942, il était parmi plusieurs personnalités l'hôte d'un dîner privé à l'Army-Navy Club. Les participants furent prévenus que tout ce que dirait Hoover serait strictement « *off the record* ». Carlton Ketchum, alors colonel dans l'armée de l'air, se souvient des propos tenus : « Mr Hoover dit qu'il avait reçu des communications répétées en 1941, depuis le début de l'automne jusqu'à quelques jours avant l'attaque de Pearl Harbor... et que ces avertissements s'étaient précisés de plus en plus avec le temps... Or le président, d'après lui, avait été tenu au courant durant toute cette période... Il lui avait dit de ne parler de ces informations à personne, pour qu'elles ne soient manipulées *(sic)* que par le jugement du président et qu'elles ne soient pas transmises dans les services du FBI... A ce moment, la discussion s'éleva au sein du groupe : si les commandants de l'armée et de la marine avaient été prévenus... ils auraient pu réduire les pertes. Des critiques sévères furent alors formulées sur le comportement du président. »

Selon des recherches récentes, il est possible que, compte tenu de sa volonté d'« entraîner » les États-Unis dans la guerre, Winston Churchill ait gardé secrète l'information sur l'attaque de Pearl Harbor. Mais la plupart des historiens considèrent comme impensable que Roosevelt ait été au courant sans rien faire et permis ainsi la destruction de sa flotte du Pacifique. S'il avait été prévenu, il aurait certainement veillé à ce que la marine soit prête au combat, même en haute mer où elle se serait plus facilement défendue. Or toute attaque par le Japon, même si les Américains s'étaient défendus avec succès, aurait déclenché une déclaration de guerre.

Cependant, on ne peut pas écarter complètement le récit du colonel Ketchum. Hoover était en très bons termes avec les hommes politiques présents à ce dîner au cours duquel il accusa le président d'avoir tenue secrète l'information vitale sur Pearl Harbor. Si donc le récit en est exact, il fut parmi les premiers à lancer cette attaque.

Au cours de l'été de 1942, six mois après Pearl Harbor, une équipe d'agents secrets américains fut chargée d'une mission très délicate. En violation des accords internationaux sur la neutralité, ils devaient voler les codes secrets utilisés par les ambassades des pays neutres favorables à l'Allemagne. Il leur fallait s'y glisser pendant la nuit, forcer les coffres-forts, photographier les livres de code et s'échapper sans être pris.

L'équipe, sous les ordres du rival de Hoover, William Donovan, réussit plusieurs fois l'opération. Mais une nuit, alors que les espions américains étaient à l'intérieur de l'ambassade d'Espagne à Washington, deux voitures du FBI s'arrêtèrent brutalement devant le bâtiment tous phares allumés en faisant hurler leur sirène. Les agents secrets durent abandonner et plusieurs d'entre eux furent arrêtés. Donovan ne douta pas un instant de la responsabilité personnelle de Hoover dans cette histoire.

Il ne suffisait pas au patron du FBI que Roosevelt lui ait accordé la direction des opérations d'espionnage en Amérique latine et centrale. Il était furieux que Donovan, devenu général, ait été nommé chef des services de renseignements en temps de guerre à l'Office des services stratégiques (*Office of Strategic Services* ou OSS), devenant ainsi un obstacle à sa propre action. « L'Abwehr était mieux traité par le FBI que nous », commente Donovan. L'opération de l'ambassade espagnole venait contrecarrer la surveillance du FBI, c'est pourquoi Hoover l'avait sabotée. A la veille du débarquement allié en Afrique du Nord, cet acte aurait pu compromettre les opérations.

Donovan protesta à la Maison-Blanche, mais sans succès. Selon un de ses adjoints, « aucun président n'aurait osé toucher à John Edgar Hoover. Ils avaient tous une peur bleue de lui... Nous avions pourtant pris toutes nos précautions. Sauf une : la possibilité d'être trahis par quelqu'un d'assez haut placé pour savoir ce que nous faisions ».

Dans le même temps, les relations de Hoover avec l'agent de Churchill, William Stephenson, ami de Donovan, étaient au plus bas. Edgar envoya un de ses adjoints confier à l'oreille du secrétaire d'État adjoint Adolf Berle, qui n'aimait pas beaucoup les Anglais, qu'un des hommes de Stephenson le calomniait pour l'obliger à démissionner de son poste. Le supérieur de l'agent en cause déclara en 1990 que l'allégation de Hoover était « totalement fausse, un tissu de conneries. Elle venait d'un informateur germano-américain qui avait fabriqué cette histoire simplement pour faire plaisir au FBI qui le payait. Hoover s'en est servi pour son ambition personnelle ».

Faux ou non, l'épisode dégénéra en un scandale international. L'ambassadeur britannique lord Halifax fut convoqué à une réunion avec Berle et le ministre de la Justice, Francis Biddle. Stephenson commenta à l'époque : « Edgar se croit-il encore au temps de la guerre d'Indépendance, en train de se battre à Bunker Hill contre nos tuniques rouges ? Ou est-ce qu'il a entendu parler de Pearl Harbor ? »

Mais, en dépit de leurs divergences, les circonstances obligeaient les seigneurs de la guerre des services de renseignements à coexister. Donovan réussit brillamment avec l'OSS, surtout en Europe, et Stephenson fit un excellent travail à New York, au point de devenir le premier non-Américain décoré de la médaille du Mérite. Quant à Hoover, avec les problèmes de sécurité intérieure et l'espionnage de l'Amérique latine, il avait largement assez à faire. Néanmoins, il trouvait le temps de rêver à une gloire d'un autre genre.

J. Edgar Nichols, le fils de Lou Nichols, l'adjoint d'Edgar, se souvient de l'histoire fantastique que lui a racontée son père. « Mr Hoover, mon père et un troisième homme dont je ne sais pas le nom avaient combiné un plan pour aller derrière les lignes allemandes assassiner Hitler. Ils le présentèrent à la Maison-Blanche, ainsi qu'au Département d'État, qui s'y opposa, et ils furent réprimandés par le secrétaire d'État Cordell Hull. Ils envisageaient de constituer une équipe de trois hommes et je me souviens que mon père parlait comme si lui-même et Mr Hoover espéraient en faire partie. Je n'ai pas eu l'impression que c'était une plaisanterie. Ils souhaitaient vraiment que quelque chose en sorte. »

L'occasion que Hoover attendait avec impatience, celle d'occuper une position centrale, lui fut brusquement donnée en plein cœur de ses disputes avec Donovan et avec les Anglais. Le 13 juin 1942 à minuit, un sous-marin allemand fit surface au large d'Amagansett, à l'extrémité est de Long Island. Quatre hommes en descendirent, chargés d'armes, d'explosifs et d'argent : ces agents allemands avaient pour mission de saboter des usines vitales pour l'effort de guerre et de semer la panique dans la population. L'équipe aurait peut-être réussi son coup si le chef du commando n'avait trahi l'opération presque dès le début.

George Dasch, âgé de trente-neuf ans, avait vécu longtemps aux États-Unis avant la guerre. A son retour en Allemagne, il avait perdu rapidement sa foi dans le régime nazi. Pendant qu'il s'entraînait en vue de la mission en Amérique, il n'avait pas montré beaucoup de zèle ni d'intérêt pour les techniques de sabotage. Après la guerre, il devait dire dans ses mémoires qu'il considérait que son rôle était de faire échouer l'opération. Cela faillit se produire sans son aide. Les Allemands tombèrent par hasard sur une vigie qui patrouillait seule sur la plage. Ils laissèrent l'homme partir en le payant grassement pour qu'il se taise. Quand il réussit à donner l'alerte, les Allemands avaient disparu en abandonnant équipement et explosifs dans une cache improvisée.

En quelques heures, le FBI se lança à la poursuite des saboteurs et Hoover se précipita chez le ministre de la Justice, Francis Biddle. « Ses yeux étaient brillants, se souvient Biddle, sa mâchoire serrée et l'excitation faisait trembler ses narines. » La suite fut un succès triomphal pour le FBI. C'est ainsi du moins qu'elle apparut au public qui ne savait rien du rôle du chef du commando, ce qui aurait réduit à néant la propagande de Hoover.

Deux semaines plus tard, le chef du FBI convoqua une conférence de presse pour annoncer un exploit : la capture de huit saboteurs allemands, les quatre de Long Island et quatre autres en Floride. Il ne manqua pas une seule séance du procès devant le tribunal militaire. Il y apparut, dit un témoin, « comme un général qui contrôlait parfaitement ses troupes ». Les huit saboteurs furent condamnés à mort et six d'entre eux passèrent sur la chaise électrique. C'est Hoover qui organisa lui-même les exécutions. Seuls deux Allemands, George Dasch et un de ses camarades, Ernst Burger, virent leur sentence de mort commuée en une longue peine de prison.

Trente ans plus tard, Hoover parlait encore de cette affaire comme une de ses « plus importantes réussites ». En 1979, une plaque de bronze commémorant la capture fut apposée dans le hall du ministère de la Justice. Mais en réalité, comme le savait pertinemment Edgar, le rôle de ses services avait été négligeable.

Car Dasch n'avait pas été traqué et fait prisonnier par d'intrépides agents. Il avait délibérément trahi ses camarades saboteurs. Il avait appelé au téléphone le FBI de New York et s'était présenté comme « Franz Daniel Pastorius », le nom de code allemand de l'opération. Il leur avait dit qu'il arrivait d'Allemagne avec des informations importantes pour J. Edgar Hoover et avait demandé que Washington soit informé. Le Bureau faillit tout faire rater. L'agent qui eut Dasch au téléphone s'exclama : « D'accord ! Hier, c'est Napoléon qui nous a appelés ! » Puis il raccrocha et personne ne transmit le message au quartier général.

Dasch se rendit lui-même au FBI de Washington avec toutes les informations nécessaires pour localiser ses camarades saboteurs. Il agissait, dit-il, en plein accord avec Ernst Burger. Les agents du FBI lui demandèrent de plaider coupable pour garder secrètes ses négociations avec le Bureau et lui donnèrent l'assurance qu'en quelques mois il bénéficierait de la clémence présidentielle. Il resta néanmoins en prison pendant cinq ans et fut expulsé après la guerre.

Les services de renseignements de l'armée estimèrent que l'arrestation avait été prématurée et avait compromis leurs plans pour intercepter d'autres saboteurs dont le débarquement était attendu quelques semaines plus tard. « Le ministre de la Guerre, Henry Stimson, était absolument furieux, se souvient l'un d'eux. Hoover s'est attribué toute la gloire. Il voulait seulement des gros titres dans les journaux. » Il en eut largement et une commission du Sénat proposa même que lui soit attribuée la médaille d'honneur du Congrès réservée à ceux qui s'étaient vaillamment conduits pendant les combats. Bien que Hoover ait arrosé ses supporters du Capitole d'une masse de notes obséquieuses, la proposition fut abandonnée. Cependant, le 25 juillet, qui coïncidait avec le vingt-cinquième anniversaire de son entrée au ministère de la Justice, Hoover prit la pose devant un gigantesque étalage de cartes de félicitations et s'assit pour une photo en couleurs, rare à l'époque, Clyde à son côté. Puis il partit prendre des vacances avec son ami, heureux des vœux envoyés par le président lui-même. Il y répondit par une lettre chaleureuse, disant à Roosevelt que les années sous son autorité avaient été « quelques-unes des plus heureuses de [sa] vie... Vous pouvez continuer à compter sur nous tous au FBI... ».

La vérité était très différente de ces flatteries officielles. Depuis longtemps déjà, Edgar fouinait dans la vie privée de la femme du président.

13

La « vieille chouette »
de la Maison-Blanche

Hoover et Clyde exécraient Eleanor Roosevelt. Edgar se plaisait à dire qu'il était resté célibataire parce que « Dieu a fait une femme comme Eleanor ». Il l'appelait « cette vieille chouette ululante » et imitait sa voix haut perchée devant ses collègues. A l'époque de la Seconde Guerre mondiale, Mrs Roosevelt était âgée de plus de cinquante ans et dépourvue d'attraits physiques. Tandis que son mari cherchait à se consoler avec d'autres femmes, ses contemporains s'interrogeaient sur les amitiés passionnées d'Eleanor hors de la Maison-Blanche, certaines avec des femmes réputées lesbiennes. Edgar s'en amusait sournoisement derrière son dos.

En revenant d'une réunion à la Maison-Blanche, Hoover confia à un de ses assistants : « Le président dit que la vieille salope souffre de sa ménopause... Il faut que l'on s'y fasse. » Il tomba un jour par hasard sur le comédien W. C. Fields et lui demanda de lui montrer certaines « images intéressantes ». Fields lui fit voir trois dessins en trompe l'œil de la femme du président. Regardés dans le bon sens ils semblaient ordinaires, mais si on les retournait, ils devenaient une vue anatomique grotesque d'un vagin. Hoover les trouva fabuleusement drôles et les emporta.

Mais c'étaient surtout les conceptions politiques de Mrs Roosevelt que le directeur du FBI ne pouvait supporter. Elle était profondément engagée dans une série de causes libérales, plus même, pensaient certains, qu'il n'était acceptable pour une femme de cette époque. Elle ne cessait en particulier de faire campagne en faveur d'un logement décent et d'un traitement correct en faveur des Noirs américains, ce qui mettait Hoover en rage. D'un œil dégoûté, il la regarda une fois essayer de faire admettre deux hommes de couleur au restaurant Mayflower. Lorsqu'il apprit que des femmes du Sud s'étaient inscrites au « Club Eleanor-Roosevelt », il ordonna une enquête.

« Chaque fois qu'un Noir s'exprimait ouvertement, dit William Sullivan, il estimait que c'était la faute de Mrs Roosevelt. » Une amie de

Clyde se souvient que « Hoover la qualifiait d'amoureuse de négros, et pis encore ». Clyde pensait la même chose. Il considérait qu'elle aurait dû s'occuper de ses affaires et ne pas fourrer son nez dans celles de son mari. Il disait que la Maison-Blanche était grande ouverte aux « gens qu'il ne fallait pas ».

Hoover qui avait depuis longtemps infiltré le parti communiste apprit qu'Eleanor avait dit un jour à un ami : « Voyez ce salaud de Hoover. Voilà comment il camoufle son comportement fasciste. Vous auriez dû voir Franklin... Il a dit que c'était une preuve de plus de la duplicité de ce prétentieux. »

Ce genre de remarques ne faisait qu'accroître la colère de Hoover. Encore en 1960, longtemps après la mort du président, il devait parler de sa veuve comme de quelqu'un de « réellement dangereux ». Selon un de ses anciens agents, « il attribuait nombre des positions de gauche du président Roosevelt à la néfaste influence de sa femme. Il disait n'avoir souvent pu régler des problèmes avec les communistes qu'après avoir appris qu'Eleanor en était à l'origine. Alors il allait voir son mari, et Roosevelt prenait sa décision contre l'avis d'Eleanor et en faveur de Hoover ».

Des archives sur la première dame subsiste un dossier de 449 pages. Tant que Hoover fut en vie, les documents furent enfermés dans une des deux grandes armoires situées derrière le bureau de sa secrétaire Helen Gandy, parmi tous les documents confidentiels. Ils étaient placés ainsi pour en limiter l'accès à quelques privilégiés de haut rang, et la plupart concernaient des personnalités en vue. Mais certains croient aussi que les turpitudes humaines qu'ils renfermaient pouvaient éventuellement servir à des chantages.

Mrs Roosevelt se rendit compte en 1941 de l'audace de Hoover lorsqu'elle apprit que le FBI avait enquêté sur sa secrétaire Edith Helm et sa collaboratrice Malvina Thompson. Les agents avaient passé au peigne fin la vie privée des deux femmes, posant des questions aux voisins de Thompson, interrogeant le personnel sur les allées et venues dans sa chambre d'hôtel. Ils allèrent même jusqu'à « cuisiner » des habitants de la ville natale d'Edith Helm dans l'Illinois. Lorsque Mrs Roosevelt protesta, Hoover fournit aussitôt une explication conciliante. La vérification concernant Edith Helm n'était que pure routine, uniquement parce qu'elle travaillait pour une commission en liaison avec le Conseil de la défense nationale. Mais on n'aurait bien entendu procédé à aucune enquête si le FBI avait su qu'elle travaillait pour la femme du président. Comme ses deux collaboratrices étaient très connues à Washington, Eleanor ne se laissa pas impressionner et écrivit : « Cela ne m'étonne pas que la population commence à avoir la frousse... Ce genre d'enquêtes me semble avoir un peu trop des allures de Gestapo. » Hoover fut contraint de s'excuser, ce qui ne fit qu'envenimer encore plus ses sentiments à l'égard de la femme du président. Cette histoire avait fait le tour de Washington, et l'humiliation que subit Edgar ne pouvait que le rendre plus dangereux.

Des études récentes apportent quelque crédibilité au fait que la femme du président menait une vie secrète. Blanche Cook, dans la biographie qu'elle a publiée en 1992, laisse entendre qu'elle a pu avoir des relations sexuelles avec Earl Miller qui lui servait de garde du corps, et avec Lorena Hickok, la journaliste affectée à la Maison-Blanche par *Associated Press*. Mais personne n'a poussé les accusations aussi loin que Hoover, qui l'a suspectée d'avoir eu des aventures avec plusieurs hommes, y compris son chauffeur noir, un colonel, son médecin et deux responsables du syndicat des marins. Ces deux derniers, d'anciens marins, disaient en plaisantant qu'ils exploitaient la première dame pour approcher le président. Sur une écoute téléphonique du FBI, on entend l'un d'eux lancer à l'autre : « Bon Dieu, Blackie, j'ai fait assez de sacrifices comme ça. La prochaine fois ce sera à toi de t'occuper de la vieille salope ! » Il ne s'agissait probablement que d'une plaisanterie grossière, mais Hoover prit au sérieux l'information selon laquelle la femme du président couchait avec deux responsables syndicaux dont l'un était membre du parti communiste. Il expédia à Roosevelt un flot de rapports sur les deux hommes, mais se réservant les révélations d'ordre sexuel pour son usage personnel.

Au plus fort de la guerre, Hoover concentra son attention sur un ami de gauche d'Eleanor. Joseph Lash avait trente ans lorsque, en 1939, il avait rencontré pour la première fois la femme du président, alors âgée de cinquante-cinq ans, à une session d'une commission du Congrès sur les activités subversives. Sans être communiste, Lash était un fervent antifasciste qui avait visité l'Union soviétique et l'Espagne pendant la Guerre civile, puis était devenu à son retour un militant étudiant de gauche. Pour Hoover, il s'agissait donc d'un individu dangereux qui justifiait une enquête. Quant à Eleanor, elle le prit sous son aile, l'invita à rencontrer le président à la Maison-Blanche, lui prêta de l'argent et l'aida dans sa carrière.

En 1941, sur l'ordre de Hoover, le FBI prépara un rapport de onze pages sur Lash. En janvier 1942, des agents pénétrèrent de force au bureau new-yorkais du Congrès de la jeunesse américaine, dont Lash était l'un des meneurs, et ils photographièrent la correspondance de la première dame avec les responsables du groupe. Le mois suivant, lorsque la demande d'incorporation de Lash dans la marine fut repoussée, Mrs Roosevelt écrivit au ministre de la Justice, Francis Biddle : « Vous

serait-il possible de rechercher pour moi au FBI ce qu'ils ont réellement sur Joe Lash ? » Biddle confia l'affaire à Hoover qui répondit
avec courtoisie : « Le Bureau ne mène aucune enquête. » C'était une
circonlocution classique, car dans le langage interne du FBI « recueillir
des informations » était différent de « mener une enquête ». En réalité,
les adjoints directs de Hoover avaient discuté du cas de Lash avec les
autorités navales.

Incorporé dans l'armée de terre, Lash passa les semaines suivantes
avec Mrs Roosevelt qui lui témoignait toute sa sollicitude. Elle paya
le champagne et l'orchestre lors de sa soirée d'adieu à New York.
Hoover prit bonne note de tout cela et du fait que Lash était hébergé
à la Maison-Blanche lorsqu'il était en permission. En novembre 1942,
Hoover envoya un document « ultra-confidentiel » à un général des
services de renseignements de l'armée. Le mois suivant, à la suite d'un
cambriolage par le FBI du bureau de l'Internationale des étudiants, un
rapport faisait mention de Lash et d'Eleanor Roosevelt ainsi que de
leur « exceptionnelle amitié ». « Quelque chose de dégoûtant », écrivait un adjoint du directeur du FBI.

En avril 1943, alors que Lash était en poste dans l'Illinois, Hoover
envoya des informations supplémentaires aux autorités militaires, en
particulier au contre-espionnage de l'armée. Trois mois plus tard, sur
ordre de la Maison-Blanche, les effectifs de l'unité furent considérablement réduits puis elle fut rattachée à une autre formation et finalement démantelée. Pourquoi ?

La réponse se trouve dans un rapport de deux pages envoyé au bureau
de Hoover le 11 décembre 1943 et classé dans l'armoire confidentielle.
Il émane de l'agent George Burton et relate des contacts qu'il avait
eus avec deux colonels du contre-espionnage. L'armée avait surveillé
Lash lors de sa rencontre avec Mrs Roosevelt dans un hôtel de Chicago.
Selon le rapport de l'agent Burton,

> le matériel consiste en un enregistrement des faits et gestes de Lash et
> de Mrs Roosevelt obtenu grâce à un microphone caché dans la chambre
> d'hôtel. Il en résulte clairement que Mrs Roosevelt et Lash ont eu des
> relations sexuelles pendant leur séjour dans la chambre... Après l'audi-
> tion de ce document, Mrs Roosevelt fut convoquée et il s'ensuivit une
> dispute terrible entre le président et sa femme. Le lendemain matin, à
> 5 heures, le président appela le général Arnold, chef de l'aviation, et lui
> ordonna d'expulser Lash des États-Unis et de l'expédier en moins de
> dix heures à un poste de combat... On a également appris que le pré-
> sident avait donné l'ordre que quiconque était au courant de cette affaire
> soit immédiatement relevé de ses fonctions et envoyé dans le sud du
> Pacifique pour combattre les Japonais jusqu'à ce que mort s'ensuive...

Il est difficile sinon impossible aujourd'hui de découvrir la vérité cachée derrière ce document étonnant, semé d'inexactitudes. D'autres éléments ne permettent pas d'établir avec certitude si Eleanor Roosevelt aurait vraiment eu une aventure avec Joe Lash. Les archives montrent que les limiers de l'armée, qui ouvraient régulièrement le courrier de Lash, ont découvert qu'il recevait de nombreuses lettres à la fois de Mrs Roosevelt et d'une camarade gauchiste, Trude Pratt. Trude était mariée avec un autre homme et entretenait avec Lash des relations amoureuses difficiles qu'encourageait la femme du président. Quant aux lettres de Mrs Roosevelt, elles étaient remplies de bavardage politique et de torrents d'affection, comme celle-ci, écrite en février 1943 :

> Très cher Joe,
> … Je suis très excitée à la pensée d'entendre votre voix. Qu'est-ce que ce sera quand je vais vous voir… Je suis heureuse que vous buviez votre lait et j'espère qu'un jour vous dormirez assez… Je vous envoie ci-joint une lettre avec un message de la Saint-Valentin de la part de Trude… Je prie le saint qu'il nous réunisse tous ensemble, mais c'est surtout parce que j'ai beaucoup besoin de vous… Je dois fermer cette lettre, soyez béni.
> Avec beaucoup d'amour,
> E. R.

Les services de l'armée espionnaient Mrs Roosevelt le 5 mars, lorsqu'elle eut le premier de ses deux rendez-vous avec Lash dans l'Illinois. Accompagnée de son assistante Malvina Thompson, elle retint la chambre 332 de l'hôtel Lincoln à Urbana, dit à la réception qu'elle ne voulait surtout pas de publicité et réserva une chambre voisine, la 330, pour « un jeune ami ». Lash y arriva ce soir-là et, en dehors du dîner, resta à l'étage avec la première dame, jusqu'à ce qu'ils quittent l'hôtel trente-six heures plus tard. Mrs Roosevelt lui écrivit une autre lettre dans le train qui la ramenait :

> La séparation entre gens qui s'aiment transforme chaque réunion en une nouvelle découverte… Soyez béni, très cher. Merci pour cet heureux moment. Tout mon amour,
> E. R.

Elle transmettait également à Lash tous ses vœux pour le week-end suivant qu'il devait passer avec Trude Pratt.

Les agents secrets de l'armée étaient en force une semaine plus tard lorsque Lash et sa future femme Trude se retrouvèrent dans le même hôtel. Cette fois-ci, la chambre était sur écoute et les micros révélèrent qu'ils firent l'amour plusieurs fois. Ils indiquèrent aussi que le couple téléphona à Mrs Roosevelt à la Maison-Blanche.

Quelques jours plus tard, le lieutenant-colonel Boyer, des services d'espionnage de l'armée, envoya une lettre étonnante à son supérieur de Washington. Il y disait que le courrier entre Lash, Trude Pratt et Mrs Roosevelt était la preuve d'une « gigantesque conspiration ». Après cette déduction inattendue, l'officier n'attendait qu'une autre occasion de forcer la porte de la chambre d'hôtel où Lash faisait l'amour avec Trude et l'arrêter pour comportement immoral.

Avant que les deux futurs mariés puissent se rencontrer à nouveau, Lash eut un autre rendez-vous avec la femme du président dans une chambre de l'hôtel Blackstone à Chicago. C'est celui qui est mentionné plus haut dans le rapport de l'agent Burton et au cours duquel des micros cachés auraient enregistré leurs relations sexuelles. Après ce rendez-vous, ils échangèrent encore des lettres enfiévrées. Eleanor : « Je ne peux vous avouer à quel point j'ai détesté vous dire au revoir. J'ai tellement aimé être assise près de vous pendant que vous dormiez. » Lash, de retour à sa base, écrivit : « Je suis désolé. J'avais tellement sommeil après le dîner, mais ce fut si agréable de m'endormir dans le noir pendant que vous me caressiez la tête, puis de jouer au gin rummy. » Lash écrivit aussi à Trude Pratt pour lui dire que Mrs Roosevelt l'avait emmené faire des courses et avait insisté pour qu'il achète « des sous-vêtements de luxe ».

Selon Lash, Eleanor fut ensuite informée des micros dans la chambre par la direction de l'hôtel. Furieuse, elle souleva la question à la Maison-Blanche à son retour à Washington et cela eut des conséquences désastreuses pour le service de contre-espionnage de l'armée. Lorsque Lash fut affecté dans le Pacifique, la femme du président alla lui dire au revoir à San Francisco. Elle devait écrire plus tard : « Le plus dur en amour est d'apprendre à laisser partir ceux que l'on aime. »

Que déduire de tout cela ? La femme du président a-t-elle couché avec Lash à l'hôtel Blackstone ou ailleurs ? Lash, qui obtint les dossiers du FBI et de l'armée en 1978, exprima son indignation dans *Love, Eleanor* un ouvrage dans lequel il affirme son amitié profonde mais innocente pour Mrs Roosevelt. Sa femme, Trude, aujourd'hui veuve, est du même avis et l'a dit en 1992 : « Je n'ai jamais eu connaissance que Mrs Roosevelt ait eu une aventure à aucun moment pendant notre amitié. En ce qui concerne les enregistrements, il a pu se produire que Joe ait été terriblement fatigué lorsqu'il est arrivé à l'hôtel et que Mrs Roosevelt lui ait dit : "Allongez-vous sur mon lit et reposez-vous." Elle s'est probablement assise auprès de lui et lui a caressé le front. C'était une personne très affectueuse, mais parler de sexe est grotesque. Si le président a été furieux ensuite, ce n'est pas à cause d'une aventure amoureuse, mais parce que l'on avait espionné sa femme. Mrs Roosevelt a dit que beaucoup de gens furent punis ensuite à cause de cela. »

Un des six enfants de Roosevelt, Franklin Jr, s'associe aux dénégations de Joe Lash. Et sa sœur aînée Anna ajoute un autre élément d'information. Elle se souvient qu'en 1944, un an après l'épisode de l'hôtel, un officier lui apporta un paquet dont il disait que c'était « des lettres d'amour » de Lash à Eleanor interceptées par la censure. Elles les remit à son père comme on le lui avait demandé et il les prit sans un mot. Quels qu'aient pu être les sentiments du président, il n'en a jamais rien dit.

Les lettres de 1943 montrent en tout cas que la première dame était d'une imprudence rare. Si elle croyait pouvoir retrouver à plusieurs reprises un jeune homme dans une chambre d'hôtel en toute impunité, elle était également d'une extraordinaire naïveté. Elle avait à l'époque cinquante-huit ans, un quart de siècle de plus que Lash, et ce courrier montre qu'elle s'est comportée tout le temps comme une entremetteuse à l'égard de son jeune protégé et de son amie. Il semble improbable, sinon impossible, qu'elle ait eu des relations sexuelles avec le jeune homme.

Et cependant les enregistrements semblent prouver le contraire. Est-ce que l'armée a confondu les rapports de Lash et de sa future femme, Trude Pratt, avec ses rencontres avec Mrs Roosevelt ? Peut-être, mais nous ne disposons d'aucun élément qui nous permette d'établir la vérité.

Hoover, quant à lui, veilla à ce que le rapport Burton, ainsi que ceux des agents de l'armée et les copies des lettres de Mrs Roosevelt à Lash aillent rejoindre les secrets de l'armoire du bureau de sa secrétaire. Ils devaient y rester jusqu'en 1953, lorsque se présenta l'occasion de s'en servir.

En 1953, le président républicain élu, Eisenhower, souhaitait se débarrasser d'Eleanor Roosevelt qui faisait partie de la délégation américaine aux Nations unies. Le directeur adjoint, Louis Nichols, informa de l'affaire Lash les assistants d'Eisenhower qui prirent l'histoire très au sérieux. En 1954, alors que le *New York Post* critiquait vivement Eisenhower, Nichols trouva une nouvelle occasion de déterrer le scandale. En lui faisant remarquer que Mrs Roosevelt était très proche du rédacteur en chef du journal, il suggéra à Hoover de communiquer toutes ces cochonneries directement à Eisenhower.

Beaucoup plus tard, William Sullivan, lorsqu'il eut rompu avec Edgar, lui envoya une critique acerbe des agissements du Bureau :

Mr Hoover, vous n'avez cessé de dire au public que les dossiers du FBI étaient sûrs, inviolables, presque sacrés. Il y a plusieurs années, lorsque j'ai découvert que ce n'était pas le cas, j'ai été frappé de stupeur. Mais nous avions créé à l'époque au FBI une certaine atmosphère difficile à décrire... Nous avons, comme vous le savez, laissé filtrer des informations, aussi bien sur les personnes que sur les organisations. Mon premier souvenir est celui des fuites concernant Mrs Roosevelt, que vous détestiez...

Quoi que le président sût sur le rôle d'Edgar dans l'affaire Lash, il perdit patience bien avant la fin de la guerre. Trude Lash se rappelle : « Mrs Roosevelt disait que son mari était très perturbé par Hoover. J'ai l'impression que le président avait demandé à sa femme de ne pas parler de l'affaire mais il est clair qu'il se détournait de Hoover. Celui-ci le sentit et essaya de se rendre indispensable en découvrant des choses que le président voulait savoir. Cependant, d'après ce que j'ai compris, le président disait en privé qu'il se débarrasserait d'Edgar dès que possible. »

L'épisode Lash n'était pas le seul facteur de sa méfiance à l'égard de Hoover. A l'automne de 1943, il avait été furieux d'être obligé de se séparer de Sumner Welles, son secrétaire d'État, un homme de valeur et son ami personnel, afin d'éviter un scandale sur son activité homosexuelle [1]. Le rôle de Hoover dans cette affaire de ragots se traduisit par un sérieux accrochage entre lui et Roosevelt. « Quand ce fut terminé, raconta en 1990 Beatrice Berle, veuve du secrétaire d'État adjoint Adolf Berie, Roosevelt dit à Hoover de sortir, et il ne l'a plus jamais reçu ensuite. » Les archives de la bibliothèque Franklin-D.-Roosevelt ne contiennent plus aucun texte de conversations privées avec Hoover, ni de correspondance à partir de ce jour.

On a dit qu'après avoir soutenu et poussé Hoover pour satisfaire ses propres desseins politiques le président envisageait alors de réduire son pouvoir lorsque la guerre serait finie, peut-être même de le mettre à la porte. Mais il ne vécut pas assez longtemps pour cela.

---

1. Cf. *supra*, chap. 8, p. 79. [*N.d.T.*]

14

Les réticences
de Truman

Le 12 avril 1945, à 17 heures, Harry Truman se hâtait, seul et sans protection, le long d'un couloir désert au sous-sol du Capitole. Pressentant pourquoi il avait été convoqué à la Maison-Blanche, le vice-président, alors âgé de soixante ans, s'y rendait rapidement. Deux heures plus tard, il prêtait serment, devenant le trente-troisième président des États-Unis. Franklin Roosevelt, épuisé par douze années à la tête de l'État fédéral, était mort d'une hémorragie cérébrale.

La fin de la guerre était imminente. Les troupes américaines venaient de libérer le camp de concentration de Buchenwald. Les Russes approchaient de Berlin. Bientôt Hitler se suiciderait dans son bunker et Mussolini serait abattu par des partisans italiens. L'Allemagne allait capituler et, trois mois plus tard, le Japon en ferait autant après que le président Truman aurait donné l'ordre de lâcher la première bombe atomique.

Dans ce climat particulier, Truman était préoccupé par Hoover et le FBI. Ce n'était pas la première fois. Il avait déjà, lorsqu'il était sénateur, protesté officiellement quand le Bureau avait été absous de toute responsabilité dans le fiasco de Pearl Harbor. Maintenant, dès les premières semaines de sa présidence, il était alarmé par ce qu'il apprenait de ce FBI, accru en taille et en puissance, que Roosevelt laissait derrière lui. Un mois après avoir pris ses fonctions, Truman exprima ses sentiments dans une de ses célèbres notes, le 12 mai 1945 :

> Nous ne voulons ni Gestapo ni police secrète. Ceux du FBI vont dans cette direction. Ils se mêlent de scandales sexuels et de chantage alors qu'ils devraient attraper les criminels. Ils ont aussi l'habitude de dénigrer les représentants des polices locales. CELA DOIT CESSER. Nous avons besoin de collaboration.

Hoover se hâta d'étayer sa position, cherchant quelqu'un connu de Truman pour servir d'agent de liaison avec la Maison-Blanche. L'émissaire dit au président :

« Mr Hoover veut que vous sachiez que lui et le FBI sont à votre disposition personnelle et prêts à vous aider pour tout ce que vous demanderez.

– Quand j'aurai besoin des services du FBI, répondit Truman, je m'adresserai au ministre de la Justice. »

Lorsque l'envoyé rapporta cette réponse, se souvient William Sullivan, directeur adjoint à l'époque, « la colère de Hoover fut sans limites ». Truman l'avait remis à sa place comme aucun autre président n'aurait osé le faire, à l'exception plus tard de Kennedy, et il avait perdu son lien direct avec le pouvoir suprême.

Néanmoins, Hoover trouva le moyen de prendre la Maison-Blanche de Truman dans ses filets. Le président accepta que son attaché militaire, le général Harry Vaughan, assure la liaison directe avec Hoover qui donna aussitôt à leurs relations une allure de conspiration. « Nous aurons beaucoup à parler ensemble, dit-il à Vaughan. Alors, quand vous viendrez me voir, je vous conseille d'entrer par Pennsylvania Avenue. Vous prenez l'ascenseur pour monter jusqu'au septième étage, puis vous prenez un autre ascenseur pour descendre au troisième. Vous changez encore une fois pour monter au cinquième et vous venez dans mon bureau. Vous et moi avons à parler de choses importantes qui concernent le président, moi, vous et personne d'autre. »

Un collaborateur de Truman mit au point une autre forme de collaboration clandestine entre le FBI et la Maison-Blanche. Auparavant, sous Roosevelt, les hommes de Hoover transmettaient des informations politiques, qui n'étaient pas du ressort du FBI, en lisant à haute voix aux assistants du président des comptes rendus écrits. Ensuite, pour ne pas laisser de trace, les documents étaient rapportés au quartier général du FBI. Un des nouveaux émissaires d'Edgar, Curtis Lynum, eut alors l'idée de raffiner le système : « Un jour, j'ai coupé le haut et le bas de la page que je lisais à Mr Steelman qui me dit : "Et pourquoi ne pas faire cela avec tous les messages que vous apportez ?" Je répondis que j'en parlerais avec Mr Hoover. » Edgar bondit sur cette idée. Ainsi les informations délicates furent remises à la Maison-Blanche sur du papier anonyme, sans en-tête ni signature, de sorte que l'on ne pourrait jamais en retrouver l'origine.

Au cours des premières semaines de sa présidence, selon le général Harry Vaughan, Truman apprit comment Roosevelt se servait de Hoover pour mettre à profit les écoutes téléphoniques dans le domaine politique. « Qu'est-ce que c'est que cette connerie ? » se serait-il écrié lorsqu'il vit la transcription d'une écoute de Tommy Corcoran, un ancien collaborateur de Roosevelt passé dans le camp adverse. « Arrêtez-moi tout cela, aurait-il continué. Dites au FBI que nous n'avons pas de temps à perdre avec cette merde ! »

Mais Truman devait bientôt changer d'avis. Les dossiers du FBI contiennent 5 000 pages de rapports d'écoutes téléphoniques de Corcoran pendant la présidence. Hoover supervisait lui-même les enregistrements provenant d'un appartement de la 13ᵉ Rue, à New York. En outre, il fit parvenir à la Maison-Blanche un choix d'informations politiques diverses : l'annonce qu'un scandale se préparait ou qu'un journal s'apprêtait à sortir des articles critiques sur le président. Et Truman ne s'y opposa pas. Peut-être estimait-il qu'il n'y avait aucun mal à profiter de l'espionnage politique d'Edgar si, parallèlement, il arrivait à empêcher les abus plus graves du FBI concernant les libertés civiques. Mais en autorisant les écoutes téléphoniques politiques, il faisait de Hoover le gardien d'un secret qui, en cas de fuites, risquait de mettre en danger le gouvernement.

Truman devint ainsi l'obligé d'Edgar, ce qui convenait parfaitement au patron du FBI. D'autant plus que le passé politique du président comportait un cadavre : sa longue connivence avec la machinerie corrompue du parti démocrate dans sa ville natale de Kansas City, dans le Missouri.

Truman était le protégé de Tom Pendergast, un leader politique qui s'appuyait sur la Mafia. C'était Pendergast qui avait envoyé Truman au Sénat et cette liaison devait dorénavant, comme Truman le confia à sa femme, « peser sur [lui] comme une chape de plomb ». Hoover en était très conscient. Il s'était rendu lui-même à Kansas City lorsque Pendergast avait, plusieurs années auparavant, été inculpé de fraude fiscale, et il savait qu'il détenait là une arme politique. Pendant la campagne présidentielle de 1948, il allait s'en servir et communiquer des informations sur la corruption de Kansas City pour aider l'adversaire de Truman, le gouverneur Dewey.

Cependant, connaissant l'aversion de Truman à son égard, Hoover se sentait vulnérable. Ses agents le tenaient au courant de toute variation du climat politique, de chaque rumeur présentant un risque pour son poste. Il se sentait dans une position si critique qu'il en devint paranoïaque. « Hoover était effrayé de sa coexistence avec Truman, se souvient William Sullivan. J'en fus personnellement le témoin. Truman n'avait RIEN à faire de Hoover et ne le laissait même pas s'approcher de lui. »

Truman mit fin aux espoirs de Hoover de voir se réaliser son rêve le plus ambitieux : la mainmise sur tous les services d'espionnage. Il y pensait depuis 1940 lorsqu'il avait proposé la mise sur pied de l'Intelligence Service du FBI avec des agents répartis dans le monde entier. C'était son objectif quand il luttait contre son rival haï William Donovan. Bien qu'il ait été obligé de limiter sa juridiction à une fraction de territoire, l'Amérique latine, sa véritable ambition était toujours à l'échelle universelle. Avant la fin de la guerre, Hoover parlait toujours en privé d'un réseau mondial d'agents du FBI. A Londres, les diplomates des États-Unis le soupçonnaient d'avoir déjà mis en place des agents secrets dans la salle des codes de l'ambassade, pour fourrer son nez dans les communications avec le Département d'État. Les hommes de Donovan surveillaient le FBI avec inquiétude.

En novembre 1944, à la demande de Roosevelt, Donovan avait élaboré un projet pour l'espionnage en temps de paix. Il prévoyait « une autorité centrale d'espionnage » supervisée personnellement par le président et, espérait-il, dirigée par lui-même. Hoover soutint qu'une telle agence n'était pas nécessaire et insista pour revenir au système d'avant-guerre, lorsque le FBI tenait les rênes. Brusquement parurent diverses attaques dans la presse contre le projet Donovan, alertant l'opinion sur les dangers d'un « système de super-espions ». Donovan était convaincu qu'une des histoires soulevées par les journalistes était fondée sur un mémorandum ultra-secret, délibérément fourni par Hoover. Mais les machinations d'Edgar n'aboutirent pas, avec l'arrivée de Truman à la Maison-Blanche. Le président déclara au directeur du Budget qu'il était « tout à fait opposé à la création d'une Gestapo » au sein du FBI. Loin d'étendre ses pouvoirs, il pensait que le Bureau devait être « réduit dès que possible au moins à la situation d'avant-guerre ».

Hoover continua sa pression pour protéger ce qu'il considérait comme sa chasse gardée. Il persuada généraux et amiraux, sénateurs et représentants de plaider sa cause à la Maison-Blanche. Ils s'y prêtèrent car eux aussi avaient leur territoire à défendre et parce que certains ajoutaient foi aux accusations de Hoover qui prétendait que l'OSS de Donovan avait « embauché un tas de bolcheviques ». Mais une enquête menée après la guerre par les agents du FBI révéla que ne s'y trouvait aucun communiste.

Truman fit la sourde oreille à la revendication d'Edgar qui voulait contrôler le renseignement à l'étranger aussi bien qu'à l'intérieur du pays. « Le même homme ne peut assumer les deux, dit-il. C'est trop gros pour lui. » Le président acceptait rarement de voir Hoover et, quand ils se rencontrèrent pour parler de ce sujet, il le rembarra brutalement. « Hoover essaya de discuter avec le président, raconte un témoin. Mais Truman dit non et, comme Hoover insistait, il ajouta : "Vous dépassez les bornes !" »

Ultérieurement, le président approuva la création de l'Agence centrale de renseignements (*Central Intelligence Agency*, ou CIA) en réponse à la menace réelle de subversion soviétique, mais Edgar n'y avait aucun rôle. La CIA dépendait directement du président par l'intermédiaire du Conseil national de sécurité. Son rôle était plus une critique de l'efficacité des renseignements que des opérations sur le terrain. (L'action secrète, pour laquelle la CIA est maintenant célèbre, ne lui sera confiée que par la suite.)

Bien que Donovan n'ait jamais été à la tête de la CIA, Hoover devait néanmoins admettre que le général en était l'instigateur. En outre, la création de la CIA dépouillait Edgar de son héritage de la guerre, les territoires au sud de la frontière du Mexique. Les quelques postes du FBI à l'étranger – à Londres, Paris, Rome, Ottawa et Mexico – ne subsistèrent que pour assurer des liaisons. Ce qui n'empêcha pas Hoover de continuer ses opérations d'espionnage à Mexico, qui devaient doubler l'action de la CIA pendant longtemps.

Edgar était « si furieux » de la création de la CIA, dit William Sullivan, qu'« il donna des instructions formelles pour qu'en aucun cas nous ne fournissions des documents ou des informations à l'Agence qui se mettait en place »… Richard Helms, futur directeur de la CIA, précise : « Hoover appliqua la politique de la terre brûlée. Il fit disparaître tous les dossiers et interdit à ses agents de communiquer leurs sources aux nouveaux de la CIA. Nous n'avons rien obtenu de valable. Il a tout nettoyé et est rentré chez lui en boudant. » Ce comportement de Hoover à l'égard de l'Agence devait durer jusqu'à sa mort. « Quand une demande nous venait de la CIA, dit Sullivan, une requête légale et légitime, Hoover traînait des pieds, répondait à la moitié seulement et ignorait le reste. » Cette mesquinerie aboutit à un conflit violent avec le deuxième directeur de la CIA, le célèbre général Walter Bedell Smith qui lui dit : « Vous avez le mandat impératif de coopérer totalement avec la CIA. Si vous voulez vous y opposer, je me battrai contre vous dans tout Washington. »

Hoover fit marche arrière mais son dossier sur Smith témoigne de son mépris. Il a griffonné sur un rapport : « Smith est un salaud. Et pas un petit. » Les relations avec les autres patrons de la CIA furent encore pires. L'un d'eux affirme que Hoover ne s'est jamais assis en présence d'un directeur de la CIA plus de cinq fois au cours de toute sa longue carrière.

*

Après la guerre, Hoover sembla pendant un certain temps moins sûr de lui, moins confiant dans son avenir. Il s'accrochait toujours à l'espoir de devenir ministre de la Justice dans un futur gouvernement républicain, mais avait abandonné tout rêve de devenir président. Certains crurent qu'il pourrait peut-être quitter le FBI et on parla même pour lui de la présidence de la Fédération du base-ball !

Ce fut aussi l'époque où s'amplifièrent les rumeurs sur son homosexualité. Au cours d'un dîner avec de hautes personnalités juridiques, il fut embarrassé à l'extrême lorsqu'une actrice des Duncan Sisters essaya de s'asseoir sur ses genoux. Selon les témoins, il s'empressa de sortir de la pièce et l'histoire fit le tour de Washington. A la suite d'une erreur de bonne foi, le Comité des mères américaines désigna Edgar comme un des « meilleurs pères de l'année ». Les journaux ne manquèrent pas de minauder : « Mon chou, Mr Hoover est célibataire. » L'insinuation n'échappa à personne.

C'est également à cette période que la préoccupation d'Edgar concernant son homosexualité l'amena à consulter un psychiatre de Washington, le Dr Ruffin. Mais il interrompit bientôt les visites car il se méfiait même de son médecin. A partir de ce moment, il se contenta d'essayer de faire taire les rumeurs, chaque fois que c'était possible, en utilisant les agents du FBI pour intimider la presse.

En public comme en privé, Hoover était en permanence sur la défensive contre des ennemis réels ou imaginaires. Pour rester LE « J. Edgar Hoover » de l'Amérique, il lui fallait se montrer à la tête du combat contre un ennemi clairement identifié, ayant l'appui massif du public.

L'ennemi de choix – réalité ou ombre – avait toujours été le communisme. Ou, comme Edgar le prononçait, le « commonisme ». Et justement maintenant, alors que son image commençait à s'estomper, l'histoire le remettrait à la mode. La guerre froide contre l'Union soviétique et ses satellites accorda un nouveau bail à Edgar, le héros américain.

15

La chasse aux sorcières

Le jour de l'An 1946, pour l'anniversaire de ses cinquante et un ans, Hoover ouvrit la porte de sa maison de Rock Creek Park à un pasteur presbytérien, le Dr Elson. Les deux hommes prièrent ensemble, ce qu'Elson a appelé « un acte spirituel d'invocation mutuelle ». Ils devaient en garder la tradition chaque Nouvel An jusqu'à la mort d'Edgar. Une semaine plus tard, au cours d'une cérémonie du Club des champions new-yorkais, Hoover s'agenouilla pour baiser la bague de saphir de l'archevêque catholique de New York, Francis Spellman.

Spellman à ses côtés, il s'adressa à la foule : « Advienne que pourra, mais lorsque trente millions de catholiques affirment leur personnalité, la nation doit s'arrêter et écouter. Il n'y a que cent mille communistes organisés et qui se font entendre, mais ils sont motivés par un fanatisme frénétique. » Les communistes américains, dit un autre jour Hoover à une assemblée de dirigeants de la police, « encouragent une méfiance diabolique et concentrent leurs efforts pour semer le désordre et la division... ». Cependant, l'ancien directeur adjoint Charles Brennan, spécialiste au FBI de la lutte contre la subversion, reconnaissait que même les meilleurs du Bureau n'ont jamais réellement su quel ennemi ils combattaient. « Il n'y eut jamais de définition tangible de ce que signifiait le communisme. Le terme était utilisé pour désigner globalement tout ce qui était étranger, mal connu et indésirable... »

Hoover, plus qu'aucun autre, sera responsable de ce long épisode d'hystérie anticommuniste dont la société américaine ne s'est jamais complètement remise. Les statistiques du FBI accordent au Parti quelque 80 000 membres au plus fort de sa popularité, dans l'enthousiasme de l'alliance avec l'Union soviétique au cours de la guerre. Sur une population de 150 millions cela représente un pourcentage de 0,0533, et moins d'un tiers seulement des communistes américains présentaient un risque pour la stabilité économique du pays en tant que travailleurs de l'industrie.

Le président Truman voyait probablement juste lorsqu'il disait : « Les gens sont très excités par le loup-garou communiste mais mon opinion est que le pays est parfaitement à l'abri en ce qui le concerne ; nous avons beaucoup trop de gens sensés. » Mais ce que le président pensait en privé était compromis par les gains électoraux des républicains et par les clameurs de l'extrême droite, qui réclamait une action énergique.

Pour apaiser la droite, Truman ordonna en 1947 que tout nouveau fonctionnaire du gouvernement fédéral subisse un examen sur son « loyalisme ». Les suspects pouvaient comparaître devant des commissions, sans avoir le droit de connaître leurs accusateurs et par conséquent de relever le défi. Mais Truman confia délibérément l'essentiel de ce travail non au FBI mais à une commission. Hoover le ressentit comme un affront et prit aussitôt une décision capitale. Il obligea le représentant Parnell Thomas (qui devait peu de temps après être emprisonné pour racket financier) à obtenir qu'il puisse s'adresser à la Commission des activités anti-américaines du Congrès. Ainsi, en mars 1947, il affronta publiquement le gouvernement, son employeur, ce qu'il n'avait jamais osé auparavant. Qu'il ait pu le faire et s'en tirer marque bien sa puissance au sein du pays. Juste avant de prononcer son discours, il confia d'ailleurs à un ami : « C'est un grand jour pour moi ! »

Le communisme, déclara-t-il aux membres du Congrès, s'est répandu grâce aux « machinations diaboliques de personnages sinistres engagés dans des activités anti-américaines ». Les libéraux des États-Unis, insista-t-il, « ont été bernés comme des pigeons pour les amener à s'associer aux communistes ».

Hoover se garda bien d'attaquer personnellement le président, mais l'effet fut le même. Truman était furieux. Un de ses assistants nota : « Pres. [président] violemment anti-FBI. L'empêcher d'accroître son pouvoir. Peur de Gestapo. » Mais Truman était réaliste lorsqu'il confia à Clark Clifford : « J. Edgar va vraisemblablement obtenir de ce Congrès rétrograde qu'il lui accorde tout ce qu'il lui demande. C'est dangereux. »

Edgar obtint en effet ce qu'il voulait : l'autorité complète sur les enquêtes de loyalisme. Il avait fait sa déclaration d'indépendance et se posait en porte-étendard de la croisade contre les Rouges.

Un membre du Congrès y était déjà converti. Au cours des débats, un certain nombre de questions avaient été posées à Hoover par un représentant nouvellement élu : Richard Nixon. Le juriste Mintener s'était alors penché vers Edgar pour lui murmurer que Nixon avait truqué les élections pour battre son opposant démocrate au cours de la récente campagne. « Je suis au courant, avait répondu Edgar, mais en ce qui concerne l'application de la loi, il me semble devoir être un bon élément pour nous. »

Dix ans plus tôt, le jeune étudiant en droit Nixon avait postulé au FBI. Sa demande avait été refusée pour « manque d'agressivité ». Maintenant qu'il avait été élu à la Chambre des représentants, Hoover ne doutait plus de lui. Les deux hommes se rencontrèrent à nouveau cette année-là et devaient bientôt s'engager dans une lutte incessante pour ruiner la carrière d'Alger Hiss, fonctionnaire du Département d'État.

Hoover était devenu brusquement le héros de 1947. Son visage, sur fond de bannière étoilée, figurait sur la couverture de *Newsweek* pour illustrer l'article dont le titre était : « Comment combattre le communisme ». Il était maintenant pris au sérieux.

Hoover apprit que « L'amour des trois oranges », le thème musical choisi pour les deux films et le programme radio consacrés au FBI, avait été écrit par le compositeur soviétique Sergueï Prokofiev. Il griffonna une note : « Nous devrions être capables d'utiliser une autre musique que celle d'un communiste célèbre. Occupez-vous de cela, et VITE. » Des assistants se hâtèrent de lui donner satisfaction et enquêtèrent en profondeur sur le passé de Prokofiev. Personne, d'après nos sources, n'éleva la moindre protestation contre cette stupidité.

La purge commença à Hollywood lorsque la Commission des activités anti-américaines (*House Un-American Activities Committee*) lança son attaque contre l'industrie du cinéma. Hoover, qui estimait qu'Hollywood « puait le communisme », joua dès le début un rôle capital... et secret. « Je veux apporter toute l'aide possible à la commission », dit-il à ses adjoints avant que les auditions ne commencent. Le chef du FBI de Los Angeles, Richard Hood, leur communiqua ses dossiers sur les membres suspects de la communauté cinématographique. En outre, l'équipe de la commission était dirigée par un ancien du Bureau très lié avec Edgar, et comportait beaucoup d'ex-agents.

Les auditions étaient un vrai cirque avec un parterre de spectatrices qui gloussaient de plaisir devant les témoins « sympathiques », comme Gary Cooper, Robert Taylor ou Walt Disney qui affirma que les communistes de ses studios essayaient de se servir de Mickey Mouse pour diffuser la propagande communiste. L'ancienne amie d'Edgar, Lela Rogers, fit une apparition mémorable. A son avis, le film *None but the Lonely Heart* réalisé par Clifford Odets était extrêmement suspect, surtout en raison de la scène dans laquelle un fils dit à sa mère :

« Tu ne vas pas travailler ici pour extorquer quelques centimes à des gens plus pauvres que toi. » La commission en conclut que Lela Rogers était « une des plus remarquables expertes en communisme des États-Unis ».

Les témoins « antipathiques », comme John Huston, Katharine Hepburn, Lauren Bacall et Humphrey Bogart étaient dénigrés. Le Groupe des Dix était composé d'artistes qui refusaient par principe de dire s'ils avaient été membres du parti communiste et furent emprisonnés pour outrage au Congrès. Leur carrière fut ruinée car les magnats du cinéma firent du zèle et les mirent sur leur liste noire.

Les attaques de la commission à Hollywood durèrent jusqu'en 1953, Edgar jouant le rôle de traître en coulisse, comme devait le découvrir l'acteur Sterling Hayden, qui avait été pendant peu de temps membre du parti communiste. Préoccupé par son passé, il avait chargé son avocat de demander conseil à Hoover. « Il faut que cela soit enregistré », répondit Edgar qui promit d'aider Heyden « si quoi que ce soit en découlait ». L'acteur s'empressa de confesser sa folie de jeunesse dans une déclaration officielle aux agents du FBI. Loin de protéger Hayden, Hoover transmit sa confession à la commission. L'acteur fut convoqué pour témoigner. Pris de panique, il nomma quelques-uns de ses amis et collègues qui avaient également été du Parti. Le reste de sa vie, il devait regretter d'avoir été « le mouchard de J. Edgar Hoover ».

Le dossier du FBI 100-382196 contient des renseignements sur un acteur mineur d'Hollywood : taille, 1,83 mètre, poids, 79 kilos, yeux bleus et cheveux bruns ; nom, Ronald Reagan. Le futur président, qui consacrait autant de temps à l'action syndicale qu'aux plateaux de cinéma, était un des responsables du Comité des citoyens pour les arts, les sciences et les professions libérales (*Citizens' Committee of Arts, Sciences and Professions*, ou HICCASP), un organisme que le FBI considérait comme un prête-nom du communisme. Son frère Neil, en revanche, espionnait le comité pour le compte du Bureau et il prévint Ronald qu'il serait sage de démissionner. Au lieu de cela, Ronald se comporta lui aussi en mouchard. A minuit, il appela son frère d'une cabine téléphonique de Sunset Boulevard pour lui rendre compte de la réunion du comité qui venait d'avoir lieu. Comme informateur confidentiel du Bureau sous le numéro de code T-10, il fit bientôt venir chez lui de nuit des agents pour leur parler des « cliques » de la Guilde des acteurs qui « suivaient la ligne du parti communiste ». Il leur communiqua la liste des acteurs et actrices en question et, sur la suggestion de Hoover, témoigna même secrètement devant la commission.

Edgar menait des enquêtes sur des citoyens qui n'étaient pas communistes et n'avaient jamais enfreint la loi. A la chasse de ce qui, à son avis, « discréditait injustement et gravement notre mode de vie américain », il déclencha une étude du FBI pour rechercher les « facteurs subversifs » dans le passé d'écrivains et d'éditeurs éminents. Sur une centaine de personnes prises au hasard, les agents découvrirent des « éléments pertinents » qui expliquaient les écrits de quarante d'entre eux. Les rapports les concernant restaient anonymes et non classés, pour que l'on ne puisse en retrouver la trace au FBI, et étaient réservés à Hoover qui les faisait circuler « officieusement et confidentiellement ».

Au cours des années, quelques-uns des plus célèbres écrivains d'Amérique devinrent des cibles du FBI. Certains, comme Dashiell Hammett, avaient bien eu des liens dans le passé avec le marxisme. Ils furent pris en filature et leur courrier fut ouvert. Quand Hammett, vétéran des deux guerres, mourut, le FBI intervint pour qu'il ne soit pas enterré au cimetière d'Arlington.

De nombreux autres n'avaient eu aucun rapport avec le marxisme, mais ils n'en furent pas moins l'objet d'enquêtes. Le dossier de la romancière Pearl Buck, prix Nobel, est épais de 400 pages. Les agents ouvrirent également son courrier, bien que sa seule activité subversive ait consisté à écrire sur le racisme et à faire partie de l'Union des libertés civiques. Nous savons maintenant que Hoover gardait des dossiers sur le prix Nobel Thomas Mann, sur Erskine Caldwell, Sinclair Lewis, William Saroyan. Le FBI catalogua Ernest Hemingway « gauchiste » et « imposteur » et avait également un dossier sur sa femme, Mary. John Steinbeck inquiétait le FBI parce qu'il « décrivait le côté le plus misérable et sordide du mode de vie américain », ainsi qu'Irwin Shaw, Aldous Huxley, Arthur Miller, Tennessee Williams et Truman Capote.

D'autres dossiers concernaient les peintres et les sculpteurs, y compris Henry Moore, et même Picasso, qui n'avait pourtant jamais mis les pieds aux États-Unis. Les grands savants furent aussi visés. Hoover considérait comme suspect le Dr Jonas Salk, inventeur du vaccin contre la poliomyélite, au point d'envoyer une lettre d'avertissement de quatre pages à la Maison-Blanche, parce qu'il était membre de la Société médicale américano-soviétique. Salk était considéré comme « très à gauche du centre » et son frère était membre du parti communiste.

Hoover commença à rassembler des informations sur Albert Einstein dès 1940 parce qu'il assistait à des meetings pacifistes en compagnie de communistes et qu'il avait soutenu la cause des républicains espagnols. Après la guerre, lorsque le physicien découvrit qu'il avait été sans cesse surveillé, il en ressentit une vive déception qu'il exprima en 1947 : « Je suis venu en Amérique à cause de la grande, très grande liberté que l'on m'avait vantée dans ce pays. J'ai commis une erreur en choisissant l'Amérique comme une terre de liberté, une faute que je ne peux plus maintenant réparer compte tenu du temps qui me reste à vivre. » Au moment de sa mort, son dossier au FBI avait grossi de milliers de pages. On n'y trouve aucun signe qu'il ait jamais manqué de loyauté envers son pays d'adoption.

Charlie Chaplin, ami d'Einstein, concrétisait tout ce qui provoquait crainte et colère chez Hoover. D'origine étrangère puisque anglais, menant une vie sexuelle très agitée, c'était un utopiste « internationaliste » qui frayait amicalement avec les communistes. Il était en outre un des hommes les plus célèbres au monde et adoré de tous. Ce qui n'était pas le cas de Hoover !

Bien avant qu'il ne soit à sa tête, le Bureau considérait Chaplin comme dangereux car on craignait que ses films « communisants » ne contaminent « l'esprit du peuple ». Certains fonctionnaires étaient toujours inquiets en 1942 lorsqu'il prononçait ses discours demandant aux États-Unis d'aider l'Union soviétique contre les nazis. Hoover eut enfin la chance de pouvoir persécuter Chaplin lorsqu'une jeune actrice détraquée, Joan Barry, prétendit qu'il était le père de l'enfant qu'elle portait. Hoover pensait que Chaplin pourrait être poursuivi en application du *Mann Act* (dont il avait menacé Popov) parce que l'acteur avait payé pour Barry des billets de train à travers plusieurs États. Des agents du FBI, supervisés personnellement par Edgar, passèrent au crible les avoirs financiers de Chaplin, questionnèrent ses amis et demandèrent à ses employés si l'acteur « organisait des soirées dissolues avec des femmes nues ». Dans l'affaire Barry, Chaplin fut innocenté lorsque les examens de sang prouvèrent qu'il ne pouvait être le père de l'enfant. Hoover n'en continua pas moins à le harceler. Il envoya des informations aux journalistes de la presse à scandales d'Hollywood, et fit même rechercher à la Bibliothèque du Congrès un rapport vieux de vingt-cinq ans selon lequel la *Pravda* qualifiait l'acteur de « communiste et ami de l'humanité ».

Des milliers d'heures d'efforts n'aboutirent à rien, mais Hoover réussit tout de même à chasser Chaplin des États-Unis. C'est sur sa pression que le ministre de la Justice fit bannir l'acteur du pays en 1952, sous le prétexte qu'il était un « personnage scandaleux ». Hoover informa également les services de l'immigration de la « turpitude morale » de Chaplin et de son passé qui présentait un risque pour la sécurité. On n'en a retrouvé aucune trace écrite dans les archives du FBI qui faisait soigneusement disparaître toutes les informations provenant d'écoutes téléphoniques ou d'individus anonymes.

Des années plus tard, alors que Chaplin était depuis longtemps établi en Suisse, Hoover faisait toujours figurer son nom parmi ceux qui devaient être arrêtés en cas de péril national. En 1972, lorsque l'acteur fut invité à Los Angeles pour recevoir son « oscar spécial », Hoover intrigua encore pour que lui soit refusé son visa d'entrée. Chaplin fut néanmoins admis et reçu avec enthousiasme. Son dossier au FBI était alors épais de 1 900 pages.

En 1975, trois ans après la mort de Hoover, une commission du Congrès ordonna une étude détaillée sur les archives de la sécurité interne du FBI. On y découvrit que 19% des activités du Bureau étaient toujours consacrées à la chasse aux sorcières. Mais 4 seulement des 19 700 investigations témoignent d'une conduite criminelle, et aucune n'affecte la sécurité nationale et ne concerne l'espionnage ou le terrorisme.

A l'automne de 1947, le président Truman surveillait Edgar avec inquiétude. Il écrivit à sa femme après une crise au sein des Services secrets :

> Chère Bess,
> Je suis content que les Services secrets fassent du bon travail. J'étais préoccupé de la situation. Edgar Hoover donnerait son œil droit pour en prendre la tête, et tous les représentants et sénateurs ont peur de lui. Moi pas, et il le sait. Si je peux l'empêcher, il n'y aura ni NKVD ni Gestapo dans ce pays. L'organisation d'Edgar Hoover serait une bonne base pour la mise en place d'un système d'espionnage des citoyens. Très peu pour moi...
> Toute ma tendresse,
> Harry.

Lors de l'élection de 1948, les dirigeants du parti républicain espéraient bien revenir à la Maison-Blanche après quinze ans de traversée du désert. Edgar, bien qu'il se soit souvent déclaré au-dessus de la politique, les aida à miner le président en attisant de nouveau la peur panique de l'ennemi rouge de l'intérieur. Cette fois-ci, le jeu, qui ne pouvait se faire sans la collaboration de Hoover, consistait à dénoncer de prétendus communistes occupant des postes élevés dans le gouvernement de Truman.

En juillet 1948, une femme que la presse appela « la reine blonde des espionnes » comparut devant une commission d'enquête. Elizabeth Bentley, d'âge mûr et bien en chair, était une ancienne communiste, dont l'amant, maintenant décédé, était connu pour avoir été un instrument au service des Soviets.

Mrs Bentley reconnut qu'elle avait servi de messagère de 1938 à 1944 pour transmettre des informations délicates de la haute administration de Washington aux dirigeants communistes clandestins. Elle affirma que ses sources haut placées étaient un assistant du président Roosevelt et deux personnalités importantes du gouvernement de Truman, William Remington, du ministère du Commerce, et Harry Dexter White, ancien ministre adjoint du Trésor.

Quatre jours plus tard, alors que l'annonce était encore toute chaude, sortit le témoignage du rédacteur en chef du *Time*, Whittaker Chambers, lui-même ancien communiste. Sa déclaration spectaculaire est restée dans les mémoires. Il prétendit qu'Alger Hiss, qui occupait un poste important au Département d'État, était un communiste clandestin, faisant partie d'une cellule constituée spécialement pour infiltrer le gouvernement. Hiss nia l'accusation, mais Chambers fournit une masse de documents secrets que, prétendait-il, Hiss lui avait remis.

Quelle que soit la véracité des accusations de Mrs Bentley et de Chambers, il en résulta que plusieurs vies furent ruinées et que quatre hommes en moururent. White fut frappé d'une attaque cardiaque après s'être défendu avec passion devant la commission. Remington fut battu à mort en prison après avoir été condamné comme parjure. Laurence Duggan, du Département d'État, qui avait été calomnié par Chambers, décéda après être mystérieusement tombée du seizième étage d'un immeuble de New York. Marvin Smith, juriste du ministère de la Justice impliqué dans l'affaire Hiss, se suicida, et Chambers tenta aussi d'en finir. Alger Hiss fut condamné pour parjure : le jury était convaincu qu'il avait menti en affirmant qu'il n'avait pas transmis de documents à Chambers. Il passa trois ans et demi en prison et il continue aujourd'hui, à plus de quatre-vingts ans, à clamer son innocence [1].

A l'égard de White et de Hiss, Hoover était resté nettement en retrait, jusqu'à ce que vînt le moment de gêner Truman. Il connaissait depuis 1942 les accusations contre Hiss, mais il les avait à l'époque écartées comme « des histoires, des hypothèses ou des déductions ». Les voyages d'Elizabeth Bentley à Washington, soi-disant pour y recueillir des secrets chez ses informateurs, n'avaient jamais été mis en cause

---

1. On est certain aujourd'hui qu'au début des années quarante il existait un réseau d'espionnage communiste et que la fuite des documents avait pour source Washington. Certains des témoignages de Mrs Bentley et de Chambers s'accordent avec le faisceau de preuves des procès d'espionnage de Rosenberg et Fuchs, mais il n'y a aucune certitude que White ou Hiss y aient été impliqués. [*N.d.A.*]

pendant des années, bien que son amant Jacob Golos, activiste communiste notoire, ait été une cible de choix du FBI.

En 1948, lorsque l'éventuelle culpabilité de White fut connue, l'ancien secrétaire au Trésor Henry Morgenthau demanda en privé à Hoover s'il pensait que White était coupable. Le fils de Morgenthau, aujourd'hui procureur général à New York, a conservé la note de son père griffonnée à l'époque sur une vieille enveloppe portant la réponse d'Edgar : « Il n'y a rien. »

Hoover savait, mais n'en fit jamais publiquement mention, que la source clé de l'enquête d'espionnage, le transfuge soviétique Igor Gouzenko, avait clairement dit que White ne figurait pas parmi les traîtres américains. Cependant, Hoover fut le premier à divulguer les accusations contre White en informant la commission du Sénat. Il le fit par l'intermédiaire de son assistant Lou Nichols, si habile à faire passer les informations d'Edgar qu'on disait de lui qu'il était « la fuite la plus fiable de Washington ».

Alger Hiss fut envoyé en prison sur la base de cette seule preuve : une machine à écrire Woodstock dont la frappe était identique à celle des documents officiels présentés par Chambers et des lettres tapées sur la machine de la famille Hiss. Hiss, appuyé par l'avis de certains experts, a soutenu que sa machine avait été trafiquée pour justifier son inculpation. Nous ne saurons peut-être jamais si Hoover s'est abaissé à de telles pratiques pour coincer un innocent. Mais des documents maintenant disponibles indiquent qu'en 1960 il prônait l'utilisation de faux documents pour neutraliser un membre du parti communiste en le faisant passer aux yeux de ses collègues pour un informateur du FBI. Il donnait une seule consigne à ses agents : s'assurer que la duperie « réussirait et n'embarrasserait pas le Bureau ». Lorsque, dans le cas de Hiss, on évoqua la possibilité que la machine à écrire ait été trafiquée, Hoover ne parla pas du principe lui-même mais se contenta d'une objection mineure : « Pour modifier une machine à écrire afin d'obtenir une frappe correspondant à un modèle précis, il faudrait un grand nombre de spécimens et des semaines de travail en laboratoire. »

Que le FBI ait manigancé un coup monté sur Hiss ou non, il est clair que l'exploitation politique de l'affaire importait plus à Hoover que le respect de la justice. Dès 1945, bien avant les révélations de Chambers, il avait distillé secrètement des accusations, d'abord à William Sullivan, à l'époque son collaborateur préféré, puis à un prêtre catholique d'extrême droite, le père John Cronin. Le père Cronin transmit les informations – d'abord dans un rapport aux évêques catholiques d'Amérique, puis, en 1947, au représentant Richard Nixon. Dans une interview récente, Nixon a déclaré : « Le FBI et Hoover n'ont joué aucun rôle dans le cas de Hiss. Hoover était loyal envers Truman... Il n'était pas question qu'il envoie ses agents en chasse pour aider la commission. »

Mais, selon le père Cronin, Nixon était constamment informé par l'intermédiaire de l'agent Ed Hummer. « Hummer m'appelait tous les jours, se souvient Cronin. Je prévenais Dick [Nixon] qui ainsi savait exactement où il devait chercher ce dont il avait besoin... » En outre, les archives du FBI confirment aujourd'hui ce que Nixon nie. En 1948, au cours d'une réunion secrète dans sa chambre d'hôtel, il dit à des agents du FBI que sur l'affaire Hiss il avait « travaillé très étroitement avec le Bureau et Mr Nichols au cours de l'année précédente ».

Bien avant le procès Hiss, Nichols était un des familiers d'un autre républicain, membre de la Commission des activités anti-américaines, le représentant Karl Mundt du Dakota du Sud (qui devait devenir sénateur en 1948). Mundt était également très proche de Hoover, comme le précise son ancien adjoint Robert McGaughey : « Ils dînaient souvent ensemble en privé et ils appartenaient au même club de poker. Le sénateur me disait toujours : "S'il y a un sujet que vous voulez aborder, on en discutera ce soir en jouant." » Hoover fournit donc à Mundt des informations sur Hiss depuis 1945, comme le révèle McGaughey. Pendant la phase cruciale de 1948, dit-il, « Nichols venait au bureau, disons deux fois par jour... De nombreuses suggestions étaient échangées, plus en provenance de Mr Hoover que de Mr Mundt, nous faisant savoir où chercher des informations ». Mundt avait-il accès aux dossiers du FBI ? « A des dossiers ? Oui, dit McGaughey. Il pouvait voir les informations qui se trouvaient dans les dossiers de Mr Hoover. C'était une question de relations personnelles. »

Hoover avait mis au point une couverture. Si un homme politique demandait à voir un dossier du FBI, il lui écrivait aussitôt une note pour refuser. Mais, révèle McGaughey, l'agent qui portait la réponse négative au Capitole transmettait en même temps l'information requise, parfois verbalement, parfois tapée sur une feuille de papier anonyme. La copie du refus était, elle, conservée au quartier général, pour « prouver » que la demande avait été rejetée.

Le président Truman n'admit jamais que Hiss fût coupable d'espionnage, et il n'avait aucun doute sur la signification de l'accusation. Il devait dire des années plus tard : « Tous ces types, ce qu'ils essayaient de faire, c'était d'avoir la peau des démocrates. Ils voulaient me foutre à la porte de la Maison-Blanche et ils auraient été aussi loin que possible pour y arriver. Ils [les républicains] étaient hors circuit depuis longtemps et étaient prêts à tout pour revenir. Ils ont fait tout ce qui leur passait par la tête, ces chasseurs de sorcières... La Constitution n'a jamais été aussi menacée... »

En dépit de toute cette atmosphère alarmiste, quatre communistes américains seulement furent condamnés pour espionnage pendant les années Hoover [1].

En 1948, la priorité de Hoover était d'assurer son pouvoir en aidant à chasser Truman de la Maison-Blanche. Au cours du printemps, il eut à propos des élections une conversation privée avec Walter Winchell, dont se souvient l'assistant du journaliste : « Hoover a dit que Truman le rendait malade. Le président avait réduit ses pouvoirs et il en était furieux. Il estimait qu'il faudrait le remplacer. »

Hoover monta dans le wagon du candidat qui avait le plus de chances de déloger Truman : le républicain Thomas Dewey. Cela faisait six ans maintenant que le FBI réunissait des informations sur Dewey et les impressions étaient mitigées. Au cours de la précédente campagne, Dewey avait dit en privé que la place qui convenait le mieux à Hoover était une cellule de prison. Les rapports ultérieurs se révélaient plus positifs et, en 1948, d'après Sullivan, Hoover rêvait d'un avancement politique sous la présidence de Dewey. Dès que commença la campagne des primaires, il mit secrètement les ressources du Bureau à sa disposition. « Avec l'aide du FBI, raconte Sullivan, Hoover était persuadé que Dewey ne pouvait pas perdre... En échange de son aide, le directeur pensait que, lorsqu'il serait président, Dewey ferait de lui son ministre de la Justice et de Nichols le directeur du FBI. Pour compléter ce plan magistral, Tolson serait l'adjoint de Hoover. C'eut été un coup superbe, car, avec Nichols aux commandes, Hoover aurait continué à contrôler le FBI aussi fermement que s'il ne l'avait pas quitté... Mais ses ambitions ne s'arrêtaient pas là. S'il ne pouvait devenir plus tard lui-même président, il estimait juste d'être nommé à la Cour suprême, poste pour lequel le ministère de la Justice lui servirait de marche-pied. »

Dewey accepta l'aide de Hoover et les agents s'empressèrent de réunir de la documentation pour aider le candidat à préparer son débat

1. Julius et Ethel Rosenberg et, pour la même affaire, Morton Sobell et David Greenglass. D'après les mémoires de Khrouchtchev publiés en 1990, il n'est pas douteux, en dépit des controverses, que les Rosenberg aient trahi des secrets atomiques La nuit de leur exécution, en 1953, Louis Nichols, du FBI, et le journaliste Rex Collier se trouvaient dans leur maison de Virginie. Le fils de Nichols raconte qu'ils « ont fait le tour de la maison en éteignant toutes les lumières pour qu'il y ait plus d'électricité à la prison de Sing Sing pour électrocuter les Rosenberg. C'était symbolique ». [*N.d.A.*]

à la radio avec son opposant au cours de la campagne des élections primaires, Harold Stassen. « On était tellement pressé de lui faire parvenir le matériel, dit Sullivan, qu'on le lui expédia en avion privé pour Albany, la capitale de l'État de New York... Ensuite, au cours de la campagne contre Truman, le FBI aida Dewey en lui donnant tout ce dont nous disposions pour abattre son adversaire... Nous avons ressorti les anciennes relations de Truman avec Pendergast, le tsar politique de Kansas City, et nous avons essayé de créer l'impression que Truman était trop incompétent pour combattre la menace communiste. Nous avons même préparé pour Dewey des études qui furent publiées sous son nom comme si lui-même ou son équipe en étaient les auteurs. J'ai moi-même travaillé sur certains de ces textes. »

A l'automne, Hoover eut une grave pneumonie et il se trouvait en convalescence à Miami le jour de l'élection, le 2 novembre 1948. Clyde et Lou Nichols lui avaient dit ce que tout le monde croyait : Dewey était sûr de gagner. Le lendemain, le *Chicago Tribune* sortit avec sa célèbre manchette : « DEWEY BAT TRUMAN », et fut rapidement ridiculisé par l'annonce du contraire. Truman était de retour à la Maison-Blanche.

« Une lourde tristesse s'abattit sur le Bureau », dit Sullivan. De Floride, Edgar envoya un message furieux dans lequel il blâmait Nichols de lui « avoir mis le bec dans l'eau... Edgar n'admettait jamais s'être trompé ».

Mais, le 20 janvier 1949, lors de l'investiture présidentielle, Hoover était toujours directeur du FBI. Il invita Shirley Temple, alors âgée de vingt et un ans, qu'il avait connue à ses débuts d'enfant prodige au cinéma, pour regarder de son bureau la parade le long de Pennsylvania Avenue. Avec ce que Shirley appelle « son plus beau sourire de Père Noël », Edgar lui offrit un cadeau, une petite bombe de gaz lacrymogène camouflée dans un stylo.

Hoover demeura en place, mais il ne put jamais se considérer en sûreté. Quelles qu'aient été ses autres préoccupations, la menace que sa sexualité soit révélée planait toujours sur lui.

16

Le Grand Inquisiteur

On sait maintenant que, dès mars 1949, Truman était au courant de détails concernant la vie privée d'Edgar. Une haute personnalité démocrate (dont le nom est censuré sur le document) a noté dans son journal qu'un collègue (son nom est également censuré) lui « a communiqué de très mauvaises informations sur J. Edgar Hoover. J'espère que ce ne sont que des ragots. On m'a suggéré de voir le président seul à seul ».

Les « mauvaises informations » concernaient probablement l'homosexualité d'Edgar. Truman a confié à l'écrivain Merle Miller : « Un jour, on m'a apporté tout un tas de trucs sur sa vie privée, et je leur ai dit que je m'en fichais complètement… Ce n'étaient pas mes affaires… Je lui ai dit : "Edgar, je me moque de ce qu'un homme fait pendant ses loisirs, la seule chose qui m'intéresse, c'est ce qu'il fait dans son boulot." »

Trois mois plus tard, le président fut vivement irrité lorsqu'il reçut un rapport du FBI concernant la vie sexuelle de deux de ses assistants qui auraient « couru après deux filles sur le pont » au cours d'un voyage en bateau. Le même rapport rappelait une histoire d'amour d'un autre de ses collaborateurs. Au cours d'une réunion de son cabinet, Truman grogna : « Être victime de Cupidon n'a rien à voir avec être victime de la propagande communiste. »

On tracassait le président des États-Unis avec des commérages sur les badinages sexuels de ses collaborateurs en même temps qu'on l'informait de la conduite de Hoover qui, elle, était beaucoup plus préoccupante. L'homosexualité d'un directeur du FBI, responsable de la sécurité interne de la nation, pouvait en faire une cible parfaite pour tout service d'espionnage étranger, en particulier celui de l'Union soviétique.

Au même moment, en juin 1949, Hoover fut publiquement humilié lorsque Judith Coplon, une jeune employée du ministère de la Justice, fut accusée de communiquer des informations aux Soviets. Elle s'était fait prendre en compagnie d'un diplomate soviétique alors que son sac était rempli d'extraits de rapports du FBI. Hoover fut horrifié lorsque le juge qui présidait le procès ordonna que, pour établir l'authenticité du matériel trouvé dans son sac, le FBI présentât les originaux des documents.

Pour la première fois, des dossiers bruts du FBI seraient rendus publics, et Edgar était très préoccupé, non parce qu'ils contenaient des informations ultra-secrètes, mais parce qu'il s'agissait d'un méli-mélo de cancans non vérifiés. Il protesta jusqu'auprès du président, mais en vain. Les documents furent remis au tribunal et se révélèrent aussi embarrassants qu'il l'avait craint.

On découvrit que, même pendant le procès, le FBI avait mis sur écoute et enregistré les conversations entre Miss Coplon et son avocat. Au cours de ces semaines, « très dures » au dire de Hoover, Truman fut à deux doigts de mettre à la porte le directeur du FBI.

Hoover n'était pas habitué à recevoir des coups, avec le risque d'une publicité à l'échelle nationale. La débâcle Coplon survenait juste quelques semaines après qu'en compagnie de Clyde, tous deux resplendissants dans leurs costumes blancs et entourés de glaïeuls, il eut donné une réception pour célébrer ses noces d'argent avec le FBI. Maintenant que son caquet était rabattu par une vague de critiques, il ne se sentait plus en sécurité. A cinquante-quatre ans, sa paranoïa avait depuis longtemps exclu la possibilité qu'il puisse se tromper sur quoi que ce soit.

La liste de ses ennemis ne faisait que s'étendre. Désormais, sa langue de vipère s'en prenait aux libéraux, à l'Église, et même à la presse. Il fut exaspéré à l'automne par un article du *Harper's Magazine* dans lequel l'historien Bernard De Voto écrivait que les rapports du FBI dans l'affaire Coplon « n'étaient pas plus sérieux que les jacasseries d'enfants attardés ». Les agents, furieux, s'empressèrent de trouver une faille dans la personnalité du lauréat du prix Pulitzer et dénoncèrent « son attitude d'intellectuel libéral de Harvard, totalement dénué de sens pratique ».

« J'aime un pays, avait écrit De Voto, où personne ne s'occupe de ce que lit l'autre, de ce qu'il pense, avec qui il boit un verre. J'aime un pays où ce que l'on dit n'est pas aussitôt inscrit sur les fiches du FBI, accompagné d'une note de l'agent S-17 insinuant que j'ai peut-être une maîtresse en Californie... Nous connaissions ce genre de pays il n'y a pas si longtemps, et je voudrais qu'on le retrouve. Il était beaucoup moins effrayant que celui où nous vivons aujourd'hui. »

Le FBI s'en prenait maintenant aux universités. A Yale, selon un magazine estudiantin, des agents du FBI influençaient les nominations de professeurs en diffusant des informations médisantes, voire calomnieuses. Un physicien, le professeur Henry Margenau, fut réprimandé par les agents du FBI pour s'être adressé à un groupe de jeunes qui étaient dans le collimateur du Bureau. Il dut filer doux et à partir de ce moment demander l'autorisation du FBI avant d'accepter toute conférence. William F. Buckley Jr, futur ponte d'extrême droite, à l'époque rédacteur en chef du *Yale Daily News*, joua un rôle important dans la fureur qui suivit ces révélations. Il envoya secrètement des copies censurées par le FBI de ses lettres sur ce sujet à des camarades étudiants journalistes et escamota une note qu'un étudiant rédacteur de Harvard avait envoyé à son journal. Lou Nichols, maître de la propagande d'Edgar, considéra immédiatement Buckley comme un futur allié. Bien entendu, Hoover nia que ses agents aient infiltré Yale, mais les archives prouvent que le FBI y avait un « agent de liaison ». On sait aujourd'hui que le Bureau ouvrit des dossiers sur des milliers d'enseignants dans l'ensemble du système éducatif. La crainte naissait généralement, comme à Yale, à la suite de simples interrogatoires sur les intellectuels de gauche, suivis de campagnes de bouche à oreille auprès des responsables de l'université, puis de renvois discrets. Quelques années plus tard, une affaire fit grand bruit : il s'agissait de Howard Higman, professeur de sociologie à l'université du Colorado, qui commit l'erreur de se moquer personnellement d'Edgar.

L'histoire commença lorsque l'une de ses étudiantes, une ancienne Miss America dénommée Marilyn Van Derbur, cita l'ouvrage d'Edgar *Masters of Deceit* pour contredire la thèse du professeur suivant laquelle les Soviétiques auraient été capables de fabriquer seuls la bombe atomique, sans l'aide des communistes américains. Higman répondit en se moquant du livre de Hoover et en disant qu'il « désapprouvait la montée en puissance aux États-Unis d'une police politique ». Edgar déclencha en représailles à travers tout le pays une campagne de ragots et de lettres dénonçant le professeur. En 1991, lorsqu'il put prendre connaissance de son dossier au FBI, partiellement censuré, Howard Higman fut stupéfait de découvrir qu'il comportait au total 6 000 pages couvrant plusieurs années et que l'on y avait même enquêté sur ses enfants. Y figurait une note de la main d'Edgar : « Ne pourrait-on mettre le feu à l'université du Colorado, qui abrite un tel personnage ? » « J'ai eu tort de dire que le FBI était une police politique, commenta le professeur. J'ai découvert depuis que c'était une *Église*. On ne peut pas contredire J. Edgar Hoover, parce qu'il est infaillible. »

On sait maintenant qu'au cours des années cinquante et soixante le FBI infiltra plus de cinquante universités et collèges. Il obtint la collaboration de nombreux universitaires – y compris pendant une certaine période les présidents de Yale et de Princeton ainsi que le doyen des étudiants de Harvard – pour repérer et faire expulser des membres de la faculté soupçonnés d'être communistes ou d'extrême gauche.

Même les personnalités religieuses n'étaient pas à l'abri du bras vengeur de Hoover. A l'église de la Sainte-Trinité de Brooklyn, le révérend William Melish et son père encoururent de violentes critiques de la droite pour avoir pris position en faveur de l'amitié americano-soviétique. Melish se souvient des méthodes insidieuses des représailles du FBI : « Le directeur de l'école où j'avais été dans ma jeunesse était également secrétaire de la paroisse. Or un certain nombre de mes camarades de classe étaient maintenant au FBI et ils furent délibérément envoyés pour dresser le directeur contre moi. Ils s'efforcèrent de le persuader de se débarrasser de moi. Pratiquement chaque membre du conseil paroissial fit l'objet de pressions... Un de mes sermons, dans lequel j'accusais le FBI de porter atteinte à la liberté religieuse, fut envoyé à Hoover qui le communiqua à toutes ses agences et qui remercia personnellement l'informateur. » Melish et son père furent finalement renvoyés de leur église en dépit du soutien massif de leurs paroissiens. Ce n'est que vingt ans plus tard que le jeune Melish retrouva son poste.

Au cours de l'été et de l'automne de 1950, Hoover alla même jusqu'à s'attaquer à la liberté d'expression lorsqu'il apprit que la maison d'édition William Sloane Associates se préparait à publier un livre sur le FBI. L'auteur, Max Lowenthal, ami personnel du président Truman, avait amassé de la documentation sur le FBI et son directeur depuis que, vingt ans auparavant, il avait été secrétaire de la Commission nationale de l'application de la loi. Ce qu'il avait appris l'avait préoccupé et il se préparait à publier un document critique de 500 pages. Dès qu'il en eut connaissance, Hoover commença à intriguer pour empêcher la sortie de l'ouvrage. Il demanda à l'un de ses amis juristes d'intervenir secrètement auprès de la maison d'édition. Bien avant la publication, le FBI parlait de « distorsions », de « demi-vérités » et de « détails incomplets ».

John Lowenthal, le fils de l'auteur, croit savoir comment Hoover eut des informations sur le livre de son père alors qu'il n'était pas encore sorti en librairie. La maison familiale, dit-il, fut cambriolée par des voleurs qui « ont semblé être plus intéressés par les papiers de famille que par les objets de valeur ». En septembre, comme par hasard, le représentant républicain George Dondero, en pleine séance de la Chambre, prononça une diatribe de dix minutes contre Lowenthal, l'accusant de relations communistes. Il faisait partie de l'écurie d'hommes politiques soumis à Hoover et à ses ordres. Puis l'auteur

151

fut brusquement convoqué à comparaître devant la Commission des activités anti-américaines. Des fuites sur l'audience parvinrent aux journaux proches d'Edgar au mois de novembre, juste avant la parution du livre. Un autre de ses amis politiques se dressa au Sénat pour fustiger un journaliste qui en avait fait un compte rendu favorable.

En dépit des dénégations de Hoover, les archives de son chef de publicité Louis Nichols, retrouvées dans son garage personnel, indiquent que non seulement Edgar fournissait en informations confidentielles ses amis du Congrès, mais même que, dans certains cas, il écrivait lui-même leurs discours. Les documents de Nichols contiennent le texte original de la diatribe de Dondero contre Lowenthal. Ligne par ligne, paragraphe par paragraphe, son discours répète comme un perroquet une attaque préparée par le FBI sur papier anonyme et sans signature. Une note d'introduction, apparemment de Nichols à Hoover, vend la mèche :

> Ci-joint une documentation détaillée sur Max Lowenthal... J'ai vérifié au Bureau tout ce qui concerne Lowenthal. Vous remarquerez que certains sujets traités ont été obtenus par la technique. Mais je les utilise en toute sécurité en raison de la phraséologie employée. Dans plusieurs cas, c'est la seule façon d'établir le lien entre Lowenthal et cette bande de types... Si vous approuvez ce texte sous sa forme actuelle, vous n'avez qu'à dire à Miss Gandy de me transmettre que le projet est OK... Vous pouvez détruire l'ancienne copie que je vous ai envoyée...

La « technique » dont parle Nichols désignait dans le jargon du Bureau les écoutes téléphoniques. Le dossier du FBI sur Lowenthal indique que les agents ont collecté des informations sur lui pendant près de trente ans et ont mis son téléphone sur écoute pendant de longues périodes. Nichols dit à Hoover que d'autres éléments utilisés pour salir l'auteur avaient été obtenus « en les piquant » (au cours d'un cambriolage). Des notes écrites à la main montrent qu'Edgar lui-même a corrigé et approuvé le texte final du FBI qui fut donné à Dondero pour son discours.

Le livre de Lowenthal se vendit mal, pas nécessairement en raison des attaques du Congrès car de telles critiques augmentent souvent les tirages plutôt que l'inverse. William Sullivan révéla des années plus tard : « Un de nos objectifs était de bousiller la vente. Nous avons même été dans des boutiques pour leur dire de ne pas se procurer le livre... Nous y avons dépensé beaucoup de temps et d'argent du contribuable. »

A la Maison-Blanche, le président Truman n'avait pas tenu compte d'une longue lettre de plainte de Hoover contre Lowenthal, dans laquelle il s'était très astucieusement abstenu de mentionner que le livre concernait le FBI. Truman, qui avait déjà vu le manuscrit, se contenta d'envoyer la lettre à Lowenthal pour qu'il s'en amuse. Le président déclara qu'il avait « pris beaucoup de plaisir » en le lisant et félicita l'auteur pour le « remarquable service » qu'il avait « rendu au pays ».

Mais cela se passait en privé. En public, il en allait autrement. Lorsqu'on lui demanda au cours d'une conférence de presse s'il avait lu le livre, Truman répondit que non. Il n'osait pas dévoiler ce qu'il pensait vraiment de Hoover, et encore moins le renvoyer. Dans le pays, la popularité d'Edgar était au plus haut. Une génération effrayée par la bombe atomique soviétique, le début de la guerre de Corée, l'affaire d'espionnage Rosenberg et l'inculpation récente de militants communistes américains n'avait pas de peine à croire Hoover lorsqu'il affirmait que la nation était infestée d'éléments subversifs.

Suivant l'expression du ministre de la Justice de l'époque, Howard McGrath, Hoover était devenu « trop puissant pour être manipulé ». Dans l'univers du pouvoir politique, il était devenu un des manipulateurs.

17

Magouilles financières

« Écoutez-moi bien, bande de salauds. J'veux que vous sachiez que j'ai un seau plein de merde et que je vais m'en servir où ça me fera le plus plaisir ! »

L'ivrogne qui criait cela à des journalistes en février 1950 était Joseph McCarthy, juste après avoir fait sa déclaration sensationnelle affirmant que le Département d'État de Truman abritait sciemment plus de deux cents membres du parti communiste. C'était faux, mais dans une Amérique imprégnée par la crainte du communisme le sénateur du Wisconsin allait bientôt devenir, lui aussi, un héros.

Pendant les quatre années qui suivirent, McCarthy, à la tête de la commission d'enquête du Sénat, allait jouer au Grand Inquisiteur, lançant des attaques virulentes contre deux présidents, des quantités de fonctionnaires honorables et un défilé de citoyens en majorité innocents. Aujourd'hui, le mot « maccartisme » est entré dans le dictionnaire : « Utilisation d'accusations aveugles souvent infondées, de sensationnalisme et de méthodes d'investigation inquisitoriales. » Cependant, Hoover cultiva le sénateur, le pourvut en informations et continua à l'aider quand il se déchaîna.

Dix mois avant l'extravagante accusation contre le Département d'État, Hoover se retrouva dans le studio radiophonique du Sénat en compagnie de McCarthy, alors âgé de quarante et un ans, pour une émission de quinze minutes destinée aux électeurs de son État, le Wisconsin. Ce soutien très rare apporté à un jeune politicien était en contradiction avec la prétention d'Edgar de n'avoir aucune position partisane. Cette émission ne fut pas rendue publique. Plus tard, dans les journaux du Wisconsin, Hoover soutint McCarthy au cours de la campagne pour sa réélection.

Il était bien renseigné sur McCarthy, comme il l'était sur chaque membre du Congrès. Pourtant, lorsqu'il enregistra l'émission de radio, il vanta les mérites du sénateur en tant que juge. Ce passage dut être coupé à la diffusion car McCarthy avait été récemment blâmé par la Cour suprême du Wisconsin et avait même failli être radié de la profession. Hoover savait que McCarthy avait mauvaise réputation, mais il le prit néanmoins sous son aile bien avant qu'il ne devienne une figure nationale. Le sénateur dînait souvent avec Edgar et Clyde chez Harvey et les accompagnait parfois aux courses le week-end.

Lorsque McCarthy fut sommé de fournir des preuves de ses accusations contre le Département d'État, il téléphona à Hoover pour lui demander de l'aide. Au début, Edgar lui fit des reproches, non sur ce qu'il avait dit mais sur son style. Puis le directeur ordonna que l'on cherche dans les dossiers tout ce qui pourrait aider le sénateur.

« Nous sommes ceux, raconte Sullivan, qui ont rendu possibles les auditions de McCarthy. C'est nous qui lui avons fourni tout le matériel qu'il a utilisé. Je savais ce que nous faisions, j'y ai moi-même travaillé. Mais, en même temps, nous affirmions au public que nous n'avions rien à y voir. » D'autres sources, qui n'étaient pas partie prenante dans cette histoire, le confirment. Un journaliste ami d'Edgar dit : « Il a fourni beaucoup de matériel à McCarthy, beaucoup... Le sénateur m'a dit lui-même qu'il avait reçu tel ou tel document du FBI. »

Edgar devait écrire à McCarthy : « Tous les succès que le FBI a pu remporter sont dus dans une grande mesure au soutien sincère et à la collaboration que nous avons toujours rencontrés chez d'aussi bons amis que vous. »

En 1951, alors que le pays se préparait pour l'élection présidentielle, un membre républicain du Congrès lança l'idée de la candidature de Hoover. Un citoyen de Chicago renchérit : « Quelle inspiration pour la jeunesse d'Amérique ! Les vrais grands hommes d'État sont ceux qui ont la capacité et le sens du commandement, alliés à l'honnêteté et à l'idéal, et pour moi J. Edgar Hoover est synonyme de toutes ces qualités. » Un financier du Missouri écrivit : « S'il se présente, il sera élu avec une majorité beaucoup plus grande que n'importe quel autre président. »

Au lieu de courir sa chance à la Maison-Blanche, l'homme qui se prétendait au-dessus de la politique devint faiseur de rois. Il rejoignit la clique des richissimes Américains qui soutenaient Dwight Eisenhower et Richard Nixon.

Un soir du mois d'août, autour de la piscine d'un luxueux hôtel de Californie, Hoover circulait discrètement parmi les invités bailleurs de fonds. Bien qu'il fût l'hôte, nul ne mentionna son rôle dans la presse. Les participants étaient peu nombreux, mais le nombre n'avait pas d'importance. Barbara Coffman, une des plus « pauvres », se souvient de cette soirée : « Je pense que nous devions être environ une vingtaine.

Une fille vint vers nous et dit : "Je n'ai qu'un million de dollars ! Et vous, combien ?" On s'est bien amusé. »

Parmi les millionnaires présents se trouvaient deux des hommes les plus riches du monde : le magnat du pétrole texan Clint Murchison et Sid Richardson. Ce dernier, alors âgé de soixante et un ans, était le prototype des champions du forage avec un net penchant pour le bourbon et les parties de poker tard dans la nuit. Murchison, cinquante-sept ans, débordant d'énergie, avait donné à son avion personnel le nom de sa seconde femme, Virginia. Leurs avoirs, à eux deux, s'élevaient à 700 millions de dollars, sans compter au moins autant en réserves pétrolières non exploitées. Les deux magnats, qui avaient reconnu la stature nationale de Hoover, avaient commencé à le cultiver vers la fin des années quarante : ils l'invitaient chez eux au Texas et l'emmenaient à la chasse. Leurs relations allaient nettement au-delà de ce qui était bienséant pour un directeur du FBI. Bien que Murchison fût impliqué dans le crime organisé, Edgar le considérait comme « un de [ses] plus proches amis ».

« L'argent, disait le millionnaire, c'est comme du fumier. Si vous en répandez partout, ça ne peut faire que du bien. » Murchison et ses amis texans arrosaient largement le terrain politique avec du fumier de dollars. Par tradition, ils avaient été des supporters conservateurs du parti démocrate... jusqu'à Truman. Le président mettait maintenant en fureur les pétroliers en dénonçant publiquement leurs privilèges fiscaux et en opposant son veto à des lois qui auraient encore accru leur richesse financière. Murchison avait l'habitude d'écrire le nom de Truman avec un petit « t » pour bien montrer ce qu'il pensait de lui.

Les convictions politiques de Murchison le situaient à droite, et même à l'extrême droite. Fervent supporter des droits des États opposés au gouvernement fédéral, il avait fondé une presse antisémite et était l'une des principales sources de revenus du parti nazi américain. Pendant les années Truman, Hoover, rêvant en privé à un gouvernement idéal, avait choisi Murchison et Richardson comme les parfaits titulaires de hautes fonctions, ou au moins comme les commanditaires financiers de politiciens de son choix. Et Murchison s'était toujours montré très complaisant. Il avait arrosé de dollars Joe McCarthy, l'ami d'Edgar, mettant des avions à sa disposition et lui promettant de le soutenir « jusqu'au bout ».

Dans la course à la présidence de 1952, les Texans investirent leur argent sur Dwight Eisenhower. Richardson s'envola pour Paris afin d'y rencontrer le général à la tête de l'OTAN. Il lui remit un document de cinq pages expliquant pourquoi il devait se présenter à la présidence. Ensuite, la pression ne devait jamais faiblir. Murchison ne cessait d'intriguer, ne se préoccupant pas d'ailleurs de savoir si Eisenhower choisirait l'étiquette démocrate ou républicaine. L'essentiel était qu'il fût candidat.

Au mois d'août, au cours d'une réunion discrète en Californie, Eisenhower s'entretint avec Edgar et Murchison du démocrate qui se trouvait en tête, le gouverneur de l'Illinois Adlai Stevenson. Il en ressortit, d'après une lettre de Murchison à un ami, que Stevenson serait « utilisé par les gauchistes pour détruire les nobles traditions américaines ». Le même mois à Washington, quelqu'un commença à répandre la rumeur que le gouverneur était un « pédé ». Le FBI était certainement à la source de ce ragot.

L'hostilité de Hoover à l'égard de Stevenson datait de trois ans plus tôt, lorsque le sénateur avait formulé une critique relativement bénigne sur l'efficacité du Bureau. Les agents s'étaient mis aussitôt au travail pour recueillir sur lui des informations préjudiciables, et Hoover avait fourni à Eisenhower des précisions sur le divorce de Stevenson en 1949. Au cours du printemps de 1952, peu de temps avant que Stevenson ne soit désigné par le parti démocrate, Hoover reçut un rapport prétendant que le sénateur et le président de l'université Bradley, David Owen, étaient « les deux homosexuels les plus connus de l'État ». Ce rapport de seconde main avait pour origine des policiers mécontents de l'Illinois et un étudiant joueur de basket. Bien que la biographie de Stevenson ne mentionne aucune tendance à l'homosexualité, son dossier du FBI est classé à part et intitulé : « Stevenson, Adlai Ewing – Gouverneur de l'Illinois – Déviant sexuel. » En juillet, le jour même où Stevenson annonça sa candidature, un des dirigeants du FBI prépara un mémorandum de dix-neuf pages, mentionnant les calomnies sur son homosexualité et suggérant qu'il avait eu des sympathies communistes. Hoover ordonna qu'un texte sur papier anonyme et sans en-tête reprenne les allégations d'ordre sexuel. La rumeur s'en répandit ainsi pendant tout l'été. En octobre, au moment crucial de la campagne, le sénateur McCarthy se servit de la télévision pour présenter le « passé lourd » de Stevenson. Brandissant des papiers à l'antenne, il stigmatisa le candidat démocrate comme collaborateur communiste pendant la guerre et membre clandestin d'une organisation d'extrême gauche. Ces « documents », qui ne résistaient pas à une analyse sérieuse, lui avaient été fournis par un ancien agent du FBI qui servait de liaison entre McCarthy et le Bureau.

Tels furent les coups sordides portés au cours d'une des campagnes électorales les plus ignobles. Elles laissèrent Stevenson complètement abattu, se demandant même s'il devait continuer.

En novembre 1952, un raz de marée de 55,1% des voix installa Eisenhower à la Maison-Blanche.

Les magnats du pétrole qui, bien avant l'intronisation, avaient pris en charge le financement de la ferme d'Eisenhower à Gettysburg, n'oubliaient pas leurs sources personnelles de revenus. Richardson arrosa secrètement Robert Anderson, qui devait devenir secrétaire au Trésor, pour influencer la politique présidentielle en faveur des producteurs de pétrole. Le cabinet d'Eisenhower accorda soixante concessions sur les réserves gouvernementales, alors que seize seulement avaient été attribuées dans les cinquante-cinq années précédentes.

Le speaker de la Chambre des représentants, Sam Rayburn, un Texan qui connaissait bien les combines de ses compatriotes, était désespéré de voir Eisenhower distribuer des postes fédéraux importants à des barons de la finance. « C'est ce Hoover qui l'a incité à faire cela, grognait-il. Cet individu est la pire malédiction dont le gouvernement soit affligé depuis des années. »

« J'étais très proche du général Eisenhower, dira Hoover. C'était un grand homme et un grand président. » Selon l'ancien ministre de la Justice William Rogers, Edgar estimait que les huit années du mandat d'Eisenhower furent « les meilleures et les plus heureuses » de sa carrière. Il y connut en effet une totale sécurité de l'emploi. Des notes mielleuses partaient régulièrement du quartier général du FBI vers la Maison-Blanche.

Eisenhower attribua à Edgar la médaille de la Sécurité nationale et Edgar lui remit le « premier insigne en or de membre honoraire du FBI ». Lorsqu'il quitta la Maison-Blanche huit ans plus tard, Eisenhower dit à Edgar : « Je souhaite qu'il y ait un millier de J. Edgar Hoover aux postes clés du gouvernement. »

Mais ces courtoisies apparentes cachaient des désaccords. Les archives d'Eisenhower révèlent qu'il était préoccupé par le risque que des Américains loyaux soient persécutés pour de prétendues sympathies communistes. Il exécrait le maccartisme que Hoover soutiendrait jusqu'au bout. Plus tard, Edgar devait déplorer qu'Eisenhower ait pris la décision de recevoir Khrouchtchev aux États-Unis. Il pensait que cette visite créerait « une atmosphère favorable au communisme chez les Américains ».

Eisenhower se compromit moins que ses prédécesseurs démocrates avec le FBI pour obtenir à titre personnel des renseignements politiques. « En fait, avec Eisenhower, se souvient un correspondant, Hoover n'a jamais su s'il allait être félicité ou blâmé... Il n'aimait pas vraiment

Eisenhower. » En réalité, le naturel d'Edgar l'emporta et il alla fureter dans la vie privée du président comme il l'avait fait pour Roosevelt.

Pendant la guerre, Eisenhower avait eu une liaison avec la femme qui lui servait de chauffeur, la jeune Irlandaise Kay Summersby. Au cours de la campagne électorale de 1952, les républicains avaient craint que n'explose cette bombe à retardement. Les Mémoires de Summersby publiés en 1948 sous le titre *Eisenhower était mon patron* étaient dangereux, même s'ils ne révélaient rien de l'intimité du couple. Les exemplaires du livre disparurent mystérieusement de toutes les librairies et de la bibliothèque publique de New York.

Trois ans plus tard, en septembre 1955, un assistant de Joe McCarthy communiqua des informations au FBI. Au cours des six semaines précédentes, Miss Summersby avait séjourné à l'hôtel Shoreham à Washington sous un faux nom. Hoover ordonna aussitôt une enquête. Les agents donnèrent de nombreux coups de téléphone, y compris à Summersby elle-même, pour découvrir si elle s'était vraiment rendue à Washington.

La seule explication plausible était que Hoover voulait savoir si le président avait repris ses relations avec elle. C'était son habitude de faire savoir aux présidents qu'il était au courant de leurs peccadilles. Les archives ne révèlent pas ce qu'Edgar fit des informations reçues, dont il n'eut connaissance que la veille de la première attaque cardiaque d'Eisenhower.

Depuis 1953, Hoover et Clyde passaient de longues vacances d'été invités par Murchison à l'hôtel Del Charro, situé à La Jolla en Californie du Sud. Edgar fréquentait depuis les années trente cette ville où, comme il le dit à des journalistes, « il se sentait proche de Dieu ». En réalité, il y allait surtout pour les courses de chevaux de Del Mar, qu'appréciaient aussi les Texans Murchison et Richardson parce que les paris sur les courses étaient illégaux dans leur État.

Murchison avait acheté le Del Charro après s'être vexé lorsqu'un autre hôtel n'avait pas pu mettre un étage entier à sa disposition. Au Del Charro, le drapeau texan à l'unique étoile flottait dans la brise du Pacifique lorsque le millionnaire et ses amis y résidaient. Des célébrités comme John Wayne, Zsa Zsa Gabor, Elizabeth Taylor et quelques-uns de ses maris, ainsi que d'autres plus obscurs mais plus riches y venaient et en repartaient dans des avions privés. L'hôtel était petit et le prix astronomique de ses chambres (700 dollars la nuit au taux actuel) limitait encore la clientèle.

Après que Murchison en fut devenu propriétaire en 1953, Edgar et

Clyde ne séjournèrent jamais plus ailleurs. Le bungalow A, réservé aux amis particuliers du patron, et dans lequel ils résidaient, était devenu la hantise annuelle des agents locaux du FBI. Un coup respectueux frappé à la porte était suivi d'abord d'un silence, puis de la voix hargneuse de Clyde : « Bon Dieu, qu'est-ce que vous voulez ? » On se souvient de lui comme d'un personnage irritable, déraisonnable, « plus haineux qu'un scorpion ». Même Murchison l'avait baptisé « le Tueur ».

Un des agents du FBI local a conservé la liste des besoins de Hoover en vacances : plusieurs lignes de téléphone direct avec Washington, trois ventilateurs (le directeur ne supportait pas l'air conditionné), des ampoules neuves sur chaque lampe, deux blocs de papier blanc, deux rouleaux de Scotch dans leur distributeur, six crayons aiguisés de taille 2, deux bouteilles d'encre bleue Scripps (personne d'autre au Bureau n'avait le droit d'utiliser cette marque), une corbeille de fruits, du whisky Jack Daniel's pour Edgar, Haig & Haig pour Clyde, dans des paquets-cadeaux et aux frais du responsable local du FBI, qu'il le veuille ou non. Une année, ils furent tous pris de panique lorsque des subordonnés oublièrent la crème glacée favorite d'Edgar. Il insista pour l'avoir, alors qu'il était tard dans la nuit. Les agents locaux persuadèrent un fabricant local de rouvrir son installation après la fermeture, et une sténographe de l'agence du FBI se déguisa en soubrette pour servir au patron son précieux dessert.

Même en vacances, le couple était rarement vu habillé autrement qu'en veste et cravate. Un membre de l'équipe se souvient que l'autre uniforme que portait Edgar était « une horrible chemise hawaïenne d'un bleu criard par-dessus son pantalon de ville ». Edgar n'utilisait jamais la piscine en forme de haricot de l'hôtel. La proximité de l'eau, expliqua-t-il un jour à Nixon, lui causait un « malaise épouvantable ». Un serveur se souvient que « les deux s'asseyaient toujours le dos au mur, même lorsqu'ils dînaient près de la piscine. C'était triste de voir comment ces deux hommes vivaient ».

Murchison veillait à ce qu'Edgar et Clyde ne manquent de rien à l'hôtel Del Charro. Edgar raconta un jour qu'au cours de ses vacances en Floride il « cueillait directement les fruits sur les arbres devant sa porte ». Le lendemain, il trouva au réveil dans son patio des arbustes portant des oranges, des pêches et des prunes, ainsi qu'un pied de vigne où le personnel avait passé la nuit à accrocher des grappes avec du fil de fer.

L'image officielle d'un homme économe et incorruptible en prenait un sérieux coup avec les faveurs qu'il acceptait de Murchison. Le premier directeur de l'hôtel se souvient : « A la fin de l'été, Hoover n'avait pas manifesté la moindre intention de payer sa note. Alors je suis allé voir Murchison pour lui demander ce que je devais faire. "Mettez-la sur mon compte", répondit-il. C'est ce que j'ai fait. »

Ce fut ainsi chaque année jusqu'à sa mort, vingt ans plus tard. Un autre gérant de l'hôtel a retrouvé la note de 1953, pour un mois, entre le 28 juillet et le 28 août, sur laquelle était simplement marqué « Murchison » et qui fut envoyée à la secrétaire du millionnaire. Le total s'élevait à 3 100 dollars (15 755 dollars d'aujourd'hui, ou 95 000 francs). Pour les dix-huit étés qui suivirent, l'hospitalité dont il bénéficia se chiffre à quelque 300 000 dollars au minimum (1,8 million de francs) car les vacances d'Edgar dépassaient souvent un mois. En outre, ses expéditions en Californie étaient en général qualifiés de « voyages d'inspection » officiels, ce qui signifie que le contribuable payait le reste des dépenses. Depuis 1950, le salaire d'Edgar à la tête du FBI était très supérieur à celui des élus du peuple ou d'un haut fonctionnaire ministériel. Quelques mois avant sa mort, au cours d'un entretien non professionnel avec un journaliste du *Los Angeles Times*, Hoover reconnut qu'il avait accepté ces largesses. Mais il fit remarquer d'un ton plaintif, comme pour remettre les choses à leur place, qu'il s'acquittait toujours de sa nourriture et de sa boisson.

En 1958, comme peu d'Américains adultes ne pouvaient l'ignorer, fut publié le livre de Hoover *Masters of Deceit* (Les Maîtres trompeurs) présenté comme un manuel sur « le communisme en Amérique et comment s'y opposer ». Comme Hoover en était l'auteur, ce fut un best-seller qui se vendit à 250 000 exemplaires, plus 2 millions en édition de poche. Le ministère de la Justice annonça officiellement que les droits d'auteur iraient à la Fondation de loisirs du FBI.

Mais le livre n'avait pas été écrit par Edgar qui n'en avait même pas eu l'idée. Sur une suggestion du directeur adjoint, William Sullivan, il était l'œuvre de quatre ou cinq agents affectés à cette tâche. Les représentants du FBI à travers le pays furent astreints à en faire la promotion et à distribuer des comptes rendus écrits à l'avance par le Bureau à tous les journaux amis.

Après la mort de Hoover, une enquête officielle devait établir que des milliers de dollars de la Fondation de loisirs avaient été détournés des activités sportives et sociales pour lesquelles elle avait été créée. Un cinquième seulement des revenus du livre lui furent versés. Hoover repoussa les suggestions préconisant que le reste soit remis à des organisations caritatives luttant contre les maladies cardiaques ou le cancer. Il répartit les sommes entre lui, Clyde, Lou Nichols et un journaliste qui avait participé à la rédaction finale. « Je ne m'en souviens plus » répondit Nichols des années plus tard quand on lui demanda combien il avait touché. Edgar fut beaucoup plus franc... en privé. Il reconnut que chacun des quatre avait reçu 72 000 dollars (l'équivalent de 340 000 dollars actuels, ou 2 millions de francs). Clint Murchison, l'ami d'Edgar, qui avait des intérêts dans la maison d'édition, l'avait pratiquement obligée à le publier et avait insisté pour qu'Edgar ait un contrat particulièrement favorable.

En dépit des mises en garde adressées aux nouvelles recrues du FBI sur les conséquences néfastes de la spéculation boursière, Hoover et Clyde s'enrichirent grâce à des délits d'initiés sur des investissements, et à des accords sur des gains garantis avec leurs amis texans. Ils plaçaient de l'argent dans le pétrole, les compagnies d'assurances et les chemins de fer, et dans des sociétés qui intéressaient leurs relations. Tous deux investissaient toujours les mêmes sommes dans les mêmes sociétés.

En 1973, après la mort de Hoover, de Murchison et de Richardson, Clyde touchait un revenu mensuel de 4 000 dollars en provenance d'un seul de ses placements dans le pétrole. Un ancien directeur adjoint du FBI raconte : « On l'appelait au téléphone pour lui dire : "On a un bon truc en route. Est-ce que vous voulez être dans le coup, Clyde ?" » Quand il mourut en 1975, il laissa 725 000 dollars (presque 1,8 million d'aujourd'hui, soit plus de 10 millions de francs). Ce capital comprenait l'essentiel de ce qu'Edgar lui avait laissé en testament et dont la fortune connue officiellement ne s'élevait qu'à 122 000 dollars (730 000 francs) en placement dans le pétrole et le gaz. A moins qu'il n'ait connu de lourdes pertes quelques années avant sa mort, sa fortune réelle devait être beaucoup plus grande. Il est évident qu'Edgar et Clyde investirent des sommes considérables, au moins le double de leur fortune déclarée, dans une seule opération pétrolière, comme le montre l'histoire suivante.

En 1961, un homme d'affaires du Massachusetts tomba sur une correspondance qui montrait qu'Edgar et Clyde étaient les principaux investisseurs d'une compagnie de forage du Texas, la Santiago Oil & Gas. L'ancien président de Santiago le confirme : « Je sais que nous leur avons fait gagner beaucoup d'argent mais le montant variait d'une année sur l'autre. De toute façon, leurs gains n'étaient pas mon problème. » Les documents prouvent qu'Edgar et Clyde y investirent des sommes considérables, l'équivalent de trois quarts de million de dollars actuels. L'homme d'affaires du Massachusetts s'étonna : « J'ai été très frappé et je me suis posé la question : d'où ont-ils tiré tout cet argent ? Certainement pas de leur salaire du FBI. » Il remit le dossier à Robert Morgenthau, procureur de l'État de New York. « Il s'agissait, dit Morgenthau en 1988, de télégrammes adressés à Hoover à propos de ses opérations pétrolières. Mais je fus attiré par le fait qu'elles concernaient des concessions fédérales et Hoover était une personnalité officielle du gouvernement fédéral. A-t-il aidé son complice à obtenir ces concessions ? Et les revenus qu'il en a tirés étaient-ils sa récompense ? Cela aurait été très malhonnête de la part d'un agent fédéral comme Hoover. »

Après la mort d'Edgar, John Dowd, qui menait une enquête du ministère de la Justice sur la corruption au sein du FBI, fut consterné et confirma en 1988 : « Hoover spéculait sur le pétrole avec Clint Murchison. Si un forage échouait, on lui rendait son argent. Il fallait que ce soit un coup sûr. Ou bien il gagnait, ou bien il récupérait son investissement. C'était absolument extraordinaire. La confiance du public n'a jamais été trahie à une telle échelle. » William Sullivan le confirme : « Edgar avait un accord avec Murchison lorsqu'il investissait dans les puits de pétrole. Si on en trouvait, il touchait sa part des bénéfices. Sinon, il ne participait pas aux pertes... Un jour, il eut de sérieux ennuis avec ses magouilles fiscales et dut envoyer un comptable de New York au Texas qui me dit en rentrant : "Grands dieux, si la vérité était connue, Hoover aurait de sérieux ennuis." Apparemment, il avait résolu le problème mais il reconnut que Hoover avait gravement violé la loi. »

Edgar était également très satisfait des services du directeur financier du Bureau qui s'occupait de ses impôts et à qui il légua 27 000 dollars.

Au cours de l'été de 1953, Hoover profitait de l'hospitalité de Murchison à l'hôtel Del Charro lorsque Joe McCarthy arriva inopinément. Edgar déclara à la presse que ce n'était que pure coïncidence, mais il s'agissait à l'évidence d'une crise entre le protégé et son patron.

L'année précédente, dès le début de sa présidence, Eisenhower avait nommé le sénateur à la tête de la sous-commission d'enquête qui devait procéder aux infâmes auditions qui l'ont rendu sinistrement célèbre. Pendant cette période de terreur politique, son principal conseiller fut un des acolytes préférés de Hoover, Roy Cohn. Fils talentueux d'un juge à la Cour suprême de l'État de New York, Cohn avait beaucoup de points communs avec Edgar. Lorsqu'il arriva à Washington à l'âge de vingt-cinq ans, il fut aussitôt classé d'extrême droite. En outre, il était homosexuel, bien qu'il l'ait nié jusqu'à ce qu'il meure du sida, en 1986. Comme Edgar, il ne manquait jamais d'attaquer les autres homosexuels et ceux qui faisaient campagne pour la défense de leurs droits.

Cohn obtint un poste au ministère de la Justice grâce au journaliste Sokolsky, très proche de Hoover, qui allait chaque jour prendre conseil auprès du FBI sur ce qu'il devait écrire. Cohn fut reçu par Edgar qui l'engagea à tenir tête à ses supérieurs, à accentuer les poursuites judiciaires contre les prétendus communistes américains et à le tenir au courant. « Il était évident, reconnaît Cohn, qu'il avait confiance en moi. »

Hoover recommanda Cohn à McCarthy et était présent lorsque le sénateur en fit son conseiller principal. Cohn constata que McCarthy et Edgar étaient de plus en plus proches. Au cours de dîners dans l'appartement de Jean Kerr, la fiancée du sénateur, Hoover, accompagné de Clyde, arrivait toujours à l'heure, habillé avec coquetterie. A la différence de McCarthy, il n'ôtait jamais sa veste, jusqu'au jour où le sénateur se moqua de lui en lui demandant s'il cachait un magnétophone dans sa poche. Edgar se laissa fléchir et finit la soirée en bras de chemise.

Cohn amena à la sous-commission un autre conseiller à titre bénévole qui était également lié avec Hoover. David Shine, un très beau jeune homme blond de vingt-six ans, diplômé de Harvard, était le compagnon constant de Cohn et, selon les ragots, son amant. Son père, Myer Shine, recevait régulièrement Edgar et Clyde au cours de leurs vacances de Noël à Miami. Pourtant, tout n'était pas net chez cet homme qui devait reconnaître devant la commission Kefauver qu'il avait passé un accord avec la pègre pour organiser le jeu dans ses hôtels. Mais cela ne préoccupait pas Hoover qui acceptait son hospitalité dans ses luxueux appartements du bord de mer à Miami, ou à l'hôtel Ambassador à Los Angeles. Bien entendu, la note, comme dans le cas de Murchison, était sur le compte du patron.

Le début de la dégringolade de McCarthy fut surtout provoqué par l'arrogance de l'homme qu'Edgar lui avait envoyé pour l'aider. Des millions de téléspectateurs purent suivre les auditions au cours desquelles ils apprirent que Roy Cohn, en poursuivant de prétendus communistes dans l'armée, avait abusé des privilèges du Congrès pour essayer d'empêcher que son camarade Shine soit incorporé. L'opération échoua et Cohn essaya de faire pression sur les militaires pour que Shine bénéficie de privilèges particuliers. Cohn fut obligé de démissionner en juillet 1954, et la chute de McCarthy parut inévitable.

Le sénateur s'empressa de rejoindre Hoover et Murchison dans l'hôtel de Californie. Cohn, qui l'accompagnait, ne fut pas autorisé à entrer parce qu'il était juif : Murchison n'admettait pas les juifs, pas plus que les Noirs, sauf comme serviteurs. McCarthy passait son temps à jouer au palet avec Hoover ou s'asseyait pour bavarder avec lui, un bras autour de ses épaules.

Mais si McCarthy comptait sur le soutien public d'Edgar, il allait être désappointé. Hoover n'avait jamais cessé de jouer un double jeu, insistant à l'extérieur sur le rôle apolitique du directeur du FBI tout en apportant en secret au sénateur une aide pratiquement illimitée. En outre, sachant que le président détestait McCarthy, il lui dit que l'activité du sénateur gênait la chasse aux communistes. Au Sénat, il confia que, s'il reconnaissait la valeur de son travail, il critiquait ses méthodes. Il ne cessa d'assurer qu'aucun document du FBI n'avait jamais été communiqué à son équipe [1].

McCarthy resta en contact avec le FBI longtemps après que le Sénat eut officialisé sa disgrâce par une motion de blâme. Même au cours de ses derniers jours, alors qu'il en était au dernier stade de l'alcoolisme, il proposait Hoover comme le candidat idéal pour succéder à Eisenhower. En 1957, quand il mourut d'une cirrhose du foie, Edgar, Roy Cohn et Richard Nixon se joignirent à la vaste foule qui assistait à ses funérailles.

Certains de ceux qui le connaissaient bien disent que McCarthy n'a jamais vraiment cru à sa propre rhétorique anticommuniste et qu'il n'était qu'un opportuniste cynique. Cependant il en a fait la croisade de sa vie. Le zèle de Hoover était peut-être également trompeur à cette époque. « Bien sûr qu'il n'était pas sincère, dit William Sullivan. Il savait bien que le parti communiste ne représentait pas grand-chose. »

En partie à cause de la pression constante du FBI, le nombre d'adhérents au parti communiste américain, culminant en 1944 (80 000) n'était plus que d'environ 20 000 en 1956. Il allait continuer à décroître : 8 500 en 1962 et 2 800 en 1971. Hoover camoufla ce déclin en cessant de rendre publiques les statistiques sous prétexte que les chiffres étaient secrets.

Dans la mesure où il subsistait, le parti communiste n'avait plus aucune activité en raison des innombrables informateurs du FBI qui s'y étaient infiltrés. En 1963, Hoover déclara à Abba Schwartz, chargé de la sécurité au Département d'État : « Sans moi, il n'y aurait plus de parti communiste aux États-Unis. Parce que c'est moi qui l'ai financé, afin de savoir ce qu'il faisait. » « Comment croyez-vous que j'obtien-

---

1. Un spécialiste en électronique (qui m'a demandé l'anonymat) a mis sur écoute McCarthy et ses assistants pour le compte des militaires, au cours des auditions Armée-McCarthy. Il m'a dit que l'aide secrète a continué jusqu'à la fin : « J'ai écouté deux et quelquefois trois fois par jour des conversations téléphoniques entre Hoover et Roy Cohn, Cohn et McMarthy ont toujours obtenu tout ce qu'ils voulaient de Hoover. » [N.d.A.]

drais mes crédits du Congrès, si vous continuez à minimiser le parti communiste ? » demanda un jour vers la fin de sa vie Hoover en colère à William Sullivan, spécialisé dans la surveillance des activités du Parti ; celui-ci déclara publiquement plus tard que la « menace » communiste avait longtemps été « un mensonge entretenu pour le public américain ».

Ainsi, du moins à la fin de l'époque McCarthy, Hoover lui-même n'était pas sincère dans sa lutte anticommuniste, « la Bonne Cause » du FBI. Au-dessus et au-delà de tout, Edgar croyait en Edgar. Il utilisait ceux qui au Congrès marchaient en harmonie avec lui. Les autres, il trouvait moyen de les écraser.

A partir du début des années cinquante, selon les mots du sénateur Estes Kefauver, la mainmise de Hoover sur le Congrès lui donna « plus de pouvoir qu'au président ».

18

Tout le monde
sous surveillance

Hoover n'a cessé de nier qu'il détenait des dossiers sur la vie privée des hommes politiques et des personnalités en vue. « Ces prétendus documents secrets n'existent pas », a-t-il toujours soutenu. Mais on ne le croyait pas. En 1958, un groupe de sénateurs tint une réunion spéciale pour discuter de ce qu'il faudrait faire si Edgar mourait brusquement. Ils décidèrent qu'une délégation devrait se précipiter au quartier général du FBI pour demander à voir ces dossiers.

La crainte était latente même chez les plus à l'abri. Le sénateur Karl Mundt, républicain d'extrême droite et chaud partisan de la Commission des activités anti-américaines, était ostensiblement un des supporters de Hoover. Et cependant, un soir de 1960, il confia ses véritables sentiments à son assistant Henry Eakins : « Hoover est l'homme le plus dangereux des États-Unis, lui dit-il. Il a abusé de ses fonctions. Je connais certaines choses que Hoover a faites à des représentants et à des sénateurs et qui n'auraient jamais dû se produire. Il a des informations sur eux. » Plus tard, inquiet d'avoir parlé si franchement, Mundt supplia Eakins de ne rien révéler de ce qu'il lui avait dit tant qu'Edgar resterait à son poste.

Grâce à une enquête du Sénat en 1975, nous savons maintenant que le FBI conservait des dossiers contenant des « informations de nature privée » sur de nombreux membres éminents du Congrès, entre autres Edward Kennedy, George McGovern, Mike Mansfield, Adlai Stevenson et bien d'autres. Tant que Hoover vécut, les hommes politiques ne pouvaient qu'essayer de deviner ce qu'ils renfermaient. Mais quelques mois après sa mort, un agent du FBI de l'Ohio fut surpris en train d'enquêter sur un candidat démocrate à une élection. On apprit ainsi que depuis plus de vingt ans le FBI avait un « Service des relations du Congrès » dont la tâche était d'amasser des informations sur des hommes politiques « pour usage interne ».

Les responsables du FBI savaient très bien qu'une telle activité était explosive. Au cours d'une campagne d'élections primaires, des instructions furent envoyées aux différentes équipes sur le terrain : « Ces sujets doivent être maniés avec une *extrême* discrétion pour éviter que l'on insinue que nous contrôlons les candidats. » Et c'était exactement ce que faisait Edgar, comme le confirme William Sullivan : « Hoover avait un dossier complet sur chacun des candidats qui se présentaient. Il connaissait ses antécédents familiaux, dans quelle école il avait fait ses études, s'il jouait ou non au football et toute une série de détails scabreux… On étudiait immédiatement ces informations pour savoir si ce que nous avions était bon ou mauvais. L'individu visé pouvait-il être considéré comme quelqu'un à cultiver et à utiliser ou comme un adversaire du Bureau ? »

Lorsqu'une élection approchait, des lettres de félicitations de Hoover étaient préparées pour tous les candidats. Après les résultats, celles dont les destinataires étaient vainqueurs étaient immédiatement expédiées dans tout le pays. Celles pour les perdants allaient droit à la poubelle. Un homme politique ami était courtisé par le FBI partout où il allait. S'il se rendait dans une capitale étrangère dans laquelle le Bureau était représenté, des agents étaient aussitôt envoyés pour l'accueillir à l'aéroport. « Nous outrepassions notre rôle, se souvient Sullivan, pour lui faire comprendre que nous étions contents de lui. »

Au Capitole, les hommes politiques étaient surveillés par des individus bien placés pour servir d'espions à Hoover. A partir de 1943, des agents du FBI furent « prêtés » aux commissions du Congrès comme enquêteurs. D'autres « quittèrent » ostensiblement leur poste au Bureau pour travailler au Congrès.

La tête de pont principale de Hoover au Capitole était la Commission du budget, qui tenait les cordons de la bourse des différentes agences gouvernementales. Au cours des années soixante-dix, on comptait au moins vingt-huit agents du FBI rattachés à cette commission. Le président de la sous-commission chargée de contrôler le budget du FBI, John Rooney, était particulièrement choyé. Représentant démocrate de Brooklyn, il ne gardait sur son bureau qu'une photo dédicacée, celle d'Edgar. Il saisissait toutes les occasions de le couvrir de louanges : « Je n'ai jamais diminué son budget, disait-il, et je ne le ferai jamais. » Edgar, qui refusait pourtant de témoigner devant la Commission de la Chambre des représentants sur le crime, ne manquait pour rien au monde le rituel annuel de son rapport à la Commission du budget, où il prêchait sa vision du monde et débitait les statistiques montrant que le FBI avait brillamment contribué à un nombre très élevé de condamnations, en général proche de 96% des délits commis. Les chiffres étaient totalement truqués. En effet, ce taux de réussite ne tenait compte que des cas jugés par les tribunaux et non pas des enquêtes en cours.

En outre, un grand nombre de ces succès apparents, comme les condamnations pour vols de voiture, avaient été le fait des polices locales et non du FBI. Au fil des années, on commença cependant à mettre en doute les statistiques de Hoover. Warren Olney, adjoint du ministre de la Justice dans les années cinquante, disait que c'était « de la foutaise ». Mais les chiffres ne furent jamais remis en cause par la Commission du budget de Rooney.

Hoover protégeait Rooney bien qu'il fût, suivant la formule du conseiller en criminologie Ralph Salerno, « impliqué jusqu'au cou dans le crime organisé ». Robert Winter-Berger de son côté dit avoir vu personnellement Rooney accepter d'un émissaire de la pègre une enveloppe remplie de billets. Il l'appelait « la connexion essentielle du Milieu » avec le Capitole.

Un rapport du FBI de 1967 indique qu'en dépit des allégations selon lesquelles Rooney aurait accepté un pot-de-vin de 100 000 dollars, le Bureau « ne s'était livré à aucune enquête ». L'année suivante, lorsqu'un autre candidat se présenta contre Rooney, Hoover s'empressa de donner satisfaction à son ami qui lui avait demandé de dramatiser sa déclaration annuelle par « quelque chose qui fasse dresser l'oreille » à ses électeurs. Edgar alla même plus loin en communiquant à Rooney le casier judiciaire d'un associé de son opposant à l'élection. En 1970, lorsque Rooney présenta à nouveau sa candidature, Hoover lui envoya les détails d'une inculpation de la police contre son rival datant de l'époque où il était étudiant, permettant ainsi à Rooney de prétendre que son adversaire était « recherché par la justice ». Rooney ne conserva cependant son siège qu'à une très faible majorité.

John McCormack, le représentant du Massachusetts, président de la Chambre dans les années soixante, entretenait aussi des relations particulières avec Hoover. Winter-Berger se remémore cette époque : « J'ai rencontré Hoover en 1962 lorsque McCormack m'envoyait au FBI chercher des dossiers quand il avait besoin d'informations contre quelqu'un, à propos d'une fille que fréquentait le gars ou d'une tractation douteuse. Hoover l'aidait. Ce pouvait être un représentant de la Chambre dont la voix était nécessaire à McCormack au cours d'un vote. Ou un membre du gouvernement sur lequel il voulait exercer une pression. Pour ce genre de mission, McCormack ne pouvait pas déléguer n'importe qui, c'est pourquoi il m'utilisait. J'allais voir Hoover et il me remettait personnellement le dossier. Il savait pourquoi je venais et tout était prêt. » Winter-Berger se souvient aussi de quelque chose qui le dégoûtait : « Lorsque je partais, Hoover me donnait une claque sur les fesses comme on fait à un sportif qui a bien joué, avec cette différence que nous étions seuls dans son bureau et que je n'ai rien d'un sportif. J'avais à l'époque trente-six ans et Hoover trente de plus que moi. Cela me semblait peu convenable pour le patron du FBI et je n'étais pas du tout à mon aise. C'est pourquoi j'ai essayé de me dispenser de cette corvée. »

Hoover dînait régulièrement avec le représentant, puis sénateur George Bender, de l'Ohio, qui devait plus tard être condamné pour corruption en liaison avec le syndicat des routiers. En outre, il soutint énergiquement la carrière politique du sénateur Thomas Dodd, un ancien agent du FBI qui ne manquait aucune occasion de parler du Bureau en termes élogieux. Et pourtant, une note en provenance d'Edgar portait la notation : « Bon à rien total... une fripouille. » Mais lorsqu'il fut soupçonné plus tard de corruption, le Bureau l'aida à effacer son passé. L'ancien assistant du sénateur se souvient que « rien n'aurait pu être plus efficace pour réduire au silence d'éventuels témoins... Les agents du FBI avaient reçu des instructions pour ne recueillir aucune information sur Dodd ».

Hoover se montrait impitoyable pour s'assurer la soumission d'un homme autant que pour réduire au silence ses ennemis potentiels. Les agents du FBI étaient en alerte permanente pour prendre note des faiblesses humaines. « Nous avions l'instruction, dit l'ancien agent Curtis Lynum, d'enregistrer tout ce qui pourrait servir dans l'avenir et qui était conservé dans ce que nous appelions le "dossier zéro". Lorsque j'étais en service au Nevada, j'ai été un jour skier avec ma femme et nous avons vu derrière un chalet un homme se livrer à une étreinte homosexuelle sur un adolescent. Nous avons tout de suite reconnu le type, un gros bonnet des cercles de Las Vegas. J'aurais préféré ne pas le voir, mais c'était fait. Comme j'ai pensé que cela pourrait peut-être avoir de l'importance plus tard, j'ai transmis l'information à mon chef local en mentionnant de la classer pour l'avenir. Mais mon chef a peut-être pensé : "Ça, c'est un type important. Je ferais mieux d'envoyer le rapport à Washington." C'était la procédure habituelle. Je l'ai suivie moi aussi quand j'ai été à la tête d'une agence locale. Je pensais : "Je ferais bien d'envoyer cela à Mr Hoover !" »

Bien avant qu'un nouveau membre du Congrès prenne l'avion pour Washington, dit William Sullivan, on allait rechercher dans les dossiers du FBI toute information utilisable : un extrait de casier judiciaire, ou une enquête dans laquelle le nom aurait été mentionné, même par hasard, ou l'énoncé d'une défaillance sexuelle ou morale. « La direction du Bureau, précise Sullivan, savait exactement tout ce que Hoover souhaitait connaître, tout élément d'information défavorable sur chaque représentant, chaque sénateur, et n'importe qui à Washington. Il n'avait même pas besoin de les réclamer, ils lui étaient automatiquement remis. »

Après la mort de Hoover, le Bureau, selon le décompte officiel, détenait 883 dossiers sur des sénateurs, 722 sur des membres du Congrès. Certains ont été conservés, d'autres détruits. Un grand nombre, prétend l'ancien directeur adjoint Nicholas Callahan, ne contiennent rien d'inquiétant, simplement du « matériel d'information ». Mais une petite quantité des documents qui subsistent prouve que les craintes des hommes politiques étaient bien fondées. La plupart proviennent des dossiers classés « Officiel et confidentiel » soigneusement enfermés dans les placards du bureau de la secrétaire d'Edgar. Helen Gandy en emportait les clés chaque soir chez elle.

Les dossiers renfermaient souvent des scandales d'ordre sexuel. Vers la fin des années trente, Edna Daulyton, amie de Clyde, écouta, horrifiée, au cours d'un dîner au Mayflower, Edgar et Clyde discuter d'un représentant républicain du Minnesota, Harold Knutson. Elle se rappelle encore : « Il était clair pour moi qu'ils avaient fait quelque chose d'affreux, de très préjudiciable à cet homme politique. Je ne me souviens plus exactement ce que c'était et pourquoi. J'étais très jeune à l'époque et je n'ai pas posé de question. »

Knutson, qui fut membre du Congrès de 1917 jusqu'en 1948, était célibataire et vivait avec un compagnon mexicain. Une rumeur, qui ne fut jamais vérifiée, suggéra qu'il était impliqué dans un scandale, rapidement étouffé. « J'ai entendu dire, raconte un de ses amis, qu'il s'était fait prendre en train de sodomiser un jeune homme. Le bruit avait été répandu par quelqu'un qui ne l'aimait pas. » Dans les milieux policiers de Washington, on disait qu'il s'agissait de Hoover. Certains laissèrent même entendre qu'il aurait été l'instigateur de cette affaire. Quelle que soit la vérité, Edna Daulyton se souvient de quelque chose qu'Edgar avait dit à cette soirée du Mayflower. Cela l'a frappée parce que c'était très désagréable et vicieux. Edgar aurait dit de Knutson : « Nous l'avons pour toujours dans la poche maintenant. »

Les dossiers « Officiel et confidentiel » prouvent qu'entre 1958 et 1965 les agents du FBI de Washington ont systématiquement recueilli toutes les informations scandaleuses sur les hommes politiques. Les histoires scabreuses et préjudiciables étaient sélectionnées dans les rapports d'autres enquêtes, les ragots du Capitole ou les écoutes téléphoniques, et remises personnellement à Hoover.

Un document datant du 13 juin 1958 et comportant un passage intitulé « Cercles gouvernementaux » informe Hoover de ce que l'agent

Conrad Trahern a entendu « dans la cafétéria du Sénat ». Une partie du document a été censuré par les autorités du FBI avant d'être disponible pour le public en application de la loi sur la liberté de l'information de 1989. En voici le document original et sa traduction :

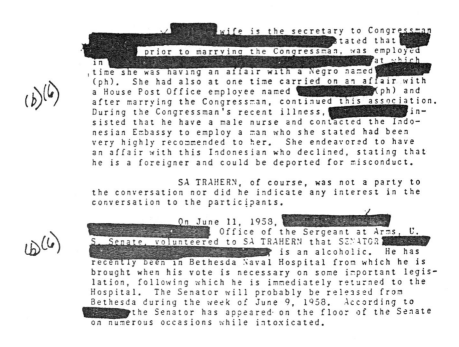

SECRET

… femme est la secrétaire du représentant … déclare que … avant d'épouser le représentant, était employée dans … à l'époque elle avait une liaison avec un nègre appelé … Au même moment elle avait aussi une liaison avec un employé des Postes appelé … et, après son mariage avec le représentant, continua cette association. Pendant la récente maladie du représentant … insista pour qu'il ait un infirmier masculin et contacta l'ambassade d'Indonésie pour embaucher un homme dont elle dit qu'il lui avait été chaudement recommandé. Elle essaya d'avoir une liaison avec cet Indonésien qui refusa, en disant qu'il était un étranger et pourrait être expulsé pour mauvaise conduite.

L'agent Trahern, bien entendu, n'a pas participé à la conversation ni témoigné d'un intérêt quelconque dans cette conversation à l'égard des participants.

172

Le 11 juin 1958 ... bureau du gouverneur militaire du Sénat, dit spontanément à Trahern que le sénateur ... est un alcoolique. Il a été hospitalisé récemment à l'hôpital naval de Bethesda d'où il est sorti lorsque son vote a été nécessaire pour une loi importante et il est retourné à l'hôpital aussitôt après. Le sénateur quittera probablement l'hôpital de Bethesda pendant la semaine du 9 juin 1958. Selon ... le sénateur s'est montré à plusieurs reprises dans l'enceinte du Sénat en état d'ébriété.

Hoover répondit qu'il avait « grandement apprécié cette information ». Le rapport fut suivi, le 7 juillet, par le résumé d'une interview d'un photographe expliquant comment des hommes politiques avaient fait disparaître une photo compromettante. Puis il y eut des ragots sur un membre de la famille Guggenheim (il aurait assisté à un bal masqué avec quelqu'un d'autre que sa femme) et une information sur un « service de renseignements téléphoniques pour homosexuels » à Washington.

Le rapport du 8 août se termine par des informations calomnieuses sur un membre du Sénat :

... a prévenu l'agent spécial Joseph I. Woods le 7 août 1958 que le sénateur ... prépare un chèque personnel chaque mois d'un montant de 500 dollars, payable à ... a déclaré qu'il avait entendu que ... était une « fille de soirées privées » et qu'elle vivait maintenant avec le sénateur ... à l'hôtel Shoreham, Washington.
Sauf indications contraires, le matériel qui précède a été obtenu par des sources techniques confidentielles.

Le même mois, Hoover apprit qu'un collaborateur du représentant de Louisiane, James Morrison, s'était fait voler 254 dollars en essayant d'assister à un sex-show. Il fut informé également qu'un autre représentant (le nom est censuré) fréquentait une personne ayant une « moralité de pute ». Il fut mis au courant que le neveu du président Eisenhower, Michael Gill, allait bientôt ouvrir un club privé pour les hommes politiques dont le personnel serait de « jeunes étudiantes habillées de corsages très décolletés et de jupes très, très courtes ».

Le 9 juin 1959, Edgar reçut ce rapport :

Cher Mr Hoover,
Vous serez probablement intéressé par l'information suivante obtenue de ... une prostituée locale ... l'agent spécial Amos M. Teasley, le 9 juin 1959, qu'elle avait passé l'après-midi du 8 juin 1959, avec le sénateur ... dans son bureau privé du Sénat. Elle a dit également qu'elle avait eu des rapports sexuels avec le sénateur au cours de l'après-midi « sur le canapé dans le bureau du sénateur ».

173

Vous vous souvenez … auparavant des fréquentations avec … mais c'est la première fois qu'elle a été avec lui au cours des derniers mois.
Avec mes sentiments distingués,
James H. Gale, agent spécial.

Le 16 mai 1960, alors que la lutte pour la présidence s'intensifiait entre Nixon et Kennedy, des agents s'empressèrent d'envoyer à Hoover une information obtenue le jour même d'une prostituée de Washington. Elle parlait de relations sexuelles avec différents membres du Congrès, soit au Mayflower, soit chez eux, et même dans un cas « dans son bureau du Capitole ». Au cours du dernier stade de la campagne électorale, les hommes de Hoover s'intéressaient particulièrement aux prostituées. Des agents étaient présents le 2 septembre lorsque l'une d'elles reçut un appel d'un sénateur souhaitant la rencontrer dans la matinée. Voici leur rapport :

> Les agents furent informés de l'arrivée du sénateur et de son départ, on l'entendit … « C'était formidable. »
> Après qu'il eut quitté les lieux, … commenta que les aptitudes sexuelles du sénateur étaient « assez bonnes ».

En rassemblant ces informations, les agents savaient qu'elles seraient transmises à Hoover. « On ne pensait pas prendre des libertés injustifiées avec la vie privée des gens, dit Purvis qui a signé plusieurs de ces rapports. Il s'agissait de choses dont je pensais qu'elles présentaient un intérêt pour Hoover. Le problème était de l'informer de ce qui pourrait lui être utile. » Cependant, l'ancien agent Trahern ne se faisait pas d'illusions : « Hoover traitait mal les gens. C'était un despote. Il faisait n'importe quoi pour en imposer aux membres du Congrès qui s'envoyaient des filles ou autres… Mais notre ligne de conduite était de faire plaisir à J. Edgar Hoover, et je lui rapportais tout ce que je savais. »
Selon Norman Koch, un spécialiste des empreintes digitales durant la Seconde Guerre mondiale, fouiller dans les ordures était depuis longtemps un travail de routine. Il se souvient que, dans les années quarante, ses collègues se plaignaient de « passer tout leur temps à enquêter sur des personnalités officielles plutôt que sur l'ennemi public numéro 1. Ils allaient creuser dans le passé de tous ceux qui auraient pu présenter un danger quelconque pour le directeur ; l'idée était de chercher n'importe quoi qui puisse être utilisé comme moyen de pression, au cas où l'un de ces hommes oserait défier son autorité ».

Gordon Liddy, connu surtout pour son rôle dans l'affaire du Watergate, était agent du FBI dans les années cinquante et au début des années soixante. A Washington, ou il travaillait au service de la propagande, il apprit de première main comment étaient obtenues les informations compromettantes : « Supposons qu'il y ait eu quelque part une attaque de banque. Supposons qu'un informateur nous avise que l'homme que nous recherchons est réfugié au motel Skyline, à quelques rues au sud du Capitole. Alors les agents font une descente dans le motel et trouvent le sénateur X couché avec Miss Y, âgée de quinze ans et demi. Ils présentent leurs excuses et se retirent. Mais tout doit figurer dans le rapport. Même si le supérieur à qui il est adressé estime qu'il n'est pas nécessaire de garder la trace des peccadilles du sénateur, il n'a aucune autorité pour le détruire. Le rapport doit aller jusqu'au bureau du directeur. Supposons que le directeur doive un jour rencontrer le sénateur X, ou que son nom ressorte dans l'actualité, il me revient de préparer une note à son usage exclusif, du genre : "Le directeur se souvient peut-être que le sénateur X a été impliqué dans tel ou tel incident et n'est pas très prudent." »

Dans d'autres cas, raconte Liddy, Hoover pouvait, dès la réception du premier rapport, envoyer un officiel du Bureau pour rencontrer l'homme politique compromis : « Le messager disait alors simplement que Mr Hoover s'excusait de l'intrusion dans la vie privée du sénateur, mais qu'il n'avait pas à s'en préoccuper, car l'incident avait été supprimé du dossier. Tout le jeu consistait à ce que le sénateur sache que Hoover savait. Et c'est pourquoi, lorsque Hoover se présentait devant la Commission du budget, il obtenait tout ce qu'il voulait. Tout, parce qu'ils avaient peur de ce dont il avait connaissance. »

D'autres personnes corroborent les déclarations de Liddy, dont l'ancien directeur de la CIA, Richard Helms : « J'ai appris beaucoup des types qui avaient travaillé au bureau de Hoover avant de venir chez nous. J'ai entendu comment certains sénateurs et représentants se faisaient prendre dans des bordels de Virginie. Quand les rapports lui parvenaient, Hoover les enfermait dans son coffre privé. Si un jour se posait un problème avec cet homme politique, il disait : "Ne vous en faites pas. J'ai les papiers dans mon coffre. Pas la peine de se préoccuper..." Il menait un jeu très habile. »

Emanuel Celler, qui fut le représentant démocrate de Brooklyn pendant cinquante ans, a reconnu devant une journaliste du *New York Times* qu'il avait peur de dire ce qu'il pensait des abus de Hoover parce que le FBI avait prise sur lui. Il continuait donc en public à présenter Edgar comme un fonctionnaire « tout à fait exemplaire ».

Un reporter du *Chicago Tribune* proche de Hoover se souvient d'avoir parlé avec quelques-unes de ses victimes : « Une grande partie du soutien écrasant du Congrès en faveur de Hoover était due à ce que je ne peux que qualifier de chantage, mais un chantage poli. »

Hoover aimait à partager cette boue politique avec la Maison-Blanche. « Je savais qu'il avait un dossier sur moi, raconte le sénateur de Floride George Smathers, parce que Lyndon Johnson me l'a lu. Il m'avait fait venir au milieu de la nuit – il aimait beaucoup cela ! – et m'a dit : "Voilà tous les ragots que le FBI a amassés sur vous." Il m'a également lu des dossiers sur d'autres sénateurs, dont celui de Barry Goldwater. Il y en avait également un paquet sur Nixon. Ils étaient nombreux à être très nerveux. »

Après sa disgrâce, Nixon a expliqué : « L'information a été une des principales sources de la puissance d'Edgar Hoover. En général, il savait quelque chose sur tout ce qui se passait, et cette connaissance le rendait aussi précieux pour ses amis que dangereux pour ses ennemis. »

19

Faux et usage de faux

Les hommes politiques n'étaient pas les seules personnalités publiques sur lesquelles Hoover recueillait des informations. Après 1945, pendant trente ans, les écoutes téléphoniques du FBI permirent de connaître les pensées d'au moins douze juges de la Cour suprême. La Constitution protège ce haut corps de l'État de telles intrusions, mais Hoover ne détruisit pas les transcriptions. Il les a gardées et, en certaines occasions, s'en est servi à son avantage.

Truman qui lut lui-même le texte des conversations du juge William Douglas décida en 1946 de ne pas le nommer président de la Cour suprême, un choix qui allait déterminer l'avenir de cette instance supérieure pendant des années. Ce qu'il avait appris sur Douglas grâce aux écoutes de Hoover peut avoir influencé sa décision. Les opinions libérales de Douglas exaspéraient Edgar, qui avait constitué sur lui un dossier toujours ouvert. Le juge s'était marié quatre fois, dont trois fois avec des femmes beaucoup plus jeunes que lui. Les notes du Bureau le concernant tenaient Edgar au courant de tout : « Nous avons été informés que Douglas s'enivre fréquemment au cours des réceptions et a l'habitude de peloter les femmes. » Le Bureau surveillait également les amis de Douglas dont certains étaient suspects d'une « loyauté douteuse ». Quant au juge, il soupçonnait la présence de micros clandestins dans ses locaux.

En 1957, au cours d'une enquête sur « un réseau de juristes de gauche », le FBI rassembla des renseignements sur les opinions politiques des juges eux-mêmes. Les dossiers de Hoover révèlent également qu'il disposa de trois sources d'information au sein de la Cour suprême pendant le procès pour espionnage des époux Rosenberg. Une conversation dans une voiture n'était même pas sûre. Quand le juge Burton s'entretenait avec un interlocuteur dans une limousine du FBI, l'agent d'accompagnement faisait aussitôt son rapport à Edgar.

Alors que 20 000 pages de documents sur la Cour suprême et la justice fédérale ont été rendues publiques, le FBI insiste pour que d'autres papiers, en particulier des transcriptions de surveillance électronique, « soient gardés secrets dans l'intérêt de la défense nationale et de la politique étrangère ». Il faudra encore beaucoup de batailles juridiques pour que le public connaisse l'étendue de l'espionnage exercé par Hoover sur les juges de la nation.

Il est aujourd'hui certain qu'il n'eut aucun scrupule à utiliser les micros cachés et les branchements téléphoniques clandestins contre des membres du Congrès, comme le craignaient les hommes politiques. En 1956, en pleine campagne électorale, le sénateur Wayne Morse se retrouva à quatre pattes en train de fouiller son salon, scrutant la cheminée et les meubles à la recherche de micros cachés. Un agent des Services secrets l'avait averti que son bureau et sa maison étaient sur écoute et, pour le prouver, il avait cité le texte de conversations que Morse y aurait tenues. Bien qu'il n'ait jamais réussi à mettre la main sur des micros, Morse était convaincu que c'était l'œuvre du FBI.

Pour Bernard Spindel, spécialiste en électronique, la mise sur écoute par le FBI de tout le Capitole n'était qu'un travail de routine au milieu des années soixante. En 1965, alors qu'il réparait le téléphone d'un représentant, il découvrit un branchement clandestin dans le central téléphonique du Congrès. En utilisant un détecteur, il repéra un câble multiligne qui était raccordé à celui qui desservait les bureaux et les salles d'audience. Le câble clandestin conduisait à une pièce louée dans un bâtiment privé par le ministère de la Justice. « Je pouvais suivre, se souvient l'assistant de Spindel, les conversations des sénateurs et des membres du Congrès sur ce câble où elles n'auraient jamais dû passer. Nous avons compris, en bavardant avec les employés de la compagnie du téléphone, que le câble avait été installé à la demande du FBI. »

Il était prévu que Spindel témoigne à ce sujet devant la Sous-Commission sur l'atteinte aux droits privés que présidait Edward Long, sénateur démocrate du Missouri. Mais, à la veille de l'audience, Spindel apprit que le sénateur Long avait conclu un « arrangement » avec le FBI pour qu'on ne parle pas de ces opérations à la tribune. Lorsque Spindel essaya néanmoins d'aborder le sujet, Long le fit taire. Cette réaction inattendue était le résultat d'un long processus.

Cela faisait huit ans que Long se battait contre ce qu'il appelait le « monstre inquisiteur », l'envahissement de la vie privée des citoyens par les manipulateurs, les poseurs de micros et les violeurs de courrier de la société moderne. Il voulait aussi obtenir ce qui n'était alors qu'un espoir pieux, la loi sur la liberté de l'information qui donnerait aux citoyens le droit d'accès aux documents du gouvernement.

En 1963, en tant que président d'une sous-commission juridique, Long avait commencé ses recherches. Très excité par la découverte que les agences fédérales dépensaient chaque année 20 millions de dollars d'équipement pour les écoutes clandestines, il avait ordonné une enquête et les auditions avaient duré plus de trois ans. Lorsque Long décida de consacrer des auditions spéciales au FBI, cela rendit Hoover furieux. « Une pression doit être exercée, précisa un de ses assistants, pour que le sénateur soit impliqué personnellement, et pas simplement pour des raisons idéologiques. »

Des années plus tard, dans une déclaration sous serment, Bernard Fensterwald raconta ce qui s'était passé en 1966 : « Le FBI savait qu'il allait être le sujet suivant des auditions de la commission. Cartha DeLoach, directeur adjoint de Hoover, prit rendez-vous au bureau de Long avec un autre agent. Ils ne se déplaçaient jamais seuls. Long m'a demandé d'y assister. Ils avaient apporté une mince chemise contenant quelques feuillets, si je me souviens bien, et DeLoach dit quelque chose du genre : "Sénateur, je pense que vous devriez lire ce dossier que nous avons sur vous. Vous savez que nous ne nous en servirons jamais parce que vous êtes un de nos amis, mais on ne sait pas ce que des gens peu scrupuleux pourraient faire. Et nous pensons que vous devez être au courant du genre de matériel qui pourrait circuler et vous causer du tort." Ils lui remirent la chemise. Long s'assit et lut le contenu pendant quelques minutes. Puis il referma le dossier, les remercia et ils repartirent. Ensuite, j'ai appris que nous avions l'ordre d'abandonner l'enquête sur le FBI pour continuer sur les autres organismes. Ce furent des auditions superficielles pour sauver la face, mais nous avions évité le fond du problème : les écoutes téléphoniques. »

DeLoach, qui était le principal intermédiaire entre Hoover et Long, a toujours nié l'accusation de Fensterwald. Voici sa version de sa visite à Long : « Je lui ai demandé de but en blanc s'il avait ou non l'intention à un moment quelconque d'ouvrir des audiences concernant le FBI. Il déclara que non. Je lui ai demandé alors s'il était prêt à prendre l'engagement qu'en aucun cas il ne mettrait le FBI dans l'embarras. Il me dit qu'il était d'accord pour le faire… Je dis au sénateur Long, pour nous résumer, qu'il était bien clair pour nous qu'il s'était engagé à ne pas mettre le FBI dans l'embarras. Il me répondit que c'était exact et que nous avions sa parole… Il déclara qu'en conclusion des auditions il avait l'intention de citer le FBI comme un brillant exemple pour les autres organismes. » Mais DeLoach écrivit à l'époque dans son rapport : « Il est important de rester en contact avec le sénateur Long en raison de sa personnalité instable. Si *nous avons neutralisé la menace* d'être embarrassés par la commission Long, nous n'avons pas pour autant éliminé certains dangers… Nous ne devons donc pas cesser de contrôler la situation. »

Un an plus tard, Long fut la vedette d'un article du magazine *Life*. Il aurait reçu de l'argent de l'avocat de Jimmy Hoffa, le président corrompu du syndicat des camionneurs. Selon *Life*, l'enquête sur cette magouille fédérale avait été inspirée par des compères du syndicat et avait compromis les efforts du gouvernement dans sa lutte contre le crime organisé. Une enquête d'une commission du Sénat n'apporta aucune preuve à l'appui de cette accusation. Un autre membre du Congrès, militant lui aussi pour les droits du citoyen, laisse entendre que le FBI, dans l'intention de nuire, aurait fourni au magazine des informations inexactes.

Mais l'article de *Life* et l'indignation qu'il avait engendrée ruinèrent la carrière politique de Long, qui ne fut pas réélu en 1968.

Vers le milieu des années soixante, Cornelius Gallagher était considéré comme un des jeunes membres les plus brillants du parti démocrate. Originaire du New Jersey, héros de la guerre de Corée, il était au Congrès depuis 1958. Grand gaillard aux cheveux grisonnants, au tournant de la quarantaine, il était devenu rapidement conseiller de l'Agence de contrôle des armements et délégué à la conférence sur le désarmement. Il était l'ami des frères Kennedy et son nom fut mentionné pour la vice-présidence en 1964, sous Lyndon Johnson.

Comme le sénateur Long, Gallagher s'intéressait surtout à ce qu'il considérait comme l'agression grandissante de « Big Brother ». Il était préoccupé par les milliers d'individus dont la vie, à cause des gadgets modernes, n'avait plus rien de privé. Il était perturbé par les banques de données, l'utilisation croissante des détecteurs de mensonge, les progrès de la science génétique et les tests psychologiques sur les enfants. Qui avait accès à de telles informations ? Et de quelles sauvegardes disposait le citoyen ?

Il résulta de ses préoccupations la création en 1963 de la Sous-Commission sur l'atteinte aux droits privés. Le milieu des affaires, les organismes d'éducation, même les institutions médicales étaient particulièrement visés. Mais bientôt, en particulier parce que le FBI et les agents du Bureau du fisc allaient fouiller dans les organismes de crédit pour obtenir des renseignements personnels, le travail de la sous-commission aboutit très vite à donner mauvaise presse à ces deux organismes.

Le premier accrochage avec Hoover se produisit, non parce que Gallagher en faisait trop, mais à cause de ce qu'il se refusait de faire. Les ennuis commencèrent lorsqu'il fut soumis à une pression inattendue de la part du syndicat des camionneurs et de Roy Cohn, le protégé d'Edgar pendant l'épisode McCarthy. Cohn, parlant au nom de Hoover, stupéfia Gallagher en *insistant* auprès de lui pour qu'il organise des auditions sur l'illégalité de la surveillance du FBI et de l'IRS. Cohn expliqua que le but était de gêner l'ancien ministre de la Justice Robert Kennedy, sous l'autorité duquel les écoutes téléphoniques avaient été installées. Quand Gallagher refusa, disant que la commission n'avait pas mandat pour le faire, Cohn répondit sur un ton aigre-doux : « Mr Hoover veut vous donner un coup de main. Si vous êtes son ami, vous aurez tout ce dont vous aurez besoin. Mais si vous n'êtes pas son ami et que vous ne coopérez pas, cela signifiera que vous êtes un ennemi. »

Quelques mois plus tard, alors qu'il signait un soir son courrier, Gallagher s'arrêta sur une lettre dont il ignorait l'existence. « Dans la lettre, dit-il, qui était tapée et n'attendait plus que ma signature, je demandais au ministre de la Justice de fournir à ma commission les copies de l'autorisation de mettre sur écoute Martin Luther King. J'étais au courant du fait parce que John Rooney, l'ami de Hoover et président de la commission qui contrôlait le budget du FBI, avait pris plaisir à m'informer du côté sexuel de l'affaire. Mais je n'avais pas prévu de réclamer le dossier et je n'avais jamais dicté cette lettre. J'ai appelé ma secrétaire pour lui en demander la provenance. »

Cette dernière, Elizabeth May, se souvient parfaitement de l'incident : « Roy Cohn m'avait dicté cette lettre au téléphone en précisant qu'il suivait les instructions du FBI. Je l'ai donc tapée et je l'ai mise avec le reste du courrier à signer par Mr Gallagher. Je pensais qu'il était au courant. Lorsque je lui eus appris ce qui s'était passé, il entra dans une colère noire et appela aussitôt Cohn. » Cohn dit à Gallagher que c'était une « nouvelle chance » pour lui de coopérer et insista pour que la lettre fût envoyée. Gallagher refusa et Cohn lui répondit : « Vous allez le regretter... »

A Pâques de 1967, la maison de Gallagher fut mystérieusement cambriolée par des individus qui semblaient n'être intéressés que par les documents. La police informa la victime que c'était un « boulot du FBI ». Et Gallagher se souvient : « Un ami haut placé de la compagnie Telephone Bell m'apprit que le FBI avait mis ma ligne sur écoute. »

Mais le coup le plus dur fut un article dans le magazine *Life* sur la « grande magouille », le chantage et la corruption qui garantissaient à la pègre que la police et les élus fermeraient les yeux, ou même lui porteraient assistance. *Life* citait nommément l'homme du Milieu Joe Zicarelli et affirmait qu'il était « dans les meilleurs termes avec le respectable représentant démocrate du New Jersey, Cornelius E. Gallagher... ». Le politicien et le mafioso, relatait le magazine, se retrouvaient régulièrement, quelquefois pour un déjeuner du dimanche dans une auberge de la banlieue. Gallagher nia vigoureusement ces allégations, mais se plaignit en vain auprès du magazine. Il envisagea de l'attaquer en justice pour diffamation mais ses avocats l'avertirent que cela ne ferait qu'envenimer une publicité hostile et que, de toute façon, les personnalités officielles gagnaient rarement les procès en diffamation. En juillet 1968, trois reporters de *Life* vinrent l'interviewer dans son bureau. Il reconnut volontiers qu'il avait par deux fois rencontré en toute innocence Zicarelli, qui était un personnage important dans la région mais nia à nouveau tout contact compromettant.

Le même mois, l'avocat de Gallagher lui donna un rendez-vous urgent à l'aéroport de Newark pour y discuter de choses qui, selon lui, ne pouvaient être dites au téléphone. L'avocat expliqua qu'il avait passé une partie de la journée dans le bureau de Roy Cohn. Ce dernier lui avait suggéré d'écouter sur un autre poste la conversation qu'il allait avoir avec Cartha DeLoach du FBI. DeLoach prétendit que le Bureau avait une preuve « incontestable » qu'un joueur du New Jersey, Barney O'Brien, était mort d'une crise cardiaque dans la maison du représentant « allongé à côté de la femme de Gallagher ». Le corps aurait été emporté par un gangster très lié à Zicarelli. DeLoach aurait reconnu formellement qu'il avait eu des contacts récents avec *Life* et aurait dit au téléphone : « Si vous connaissez toujours ce type, vous feriez bien de lui suggérer de démissionner du Congrès. Il ne durera pas plus d'une semaine quand l'histoire va sortir. »

L'épisode fut publié le 8 août 1968 sous la forme d'une des plus violentes attaques contre une personnalité publique de l'histoire du journalisme du XXᵉ siècle sous le titre « LE DÉPUTÉ ET LE GANGSTER ». Gallagher y était décrit comme « un homme qui n'avait jamais cessé de servir de créature et de collaborateur à un chef de gang de la Cosa Nostra ».

L'article était centré sur ce qui semblait un scoop journalistique, la transcription d'une écoute téléphonique clandestine du chef de la Mafia, Zicarelli, huit ans plus tôt. Selon le magazine, ce document montrait que le patron de la pègre avait contacté le représentant pour que la police locale cesse de le harceler :

GALLAGHER : J'ai pris contact avec eux et il n'y aura plus de problème.
ZICARELLI : J'espère, parce qu'ils sont en train de me ruiner.
GALLAGHER : Ils feraient bien de s'abstenir.
ZICARELLI : Ils s'acharnent sur moi comme ils ne l'ont encore jamais fait.
GALLAGHER : Je vais leur rentrer dedans.

L'article de *Life* suscita un long débat public. Cependant, au grand étonnement de beaucoup, le représentant fut réélu cette année-là avec une confortable majorité. Il continua sa campagne en faveur des droits privés des individus et des lois pour limiter les pouvoirs du Bureau du fisc (IRS) et du Bureau du budget.

En 1972, c'est une enquête des agents du fisc qui entraîna la ruine que l'article du magazine n'avait pas réussi à provoquer. Gallagher fut accusé d'évasion fiscale et d'avoir aidé un personnage officiel local à faire de même. Il plaida coupable et fut incarcéré dix-sept mois. Pendant ce temps, à la suite d'une refonte des circonscriptions électorales, son siège de représentant fut supprimé. Gallagher reçut des messages de soutien et de sympathie, en particulier de Gerald Ford, alors vice-président, et de l'ancien secrétaire d'État Dean Rusk qui qualifia Hoover de « maître chanteur clandestin ».

La commission d'éthique de la Chambre des représentants ne trouva aucune preuve que le représentant ait jamais été impliqué dans le crime organisé. *Life* avait sorti l'histoire sur le prétendu cadavre dans la maison de Gallagher en dépit du fait que son informateur présumé était à l'époque à la clinique psychiatrique de la prison. Il avoua plus tard que le récit était « bidon » et que le FBI avait essayé de le persuader de « monter un coup » contre l'homme politique.

Il n'existe également aucune preuve que la « transcription » accablante de la conversation entre Gallagher et le chef de la Mafia Zicarelli ait jamais existé dans les archives d'aucune agence fédérale. En 1968, le Bureau du fisc (l'IRS), la CIA, le Bureau des narcotiques, les Services secrets, la police de New York, le procureur du district de Manhattan et le Bureau des rackets se déclarèrent tous innocents. En ce qui concerne le FBI, le ministre de la Justice, Ramsey Clark, déclara qu'il avait été informé que « le FBI n'avait pas et n'avait jamais eu de transcription ou d'article de presse qui aurait pu constituer la base des citations du magazine ». De même, on n'a trouvé aucun texte parmi les milliers de documents qui ont depuis été rendus publics. Des agents qui avaient travaillé sur l'affaire Zicarelli au cours des années soixante ont déclaré qu'ils n'étaient pas au courant.

Le reporter de *Life* Sandy Smith, qui avait obtenu la « transcription » en 1968, s'était fait un nom comme spécialiste du crime organisé alors qu'il travaillait au *Chicago Tribune*, un journal particulièrement choyé par le FBI. Déjà en 1965, lorsque le magazine *Playboy* avait demandé conseil à Smith au sujet d'un article écrit par un ancien agent et critiquant le FBI, il avait recommandé de ne pas le publier et de le transmettre au Bureau. Des documents révèlent que Smith avait pour le FBI une valeur « inestimable » et qu'il fut « utilisé en de nombreuses occasions ».

Smith s'est refusé à tout commentaire, mais un ancien reporter du journal rappelle que son collègue était si proche du FBI qu'il était « presque comme un agent ». Il est possible, estime-t-il, que quelqu'un du FBI lui ait donné une transcription truquée. DeLoach, de son côté, a reconnu qu'il connaissait bien Smith en 1968, mais n'avait aucun commentaire à faire sur l'article du magazine : « Je ne me souviens pas, dit-il, de l'histoire de Neil Gallagher. »

Mais un autre personnage clé de cette histoire se la rappelle. En 1986, Roy Cohn, sachant qu'il allait mourir, apprit que la femme de Gallagher était toujours tourmentée par l'information concernant le joueur O'Brien qui serait mort dans ses bras. Cohn signa alors une lettre officielle affirmant que l'histoire O'Brien provenait de DeLoach. Il cita ses paroles lorsqu'il déclara que si le représentant Gallagher « n'arrêtait pas les auditions de la Commission sur l'atteinte aux droits privés, il rendrait l'information publique ». Cohn confessa qu'il avait transmis la menace en reprenant les mêmes termes.

En 1992, Gallagher, âgé de soixante et onze ans, était toujours un personnage populaire dans le New Jersey. Il était tellement persuadé de l'évidence de son innocence qu'il accorda à l'auteur de ce livre la liberté totale d'utiliser tout document le concernant que le FBI pourrait rendre public en application de la loi sur la liberté de l'information. Mais, plus de quatre ans après son entrée en application, aucune pièce sur ce sujet n'a été exhumée.

L'ancien ministre de la Justice Ramsey Clark a exprimé sa vive préoccupation au sujet des affaires de Gallagher et du sénateur Long. « La communication à la presse d'informations non prouvées, dit-il, est inexcusable. » Pendant la crise, il a commenté : « C'est l'œuvre du vieux bonhomme là-bas. »

Mais la plupart des Américains ignoraient ce sombre pan de l'activité d'Edgar et n'en voyaient que l'autre aspect, la formidable machine de propagande et l'impressionnant corps de policiers.

20

Le culte
de la personnalité

Un jour de 1959, lorsque la lumière revint dans la salle de cinéma, Hoover était en larmes. Il venait d'assister à l'avant-première du film d'Hollywood *The FBI Story*, et il pleurait de joie. Cette œuvre qui faisait le portrait d'une machine supérieurement efficace, composée d'une joyeuse bande d'agents exemplaires représentait pour le patron « un des meilleurs boulots qu['il ait] jamais vu ».

Cette année-là, lorsqu'il s'adressa à la Commission du budget, Hoover exposa une liste impressionnante de chiffres. La division de l'identification comportait maintenant dans ses dossiers plus de 150 millions d'empreintes digitales, et la plupart de celles qui lui avaient été soumises par la police avaient été identifiées avec succès. Le laboratoire avait procédé à 165 000 examens scientifiques. L'équipe des enquêteurs avait travaillé plus de 3 millions d'heures supplémentaires. L'Académie nationale du FBI avait fêté ses 23 ans de formation de 3 500 agents spéciaux, ainsi que 10 000 autres employés du Bureau. Comme toujours, le nombre des affaires qu'ils avaient résolues était exemplaire. Le président de la commission Rooney félicita le « directeur éminent » et le laissa repartir après quelques questions de pure forme.

Cependant, au sein du FBI, une nouvelle génération d'agents commençait à se poser des questions. La structure de l'organisation n'avait pas changé depuis le remaniement de 1924, mais il y avait maintenant deux FBI : d'un côté, les agents sur le terrain, un corps de braves policiers durs au travail luttant en première ligne contre le crime ; de l'autre, le quartier général, le « siège du gouvernement » comme aimait à l'appeler Hoover, avec sa bureaucratie envahissante d'hommes rivés à leurs tables pendant des années. Les agents sur le terrain considéraient le quartier général comme le siège des opportunistes avides de promotion, comme la source d'une paperasserie absurde et d'ordres imbéciles.

La crainte faisait partie de la vie quotidienne du FBI. Hoover punit un directeur adjoint qui avait essayé de changer une échelle de salaires injuste en le rayant de la liste des promotions. Un agent de l'agence de New York fut rétrogradé et envoyé dans un trou perdu pour avoir parlé à un journaliste sans autorisation. Un homme eut droit à un rapport pour avoir fait une plaisanterie osée devant une classe de l'Académie. Il s'aplatit dans une lettre servile à Edgar : « Je regrette infiniment d'avoir raconté une telle histoire. Je peux vous assurer, comme je l'ai fait à Mr Tolson, que je ne me considère pas comme un plaisantin. J'ai en tout cas compris la leçon. »

Le mythe de l'infaillibilité directoriale était devenu institutionnel. Un instructeur dit à un groupe de nouvelles recrues : « J. Edgar Hoover est notre inspiration à tous. On dit, à juste titre, que le soleil de sa présence illumine notre route. » Précisons que le texte des conférences aux recrues était approuvé à l'avance par Edgar et ses adjoints.

A la fin de la période d'entraînement avait lieu le premier test pour les nouveaux agents : ils s'alignaient devant Hoover pour lui serrer la main. En attendant dans l'antichambre, ils s'essuyaient fébrilement sur leurs pantalons. Une paume moite suffisait pour mettre fin à la carrière d'un agent avant qu'elle n'ait commencé. Il en était de même pour ceux qui avaient des boutons et pour les chauves. Un jour, après qu'un groupe de recrues fut sorti du bureau, Hoover rappela l'instructeur pour lui dire d'un ton sec : « L'un d'eux a une petite tête. Débarrassez-vous-en ! » Comme il avait peur de demander à Edgar de qui il s'agissait, l'instructeur mesura en cachette la taille de tous les chapeaux de ses élèves. Trois d'entre eux avaient des petites têtes. Pour calmer Edgar et protéger la section d'entraînement, ils furent tous les trois renvoyés.

L'ancien agent Jack Shaw raconte : « Dans notre classe, nous avions un garçon du Kansas appelé Leroy qui avait été instituteur. Sa voix haut perchée ne s'accordait pas avec les stéréotypes du Bureau : grand, ton autoritaire, blond, yeux bleus, et accent correct. On lui fit travailler sa voix pour qu'elle baisse. Il réussit à parler d'un ton mâle et semblait bien sous tous rapports. Lors du test final, le directeur adjoint le regarda et demanda : "Vos oreilles ont toujours été décollées comme cela ?" Il est vrai que Leroy avait de grandes oreilles. Résultat : il fut renvoyé. »

L'agent Flanagan parlait un jour au téléphone, le chapeau sur la tête et cigarette aux lèvres, en essayant de garder en ligne un informateur lorsque Edgar entra. Comme l'agent ne s'était pas aussitôt mis au garde à vous, il fut envoyé dans le fin fond du Dakota du Sud.

Un jour, l'avis parvint de San Francisco au quartier général qu'une danseuse du ventre avait fait un numéro au cours d'une soirée donnée par un agent pour son départ à la retraite. Edgar ordonna à chacun des deux cents participants de lui faire un rapport. Aucun ne reconnut avoir vu la danseuse et chacun d'entre eux prétendit qu'il était aux toilettes. Cette fois-là, la colère d'Edgar fut déjouée.

Au cours des années soixante, Thomas Carter fut l'objet d'une enquête à la suite d'une lettre anonyme l'accusant d'avoir couché avec une jeune femme. Carter admit avoir passé la nuit avec sa fiancée mais précisa qu'il « avait gardé son bermuda et sa chemise de sport ». On questionna ses voisins pour savoir s'ils avaient entendu le lit craquer. En dépit d'une réponse négative, Hoover renvoya Carter qui attaqua en justice pour licenciement abusif et le tribunal lui donna raison.

Des adultes supportaient de telles stupidités parce que le travail d'agent présentait de gros avantages. Il était bien payé, souvent passionnant, avec la possibilité de se retirer au bout de vingt ans avec une retraite convenable et la perspective d'une seconde carrière grâce à l'expérience du FBI.

Dans l'ensemble, la carrière était assurée. Rares étaient les malchanceux qui s'attiraient la colère de Hoover ou qui souffraient sous les ordres de ses pires centurions. Dans les postes éloignés du trône, les agents trouvaient les moyens de fonctionner aussi bien que le permettait le système, parfois même dans d'excellentes conditions. Comme dans l'armée, les hommes s'accommodaient des règlements stupides, se tenaient à carreau et faisaient leur travail.

Mais le règlement devenait de plus en plus absurde. Par exemple, les agents sur le terrain devaient passer un nombre d'heures minimal à l'extérieur, même s'ils n'avaient rien à y faire. C'était particulièrement impératif lorsque l'on attendait une inspection. « Restez hors de l'agence, dit un chef de poste à ses hommes. Si vous avez déjà vu tous les films, alors allez à la bibliothèque ou n'importe où. L'essentiel est d'être hors d'ici. »

L'agent qui était muté avec sa famille à l'autre bout du pays pour une peccadille n'avait pas, quant à lui, la vie facile. « Le pire, explique un ex-agent qui encourut une telle punition, est le jugement que porte sur vous votre famille qui s'interroge : "Tu as dû faire quelque chose de mal, sans cela Mr Hoover ne t'aurait pas rétrogradé." Or on ne peut pas s'expliquer à leurs yeux et on perd confiance en soi. Je ne pense pas que Mr Hoover comprenait vraiment cet aspect des mesures disciplinaires, parce qu'il n'avait pas de famille, je veux dire femme et enfants. »

Le dossier de l'agent Nelson Gibbons, qui servit de 1954 à 1962, est un catalogue de méchancetés délibérées. Il entra au FBI après son service chez les Marines et une courte période dans la police. Il se révéla un agent remarquable, avec six félicitations et aucun blâme pendant des années, ce qui était particulièrement rare. Il se conduisait bravement contre les criminels armés et fut complimenté par Hoover pour avoir démasqué un espion soviétique. A trente-trois ans, on lui confia la responsabilité d'un petit poste. Ses ennuis débutèrent en 1958 lorsque, à l'âge de soixante-trois ans, Edgar commença à se préoccuper de sa santé. Il n'avait rien de particulièrement grave, mais d'après le nombre ahurissant de médecins qu'il contacta il était devenu hypocondriaque. Il avait lu dans un prospectus d'une compagnie d'assurances quel devait être le poids idéal pour une taille donnée. Il constata ainsi qu'il était trop gros et se mit à suivre un régime qui le fit passer de 92 à 77 kilos.

Ce que le directeur faisait pour sa santé était également exigé pour ses hommes. On vérifia donc le poids de chaque agent et on fit appliquer un règlement draconien sous peine de punition. Pour Gibbons, un homme bien enrobé, ce fut un désastre. Il pesait 88 kilos lorsque Hoover fit effectuer les contrôles et l'examinateur lui recommanda de perdre 3 kilos et demi. Gibbons fit des efforts pour s'y conformer, bien que son médecin ait jugé son poids raisonnable en fonction de sa taille, 1,80 mètre. Il réussit tout de même à maigrir pour parvenir à la norme demandée, mais il ne tarda pas à reprendre les kilos perdus. En 1960, après s'être vu refuser une promotion à cause de son poids, Gibbons proclama son indépendance. Il déclara être très heureux de ses 86 kilos et demanda à voir Hoover, un droit théoriquement accordé à tout agent. Edgar refusa et fit transférer Gibbons à Détroit avec instruction de le peser tous les mois. Gibbons était maintenant parti pour les « tours de manège » du Bureau. Il fut de nouveau muté d'abord dans l'Alabama, puis, deux mois plus tard, dans l'Oklahoma. Deux blâmes et une suspension sans salaire ne l'empêchèrent pas de continuer à vouloir travailler pour « la meilleure organisation du monde ». Bien que l'on n'ait pas considéré en haut lieu qu'il ait été trop gros, Hoover lui reprocha de ne pas avoir « l'esprit d'équipe » et le transféra à nouveau dans le Montana, puis dans l'Alaska. Finalement, après un interrogatoire ridicule pour savoir combien de fois il s'était enivré lorsqu'il était chez les Marines bien avant d'entrer au FBI, Gibbons craqua. Il démissionna et envoya un télégramme à Hoover, disant qu'il était « psychiquement incapable » de continuer. Alors que l'agent n'avait jamais souffert de maladie mentale, avant ou après ses épreuves, le FBI trouva un psychiatre pour diagnostiquer la « paranoïa ». Il se retira avec une pension d'invalidité, ce qu'Edgar considéra comme une victoire personnelle. « Bon débarras », griffonna-t-il sur le dossier.

Nelson Gibbons eut de la chance par rapport à un autre agent de New York qui, au cours d'un régime amaigrissant intensif pour satisfaire les exigences d'Edgar, s'effondra et mourut à son bureau.

Dix ans plus tard, l'agent Jack Shaw et sa femme May vécurent eux aussi un cauchemar. Shaw, licencié en droit et ancien capitaine de Marines, servait le FBI depuis 1963. Alors qu'il était âgé de trente-sept ans et père de quatre enfants de moins de dix ans, il commença à suivre des cours à l'Université de justice criminelle John-Jay, à New York, dans l'espoir de devenir instructeur à l'Académie. Lorsque son professeur de sociologie exprima quelques critiques amères contre le FBI, Shaw se dressa pour le défendre. Puis il décida d'entreprendre une étude sur les bons et les mauvais aspects du Bureau. Il nota parmi les seconds que le Bureau était devenu sclérosé : « Nous ne sommes pas simplement enracinés dans la tradition, mais nous y sommes enfoncés jusqu'au cou. Tout tourne autour d'une figure centrale, la vie et les exploits de J. Edgar Hoover. »

Bien que tout cela ne soit pas très révolutionnaire, Shaw était conscient du danger. Il prépara une lettre pour son professeur : « Je suis certain que vous garderez pour vous tout ce que j'ai dit. Car, bien entendu, pour le Bureau cela constituerait un cas d'*hérésie* et je ne tiens pas à devenir un martyr. » Il le fut néanmoins à cause de sa candeur, car il commit l'erreur de confier le brouillon de la lettre pour la taper à une secrétaire du FBI qui la montra à une collègue… Évidemment, Shaw ne tarda pas à être interrogé par le directeur adjoint Malone : « Dès le début il était clair que ma tête était sur le billot, se souvient Shaw. L'interrogatoire a continué sans arrêt, depuis 16 heures l'après-midi jusqu'à 21 heures. J'ai essayé de faire comprendre à Malone qu'il n'y avait là aucune opération clandestine et qu'aucun mal n'avait été commis puisque je n'avais même pas encore posté mes critiques à mon professeur. »

Shaw fut suspendu pour « insubordination et critique du Bureau » et on lui ordonna de rendre son insigne et son arme et de rentrer chez lui. Puis il reçut la sentence : un mois de suspension sans salaire, six mois sous surveillance et sa mutation dans le Montana, pour ne pas avoir fait de rapport sur les critiques de son professeur à l'égard du FBI. Le Bureau contacta ensuite le président de l'université John-Jay pour l'informer qu'aucun étudiant du FBI n'y suivrait de cours tant que le professeur incriminé y exercerait. Le président ne céda pas à la menace et les hommes du FBI quittèrent l'établissement.

Pendant ce temps, Jack Shaw était inquiet de son avenir et de sa femme malade. Pour cette raison, il n'était pas question de déménager dans le Montana, et Shaw présenta sa démission. Edgar l'accepta, mais pour « faute professionnelle », une tache sur son dossier qui l'empêcherait virtuellement de retrouver du travail dans tout autre organisme fédéral ou dans une entreprise importante. Ainsi un des meilleurs agents du FBI avait été détruit pour une lettre privée que personne n'avait jamais lue et qui n'avait même pas été envoyée.

Quelques mois après sa démission, la maladie de sa femme se révéla être un cancer fatal. Au début, ses collègues vinrent la voir à l'hôpital. Deux d'entre eux offrirent même leur sang pour les transfusions, mais ils durent se rétracter honteusement. On leur avait dit de ne pas avoir de relations avec Shaw qui était « en contact avec des ennemis du Bureau ». On alla même jusqu'à utiliser de faux prétextes pour espionner Shaw tandis qu'il était au chevet de son épouse mourante. La femme d'un autre agent vint lui rendre visite en uniforme d'infirmière pour bavarder en toute sympathie. Shaw devait découvrir plus tard dans son dossier qu'elle avait reçu l'ordre des supérieurs de son mari de « s'insinuer dans le cercle intime de Shaw ».

Après la mort de sa femme, Shaw présenta son cas à l'Union des libertés civiques américaines. Des sénateurs le soumirent au Congrès et l'ancien agent devint une cause célèbre. Le FBI régla le différend par le versement d'une somme d'argent et la suppression sur son dossier de la souillure « faute professionnelle ». Shaw travaille aujourd'hui pour le Service d'immigration et de naturalisation.

Hoover l'avait condamné au chômage en sachant pertinemment que sa femme était gravement malade. Shaw et les autres plaignants n'étaient d'après lui que des « mécontents ou des pleurnichards ». Hoover n'admettait jamais avoir tort.

Le culte de la personnalité était pratiqué au FBI comme nulle part ailleurs au sein du gouvernement des États-Unis, à l'exception peut-être de la Maison-Blanche. Quand Edgar et Clyde voyageaient, tout le monde s'agitait fiévreusement pour leur faciliter les choses. Les toilettes des stations-service étaient inspectées à l'avance, au cas où le directeur éprouverait le besoin de les utiliser. La panne d'une dynamo d'une de ses limousines déclencha une opération d'envergure. Un vol commercial fut retardé et des agents s'empressèrent à coups de sirène d'apporter la pièce de rechange.

A travers tout le pays, les agents savaient qu'il était judicieux d'envoyer au patron des vœux d'anniversaire ou simplement de lui écrire qu'il était admirable. « Il adorait recevoir ce genre de lettres, dit Sullivan. On n'en faisait jamais trop en lui disant quel merveilleux travail il accomplissait pour le pays. Tolson avait une phrase standard qu'il utilisait tout le temps : "Le directeur restera dans l'histoire comme le plus grand homme du siècle." »

En 1958, un agent envoya une lettre simplement courtoise à Hoover, sous couvert, suivant le règlement, de son chef direct Roy Moore qui l'étonna par sa réponse : « Je ne peux pas faire suivre cette lettre. Vous ne comprenez rien à la politique du Bureau... Vous devez comprendre que vous travaillez pour un maniaque dingue et que votre devoir est de découvrir ce qu'il veut, de créer le monde auquel il croit et de lui montrer que c'est ainsi que cela se passe. »

C'est vingt ans plus tard que ce jugement fut révélé au cours d'une commission du Congrès. Car, à la fin des années cinquante, même si beaucoup pensaient que Hoover était complètement déséquilibré, personne n'aurait osé le dire.

Quatre ans après sa mort, au cours d'une enquête du ministère de la Justice sur les détournements de fonds du FBI, on se rendit compte qu'il était corrompu. Cela avait commencé avec des babioles, un petit cadeau pour s'attirer les faveurs du maître, ou des fleurs. « Il aimait beaucoup les belles fleurs, dit Cartha DeLoach. Moi-même ou ceux de mon groupe veillions à ce qu'il ait des azalées. C'étaient ses préférées. »

Hoover vivait pratiquement aux frais du contribuable. La section Exposition du FBI se chargeait des travaux. Un rapport du ministère de la Justice nous apprend que sa maison de Rock Creek Park

> était complètement remise à neuf à l'intérieur et à l'extérieur pendant qu'il était en vacances en Californie. La section Exposition fit les plans et construisit un portique sur le devant de sa maison, ainsi qu'un bassin illuminé pour les poissons. Des rayonnages et des meubles furent fabriqués et installés chez lui. L'équipement ménager, les appareils d'air conditionné, la stéréo, les postes de télévision et le circuit électrique étaient entretenus et réparés par les employés de la section de l'équipement radio... Ils devaient être disponibles jour et nuit.

C'étaient des agents du FBI qui faisaient fonctionner la tondeuse à gazon ou la déblayeuse à neige, entretenaient le jardin et la pelouse deux fois par an, plantaient des arbustes. Lorsque Hoover se plaignit de l'odeur de lard fumé au petit déjeuner, le FBI installa un puissant aérateur. Si une ampoule électrique était défaillante, c'était le FBI qui la remplaçait.

Clyde Tolson, qui se prétendait inventeur, réalisa deux gadgets : un système pour l'ouverture et la fermeture automatique des fenêtres et un décapsuleur qui se révéla un échec. Alors Tolson ou Hoover eut l'idée de faire dorer les objets inutiles et de les offrir en cadeau. Les amis millionnaires d'Edgar, comme Clint Murchison, en furent les destinataires. Le système de fenêtres fut installé, avec un grand tapage publicitaire, dans la chambre à coucher du président Johnson à la

Maison-Blanche. L'enquête du ministère de la Justice établit que ces gadgets n'avaient pas été conçus par Tolson mais par le laboratoire du FBI.

L'adjoint du ministre de la Justice, Harold Tyler, qui supervisa l'enquête conclut que Hoover « vivait comme un potentat oriental ». Déclarait-il ne manger des crèmes glacées que dans une boîte ronde ? On les stockait dans un congélateur du ministère de la Justice. Voulait-il des côtes de bœuf du Colorado ? On lui en procurait aussitôt. Le tout gratuitement.

John Dowd, le procureur qui mena l'enquête se souvient : « Il s'est passé les choses les plus loufoques. Hoover avait un siège de cabinet chauffant, mis au point par le laboratoire du FBI. Lorsqu'il a décidé qu'il était un centimètre trop haut ou trop bas, il a fallu le refaire. Puis, il y a eu l'épisode de la crotte de raton laveur. Un jour, en ouvrant la porte de son patio, Hoover trouva une crotte. Il fit venir les gens du laboratoire pour l'enlever et l'analyser – en priorité absolue, quel qu'ait été le travail officiel qu'ils avaient à faire ce matin-là. Il fallait avant tout "identifier cette crotte et faire un rapport". Tolson menaçait de mettre tout le monde à la porte et ne cessait de demander : "Qu'est-ce que c'est ?" Un type du laboratoire dit : "Eh bien, c'est une bête sauvage. Faut que je l'envoie à un autre labo." Ils y trouvèrent des morceaux de baies que mangent les ratons laveurs. Alors ils avisèrent Hoover que c'était une merde de raton laveur. Hoover donna l'ordre de fabriquer aussitôt un piège qu'ils installèrent dans le patio. Le lendemain matin, le chat du voisin était éclaté et répandu sur tout le mur de la maison ! Finalement, ce n'était pas drôle du tout de voir ce directeur du FBI qui se servait de son pouvoir pour obtenir tout ce qu'il voulait. »

Les tâches effectuées par des employés du FBI dans la maison d'Edgar représentaient des milliers d'heures de travail fournies gratuitement. Mais il y avait également les « fonds spéciaux » du FBI. Les soupçons se sont portés sur la Caisse des loisirs, créée officiellement pour développer les activités sportives des agents, et sur la bibliothèque, qui avait la particularité de ne pas s'occuper de livres. Bien que les adjoints d'Edgar aient détruit toutes les archives aussitôt après sa mort, on sait que l'argent de ces fonds était utilisé pour payer les relations publiques personnelles d'Edgar. Le responsable de la section Exposition a reconnu qu'il avait escamoté de petites sommes en argent liquide pour des « projets non officiels ou des cadeaux pour le directeur ».

Si, après l'enquête, Edgar et Clyde avaient été encore vivants, ils auraient été poursuivis en justice et licenciés. Le procureur précise qu'ils étaient tous deux coupables de plusieurs infractions, en particulier d'avoir utilisé à titre personnel des biens appartenant au gouvernement, ainsi que d'avoir accepté des dons d'employés au traitement inférieur. L'étendue des abus de pouvoir d'Edgar aurait pu lui valoir dix ans de prison et bien entendu le renvoi automatique.

Le procureur Dowd se souvient surtout de l'atmosphère de crainte régnant au FBI : « Je questionnais des gens qui étaient aussi effrayés que les usuriers, les escrocs et tous les autres dont j'ai eu à m'occuper en poursuivant les chefs de la Mafia. Ils tremblaient comme des feuilles dans mon bureau en me racontant ces vingt ou trente ans de conduite sordide. Même après la mort de Hoover, ils étaient toujours terrorisés. J'ai enquêté sur la corruption pendant des années mais je n'ai jamais vu pire trahison de la confiance publique. »

21

Les amis de la Mafia

Un des derniers patrons de la Mafia traditionnelle, Carmine Lombardozzi, qui a continué à diriger les opérations financières de la famille Gambino jusqu'à sa mort récente, fut interrogé en 1990 sur l'attitude de la pègre à l'égard de J. Edgar Hoover. « On l'avait dans la poche, répondit-il. On n'avait aucune raison de le craindre. »

L'expansion de la Mafia américaine coïncide exactement avec la carrière d'Edgar. Ses racines remontent au temps où Edgar était un petit garçon, lorsque les immigrants italiens et siciliens commencèrent à affluer aux États-Unis, en apportant le microbe de la Cosa Nostra. Ils montèrent des gangs qui luttaient entre eux et contre les autorités. Au début, ils constituaient des équipes disparates et instables. Lorsque Hoover devint directeur du FBI, au printemps de 1924, deux cent mille débits clandestins étaient en service grâce à la Prohibition. La contrebande d'alcool répondait à la demande populaire même s'il s'agissait en fait d'une vaste escroquerie. Ainsi s'établit l'empire de la pègre fondé sur la boisson, la prostitution, l'usure et le racket, et renforcé par des alliances qui devaient assurer la fortune des truands au point d'en faire des multimillionnaires lorsque la Prohibition prit fin. Vers 1930, après des réunions au sommet, les grands criminels du pays avaient divisé les États-Unis en zones d'influence.

La montée en puissance de Hoover est parallèle à celle de la pègre. Au début des années vingt, l'attitude du Bureau fut convenable, en particulier lorsqu'il fit respecter la Prohibition dans l'Ohio. Ce furent les agents de Hoover qui arrêtèrent en 1929 Al Capone, même si ce fut le Service des impôts qui le fit condamner ensuite à la prison. Si, au cours des années trente, Hoover concentra son action sur d'autres objectifs, comme les kidnappeurs et les bandits du genre Dillinger, il n'en sembla pas moins intéressé par la pègre et annonça une campagne nationale contre les racketteurs, ces « criminels du commerce organisé ». En 1935, pour battre de vitesse Thomas Dewey, procureur de l'État de New York, il déclara le gangster Dutch Schultz « ennemi public numéro 1 ». Il ne tarda pas à faire figure de croisé contre le crime organisé. Au début de l'année suivante, il affirma : « Le racket est un problème qui, s'il n'est pas résolu, finira par détruire la sécurité de l'économie américaine et la foi de notre peuple en nos institutions. »

En 1937, Hoover prit personnellement la tête d'une descente dans les bordels de Baltimore. Clyde qui était à ses côtés fut surnommé « le Cogneur » pour avoir frappé un homme qui résistait à son arrestation. Les objectifs visés étaient sous contrôle de gangsters italiens. Selon les notes de l'agent qui organisa l'opération, Edgar « était intéressé par les grands racketteurs et par la masse considérable d'argent sale provenant de ces maisons et qui arrosait ensuite les protecteurs locaux, la police, les politiciens sans envergure et même les caisses des organisations politiques ».

Hoover augmenta la pression. Au mois d'août, après des rafles dans trois États, il avisa la presse qu'un des hommes arrêtés travaillait pour « Lucky » Luciano. C'était le cœur du problème, car Luciano était le père du crime organisé en Amérique. Fondateur avec Meyer Lansky du syndicat national de la pègre, il avait été le principal artisan de la convention mafieuse d'Atlantic City en 1929 et le vainqueur de la guerre des gangs qui avait suivi. Il était en prison depuis 1936, après sa condamnation par le procureur Dewey, mais détenait toujours un grand pouvoir. A l'extérieur, Meyer Lansky, Frank Costello et Joe Adonis continuaient à diriger pour lui l'empire du crime. En visant l'organisation de Luciano, Hoover menaçait le cœur stratégique de la Mafia.

Puis, brusquement, son attitude changea. A partir de la fin des années trente, la guerre du FBI contre le crime organisé ne fut plus qu'une affaire secondaire qui ne suscitait plus d'acharnement. En 1938, Hoover affirma que le criminel américain « n'était pas originaire d'un pays étranger, mais qu'il était de souche américaine avec un nom très patriotique ». Ces paroles étaient réconfortantes pour les patrons du crime qui s'appelaient Costello, Luciano, Genovese et Adonis, Lansky et Siegel.

La Seconde Guerre mondiale vit la grande prospérité du crime organisé, avec de nouveaux rackets et le marché noir. La pègre new-yorkaise obtint un soutien officiel en aidant à protéger le front de mer contre les saboteurs nazis, et en facilitant ainsi la libération puis l'extradition de Luciano. Après la guerre, l'empire du crime de Costello et Lansky prospéra hors de tout contrôle, tandis que Hoover se contentait de ne rien faire. Il semblait même parfois contrecarrer volontairement la lutte contre la pègre. Ce fut le cas en particulier dans l'affaire James Ragen, propriétaire d'un réseau téléphonique des champs de courses couvrant la moitié du pays. Celui qui contrôlait un tel réseau disposait d'un pouvoir considérable sur les jeux. En 1946, la Mafia essaya de s'y immiscer. Ragen résista et commença à raconter tout ce qu'il savait sur les rackets. Hoover refusa néanmoins d'assurer sa protection et il fut tué par les gangsters.

Pour William Roemer, qui devait devenir l'expert vedette du FBI sur la pègre de Chicago, « l'affaire Ragen est un moment très significatif pour comprendre J. Edgar Hoover et le crime organisé. Quand Ragen a commencé à se mettre à table, le FBI a lancé pour la première fois dans la ville une véritable opération contre les gangs. Mais dès que Ragen a été tué, Hoover a laissé tomber. Et ce fut terminé pendant les onze ans qui suivirent ».

Le shérif du comté de Los Angeles, Pete Pitchess, était agent du FBI au cours des années quarante et il se souvient : « Le crime organisé n'intéressait pas le Bureau. Nous savions qu'il existait mais il n'y eut pratiquement aucune poursuite, et nous savions que telle était la ligne de conduite du FBI. J'ai eu moi-même affaire avec Bugsy Siegel, le complice de Meyer Lansky chargé d'implanter le syndicat sur la côte Ouest. Lorsque Siegel me fit savoir qu'il voulait me parler, j'ai eu peur de le dire au Bureau… Nous nous sommes rencontrés au coin d'une rue dans Sunset Boulevard. Siegel m'a communiqué des informations sur ses ennemis. Nous les avons simplement classés dans un dossier que nous n'osions même pas appeler "Mafia", puisque l'on nous avait dit que cela n'existait pas. »

Neil Welch était agent au début des années cinquante : « Quand j'étais à Boston, dit-il, j'enquêtais sur des vols de camions entiers de marchandises transportées d'un État à l'autre. Ce trafic était entièrement sous le contrôle de la Mafia et du syndicat des camionneurs. C'était très frustrant, car nous essayions de résoudre le problème du vol d'un chargement de chaussures ou de poulets en sachant bien que la solution était ailleurs, et dépendait du crime organisé qui n'était pourtant l'objet d'aucune enquête. C'était d'un aveuglement inexcusable. Je ne sais pas comment on pouvait avoir une responsabilité comme celle de Hoover et du FBI et se contenter de l'ignorer. »

En 1951, des millions d'Américains regardèrent à la télévision une procession de gangsters comparaissant devant la Commission spéciale du Sénat sur le crime organisé entre États, dirigée par le sénateur Kefauver. Après avoir entendu huit cents témoins, la commission conclut qu'il existait bien « un syndicat du crime connu sous le nom de Mafia » et qu'il y avait des « indices d'une direction centrale » sous l'autorité de Frank Costello, Meyer Lansky et d'autres. Hoover comparut devant la commission pour congratuler ses membres d'avoir révélé « l'alliance déplorable entre le crime et l'administration », et il se répandit en amabilités à l'égard des sénateurs. Mais, derrière la scène, il en allait autrement.

Le sénateur Kefauver a révélé au reporter Jack Anderson que Hoover avait essayé au départ d'empêcher la constitution de cette commission. « Kefauver m'a dit, raconte Anderson, que le FBI a tenté de s'y opposer. Il savait bien que si le public était alarmé par le crime organisé, ce serait au FBI de s'en occuper. Et il ne le voulait pas. » Joseph Nellis, l'assistant de Kefauver, était encore furieux en 1990 lorsqu'il raconta comment Hoover s'était comporté. « Nous avons eu en privé toute une série de réunions avec lui au cours desquelles il nous a dit : "Nous ne savons rien sur la Mafia de New York. Nous ne nous sommes pas occupés de cela." Selon lui, ce que nous avions appris sur la Mafia était inexact, mais nous ne l'avons pas cru. C'était affreux. Nous avons essayé d'avoir l'aide du FBI dans toutes les grandes villes, mais nous n'avons rien obtenu. Hoover était poli avec les sénateurs, car ils tenaient les cordons de sa bourse. Mais il ne nous a rien donné. »

Hoover refusa d'accéder à la demande de protéger les témoins, même après que deux d'entre eux eurent été assassinés. Il dit à la commission que le problème du crime organisé n'était pas du ressort du FBI mais de celui des polices locales. Lorsque la chance lui fut donnée de réclamer de nouvelles lois pour élargir la juridiction du FBI, il assura que les lois existantes étaient largement suffisantes.

En 1953, plus d'un an après la publication du rapport Kefauver, le directeur adjoint du FBI Alan Belmont écrivit dans un mémo : « La Maffia [*sic !*] est une pseudo-organisation... Son existence aux États-Unis est douteuse. » Telle était la vérité selon Hoover, une vérité maintenue en dépit de tous les faits. Les agents qui se colletaient avec le crime organisé devaient se comporter comme si le noir était blanc. « Au quartier général, se souvient l'ancien agent William Turner, il n'existait aucune section pour s'occuper du crime organisé. Les informations que nous avions collectées sur le terrain au sujet des chefs de la pègre étaient simplement classées dans un dossier pour y être oubliées. »

Au cours de la rédaction de cet ouvrage, l'auteur a contacté toute une série de personnalités de la justice et de la police, dont dix-neuf anciens employés du FBI, pour leur demander pourquoi Hoover ne s'était pas attaqué au crime organisé. Aucun n'eut une explication satisfaisante. Certains pensaient que, comme il s'agissait de cas difficiles, les statistiques annuelles en auraient souffert et qu'ainsi le Bureau aurait semblé moins efficace. Selon d'autres, Hoover craignait que les contacts avec les joueurs et les gangsters ne corrompent ses agents. D'autres invoquèrent sa prétendue animosité (en fait inexacte) à l'égard du chef du Bureau des narcotiques qui voyait la main de la pègre partout, ce que Hoover réfutait automatiquement.

Quelques-uns mirent en avant l'excuse invoquée par Edgar lui-même dans les années soixante, lorsqu'il fut obligé de changer de politique : « La vérité, prétendit-il, est que le FBI avait, avant 1961, très peu de compétence légale dans le domaine du crime organisé. » Or ce n'est pas exact. Depuis 1934, le FBI avait autorité en ce qui concerne les crimes de violence, et de nombreuses ordonnances fédérales couvraient l'activité de la pègre. De toute façon, si Hoover avait voulu faire modifier la loi, le Congrès se serait empressé de la voter. Or il n'a jamais rien demandé. Le directeur des prisons James Benett résume ainsi la situation : « S'ils avaient envie de faire quelque chose, c'était de la compétence du FBI. S'ils n'avaient pas envie, alors c'était en dehors de leur domaine. »

Neil Welch, qui occupa des fonctions importantes au FBI, conclut simplement : « Aucune des excuses usuelles n'est convaincante. Hoover connaissait l'existence de la Mafia d'après les rapports des agents qui s'y référaient régulièrement... L'attitude de Hoover est si contraire à la réalité qu'elle ne peut s'expliquer. C'est un mystère. »

Pour comprendre ce mystère, il faut remonter au milieu des années trente. A cette époque-là, alors que la Mafia édifiait son pouvoir, Hoover commençait à connaître une célébrité nationale. Poussé par le journaliste Walter Winchell, il se mit à passer régulièrement ses week-ends à New York où il entra en contact avec un monde qui le rapprochait dangereusement du crime organisé.

Le danger commença avec Winchell lui-même, qui était en très bons termes et dînait souvent avec Lansky à New York ou en Floride. La veuve du gangster a révélé que Winchell avait même été jusqu'à demander la permission à Lansky avant d'écrire certains articles sur la pègre. Il connaissait encore mieux Frank Costello, qu'il appelait « Francisco ». Ils occupaient tous deux des appartements au 115 Central Park West et se rencontraient fréquemment. Quand Costello fut la cible de la commission Kefauver, Winchell s'empressa d'écrire un article pour dire tout le bien qu'il pensait de ce pauvre incompris.

Le Stork Club, où Edgar et Clyde retrouvaient souvent Winchell, était infesté par la pègre. Il est probable que Costello en ait été le véritable propriétaire, tandis que le patron en titre était Sherman Billingsley, un ancien trafiquant d'alcool plusieurs fois condamné. Ce qui n'empêcha pas Hoover de lui servir de caution morale pour son autorisation de port d'arme et de parler de lui comme d'« un très bon ami ».

Il en était de même en Floride, où Hoover passait régulièrement ses vacances. A Miami, il était un habitué d'un restaurant fréquenté également par Capone, Costello et Lansky. Le propriétaire, Jesse Weiss, reconnut en 1988 qu'il entretenait d'excellentes relations personnelles avec les gangsters tout en étant « très, très, très intime » avec Edgar.

Hoover protégeait également le millionnaire Del Webb, propriétaire de casinos. Il affirma un jour au président Johnson : « Les casinos de Las Vegas sont les pires éléments de la Cosa Nostra sauf, bien entendu, ceux de Del Webb. » William Hundley, du ministère de la Justice, présent ce jour-là à la Maison-Blanche, commente : « Hoover a donné un sauf-conduit à Webb. Il n'y eut jamais d'écoute clandestine dans les établissements de Webb. » Ce fait a été confirmé par des sources du FBI et par le personnel de sécurité. Bien que Webb fût profondément impliqué depuis trente ans dans le crime organisé, Hoover et lui étaient « très bons amis », selon l'ancien chef du FBI à Las Vegas. Quand Edgar y venait, il descendait gratuitement dans les hôtels de Webb. En outre, ils fréquentaient tous les deux l'hôtel Del Charro de Clint Murchison en Californie.

Dans ce petit établissement de luxe, Edgar côtoyait une bande d'escrocs en col blanc. Loin de les éviter, il frayait avec eux. Le directeur de l'hôtel, Allan Witwer, le vit un jour de 1959 en grande conversation avec le principal gangster de Californie qui venait de sortir d'un long séjour en prison. « Aucun des deux n'avait l'air gêné », dit Witwer.

A cette époque, de telles rencontres ne l'étonnaient plus. Il n'en avait pas été de même cinq ans plus tôt avec un certain McClanahan dont Witwer pensait qu'il était simplement un ami de Clint Murchison. « Mon bureau était en face de la piscine, raconte Witwer, et un soir j'avais près de moi un agent du FBI. Il regarda par la fenêtre la piscine éclairée par des torches ; il vit McClanahan et me dit : "Qu'est-ce qu'il fait ici, celui-là ? Vous savez qui c'est ?… C'est l'associé de Carlos Marcello, le patron de la Mafia de La Nouvelle-Orléans." Alors je lui ai répondu : "Vous feriez bien de le dire à Hoover parce qu'il déjeune avec lui tous les matins." Cela m'a fait un choc de voir que Hoover le fréquentait. » McClanahan resta le compagnon de piscine d'Edgar jusqu'en 1959, lorsqu'il fut jugé pour fraude fiscale et condamné à treize mois de prison. Un autre gangster, homme de confiance du patron de la Mafia sur la côte Ouest, devait dire des années plus tard : « Je connaissais bien Hoover. Je lui ai payé à boire et nous avons bavardé. C'était marrant d'être comme cela avec le patron du FBI ! »

Le millionnaire du pétrole Clint Murchison, ami d'Edgar, avait lui aussi des liens avec la Mafia. Selon une commission du Sénat, 20%

de sa compagnie pétrolière était la propriété de la famille du crime de Vito Genovese. Il passa également des accords avec Jimmy Hoffa, le patron véreux du syndicat des camionneurs, et il établit des liens commerciaux avec le chef mafioso Marcello. En 1990, Robert Baker, le confident de Johnson, commentait : « Hoover était un peu la propriété de Murchison. Les gens riches essaient toujours de placer leur argent sous la protection du shérif. Hoover était la personnification de la loi et de l'ordre et luttait officiellement contre les gangsters, alors c'était un plus pour un homme riche d'être identifié avec lui. C'est pour cela que des gens comme Murchison veillaient à ce que chacun sache que Hoover était leur ami. Vous pouvez faire un tas de choses illégales si le gardien de la loi est votre copain ! »

Partout où ils allaient, Edgar et Clyde avaient la passion des courses de chevaux. Leur place était réservée sur les champs de courses en Floride, dans le Maryland, en Virginie, à New York et au Del Mar, en Californie. Dans le Maryland, un cheval s'appelait « Directeur J. E. » et on y court toujours le handicap « J. Edgar Hoover » ; un autre cheval au Texas était dénommé « J. Edgar », et un, en Californie, « Chef J. Edgar ».

Les courses et les paris étaient devenus une drogue pour Hoover. Au Bureau, une des blagues était que l'agent du FBI dont les cheveux blanchissaient le plus vite était celui qui devait conduire le directeur au champ de courses à l'heure des encombrements. Des membres de son état-major étaient envoyés à la Bibliothèque du Congrès pour rassembler des renseignements sur les courses. Hoover avait donné des instructions pour qu'on ne le dérange jamais le samedi et, selon DeLoach, refusa même un jour d'obtempérer lorsque le président Johnson lui donna l'ordre de rentrer pour une réunion importante.

En 1954, Hoover encouragea ses amis millionnaires du pétrole, qui possédaient déjà un hôtel près de Del Mar, à acheter le champ de courses de la région. A la tête du groupe qui en était propriétaire se trouvait Al Hart, un personnage douteux impliqué dans le commerce clandestin d'alcool en liaison avec la pègre de Chicago.

Witwer, le directeur de l'hôtel Del Charro, se souvient de l'opération : « Au début, non seulement Murchison et ses amis essuyèrent un refus de Hart, mais ils furent pratiquement jetés à la porte. Murchison dit alors : "Si ces types ne veulent pas traiter avec moi, je vais leur lâcher Edgar dessus." Et Hoover envoya deux agents du FBI pour leur faire peur. C'est eux-mêmes qui me l'ont dit après. Alors Hart a accepté de vendre le champ de courses. »

1. Edgar Hoover enfant avec son père,
Dickerson, et sa mère, Annie.
2. Edgar enfant, au début du siècle.
3. Edgar en uniforme du corps des
cadets de son école.

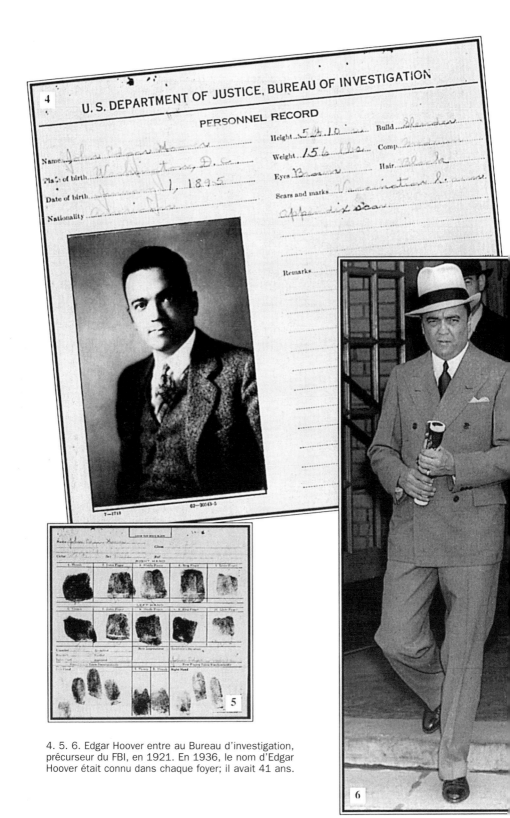

4. 5. 6. Edgar Hoover entre au Bureau d'investigation, précurseur du FBI, en 1921. En 1936, le nom d'Edgar Hoover était connu dans chaque foyer; il avait 41 ans.

7. Helen Gandy, secrétaire
de Hoover pendant
cinquante-trois ans.
8. 9. En dépit des rumeurs
de mariage entre Edgar et
Lela Rogers (ci-dessus),
mère de Ginger, les amis
d'Edgar affirment que la seule
femme avec laquelle il ait eu
une affaire sérieuse était
Dorothy Lamour.

10. Edgar Hoover avec son amant,
Clyde Tolson, entré au FBI en 1928.
11. 12. Photo d'Edgar prise par Clyde
(à gauche) et de Clyde prise par Edgar
(à droite).

13. Clyde et Edgar, avec le mannequin Luisa Stuart, au Stork Club, à Manhattan, lors de la soirée du réveillon de 1936.
14. Outre Clyde, George Ruch (deuxième à partir de la droite) et Guy Hottel (à droite) furent les proches confidents d'Edgar dans les premières années.

15. Edgar flirta avec l'agent Melvin
Purvis qui pourchassait John Dillinger au
début des années trente.
16. Le masque mortuaire de Dillinger,
toujours visible au siège du FBI.
17. Edgar affirma que Kathryn Kelly,
l'épouse de Gun Kelly «la Mitraillette»,
bandit des années trente, représentait
le type même du criminel féminin
et était «cent fois plus dangereuse
qu'un homme».

18. En bon maître de la propagande, Edgar entretenait les meilleures relations avec certains journalistes comme Walter Winchell que l'on voit ici faisant semblant de surprendre une conversation entre le directeur et le vice-président John Garner en 1939.

19. Couverture du *Time*, en 1949, magazine qui lui était particulièrement favorable.

TIME

THE WEEKLY NEWSMAGAZINE

19   J. EDGAR HOOVER

20. Le président Roosevelt a largement étendu les pouvoirs du patron du FBI.
21. Des années plus tard, le FBI organisa une fuite de documents laissant entendre qu'Eleanor Roosevelt entretenait une relation amoureuse avec l'écrivain de gauche Joseph Lash. Ici, Eleanor Roosevelt avec Joseph Lash et sa fiancée, Trude Pratt.
22. L'agent double Dusko Popov qui informa le FBI de l'attaque imminente de Pearl Harbour par les Japonais. Edgar ne transmit pas l'information à la Maison-Blanche.

23. Témoignant contre le président Truman devant une sous-commission du Sénat en 1953, Hoover est entouré de Clyde (à gauche) et de Louis Nichols (à droite), chargé de la propagande.

24. En vacances en Californie. De gauche à droite: Edgar, Royal Miller (beau-frère de Clint Murchison), Tolson et McCarthy.

25. 26. Clint Murchison (ci-contre), magnat du pétrole, payait les notes d'hôtel de vacances d'Edgar et partageait son goût et celui de Clyde pour les courses de chevaux. 27. Le trafiquant d'alcool et millionnaire Lewis Rosenstiel, autre ami d'Edgar, veillait plus particulièrement à ce que ses goûts sexuels soient satisfaits.

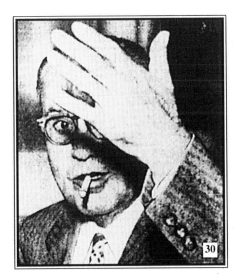

28. Frank Costello, un «parrain».
29. Meyer Lansky, le gangster qui se vantait d'avoir Hoover «dans sa poche».
30. Dub McClanahan, compagnon de vacances régulier et associé du chef mafieux Carlos Marcello.

31. John Kennedy
surpris par un
photographe du FBI
alors qu'il sortait
de chez une de
ses maîtresses
en 1958.
32. A la mort
de Marilyn Monroe,
les frères Kennedy
durent demander
au FBI de cacher
leurs relations
amoureuses
avec elle.

33. Martin Luther King,
visiblement choqué, au
sortir d'une entrevue avec
Edgar Hoover en 1964.
34. Aubrey Lewis, un des
premiers agents noirs
recrutés en 1962 par le FBI
sous la pression de Robert
Kennedy.

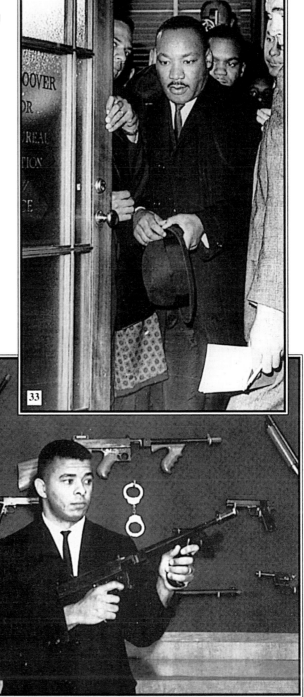

35. Le président Nixon et Madame sont invités chez Edgar Hoover.
36. Richard Nixon avec Marianna Liu, soupçonnée par Edgar d'être sa maîtresse. Edgar se servira de cette relation pour faire pression sur Nixon.
37. Nixon en visite au domicile d'Edgar Hoover.

38. Jusqu'à la fin, Edgar
et Clyde déjeunèrent
régulièrement au
Mayflower Hotel,
à Washington.
39. En 1969, Edgar et
Clyde regardent
ensemble le défilé
de l'investiture
présidentielle.
Pour Edgar, ce sera
le dernier.

40. Hoover et son buste, offert par d'anciens agents.
41. Dans le Capitole, le cercueil d'Edgar est déposé sur le catafalque de Lincoln. L'ex-directeur du FBI reçoit des funérailles de héros national. Nixon fit son éloge en ces termes: «un des géants … une grande puissance du bien dans notre vie nationale».

Murchison affirmait que tous les bénéfices iraient à une œuvre fondée par les Texans en faveur des « enfants défavorisés », dont il choisit comme président un héros de guerre, le général Holland Smith. Mais le général démissionna au bout de quelques mois : « Pas un centime n'a été versé à l'association. Je ne sais pas où est passé l'argent... » Les sceptiques, dont les inspecteurs des impôts de Californie, estiment que l'opération était une magouille financière des millionnaires. Comme les bénéfices étaient censés aller à une œuvre de charité, ils étaient exemptés d'impôts, que l'État cherchait à récupérer. Le complaisant Edgar prit la défense de Murchison : « Je connais Clint Murchison, dit-il à la presse hippique, et j'estime que c'est la dernière personne à se servir d'un tel subterfuge fiscal... Son œuvre contribue directement à renforcer la nation, car la pénétration communiste a surtout pour cible les organisations de jeunesse. »

Une petite part des bénéfices de Del Mar finit bien par aller à l'œuvre de charité, mais d'éminents critiques ne partagent pas la confiance de Hoover. En particulier l'ancien hôte de la Maison-Blanche Herbert Hoover, en règle générale allié naturel d'Edgar : « Cette manigance est vieille comme le monde. Ils ne donnent qu'une partie des bénéfices aux œuvres. » Des années plus tard, George Allen, fanatique des courses et ami personnel d'Edgar et de Murchison, reconnut : « C'était un racket ! »

Hoover se conduisait sur les champs de courses comme s'il ignorait ce que tout policier savait, à savoir que les paris étaient la plus importante source de revenus du crime organisé. En fait, il était parfaitement au courant. La police de Californie apprit qu'il utilisait régulièrement des bookmakers liés à la pègre. Robert Mardian, un des membres du ministère de la Justice sous la présidence de Nixon, se souvient : « Un jour, il m'a dit qu'il était dans un bar clandestin de Floride, ce genre d'endroit illégal où on peut entre autres dîner et parier. La police de Miami a soudain fait une descente. Il a ri et m'a dit : "Ça leur a fait un choc quand ils m'ont trouvé là ! Ils ont fichu le camp plus vite que vous ne l'imaginez !" »

Le service de propagande du FBI, qui apparemment connaissait mieux les risques que son patron, faisait régulièrement savoir qu'Edgar ne jouait que de petites sommes et il était toujours photographié devant le guichet des paris à 2 dollars. « Cela nous faisait bien rire, dit Allan Witwer. A Del Mar, quand il avait eu de bons tuyaux, Hoover n'hésitait pas à placer des paris de 200 dollars » (1 000 dollars d'aujourd'hui, c'est-à-dire 6 000 francs). Pour ne pas se faire repérer en train de parier de grosses sommes, il envoyait quelqu'un, souvent un agent du FBI, miser à sa place.

22

Des photos
compromettantes

Hoover entretint pendant des années des relations avec le patron de la pègre Frank Costello, sans que l'on puisse y trouver d'explication satisfaisante. Cela commença apparemment par une rencontre fortuite dans une rue de New York. La journaliste Norma Abrams a révélé juste avant sa mort en 1989 une confidence qu'Edgar lui avait faite en privé : « Hoover était un lèche-vitrines invétéré, dit-elle. Il m'a raconté qu'un matin tôt dans les années trente, il se promenait sur la Cinquième Avenue lorsque quelqu'un s'est approché de lui par-derrière et lui a dit : "Bonjour, monsieur Hoover." Il s'est retourné et a vu que c'était Frank Costello. Costello a ajouté : "Je ne veux pas vous gêner", et Hoover a répondu : "Vous ne me gênez pas du tout. Nous ne sommes pas à votre recherche." Et ils bavardèrent ensemble jusqu'à la 57e Rue, mais Dieu les protégeait, car il n'y avait aucun photographe dans les environs ou qui que ce soit... »

Ils se revirent ensuite, comme le précise Eduardo Disano, un restaurateur de Floride qui connaissait aussi Costello : « Hoover m'a dit qu'ils avaient tous les deux des appartements au Waldorf et qu'un jour Costello l'avait invité à venir dans le sien. Hoover lui avait répondu qu'il le verrait volontiers, mais pas dans sa chambre. Ils se sont rencontrés au rez-de-chaussée, mais je ne sais pas de quoi ils ont parlé. Hoover était très discret sur son travail. »

Si Costello souhaitait cultiver ses relations avec Hoover, il y réussit. Ils allèrent même jusqu'à courir le risque de s'asseoir ensemble au Stork Club. Le gangster devait évoquer en riant le jour où Hoover prit l'initiative de l'inviter à prendre un café. Et Costello dit à Edgar : « Il faut que je fasse très attention à cause de mes associés. Ils vont m'accuser de fréquenter des personnages douteux ! »

En 1939, lorsque Hoover se vit attribuer la capture du gangster Louis Buchalter, c'était Costello qui avait tiré les ficelles. Peu avant minuit, le 24 août, Hoover convoqua les journalistes pour leur faire une annonce sensationnelle. Il venait d'obtenir personnellement la reddition de Buchalter dans une rue de New York. Cela faisait une belle histoire : le directeur du FBI, portant des lunettes noires, attendant dans une grande limousine de rencontrer un des plus dangereux criminels d'Amérique. Hoover dit que le FBI « avait organisé cette reddition grâce à ses propres informations » et il était clair que son ami Winchell avait servi d'intermédiaire. Hoover fut couvert de gloire, à la grande colère du procureur Thomas Dewey et de la police de New York, qui l'accusèrent d'avoir monté l'opération dans leur dos.

En réalité, il avait été manipulé par la Mafia. Lucky Luciano depuis sa prison avait donné des ordres à Costello et à Lansky, car il avait décidé que, pour réduire la pression des représentants de la loi sur les activités de la pègre, il fallait que Buchalter se rende. On lui fit savoir que s'il se livrait à Hoover il serait traité avec clémence. En fait, il devait terminer sur la chaise électrique. Costello rencontra secrètement Edgar pour organiser l'opération.

Grâce à cette histoire, la pègre fit d'une pierre deux coups. D'une part, la pression des forces de l'ordre se relâcha ; d'autre part, Hoover et le procureur, ainsi que l'égocentrique Winchell, eurent également leurs parts du gâteau. Pour les champions des combines louches, le sacrifice de Buchalter fut une réussite.

Costello dit un jour à l'avocat de la pègre : « Hoover ne saura jamais combien de courses j'ai dû truquer pour des malheureux paris de 10 dollars. » Costello était en effet un des personnages les plus puissants du monde du turf. Une des principales fonctions de la pègre était de contrôler les paris et de truquer les courses. Ceux qui ne voulaient pas coopérer étaient punis, ou pis encore. Costello repassait en général des tuyaux à Hoover par l'entremise de Winchell. Mais il leur arrivait de se rencontrer directement, en particulier dans le salon de coiffure du Waldorf.

Le demi-frère du patron de la Mafia de Chicago, Sam Giancana, a expliqué comment Costello avait monté l'opération : « Il savait que Hoover était comme n'importe quel autre politicien ou flic, en plus mesquin et plus malin. Hoover ne voulait pas recevoir chaque mois son enveloppe, alors on ne l'a jamais payé directement, mais on lui donnait quelque chose de mieux : des tuyaux sur les courses de chevaux truquées. S'il voulait, il pouvait parier 10 000 dollars sur un cheval qui gagnait à vingt contre un. Et il l'a fait. »

En 1990, à quatre-vingts ans, le patron de la pègre de New York, Lombardozzi, a reconnu que Costello et Edgar avaient eu des contacts en de nombreuses occasions et pendant longtemps. Hoover était bienveillant à l'égard des « familles mafieuses. Alors on prenait bien soin de lui quand il venait sur les champs de courses de Californie ou de la côte Est. Ils avaient un accord entre eux. Il leur fichait la paix et fermait les yeux. C'était encore mieux quand il niait notre existence. En échange, s'il y avait quelque chose que les familles pouvaient faire pour lui, par exemple lui donner des informations qui ne gênaient pas leurs affaires, elles le faisaient ».

George Allen, qui accompagna Hoover aux courses pendant quarante ans et qui n'avait, lui, aucune relation avec la pègre, se souvient d'une conversation entre Hoover et Costello : « Au Stork Club, un soir, j'ai entendu Edgar dire à Costello que tant qu'il resterait en dehors de son domaine, il ferait de même. »

Comme le domaine de Costello était essentiellement le jeu, qui ne constituait pas un délit au niveau fédéral, la remarque de Hoover était juridiquement justifiée. Mais d'autres indices suggèrent que son attitude de laisser-faire allait beaucoup plus loin. Selon Harris, un ami de Winchell qui connaissait bien les deux hommes, Hoover outrepassa son rôle pour protéger Frank Costello contre ses propres agents. « Le portier de l'immeuble où habitait Frank, dit Harris, alla le prévenir que des types du FBI rôdaient alentour. Frank appela Hoover au téléphone et lui dit : "Qu'est-ce que ces types viennent foutre ici ? Si vous voulez me voir, vous n'avez qu'à me téléphoner." Alors Hoover se renseigna pour savoir qui ils étaient et ce qu'ils faisaient. Il assura Frank qu'ils n'avaient pas reçu d'ordre et qu'ils agissaient de leur propre initiative. Il était très chagriné de cette histoire et le lendemain il fit transférer ces deux types en Alaska ou au diable. »

Un autre patron de la Mafia, Joseph Bonanno, a énoncé les règles du jeu. Pour lui, les consignes du Milieu étaient de ne pas utiliser de méthodes violentes contre un représentant de la loi. Il a écrit dans ses Mémoires : « Il faut trouver des trucs pour qu'il ne se mêle pas de nos affaires et nous ne nous mêlerons pas des siennes. » Selon certaines sources de la pègre, les méthodes utilisées par la Mafia à l'égard de Hoover étaient liées à son homosexualité.

Les patrons de la pègre disposaient d'un observatoire de choix pour découvrir le secret compromettant d'Edgar : le Stork Club qu'il fréquentait régulièrement était à eux. Il était équipé de miroirs sans tain dans les toilettes et de micros cachés sous les tables des gens célèbres. Costello, dont on disait qu'il était le propriétaire, n'aurait eu aucun scrupule à l'égard de Hoover, et il détestait les homosexuels.

Seymour Pollack, ami intime du gangster Meyer Lansky, dit en 1990 que l'homosexualité d'Edgar était « de notoriété publique... Je le rencontrais souvent au champ de courses avec son amant Clyde dans les années quarante et cinquante. Il m'est arrivé une fois d'être dans la loge voisine et quand on voit deux types se tenir par la main... C'était discret mais il n'y avait pas de doute ».

Les deux gangsters Fratianno et Frank Bompensiero, dit « Bomp », se trouvaient au champ de courses un jour de 1948. Fratianno raconte : « J'ai montré ce type dans la loge devant nous et j'ai dit : "Bomp, regarde, c'est J. Edgar Hoover." Alors Bomp a crié très fort pour que tout le monde entende : "Ah, c'est cette lopette d'Edgar, ce pédé dégénéré !" Plus tard, Bomp croisa Edgar aux toilettes et le directeur du FBI se montra étonnamment humble : "Frank, dit-il au gangster, ce n'est pas gentil de parler comme cela de moi, surtout quand je ne suis pas seul." » Pour Fratianno, il était clair que Bompensiero avait déjà rencontré Hoover auparavant et qu'il n'avait pas peur de lui.

En 1971, Irving Resnick, représentant de la Mafia dans le Nevada, se trouvait au bar de son Caesar's Palace, à Las Vegas, en compagnie de l'écrivain Pete Hamill. Ils parlaient de ce « génie » de Meyer Lansky, l'homme qui avait « monté tout le système » et qui avait « rivé son clou à J. Edgar Hoover ». « Quand je lui ai demandé ce qu'il entendait par là, raconte Hamill, Resnick me dit que Lansky était en possession de photos de Hoover dans des postures homosexuelles avec Clyde Tolson et qu'il avait passé un accord avec Hoover pour qu'il lui fiche la paix ! C'est pourquoi pendant très longtemps ils n'eurent rien à craindre du FBI. »

Meyer Lansky et Hoover fréquentaient les mêmes lieux de villégiature en Floride. Le personnel du restaurant Gatti de Miami se souvient que le gangster s'y trouvait parfois en même temps qu'Edgar, à une autre table. Un soir, ils furent même voisins. Mais ils se sont contentés de se regarder.

Comme Frank Costello, Meyer Lansky semblait intouchable, ce qui finit par faire naître des soupçons même au sein du Bureau. « En 1968, indique Hank Messick, biographe de Lansky, un jeune "G-Man" affecté à la surveillance des déplacements de Lansky prit son travail très au sérieux et se constitua un efficace réseau de mouchards. Il fut brusquement transféré dans un bled perdu de Géorgie. Son successeur, qui était un vieux routier, connaissait la musique et, quand il prit sa retraite quelques années plus tard, il fut engagé dans un casino des Bahamas appartenant à Lansky. »

Il n'y eut aucune tentative sérieuse pour traduire Lansky en justice jusqu'en 1970, deux ans avant la mort de Hoover. Ce furent alors les agents des impôts et non le FBI qui menèrent l'enquête. Mais même les charges de fraude fiscale ne donnèrent aucun résultat et Lansky ne fut plus inquiété jusqu'à sa mort en 1983.

D'autres sources d'information indiquent que Lansky n'était pas la seule personne à posséder des photos compromettantes de Hoover. John Weitz, ancien de l'OSS (qui devint ensuite la CIA) se souvient d'un curieux épisode au cours d'un dîner dans les années soixante. « Nous parlions de Hoover et notre hôte, James Angleton, également de l'OSS, alla chercher une photo. Elle n'était pas de très bonne qualité parce qu'elle avait été prise de loin, mais elle montrait deux hommes qui se livraient à des activités homosexuelles. Angleton nous dit qu'il s'agissait de Hoover et de Tolson. »

L'expert en électronique Gordon Novel dit qu'Angleton lui a aussi présenté des photos compromettantes d'Edgar : « Elles montraient Hoover, dit Novel, en train de faire une fellation à Clyde Tolson. Il y avait plusieurs épreuves, dont un gros plan de la tête de Hoover. Il était parfaitement reconnaissable. On ne pouvait pas voir le visage de l'autre mais Angleton me dit qu'il s'agissait de Tolson. Je lui ai demandé si c'étaient des trucages mais il me répondit qu'elles étaient réelles et qu'elles avaient été prises avec un objectif spécial. Elles me semblèrent tout à fait authentiques. »

Novel précise qu'Angleton lui a montré les photos en 1967, alors qu'il était chef des services de renseignements de la CIA et que lui-même était plongé dans les remous de l'enquête sur l'assassinat du président Kennedy que menait Jim Garrison, le procureur de La Nouvelle-Orléans. « J'avais engagé une action judiciaire contre Garrison, dit Novel, et Hoover voulait que je laisse tomber. Mais mes contacts auprès du cabinet de Johnson et à la CIA désiraient que je continue. On m'avait dit que j'encourrais la colère d'Edgar si je le faisais, mais Angleton m'a démontré que Hoover n'était pas invulnérable et que la CIA avait assez de pouvoir pour qu'il s'incline. J'ai eu l'impression que ce n'était pas la première fois que les photos étaient utilisées. Angleton me conseilla de rencontrer Hoover et de lui dire que j'avais vu les clichés. Alors j'ai été à l'hôtel Mayflower pour parler à Hoover. Il était assis avec Tolson. Quand je lui eus révélé que j'avais vu les photos pornographiques et que j'étais envoyé par Angleton, Tolson faillit s'étrangler et Hoover me dit : "Foutez-moi le camp d'ici." C'est ce que j'ai fait. »

Mais quelle était donc l'origine de ces photos ? Novel précise : « Angleton m'a dit qu'elles avaient été prises en 1946, à l'époque des rivalités avec les services d'espionnage, que Hoover convoitait mais qu'il n'obtint jamais. »

Comme nous l'avons vu dans le chapitre 11, la rivalité avec le chef de l'OSS, William Donovan, remontait à 1941. Hoover avait recherché des informations compromettantes, y compris d'ordre sexuel, contre son concurrent. En vain. Mais Donovan qui considérait Edgar comme « un salaud moraliste » lui avait rendu la pareille en déclenchant une enquête secrète sur ses relations avec Tolson. Les photographies pornographiques en étaient probablement le résultat.

Il est aussi significatif que ces clichés compromettants se soient retrouvés en même temps à l'OSS et chez Meyer Lansky. Rappelons que, pendant la Seconde Guerre mondiale, les services d'espionnage de l'OSS et ceux des renseignements de la marine s'assurèrent l'aide de la pègre qui mit à leur service voleurs et assassins pour la protection des ports américains contre les agents nazis et pour l'invasion de la Sicile. Ainsi, à la fin de la guerre, Luciano fut-il libéré de prison et extradé en Italie pour services rendus.

En tout cas, Lansky travailla en liaison avec les officiers des services de renseignements américains au cours d'une opération susceptible de fournir des informations compromettantes sur des personnalités. En 1942, il mit sous surveillance un bordel homosexuel de Brooklyn que l'on soupçonnait être la cible d'agents allemands. « Les clients, raconte Lansky, venaient du Tout-New York et de Washington et parmi eux se trouvaient des personnalités du gouvernement... Si vous les connaissiez, vous pouviez les faire chanter jusqu'au bout... prendre des photos par un trou dans le mur ou à travers un miroir sans tain et ensuite les presser comme un citron pour obtenir de l'argent ou des informations. »

Actuellement, on ne sait toujours pas si l'OSS obtint les photos de Lansky, ou vice versa, ou bien si le gangster se les était procurées de son côté. Mais si Lansky les a obtenues par ses relations avec l'OSS, l'histoire est d'une amère ironie : Hoover aurait recherché sans succès des documents compromettants sur le général Donovan, qui lui, en revanche, en aurait trouvé sur Edgar. Ils seraient ensuite remontés jusqu'à un grand patron de la pègre, pour être utilisés contre Hoover jusqu'à la fin de sa vie.

23

Le travesti du Plaza

En novembre 1957, le zèle d'un policier local confirma ce que les défenseurs de la loi savaient depuis longtemps : il existait vraiment une Mafia, une vaste organisation couvrant tout le pays et dirigée par des « parrains » connus.

Au cours d'une enquête de routine sur un chèque douteux, un sergent de la police d'Apalachin, dans l'État de New York, tomba par hasard sur une réunion extraordinaire. Soixante-six patrons de la pègre, en provenance de quinze États, étaient rassemblés dans la demeure grandiose d'un tueur sicilien, Joe Barbara, pour ce qui ne pouvait être qu'un congrès de la Mafia.

En dépit des dénégations de Hoover, les événements des mois précédents ne pouvaient qu'avoir rendu tout le monde conscient de l'existence du crime organisé. La guerre des gangs à New York faisait les manchettes de la presse : Frank Costello blessé dans le hall de l'immeuble qu'il habitait à Central Park ; Frank Scalise, l'homme de confiance d'Albert Anastasia, tué dans le Bronx ; son frère Joseph porté disparu mais dont on disait qu'il avait été abattu et découpé en morceaux ; Anastasia lui-même, garde du corps de Costello et exécuteur en chef, criblé de balles dans la boutique du coiffeur du Park Sheraton Hotel.

Le gouvernement d'Eisenhower comprit qu'il fallait agir. Mais il dut y contraindre Hoover, qui fit obstruction à la création de la Brigade d'intervention contre le crime organisé voulue par le ministre de la Justice William Rogers en réponse à la réunion d'Apalachin. L'homme qui dirigeait le secteur de Chicago, Richard Ogilvie, futur gouverneur républicain de l'Illinois, se souvient que Hoover « avait donné l'ordre que les dossiers du FBI contenant les informations dont nous avions besoin ne nous soient pas communiqués. Il a même interdit à ses agents de parler à nos hommes ».

Hoover refusa de rencontrer le patron de la brigade, Milton Wessel, objet d'une enquête du FBI qui mit peut-être même son téléphone personnel sur écoute. Lorsque la brigade arriva à la conclusion que le crime organisé à l'échelle du pays existait bel et bien, Hoover ridiculisa ses membres en disant d'eux qu'« ils regardaient trop souvent le ministre de la Justice à la télévision ».

Cependant, pour faire semblant de s'intéresser au problème, il ressortit brusquement une ancienne loi qui donnait pouvoir au FBI d'enquêter sur les racketteurs. Deux semaines après la rencontre d'Apalachin, les chefs des agences locales reçurent l'ordre de fournir chacun une liste de dix suspects du Milieu. C'était bien entendu ridicule. Car si dans une ville ils pouvaient avoir du mal à en identifier plus de deux, en revanche, à Chicago par exemple, on les comptait par douzaines. Mais en dépit de cela, les agents se mirent au travail avec énergie. Il semblait que Hoover s'intéressait enfin à la réalité.

Au cours des deux années qui suivirent, le FBI amassa des renseignements sur le crime organisé comme il ne l'avait jamais fait auparavant. Puis soudain, alors que ses agents commençaient à progresser sérieusement, Hoover laissa tranquillement les choses aller. La campagne contre les gangsters se ralentit puis s'arrêta sans motif apparent. On peut raisonnablement penser que Hoover était la victime d'un nouveau chantage de la part de l'un des alliés de Frank Costello : Lewis Solon Rosenstiel.

Agé de soixante-six ans en 1957, Rosenstiel était un gros bonhomme qui portait en permanence des lunettes noires et fumait d'épais cigares assortis à son image d'entrepreneur prospère. Lorsqu'il était jeune, il était entré dans le commerce des alcools clandestins grâce à un de ses oncles qui possédait une distillerie. En prévision de la fin de la Prohibition, il avait amassé des stocks considérables de whisky pour le jour où l'Amérique pourrait à nouveau boire légalement. Après la Seconde Guerre mondiale, sa distillerie était devenue la première des États-Unis. A la fin des années cinquante, il possédait une luxueuse maison à Manhattan, un domaine de 1 000 hectares dans le Connecticut, un château et un yacht en Floride, plus un avion privé.

Le personnage public de Rosenstiel tenait à la fois du brasseur d'affaires et du philanthrope. Au cours des années, il avait fait don de 100 millions de dollars à l'université Brandeis, à l'université Notre-Dame et à des hôpitaux de New York et de Floride. Mais secrètement il était de connivence avec les plus grands chefs de la pègre et entretenait des relations corrompues avec Edgar. Selon des informations récentes, il avait participé à d'étranges orgies sexuelles en sa compagnie, à l'époque justement où le FBI subissait des pressions pour s'attaquer enfin au crime organisé.

On n'apprit qu'en 1970 les liens très anciens entre Rosenstiel et la Mafia, lorsque la Commission législative de l'État de New York sur le crime établit qu'il avait par le passé constitué avec des membres de la pègre un véritable consortium de l'alcool clandestin. A la fin de la Prohibition, Rosenstiel avait participé à une réunion d'affaires avec Frank Costello. « Costello était là, dit un témoin, pour leur faire comprendre que Rosenstiel était un des leurs… Ainsi on avait le cerveau du juif allié aux muscles de l'Italien. »

C'est grâce au témoignage de Susan, la quatrième femme de Rosenstiel, que la commission put progresser. A cinquante-deux ans, elle sortait de dix années de batailles juridiques pour obtenir son divorce, au cours desquelles Rosenstiel avait dépensé un demi-million de dollars afin de réunir contre elle des preuves factices. Bien qu'elle fût remplie d'amertume, la commission ne mit jamais en doute ses déclarations. « Je crois qu'elle était tout à fait sincère, dit l'un de ses membres. Sa mémoire était phénoménale. Tout ce qu'elle a dit a été vérifié et revérifié, et tout s'est révélé exact. »

La plupart des témoignages de Mrs Rosenstiel se sont déroulés devant la commission sans témoins. Vingt ans plus tard, lorsqu'elle a été interviewée en France, où elle s'était retirée, elle gardait toujours vivaces les souvenirs qui avaient tant impressionné les enquêteurs de New York. D'après son récit, vivre avec Rosenstiel équivalait à être en plein cœur de l'état-major du crime organisé. A partir de sa première rencontre avec le millionnaire en 1955, elle a connu tous les patrons de la pègre. Aux fêtes d'anniversaire de Rosenstiel, des gangsters célèbres se retrouvaient pour boire en compagnie de juges et de représentants du pouvoir local. Le cardinal Spellman, également ami de Hoover, était un hôte régulier.

A partir de 1957 et de la réunion d'Apalachin, date de la bataille au sein de la pègre pour s'assurer le contrôle de New York, Rosenstiel resta en contact permanent avec Frank Costello. Il lui rendit visite durant un court séjour du gangster en prison puis l'hébergea dans son appartement. Lors d'un voyage à Cuba, sa femme fit une autre rencontre qu'elle raconta à la commission : « Nous sommes arrivés à La Havane et nous nous sommes rendus à l'hôtel National où nous avions une grande suite avec beaucoup de fleurs. J'ai regardé une carte sur laquelle était écrit : "Bienvenue à La Havane, Commandant suprême. Meyer et Jake." Alors j'ai demandé à mon mari qui ils étaient et il m'a répondu : "Il s'agit de Meyer et Jake Lansky, de très bons amis à moi." »

Ce soir-là, les Rosenstiel soupèrent avec Lansky qui paya toutes leurs notes à La Havane et leur ouvrit un crédit illimité pour jouer. De son côté, le millionnaire lui rendait la pareille quand il venait à New York ou en Floride. Un jour, un de ces grands dîners tourna à la véritable épreuve pour Lansky, comme le raconte Susan Rosenstiel : « Mes deux maîtres d'hôtel nous servaient du mouton-rothschild. Mais je leur avais demandé de cacher les bouteilles avec une serviette pour que mon mari ne voie pas que ce n'était pas son vin. Le dîner était merveilleux dans mon service de table en or qui avait appartenu à la reine Marie de Roumanie. A la fin du repas, les maîtres d'hôtel apportèrent les rince-doigts remplis de fleurs. Meyer Lansky a dû penser que c'était un autre dessert et il s'est cogné les dents contre le bol en voulant boire. Puis nous sommes montés au salon et Lansky a demandé : "Est-ce que je pourrais avoir un café convenable ?" Il n'avait eu qu'une petite tasse. Mon mari, qui se considérait bon pianiste, leur demanda : "Qu'est-ce que vous voulez que je vous joue ?" Ils lui ont répondu : "Ce que tu veux." Quand mon mari a eu fini, il a dit à Lansky : "Meyer, qu'est-ce que tu crois que j'ai joué ?" Je pense que Lansky n'avait entendu dans sa vie qu'un seul nom de musicien et il a répondu : "Beethoven." Alors Rosenstiel a ri et a dit : "Imbécile, c'est une de mes compositions !" »

Susan Rosenstiel était parfaitement au courant que son mari avait des relations d'affaires avec Lansky : « Il menait toujours des transactions sous le manteau, jamais par l'intermédiaire des banques. Uniquement de la main à la main en espèces. Un jour, ils ont apporté une somme importante à mon mari dans un casino de Las Vegas. Il y avait des liasses de milliers et de milliers de dollars. »

Mais Rosenstiel était également proche de Hoover, comme le confirme le patron d'un restaurant : « Ils venaient tous les deux souvent chez moi, lorsqu'ils étaient à Miami. » Il est même arrivé qu'Edgar prenne avec lui l'avion privé du millionnaire.

Des dossiers du FBI récemment divulgués montrent que Hoover connaissait Rosenstiel et le fit bénéficier de l'aide du Bureau dès 1933. En 1939, Meyer Lansky se servit de Rosenstiel comme intermédiaire pour organiser la reddition du gangster Buchalter.

Dans les années cinquante, Rosenstiel était entouré de personnalités appartenant à l'univers de Hoover. Le plus proche était Roy Cohn, un avocat haut placé à New York. Ses services étaient à la disposition de Rosenstiel. Il devait être radié du barreau beaucoup plus tard, pour avoir « aidé » Rosenstiel à signer un document qui faisait de lui son exécuteur testamentaire, alors que le millionnaire était sénile et au stade terminal du coma. Rosenstiel faisait confiance à Cohn comme à un fils, et Cohn se soumettait à toutes ses excentricités. Un jour, on les vit tous les deux sur un yacht qui croisait devant l'académie militaire de West Point en diffusant très fort par haut-parleur un enregistrement du discours d'adieu du général MacArthur. Les membres de la clique de Rosenstiel aimaient à parler entre eux comme des soldats d'une armée secrète. Cohn, ainsi que Lansky, appelait Rosenstiel « Commandant suprême » et était lui-même dénommé « Commandant supérieur » tandis qu'un autre était « Sergent-Major ».

Rosenstiel cultivait assidûment Hoover. Il acheta 25 000 exemplaires de son livre *Masters of Deceit* pour les distribuer dans les écoles à travers tout le pays. Au cours des années soixante, il contribua pour plus d'un million de dollars à la Fondation J.-Edgar-Hoover dont le but était de « sauvegarder l'héritage et la liberté des États-Unis d'Amérique... perpétuer les idéaux auxquels l'honorable J. Edgar Hoover a consacré sa vie... et combattre le communisme ». La fondation existe toujours sous l'égide de Cartha DeLoach. Elle accorde des subventions à ceux qui veulent faire carrière dans la police, à la clinique de Californie où Edgar se faisait faire ses examens médicaux, et à la Fondation de la Liberté, une organisation d'extrême droite qui a pour but « de préserver et d'améliorer le régime particulier de la liberté américaine ».

Les relations entre Hoover et Rosenstiel n'avaient rien d'innocent. « Je me suis rendu compte, dit Susan, à quel point Hoover aimait les courses et était un joueur invétéré. Mon mari était l'ami de plusieurs bookmakers de Lansky et il les convoquait à Eden Rok pour donner des tuyaux à Hoover qui n'avait même pas besoin de payer. S'il gagnait, il empochait l'argent que mon mari lui faisait parvenir par l'intermédiaire de Cohn. S'il ne gagnait pas, il ne déboursait rien. » Rosenstiel rentrait dans ses frais, ajoute Susan, en se servant de Hoover pour faire libérer ses associés en prison, pour « intervenir auprès des juges » quand Rosenstiel avait un procès, même pour « glisser un mot » auprès du fisc.

Susan Rosenstiel rencontra pour la première fois Hoover à l'automne de 1957, chez elle : « Cela faisait un peu style barbouze. Personne ne devait savoir qu'il venait. Il arriva seul, sans Clyde Tolson. Je me souviens avoir pensé qu'il n'avait pas du tout l'air du patron du FBI. Il était plutôt petit et semblait distant et arrogant. On voyait tout de suite qu'il avait une haute opinion de lui-même ; tout le monde jouait le jeu et était d'accord avec tout ce qu'il disait. Ils ont parlé de Lou Nichols qui allait quitter le FBI et travailler pour mon mari. »

En effet, peu de temps après, Nichols, qui avait été vingt-trois ans l'assistant de Hoover, allait exercer la même fonction auprès de Lewis Rosenstiel.

Peu après, toujours selon Susan Rosenstiel, Edgar fut impliqué dans une histoire qui reste un exemple flagrant de corruption au sein du Congrès : l'adoption en 1958 d'une loi incompréhensible pour le grand public mais vitale pour les intérêts de Rosenstiel. En effet, sa fabrique d'alcool connaissait de sérieux ennuis par suite d'un mauvais calcul fait huit ans plus tôt. Au début de la guerre de Corée, le millionnaire avait supputé que le conflit durerait longtemps, entraînant une pénurie des ingrédients nécessaires à la fabrication du whisky. Dans cette hypothèse, ses usines avaient produit et stocké des millions et des millions de bouteilles en surplus. Quand arriverait la crise, pensait Rosenstiel, les prix augmenteraient et il ferait des bénéfices considérables.

Mais il en fut tout autrement. La guerre se termina en 1953 sans qu'il y eût la moindre crise et Rosenstiel n'avait pas de marché pour écouler ce trésor. Or en 1958 l'alcool allait être taxé par le gouvernement de 10,50 dollars le gallon. Pour échapper à la catastrophe, la seule solution était de faire modifier la loi par le Congrès.

C'est à cette époque que Nichols, l'homme de Hoover dans les couloirs du Congrès, vint travailler pour Rosenstiel. Il commença immédiatement à bombarder les hommes politiques d'appels téléphoniques et de demandes de rendez-vous. Avec succès. Le Congrès vota une nouvelle loi qui exonérait les producteurs d'alcool de la taxe sur les stocks pendant douze années supplémentaires, ce qui leur donnait le temps d'écouler leur marchandise. Pour Rosenstiel, cela signifiait la prospérité autant que le salut. Sa société y gagna de 40 à 50 millions de dollars et la valeur de ses réserves gonfla de 33 millions de dollars en une seule journée.

Quelques mois avant que ne soit adoptée la loi, Susan Rosenstiel assista à une réunion entre son mari, Hoover, Nichols et Cohn. « Hoover, se souvient-elle, leur a dit que la loi passerait. Il a précisé que cela coûterait très cher mais que cela en valait la peine. Nichols était le commis voyageur. C'était lui qui remettait l'argent aux hommes politiques et l'avion de mon mari servait de navette pour le transporter à Washington. »

Selon Susan Rosenstiel, des hommes politiques importants ont touché. Lyndon Johnson, alors chef de la majorité au Sénat, aurait reçu un demi-million de dollars. Elle était présente lorsque Rosenstiel remit en personne une grosse somme d'argent au président de la commission juridique de la Chambre des représentants. Et elle affirme que Hoover était au courant et approuvait entièrement cette opération de corruption. En tout cas, les archives du FBI rendues publiques en 1991 établissent que Rosenstiel rendit deux fois visite à Hoover dans son bureau en 1958, au moment où le débat sur la nouvelle loi était parvenu à une étape critique.

Les révélations les plus sensationnelles de Susan Rosenstiel impliquent que son mari et Roy Cohn ont fait participer Hoover à des séances de débauche, ce qui le rendait d'autant plus vulnérable aux pressions de la pègre.

Le précédent mariage de Susan avait été un échec parce que son mari était homosexuel. Elle reconnaissait qu'elle avait refait la même erreur. Rosenstiel s'intéressait peu à elle et préférait les hommes. « Un jour, se souvient Susan, je suis entrée dans la chambre à coucher de mon mari et l'ai trouvé au lit avec Roy Cohn. Il était 9 heures du matin. J'ai été choquée, simplement choquée... »

Roy Cohn, lui, affichait son homosexualité. Un jour, il caressa ostensiblement un jeune homme devant Susan. Il semblait prendre plaisir à lui parler des penchants des amis de son mari, et en particulier du cardinal Spellman. Au printemps de 1958, Rosenstiel demanda à sa femme si, lorsqu'elle vivait à Paris avec son premier mari, elle avait assisté à une partouze. « Quelques semaines plus tard, alors que Cohn était là il lui dit que j'étais une "affranchie" et connaissais bien la vie, que mon premier mari était homo et que je devais l'avoir admis puisque j'étais restée avec lui neuf ans. Alors ils m'ont demandé si j'aimerais venir m'amuser. Je leur ai répondu : "Si vous y allez, j'irai aussi." Et Cohn m'a dit : "Vous allez avoir une grosse surprise !" » Quelques jours plus tard, Rosenstiel emmena sa femme à l'hôtel Plaza devant Central Park. Ils entrèrent par une porte latérale et prirent un ascenseur jusqu'à une suite du deuxième ou troisième étage. Susan eut l'impression que son mari était déjà venu. « Il frappa, dit-elle, et Cohn vint ouvrir la porte. C'était un superbe appartement qui baignait dans une lumière bleue. A ma grande surprise, Hoover était là. »

Selon Susan Rosenstiel, Hoover était travesti en femme : « Il portait une robe noire très bouffante avec des volants, des bas en dentelle et des talons hauts. Il était maquillé avec des faux cils. Sa robe était très courte et il était assis, les jambes croisées. Roy me le présenta sous le nom de "Mary" ; il répondit : "Bonsoir" d'un ton bourru comme la première fois que je l'avais rencontré. C'était vraiment Hoover. Je ne pouvais pas y croire : le chef du FBI habillé en femme ! Il y avait un bar et nous avons bu. Pas trop ! Je crois que c'est à ce moment-là que Roy m'a murmuré que Hoover ignorait que je savais qui il était. Il est vrai que je ne me suis pas adressée à lui comme je le faisais les autres fois. J'avais trop peur pour ma vie. Puis deux garçons sont entrés, deux jeunes blonds de dix-huit ou dix-neuf ans. Alors Roy a donné le signal d'aller dans la chambre à coucher. C'était une pièce monumentale avec un lit comme au temps de César recouvert de soie bleue. Ils sont entrés dans la chambre et Hoover a ôté sa robe sous laquelle il avait un petit porte-jarretelles. Il s'est allongé sur le lit et les deux garçons l'ont masturbé ; l'un d'eux portait des gants en caoutchouc. Puis ce fut le tour de Rosenstiel de s'amuser avec les garçons et j'ai pensé : "Espèce de vieux cochon !" Cohn lui a succédé, mais cette fois-ci il a fait le jeu complet. Il n'en avait jamais assez. Pauvres gosses ! Hoover, lui, s'était contenté de fellation sans qu'il y ait eu sodomie. »

Puis les Rosenstiel rentrèrent chez eux en voiture, laissant Cohn et Edgar avec les deux garçons. Plus tard, Cohn s'est bien amusé de l'histoire avec Susan : « Il m'a dit : "C'était quelque chose, hein ? Avec Mary Hoover !" Il m'a expliqué qu'il arrivait le premier au Plaza avec les vêtements dans une valise et que Hoover entrait par la 58ᵉ Rue pour ne pas avoir à traverser le hall. Je pense qu'il faisait attention de ne pas être suivi. »

Un an plus tard, selon Susan, Rosenstiel lui demanda de l'accompagner à nouveau au Plaza. Elle accepta à condition qu'il lui offre une couteuse paire de boucles d'oreilles. Cela se passa de la même façon que la fois précédente et Hoover était vêtu encore plus bizarrement : « Il portait une robe rouge avec un grand boa noir autour du cou. Il était habillé comme ces gamines que l'on voit sur les vieilles photos. Au bout d'une demi-heure, des garçons sont venus mais cette fois-ci ils étaient habillés en cuir. Hoover avait une bible et il a voulu qu'un des garçons en lise un passage, je ne sais plus lequel, tandis que l'autre le masturbait avec des gants en caoutchouc. Puis Hoover s'est saisi de la bible, l'a jetée par terre et à dit à l'autre garçon de s'y mettre aussi. »

Les Rosenstiel se querellèrent ce soir-là en rentrant chez eux. Lewis repoussa les questions de sa femme et désormais ne lui demanda plus de se rendre dans la suite du Plaza. Elle ne revit Edgar qu'une seule fois, en 1961, lorsqu'il accompagna le cardinal Spellman dans le Connecticut.

Susan Rosenstiel a toujours soutenu qu'elle n'avait pas pu se tromper et que Hoover était bien le travesti du Plaza. Elle a même signé à ce sujet une déclaration sous serment. Elle croit qu'elle a été invitée à assister aux ébats d'Edgar et des autres « parce qu'ils voulaient qu'une femme soit présente. Je pense que cela devait les exciter. Et de toute façon, si j'avais dit quelque chose, ils auraient prétendu que j'étais folle. Ç'aurait été ma parole contre la leur et personne ne m'aurait crue ».

Il n'est pas étonnant que Clyde Tolson n'ait pas été au Plaza. Trente ans s'étaient écoulés depuis le début de son idylle avec Edgar et il n'était plus le beau jeune homme attirant de 1928. Il avait cinquante-huit ans et, à la différence de son amant, sa santé déclinait rapidement. Au cours des années cinquante, il fut hospitalisé à plusieurs reprises et subit une opération à cœur ouvert, suivie de plusieurs attaques. Edgar et Clyde restèrent toujours amis intimes. Au travail, chacun pouvait compter entièrement sur l'autre et c'était probablement le véritable lien entre eux. Mais l'amour physique s'était éteint.

Un autre récit témoigne du penchant d'Edgar à s'habiller en femme. Il a trait à un épisode qui eut lieu à Washington en 1948, dix ans avant les orgies du Plaza, et émane de deux hommes, professionnellement reconnus, tous deux hétérosexuels, qui ont demandé à garder l'anonymat. Ils racontent que cette année-là ils ont fréquenté pendant plusieurs mois un bar appelé le Maystat qui était surtout, mais pas exclusivement, un lieu de rencontre pour homosexuels. Au Maystat, ils s'étaient liés d'amitié avec Joe Bobak, un sergent de l'intendance de Fort Myers âgé de cinquante ans. Un des témoins se souvient : « Bobak était incontestablement homo, un peu "cuir". Il connaissait des officiers supérieurs au Pentagone et même des sénateurs et des représentants qui l'étaient également. C'était un groupe très étrange pour nous, et qui nous fascinait. »

Un soir de 1948, ils étaient assis tous deux dans une voiture près du Maystat avec un des compagnons réguliers de Bobak, un jeune homme d'une vingtaine d'années. Avec un air de conspirateur, ce dernier sortit cinq ou six clichés. « La photo qu'il nous montra en premier, se rappelle un des témoins, était celle d'un homme déguisé en femme, avec tout le tralala, perruque, robe du soir, etc. Il était facile de reconnaître qu'il s'agissait de J. Edgar Hoover. Il était allongé sur un lit dans une robe du soir. Je crois me souvenir que la perruque était claire, ou blonde. Mais le visage était parfaitement reconnaissable. Hoover ressemblait à une horrible bonne femme. Il ne se passait rien de sexuel, en tout cas dans les photos que nous avons vues. Il n'y avait personne d'autre sur cette première photo. Comme s'il était juste étendu là. Je crois qu'il y avait également une table de nuit sur le cliché. Au début, nous avons pensé qu'une tête de Hoover avait peut-être été collée sur quelqu'un d'autre, une sorte de montage, une blague. Mais les quatre ou cinq autres photos ont montré qu'il n'y avait pas trucage ; elles avaient été prises sous des angles différents, avec d'autres personnes, et Hoover figurait sur toutes. Les clichés étaient ceux d'une soirée.

« La façon dont on nous a montré ces photos était tout à fait banale. Nos interlocuteurs savaient, ou se comportaient comme s'ils savaient, qu'il était homo. Par l'intermédiaire du sergent Bobak nous avons rencontré deux autres types qui nous ont confirmé avoir participé à des soirées homos où se trouvait Hoover. Bobak nous a dit être allé chez

Hoover. Le garçon qui l'accompagnait était tombé d'une manière ou d'une autre sur ces photos et les avait chipées.

« Nous étions jeunes à l'époque et il ne nous est pas venu à l'esprit qu'un quelconque homo avait l'intention d'utiliser ces photos pour faire du chantage. C'était plutôt un objet de curiosité pour rigoler entre eux. Cela peut sembler étrange maintenant, mais à notre âge – nous n'avions guère plus de vingt ans – je ne pense pas que nous ayons compris ce que cela pourrait impliquer de marquer d'un tel sceau un haut personnage public. Cela nous semblait simplement drôle, risible. Nous nous sommes contentés de regarder les photos, puis nous les avons rendues et on en a parlé une ou deux fois après. C'est tout. Nous n'avons pas tardé ensuite à nous éloigner de ce petit groupe. »

Il n'est pas question d'établir de rapport entre ces deux témoins et Susan Rosenstiel. En outre, ceux qui ont vu les photos ne savaient rien des relations d'Edgar avec Rosenstiel. Il semble vraisemblable qu'ils ont vu ces clichés et qu'ils ont reconnu que le personnage grotesque en tenue de femme était bien Edgar.

Prendre des risques en matière sexuelle était une véritable folie pour Hoover, surtout en compagnie d'un homme comme Rosenstiel dont la demeure de Manhattan était complètement truffée de micros cachés, afin qu'il puisse espionner tout le monde. Celui qui avait été chargé de l'installation dit qu'elle était conçue pour enregistrer des conversations pendant des heures. C'était le cas en particulier de la bibliothèque, où Hoover avait l'habitude de s'entretenir avec Rosenstiel et ses amis. Il est tout à fait possible que le millionnaire ait enregistré les séances du Plaza et photographié Edgar en travesti.

Le gangster Meyer Lansky, qui se vantait d'avoir Edgar « dans sa poche », était l'associé le plus proche de Rosenstiel. Susan témoigne que son mari disait : « Grâce à Lansky et aux autres, nous pourrons toujours obtenir que Hoover nous aide. » Le blanc-seing du gangster était, suivant ses associés, les preuves photographiques de l'homosexualité d'Edgar, prises en 1948. Dix ans plus tard, à une époque difficile pour la pègre, les séances du Plaza peuvent très bien avoir renouvelé cette assurance.

En juillet 1958, peu de temps après le premier épisode du Plaza – et pour montrer qu'il réagissait à l'effervescence soulevée par le grand rassemblement des mafiosi à Apalachin –, Hoover demanda à son service de renseignements de lui rédiger une étude sur le crime organisé. Bien que ce volumineux rapport en deux volumes soit resté secret, la note de synthèse établit que :

Le service central de recherche a soumis au directeur une étude sur la Mafia. Ce dossier comprend les points suivants : la Mafia existe bien aux États-Unis. Elle existe en tant que clan criminel ou caste engagée dans des activités de crime organisé. La Mafia est composée essentiellement d'individus d'origine sicilienne/italienne et de leurs descendants...

Évidemment, tout cela était contraire aux affirmations de Hoover et sa réponse fut de mauvaise foi. En privé, il semblait reconnaître à contrecœur l'existence de la Mafia. Mais il explosa de colère lorsqu'il apprit que le rapport avait été envoyé à d'autres personnalités judiciaires, en particulier au ministre de la Justice William Rogers.

Hoover donna l'ordre de récupérer tous les exemplaires quelques heures après qu'ils aient été distribués. Personne hors du Bureau ne put lire le rapport dont Edgar disait que c'était « de la foutaise ».

Cependant, en 1959, Hoover prononça en public plusieurs discours dans lesquels il disait espérer « maintenir une telle pression sur les voyous et les gangsters qu'ils ne seraient plus en sécurité nulle part ». En septembre, à Chicago, une écoute téléphonique du FBI décrocha le gros lot. On y entendait Sam Giancana faire constamment référence à la « commission », la coterie qui était à la tête du crime organisé sur l'ensemble du territoire, allant même jusqu'à lâcher, un à un, les noms de ses membres.

Les agents du FBI considérèrent cela comme une information sensationnelle, mais cela n'incita pas Edgar à changer de position. Trois ans plus tard, il continuait à soutenir qu'« aucun individu ou groupe de gangsters ne dominait le crime organisé dans le pays ».

Fin 1959, les agents du nouveau Top Hoodlum Program commencèrent à se rendre compte que quelque chose ne tournait pas rond. L'agent William Turner, en visite d'inspection à l'agence de Los Angeles, conclut que le programme de lutte anti-Mafia était « complètement tombé à l'eau ». A Chicago, l'équipe spécialisée fut réduite de dix à cinq agents. Bill Roemer, de Chicago, se souvient : « Mr Hoover semblait avoir perdu tout intérêt à cette question. Le crime organisé n'était plus sa priorité. »

A New York, l'agent Anthony Villano apprit de son supérieur que les récentes opérations contre la Mafia n'étaient probablement qu'« une opération temporaire destinée à faire taire les critiques et qu'elle serait abandonnée lorsque la température aurait baissé ». Alors que, cette année-là, à New York, quatre cents agents s'occupaient des communistes, quatre seulement étaient affectés au crime organisé.

L'attaque d'Edgar contre la pègre annoncée à grand bruit n'avait été qu'une drôle de guerre. Deux ans plus tard, elle allait devenir sérieuse lorsque les gangsters (et Edgar) rencontreraient enfin une réelle opposition en la personne du ministre de la Justice Robert Kennedy.

24

Les Kennedy au pouvoir

En octobre 1955, le président Eisenhower venait juste de surmonter une grave attaque cardiaque et beaucoup se demandaient s'il serait en mesure de se représenter en 1956. Le candidat démocrate serait-il Adlai Stevenson ? Et, dans ce cas, John Kennedy, âgé de trente-huit ans, pourrait-il être le vice-président ?

La machine politique des Kennedy se mettait en marche, sous l'impulsion de Joseph, le patriarche, âgé de soixante-sept ans. Celui-ci envisageait néanmoins une autre possibilité : l'Amérique pourrait élire J. Edgar Hoover. Il lui écrivit de la maison familiale des Kennedy, à Hyannis Port :

> Cher Edgar,
> Je pense que je suis devenu un peu trop cynique en vieillissant, mais les deux seuls hommes politiques actuels auxquels j'accorderais crédit s'appellent tous les deux Hoover, prénommés l'un John Edgar et l'autre Herbert. Je suis fier de penser que tous deux ont une certaine estime pour moi… J'ai entendu Walter Winchell mentionner votre nom comme celui d'un éventuel candidat à la présidence. Si cela devait arriver, ce serait la chose la plus merveilleuse pour les États-Unis. Et que vous vous présentiez sous l'étiquette républicaine ou démocrate, je vous garantis la plus large contribution que vous pouvez attendre de quiconque et l'action la plus efficace de la part d'un démocrate ou d'un républicain. Les États-Unis méritent de vous avoir, et je ne peux qu'espérer que ce sera le cas.
> Avec mes meilleurs sentiments,
> Joe.

La suggestion d'une candidature Hoover à la Maison-Blanche n'était qu'un geste flatteur de ses vieux amis du Congrès. Edgar fit néanmoins encadrer la lettre qu'il garda accrochée dans son bureau.

Le dossier du FBI sur Joseph Kennedy donne l'impression d'un homme recherchant des assurances politiques. Il était le symbole d'un pouvoir considérable mais d'une histoire douteuse. Ses biographes sont d'accord pour affirmer que, comme dans le cas de Lewis Rosenstiel, l'essentiel de la fortune des Kennedy provenait de l'alcool clandestin de la Prohibition en liaison avec le crime organisé. Frank Costello aimait à dire qu'il avait « aidé Joe Kennedy à devenir riche ».

Ses années passées comme ambassadeur à Londres au début de la Seconde Guerre mondiale avaient définitivement mis fin à son avenir politique. Il pensait que les Allemands devaient avoir le leadership en Europe, que Hitler bluffait et que l'Amérique ne devait pas entrer en guerre. Il s'était déclaré prêt à joyeusement « bazarder la Pologne » et affirmait que les juifs influents d'Amérique menaçaient la paix du monde. Apprenant qu'en outre son ambassadeur intriguait contre lui, Roosevelt le rappela, le persuada de lui conserver son soutien pour l'élection de 1940, puis s'en débarrassa. Roosevelt considérait que Joe Kennedy était un « fripon », « un des individus les plus répugnants et les plus vils qu['il eût] connus ». Harry Truman disait de lui qu'il était « le plus grand escroc qu'on n'eût jamais eu dans le pays ».

Les relations entre Kennedy et Hoover remontaient aux années vingt alors que Joe s'était lancé dans le financement de films à Hollywood. Il avait présenté Edgar à plusieurs vedettes de cinéma, des créatures aux côtés desquelles il était flatté d'être vu et qui contredisaient les rumeurs sur son homosexualité. Plus tard, Edgar et Clyde furent de temps en temps invités pendant l'hiver chez les Kennedy, en Floride. Lorsqu'il fut question de créer la Fondation J.-Edgar-Hoover, Kennedy promit d'y contribuer largement. Il offrit un jour à Edgar un salaire princier pour devenir « chef de la sécurité » du clan.

De son côté, Joe Kennedy était depuis 1943 un contact spécial pour le FBI, prêt à user de son influence dans l'industrie ou les milieux diplomatiques « en faveur de tout avantage que souhaiterait le Bureau ». Des années plus tard, sachant à quel point Hoover jalousait la CIA, il lui communiqua tout ce qu'il avait appris comme membre du conseil d'Eisenhower sur l'espionnage.

A partir de 1951, le FBI établit une agence, avec quatre employés, à Hyannis Port. Comme on ne pouvait pas trouver d'autre justification, les observateurs malveillants en déduisirent qu'elle était destinée « uniquement à tranquilliser et à servir les Kennedy ». Les agents du Bureau flattaient « Monsieur l'ambassadeur » en étendant leur courtoisie à tous les membres de la famille... et tenaient informé Hoover de tous leurs faits et gestes.

Vers la fin des années cinquante, l'avenir de la carrière de Hoover semblait assurée. Il était couvert d'honneurs, auxquels le président Eisenhower avait ajouté la médaille présidentielle pour services exceptionnels. Les autorités de l'Indiana avaient décrété une journée annuelle

J.-Edgar-Hoover en 1959, et l'Illinois se préparait à en faire autant. Mais surtout Hoover se tenait aussi près que possible du pouvoir suprême et de l'homme dont il espérait qu'il serait le prochain président : son protégé de l'époque McCarthy, le vice-président Richard Nixon. En fait, c'était Nixon qui voulait être vu avec lui. Ils allaient aux courses ensemble et, lorsque Edgar fêta sa trente-cinquième année à la tête du FBI, Nixon vint à son bureau pour lui rendre hommage. Nixon était sans aucun doute le candidat favori des républicains, mais le parti traversait sa plus mauvaise passe depuis vingt ans. Hoover, comme bien d'autres, protégeait sa mise. Il ordonna à ses agents de fournir à Nixon du matériel pour ses discours, tout en gardant un œil sur les démocrates.

Le parti démocrate jonglait entre quatre candidats : John, le fils de Joseph Kennedy, alors âgé de quarante-deux ans et sénateur du Massachusetts, Adlai Stevenson, le sénateur Hubert Humphrey et Lyndon Johnson. En dépit de toutes les amabilités de son père, John Kennedy n'était pas le candidat préféré d'Edgar. Si la Maison-Blanche devait revenir à un démocrate, ses faveurs allaient à Johnson.

Lyndon Johnson, un des plus adroits manipulateurs d'hommes de Washington, comprit très vite l'importance de l'amitié de Hoover, ou, mieux encore, de l'assurance qu'il ne deviendrait pas un ennemi. Son placard politique était rempli de cadavres : combines financières, femmes et surtout trucage des élections en 1948, lorsqu'il était devenu sénateur avec une majorité de seulement 87 voix. A la suite du tollé qu'avait provoqué cette élection, Hoover se rendit en personne à Austin, la capitale du Texas, pour s'entretenir en privé avec Clint Murchison et Sid Richardson, qui avaient tous deux soutenu Johnson. L'enquête du FBI sur la fraude électorale fut conduite, selon les observateurs, « avec un manque notoire d'empressement », pour finalement « être close sans laisser de traces ».

En privé, Johnson qualifiait Hoover de « salaud de pédé ». Ce qui ne l'empêchait pas de lui lécher les bottes dans une succession de lettres de félicitations, comme celle-ci : « J'estime que vous et tous vos hommes sont les meilleurs. Je le vois dans toutes les circonstances et je suis fier alors d'être au service de mon pays. » Au cours des dernières semaines du gouvernement d'Eisenhower, Clyde Tolson intrigua comme un forcené pour obtenir le vote d'une loi spéciale qui permettrait à Edgar, quand il prendrait sa retraite, de continuer à toucher intégralement son salaire. La loi fut adoptée, surtout grâce à la pression exercée par le chef de la majorité au Sénat, Lyndon Johnson. Hoover lui rendit la pareille. Il allait au bureau du Sénat de Johnson pour donner des conseils. Il prit même l'avion pour le Texas en novembre

1959 afin de prononcer des discours chantant les louanges de Johnson. Au mépris de toutes convenances, le directeur du FBI faisait campagne pour un candidat à la présidence.

Clint Murchison, qui avait joué un grand rôle pour amener Eisenhower au pouvoir, avait différents chevaux politiques en course. Le plus gros de l'argent allait à Nixon comme cela avait été le cas dans le passé et le serait dans l'avenir. Pour se couvrir, il envoya également un de ses assistants porter 25 000 dollars en espèces aux Kennedy. Mais en fait, Murchison, l'ami d'Edgar, appuyait Johnson, un candidat dont il était sûr qu'il protégerait les intérêts des grosses compagnies pétrolières.

En 1960, alors que la campagne électorale battait son plein, Hoover commença à se préoccuper de la force... et de la faiblesse de ce jeune homme qui n'avait pas jusque-là figuré au programme : John Kennedy.

« Lorsque John Kennedy se révéla un candidat sérieux pour la présidence, se souvient Cartha DeLoach, Mr Hoover me fit demander par Clyde Tolson d'étudier sérieusement son dossier. On connaissait l'appétit sexuel de Kennedy et le fait qu'il pourrait coucher avec n'importe quoi portant une jupe. Mr Hoover prétendait que Joe Kennedy lui avait dit qu'il "aurait dû châtrer John quand il était petit garçon". »

Le dossier du FBI sur John Kennedy avait été ouvert au début de la Seconde Guerre mondiale d'après des rapports britanniques sur la vie publique de ce jeune homme de vingt ans lorsqu'il allait rendre visite à son père, ambassadeur à Londres. Puis, en 1940, Edgar commença à recevoir des informations concernant une superbe créature de vingt-huit ans qui vivait à Washington.

Inga Arvad était une journaliste d'origine danoise, très introduite dans les milieux mondains. Mais elle avait également des relations avec l'Allemagne nazie : elle avait interviewé Hermann Goering et Adolf Hitler, et un rapport disait même qu'elle avait couché avec le Führer. En tout cas, elle le décrivait comme « un homme très bon et très charmant... pas mauvais comme on le dépeint... un idéaliste ». Au début, Inga Arvad ne déclencha aucune alarme au FBI. D'ailleurs, en tant que reporter du *Washington Times Herald* elle se retrouvait souvent dans des réceptions en compagnie de personnalités importantes. Elle écrivait des choses flatteuses sur la secrétaire d'Edgar, Helen Gandy, « son intelligence masculine et son intuition féminine », ainsi que sur Clyde, « ses yeux intelligents et un sourire de petit garçon attendant un bonbon ». Clyde alla même jusqu'à la présenter un jour à Edgar.

Mais, vers la fin de 1941, l'ambiance changea. Hoover avait ordonné une enquête qui révéla qu'« un jeune enseigne de vaisseau connu comme Jack… avait passé la nuit avec Miss Arvad dans son appartement ». John Kennedy, qui servait alors dans les services de renseignements de la marine, avait été présenté à Inga par sa sœur Kathleen. En janvier 1942, les rapports du FBI confirmèrent qu'ils vivaient une aventure passionnée. Ils parlaient même de mariage, auquel le père était violemment opposé.

Pour séparer les amoureux, la marine muta Kennedy hors de Washington, ce qui ne fit qu'augmenter leur ardeur. Les agents d'Edgar avaient caché des microphones dans les chambres où le couple faisait l'amour. Les écoutes furent interrompues pendant un certain temps quand Inga commença à avoir des soupçons, puis elles reprirent durant l'été de 1942. Mais à cette époque Joseph Kennedy s'était arrangé pour que son fils soit transféré dans le Pacifique, où son héroïsme devait lui apporter la gloire[1].

Comme beaucoup d'autres romances du temps de guerre, l'intrigue avec Inga Arvad ne dura que quelques mois. La surveillance du FBI était justifiée par la nécessité de contrôler un risque éventuel pour la sécurité nationale, et les deux amoureux n'avaient rien fait de déloyal. Cela constitua néanmoins le début d'une longue rancœur entre Kennedy et Hoover. En mars 1942, lorsqu'elle se rendit compte qu'elle était sous surveillance, Miss Arvad décida de protester directement auprès d'Edgar. Ronald McCoy, le fils qu'elle eut d'un mariage ultérieur, raconte la scène telle qu'il l'apprit de sa mère : « Jack [c'est-à-dire John] était furieux. Il alla voir J. Edgar Hoover avec maman. Hoover leur dit que l'enquête avait conclu qu'elle n'était *pas* un espion nazi et qu'elle n'avait rien fait pour ces gens-là. Alors Jack demanda à Hoover de lui donner une lettre confirmant qu'elle n'était pas un espion. Hoover répondit qu'il ne le pouvait pas, parce que, s'il le faisait et qu'ensuite elle travaillait pour eux, ce serait sur lui que cela retomberait. »

Kennedy avait senti le danger. Si sa liaison avec une femme suspectée d'être une espionne nazie était révélée, ce serait un désastre. En 1946, au début de sa carrière politique, il commença à se préoccuper de son dossier. « Lorsque Jack arriva au Congrès, raconte son ami Langdon Marvin, il était préoccupé par l'enregistrement sur lequel il

---

1. John Kennedy commandait dans le Pacifique la vedette lance-torpilles PT 109. En août 1944, son bâtiment fut coupé en deux par un destroyer japonais. Dans la mer en flammes des îles Salomon, les hommes d'équipage nagèrent jusqu'à la rive et Kennedy ramena un de ses marins en le tirant par son gilet de sauvetage. Joseph veilla à ce que toute la presse fasse largement état de ce fait d'armes héroïque. [*N.d.A.*]

figurait avec Inga. Il voulait obtenir la bande du FBI. Je lui ai conseillé de ne pas la demander... Dix ans plus tard, lorsqu'il battit Henry Cabot Lodge aux élections sénatoriales du Massachusetts, Jack s'alarma de nouveau. "Cette espèce d'ordure de Hoover, me dit-il, je vais l'obliger à me donner le dossier." Je lui ai répondu : "Jack, ne fais pas une chose pareille. Tu peux être sûr qu'une douzaine de copies en seront faites avant qu'il ne le rende, alors tu n'auras rien gagné. Et s'il apprend l'importance que tu y attaches, il comprendra qu'il te tient à la gorge. »

Kennedy laissa peut-être deviner sa peur. Juste après son élection au Sénat, il demanda de pouvoir « serrer la main » de Hoover. Jusqu'en 1960 il fit des efforts pour flatter celui qu'en privé il appelait un « salaud ». A son mariage, il trouva le temps d'assurer aux agents du FBI de Hyannis Port qu'il serait toujours prêt à « soutenir Mr Hoover ». Quelques semaines plus tard, il renchérit dans la flatterie en disant que le FBI était la seule agence « digne de loyalisme ».

Hoover écrivit des réponses polies, classa les lettres et continua à amasser du matériel à scandales. Il apprit qu'une nuit de 1958 un couple, Leonard et Florence Kater, avait été réveillé par un bruit de cailloux jetés sur des fenêtres de l'étage supérieur qu'occupait leur locataire, Pamela Turnure, âgée de vingt ans et secrétaire au bureau de Kennedy au Sénat. L'homme qu'elle fit entrer chez elle cette nuit-là était Kennedy lui-même, qui devait devenir un visiteur nocturne régulier. Le couple Kater, de stricte obédience catholique, devint tellement obsédé par ce galant nocturne qu'ils enregistrèrent sur magnétophone le bruit du couple faisant l'amour et qu'ils prirent une photo de Kennedy se glissant dehors au milieu de la nuit.

Hoover apprit la liaison de Kennedy avec Pamela Turnure grâce aux Kater : au printemps de 1959, alors que la campagne électorale approchait, ils transmirent aux journaux des détails sur cette aventure. La presse n'en tint pas compte mais une des publications envoya la lettre à Edgar. Il s'empressa d'obtenir une copie des enregistrements de leurs ébats galants qu'il offrit à Lyndon Johnson comme munitions pour sa campagne. « Hoover et Johnson avaient chacun quelque chose que l'autre voulait, dit Robert Baker, vieux confident texan de Lyndon. Johnson avait besoin de savoir que Hoover n'en avait pas après lui. Et Hoover souhaitait sûrement que Johnson fût président plutôt que Kennedy. Hoover se faisait un plaisir de raconter à Johnson tous les penchants sexuels de Kennedy. Johnson m'a dit qu'il lui a fait entendre un enregistrement qu'avait donné au FBI la femme qui avait loué un appartement à une des petites amies de Kennedy. »

L'ancien cadre du FBI William Sullivan dit ouvertement que Hoover a essayé de « saboter la campagne de Jack Kennedy ». Les dossiers indiquent que les agents sur le terrain avaient l'ordre de rendre compte en permanence de tout ce qu'ils apprenaient sur lui. En mars 1960, l'agence de La Nouvelle-Orléans citait un informateur : « Il a eu l'occasion d'entendre une conversation qui indique que le sénateur Kennedy s'est compromis avec une femme de Las Vegas... Il a déclaré que lorsque le sénateur Kennedy était à Miami, une hôtesse de l'air appelée... était allée lui rendre visite. »

En quelques heures, Hoover obtint le nom et l'adresse de cette femme. En avril, alors que la victoire de Kennedy aux élections primaires commençait à paniquer le camp Johnson, DeLoach cita une source : « [X] a remarqué sur le bureau de Kennedy une photo bien en vue. Elle représente le sénateur Kennedy et d'autres hommes en compagnie de femmes nues. Elle avait été prise à bord d'un yacht... Ce qui le troublait le plus était que le sénateur ait fait preuve d'aussi peu de jugeote en laissant cette photo exposée... Les agents de la sécurité et les employés du service d'entretien ne pouvaient manquer de la voir et les activités "extérieures" de Kennedy étaient l'objet de plaisanteries classiques dans le bâtiment du Sénat. »

Le 13 juillet, jour où Kennedy fut désigné comme candidat démocrate, DeLoach reçut un résumé des points les plus importants du dossier Kennedy. Il contenait des détails sur l'affaire Inga Arvad et les « déclarations de deux prostituées mulâtres de New York ». Il y figurait également un élément beaucoup plus menaçant que ces anecdotes sexuelles, tout en leur étant inextricablement lié – « les relations du sénateur Kennedy avec la pègre ».

John Kennedy, comme son père avant lui, s'était apparemment laissé aller à des liaisons louches avec le crime organisé. Il s'était trouvé compromis, avant que ne commence sa présidence, dans un embrouillamini d'intrigues qui a peut-être conduit à son assassinat.

En 1960, Joseph Kennedy eut des contacts en Californie avec de nombreux gangsters. Il intriguait avec Jimmy Hoffa, le chef du syndicat des camionneurs que son fils Robert, en revanche, ne cessait de poursuivre.

Au sommet de la campagne, Joseph rencontra toute une bande de patrons du crime organisé dans un restaurant de New York. Une des hôtesses de l'époque se souvient : « C'est moi qui faisais les réservations, et c'était comme si tous les caïds des États-Unis étaient là. Je ne me souviens pas de tous les noms, mais il y avait John Roselli, Carlos Marcello de New York, les deux frères de Dallas, les patrons de Buffalo, de Californie et du Colorado. Et c'étaient des chefs, pas des sous-fifres. J'étais étonnée que Joe Kennedy prenne ce risque. »

Grâce à un grand nombre de sources, y compris des enregistrements du FBI, il est clair maintenant que les Kennedy utilisèrent leurs relations avec la pègre pour conquérir le pouvoir. Ils demandèrent à Carlos Marcello de se servir de son influence en faveur de Kennedy lors de la convention. Il refusa, parce qu'il s'était déjà engagé en faveur de Johnson, mais Giancana, le patron de la Mafia de Chicago, se montra plus coopératif.

Sur un enregistrement téléphonique du FBI, Giancana et Roselli, le partenaire de golf de Joseph Kennedy, discutent des « donations » qu'ils ont faites au cours de la campagne des élections primaires en Virginie. Selon Judith Campbell, qui devint la maîtresse du candidat pendant la campagne, John Kennedy lui-même prit des risques excessifs pour obtenir l'aide de Giancana. Il le rencontra secrètement au moins deux fois et lui envoya même Campbell avec d'importantes sommes d'argent. « J'ai compris que Jack me chargeait de quelque chose de très important pour lui, se souvient Judith. Je ne connaissais pas la destination de l'argent mais je savais que cela avait un rapport avec la campagne… Quelqu'un était arrosé et quelque chose serait monnayé avec cet argent. » De nombreuses informations confirment que c'est exactement ce qui s'est produit. Les millions des Kennedy, ainsi que les contributions des gangsters eux-mêmes, furent utilisés pour acheter des voix au cours des élections.

Depuis le début, Hoover était au courant. En juillet, à la veille de la convention de Los Angeles, Robert Kennedy apprit que des agents essayaient de se renseigner sur le déroulement des élections primaires en Virginie de l'Ouest. Un long rapport du FBI contenant une « quantité considérable d'informations diffamatoires » sur son frère était en route vers le ministère de la Justice. Si John Kennedy fut préoccupé par ces rapports, il n'en montra rien, même si ses ébats avec les femmes pendant la convention créaient la panique chez les dirigeants du parti démocrate. Nous savons maintenant qu'il fréquentait Judith Campbell, ainsi que Marilyn Monroe, qu'il voyait de temps en temps depuis des années, sans compter diverses call-girls. Les autorités policières de Los Angeles avaient pris note qu'il se payait aussi des prostituées d'un réseau contrôlé par la Mafia. Ces informations furent bien entendu communiquées à Hoover. Kennedy haussait les épaules lorsqu'on le prévenait que son comportement de coureur de jupons pourrait un jour causer sa perte. Il répondit à un de ses amis : « Ils ne peuvent pas m'atteindre tant que je suis en vie, et après ma mort, qui s'en soucie ? »

Il n'empêche que son comportement sexuel fut un de ses points faibles qui devait mettre en danger tout ce pour quoi il luttait. Hoover fut un des premiers à repérer cette faille et il s'en servit pour influencer le choix du candidat à la vice-présidence au cours de la convention de Los Angeles en 1960.

Lyndon Johnson, le démocrate qui avait les faveurs d'Edgar, ne s'était pas rendu à Los Angeles uniquement pour être désigné, mais aussi pour voir Kennedy battu. Ce fut une lutte sordide. Les hommes de Johnson répandirent la rumeur que Kennedy avait la maladie d'Addison (ce qui était exact) et que son père avait été pro-nazi (ce qui était juste). Chacun des deux camps accusait l'autre d'acheter les voix des délégués. Quand Kennedy l'emporta au premier tour grâce à son argent et à sa remarquable organisation, Johnson entra dans une colère noire, comme le rappelle son assistant Bobby Baker : « Il aboyait contre ses collaborateurs, jurait et sacrait en jetant les téléphones par terre. Il refusa d'aller remercier ceux qui s'étaient épuisés à organiser sa campagne. Je ne le savais pas à ce moment-là, mais Johnson venait d'apprendre que des journaux de la côte Ouest allaient sortir une édition de minuit pour annoncer que Kennedy envisageait trois personnes pour la vice-présidence, mais que Johnson n'était pas du nombre. » Moins de vingt-quatre heures plus tard, tout avait changé. Après une journée de conjectures agitées, Johnson annonça devant les caméras : « Jack Kennedy m'a demandé de me présenter comme candidat à la vice-présidence. J'accepte. »

Pratiquement personne ne s'attendait à cette issue. Pour l'historien et assistant de Kennedy, Arthur Schlesinger, John aurait offert la vice-présidence à Johnson pour renforcer l'union du parti mais espérait bien qu'il n'accepterait pas. Robert Kennedy a confié à Schlesinger : « Jack voulait se débarrasser de Johnson. » C'est pourquoi il lui proposa d'abord la direction du parti que le Texan refusa : « Je veux la vice-présidence et je l'aurai. »

De son côté, John Kennedy a dit à son assistant Pierre Salinger : « Toute cette histoire ne sera jamais connue. Et c'est aussi bien comme cela. » Et Robert a renchéri : « Les seules personnes au courant des tractations ont été Jack et moi. Et nous nous sommes promis l'un à l'autre que nous ne révélerions jamais ce qui s'est produit. »

D'après un témoignage récent, le choix de Johnson par Kennedy fut tout simplement le résultat d'un chantage, la menace de révéler ses débordements sexuels. Ainsi aurait été détruite l'image du « bon père de famille américain » soigneusement répandue dans l'opinion publique et l'élection à la présidence lui aurait échappé. Cette information nouvelle provient d'Evelyn Lincoln, secrétaire personnelle de John Kennedy pendant douze ans, avant et pendant la présidence. Elle fait partie de la légende Kennedy, a vécu la saga de la famille, reçu des coups de téléphone intimes pour son patron, lu sa correspondance la plus secrète et vécu à ses côtés les moments d'angoisse dans les périodes cruciales. Elle était également avec lui à Los Angeles. Profondément loyale envers la mémoire du président, Evelyn Lincoln n'en dit pas plus sur la vie sexuelle de son patron que ce qui est nécessaire pour comprendre l'épisode de Los Angeles. Elle a néanmoins reconnu que John était « un homme à femmes ». Mais elle rejette le blâme sur elles lorsqu'elle dit en riant : « Kennedy ne courait pas après les femmes. C'étaient les femmes qui couraient après lui. Je n'ai jamais vu quelque chose comme cela... » Selon elle, Kennedy se rendit compte au cours de la campagne électorale de 1960 à quel point son comportement à l'égard des femmes le rendait vulnérable. Le chantage sexuel faisait partie depuis longtemps des méthodes de Lyndon Johnson, avec l'encouragement de Hoover. « J. Edgar Hoover, dit-elle, donnait à Johnson des informations sur divers hommes politiques et sénateurs, pour que Johnson puisse aller trouver X et lui dire : "Qu'est-ce que c'est que cette petite combine que vous avez avec cette femme ?" Etc. C'est comme cela qu'il les rendait dociles pour favoriser ce qu'il espérait être sa marche vers la présidence. Il pouvait se servir de ces peccadilles parce qu'il avait Hoover dans son camp. Et il pensait que les membres du Congrès le désigneraient en premier à la convention. Mais c'est Kennedy qui l'a battu. Alors Hoover et ses amis ont poussé Johnson à utiliser tout ce qu'Edgar avait pu trouver sur Kennedy pour faire pression sur lui. »

Et apparemment ce fut efficace. Les rapports des agents du FBI l'avaient renseigné sur les récentes aventures féminines de Kennedy, sans compter les informations sur ses liens avec la Mafia. Mais surtout le volumineux dossier Kennedy contenait ce qui le préoccupait le plus depuis longtemps : son aventure avec Inga Arvad et les enregistrements de leurs ébats. En 1960, quinze ans seulement s'étaient écoulés depuis la fin de la guerre. Si les électeurs apprenaient que Kennedy avait eu une aventure avec une femme que l'on savait proche de Hitler et de Goering, nombreux seraient ceux, en particulier les juifs, qui se détourneraient de lui. Certains pensaient déjà que les sympathies de son père à l'égard des nazis lui feraient de toute façon du tort.

Pendant la journée où devait être prise la décision cruciale sur le choix du vice-président, les deux frères John et Robert s'isolèrent dans une chambre à coucher. Pendant que John faisait les cent pas et que Robert s'était affalé sur le lit, Evelyn Lincoln entrait et sortait avec des messages. Elle en entendit assez pour comprendre que les informations sordides de Hoover sur Kennedy étaient au cœur du problème. « Il s'agissait, dit-elle, de ce que Hoover avait communiqué à Johnson sur les relations féminines de Kennedy, ainsi que sur le passé de Joseph. Et Johnson s'en servait comme d'une flèche. Kennedy était furieux parce qu'il se sentait acculé. Lui et Bobby essayaient de penser à tout ce qui pourrait écarter Johnson du chemin. Mais ils n'y parvenaient pas. »

Une fois prise sa décision en faveur de Johnson, Kennedy essaya de minimiser la chose : « J'ai quarante-trois ans, dit-il à un de ses assistants. Je ne vais pas mourir de sitôt. Alors la vice-présidence ne signifie pas grand-chose. »

Lyndon Johnson voyait les choses différemment et il devait s'en expliquer plus tard avec la journaliste Clare Boothe Luce : « Un sur quatre de tous les présidents est mort en fonctions. Je suis joueur, ma chérie, et c'est ma seule chance [1]. »

Quant à Hoover, cette histoire lui permit de mesurer sa puissance. Le lendemain de la convention, un écho de la presse annonça que, s'il était élu, Kennedy se débarrasserait de lui.

« Clyde Tolson m'a appelé, raconte Cartha DeLoach, et m'a dit : "Il faudrait que l'on connaisse les intentions de Kennedy concernant le directeur. Pourquoi ne demanderiez-vous pas à un de vos amis journalistes de poser une question au cours d'une conférence de presse ?" J'ai fait appel à quelqu'un de l'agence UPI pour qu'il interroge Kennedy pour savoir s'il allait garder Hoover. C'est ce qu'il a fait et Kennedy a répondu aussitôt sans hésitation : "Ce sera une des premières nominations que je ferai." » Ainsi, trois semaines seulement après sa nomination comme candidat démocrate, Kennedy avait pris l'engagement de conserver Edgar.

Trois mois plus tard, la nuit qui suivit son élection, Kennedy dînait à Hyannis Port avec des amis, dont le journaliste Ben Bradlee, alors chef de l'agence de Washington de *Newsweek*, qui raconte la soirée · « Jackie Kennedy et ma femme Tony étaient toutes deux dans un état de grossesse avancé et je me souviens que le président a dit : "OK, les filles, l'élection est passée, vous pouvez ôter les oreillers que vous avez sur le ventre !" Nous avons plaisanté sur la façon dont il faudrait

---

1. Le rôle essentiel du vice-président est d'assurer la fin du mandat de quatre ans en cas de défaillance du président. Ç'avait été le cas pour Harry Truman lorsque Roosevelt mourut. [*N.d.T.*]

s'adresser à lui maintenant qu'il était élu et il nous a dit : *"Prez, c'est pas mal !"* Puis, pour s'amuser, il nous a dit, à Bill Walton et moi : "Les gars, je vais vous donner à chacun un poste. Qu'est-ce que vous voulez ?" Et l'un de nous a répondu : "En tout cas, il y en a un qu'il ne faut pas renommer, c'est Allen Dulles, le patron de la CIA." Et un autre a ajouté : "Moi, je n'en ai rien à foutre de qui vous nommez, à condition que vous foutiez à la porte J. Edgar Hoover." Et il s'est bien marré ! »

Le lendemain matin, Bradlee était présent lorsque le nouveau président appela Edgar au téléphone. « Il lui a dit à quel point il avait besoin de lui et qu'il comptait sur lui... J'ai trouvé que c'était un peu gros ! »

La décision de conserver Hoover fit la une des journaux en quelques heures. « Il n'en a jamais parlé avec aucun d'entre nous, dit Kenneth O'Donnell. Je crois qu'il avait pris sa décision : "On ne va pas, disait-il, secouer le bateau en ce moment." »

Kennedy savait qu'Edgar était homosexuel. « Quand je lui en ai parlé, dit le romancier Gore Vidal, il m'a lancé un de ces regards ! Il détestait Hoover. Je ne savais pas alors qu'Edgar le faisait chanter, et je n'imaginais pas non plus à quel point les Kennedy étaient impuissants contre lui. »

« Tous les Kennedy avaient peur de Hoover », renchérit Bradlee. Et l'éditorialiste Jack Anderson confirme : « J'en ai parlé avec le président. Il a reconnu qu'il avait renommé Hoover uniquement parce que cela aurait été désastreux de ne pas le faire. »

Le jour où Kennedy fut élu, Hoover lui envoya une lettre mielleuse :

> Mon cher sénateur,
> Permettez-moi de me joindre aux nombreux admirateurs qui vous félicitent d'avoir été élu président des États-Unis... L'Amérique a de la chance d'avoir un homme de votre envergure aux commandes dans cette période difficile... Vous savez, bien entendu, que ce Bureau est prêt à vous apporter toute l'aide possible.

Quelques heures après avoir écrit cette lettre, Hoover demanda au patron de presse Philip Hochstein de venir le voir. Et voilà ce qui s'est passé, d'après le journaliste : « Je l'ai félicité d'avoir été maintenu dans ses fonctions par le président élu. Il m'a répondu d'un ton hargneux : "Kennedy n'est *pas* le président élu." Il m'a expliqué que l'élection avait été faussée dans un grand nombre d'États, y compris le New Jersey, où j'avais mes bureaux, et le Missouri où nous avions récemment acheté un journal local... C'était une véritable diatribe et je pense que Hoover voulait que je participe à une croisade pour faire annuler l'élection. Je ne l'ai pas fait et je n'en ai parlé à personne... Il m'a aussi suggéré de prendre contact avec DeLoach qui avait des choses intéressantes à me dire. Et la conversation avec DeLoach a porté sur les femmes de Kennedy. »

Après la mort de son frère, Robert Kennedy dit de Hoover : « Je pense qu'il était dangereux. Mais c'était un danger que nous pouvions contrôler. Il ne pouvait rien faire. »

Robert savait que c'était loin d'être la vérité et qu'Edgar n'avait cessé d'être un problème épineux pendant la présidence. Et lorsque Kennedy s'envola pour Dallas, ses relations avec le directeur étaient devenues un véritable cauchemar.

25

Le ministre inopportun

Peu de temps après l'intronisation à la présidence de John F. Kennedy, des employés du ministère de la Justice reçurent un ordre étrange. Ils devaient récupérer dans un entrepôt une vieille statue, la nettoyer et l'installer bien en vue dans le hall d'entrée du FBI. Un contrordre les obligea à l'ôter, puis un autre à la remettre, et ainsi de suite à plusieurs reprises.

La statue était celle d'un certain Stanley Finch, un ancien chef du Bureau oublié depuis longtemps et qui avait précédé Hoover au poste de directeur. Or la plupart des gens avaient l'impression que Hoover avait été le seul et unique. En ressuscitant le buste de Finch, on rappelait que le Bureau avait existé avant Hoover et que, par conséquent, il existerait encore sans lui. L'ordre de l'enlever venait de Hoover, celui de le remettre en place avait été donné par le ministre de la Justice, Robert Kennedy.

Le frère du président ne voulait pas de son poste ; il craignait les critiques de népotisme, d'autant qu'à trente-cinq ans il était jeune et manquait d'expérience, n'ayant jamais exercé le droit. Sa seule qualification était sa dévotion à John Kennedy à une époque qui menaçait d'être houleuse.

« J'ai besoin de toi » lui avait dit le nouveau président au cours d'un petit déjeuner un mois après son élection. C'était aussi simple que cela : ainsi Robert Kennedy devenait le plus jeune ministre de la Justice depuis cent cinquante ans.

Avant d'accepter, Robert avait, entre autres, demandé l'avis d'Edgar Hoover qui lui avait conseillé de dire oui. Après sa nomination, Hoover lui envoya une note obséquieuse pour lui affirmer qu'il était « très heureux ». Mais chacun savait que c'était pure hypocrisie. « Je n'avais aucune envie de lui dire cela, confia Edgar à William Sullivan, mais qu'est-ce que je pouvais dire d'autre ? »

Kenneth O'Donnell, un des hommes de confiance du président, se souvient de la conversation qu'il eut avec Robert Kennedy après qu'il eut vu Edgar : « Je lui ai demandé : "Bobby, dis-moi exactement ce qu'il t'a dit", et il m'a répondu que Hoover lui avait conseillé d'accepter. Mais d'après les mots employés j'ai compris qu'Edgar espérait qu'il ne le ferait pas... Je savais que Hoover ne voulait pas de lui. Il refusait que le ministre de la Justice fût plus important que lui. Il ne voulait certainement pas de Bobby. Surtout pas. »

Le portrait officiel de Robert Kennedy qui est accroché au ministère est celui d'un mince jeune homme aux cheveux ébouriffés avec un T-shirt et un blouson de cuir, alors que ses soixante-trois prédécesseurs ont des visages sérieux et des costumes guindés. Comme Hoover. Mais, pour le directeur, le plus important était que les autres ministres n'avaient été ses supérieurs qu'en théorie. Pendant trente ans, depuis l'époque de Roosevelt, il n'avait jamais rendu compte qu'au président. Avec Robert Kennedy, tout allait changer.

Le jeune homme fit irruption dans le ministère, décidé à tout transformer. Comme il n'aimait pas le bureau attribué au ministre, il s'installa dans la grande pièce lambrissée qui servait aux conférences. L'ameublement, qui ne lui plaisait pas, fut remplacé par de grands canapés, une maquette de bateau et un gros tigre en peluche dans la cheminée. Il fixa sur les murs avec du Scotch des dessins faits par ses sept enfants qui venaient eux-mêmes souvent lui rendre visite. Quant à Brumus, son labrador grincheux, il grondait sur le tapis.

Lorsque Kennedy portait une cravate, c'était celle de son université, en général de travers. Le col de sa chemise bleue était largement ouvert et ses pieds étaient plus souvent sur le vaste bureau qu'en dessous. Un ministre de la Justice en bras de chemise, dit Hoover à un collègue, a l'air « ridicule ». Un jour qu'il se trouvait avec Clyde dans le bureau de Kennedy, ils furent déroutés lorsque le jeune homme se mit à envoyer des fléchettes dans une cible sur le mur. Leur confusion tourna à l'indignation lorsque certaines manquèrent leur but et allèrent percer le panneau de bois, « propriété de l'État ». Il arriva que l'on découvrît dehors des canettes de bière vraisemblablement jetées par la fenêtre du bureau du ministre. Un jour d'hiver, Kennedy fit inonder la cour pour que ses enfants puissent y patiner.

Des années plus tard, après l'assassinat de Robert, Hoover parlait de lui avec dérision, comme du « messie du fossé des générations ». Edgar avait passé près de quarante ans à insuffler le conformisme à ses hommes et ne se montrait jamais sans cravate, même en vacances. Il était profondément offensé par le style Kennedy sur ce qu'il considérait être son territoire personnel.

L'affront était souvent dirigé contre lui. Des agents se souviennent que Hoover détestait que Robert Kennedy l'emmène déjeuner dans un drugstore. Le labrador aussi se mettait de la partie en levant la patte sur le tapis devant son bureau. Kennedy avait tendance à arriver sans prévenir, ce que personne du gouvernement ne s'était jamais permis. Un après-midi, il bouscula une Miss Gandy horrifiée pour surprendre le directeur en pleine sieste.

Kennedy insistait pour être directement en communication avec Hoover et il fit installer une sonnerie pour le convoquer d'urgence. Edgar la fit ôter. Mais des employés du téléphone posèrent une ligne directe. La première fois que Kennedy l'utilisa, c'est la secrétaire de Hoover qui répondit. Kennedy dit d'un ton cassant : « Quand j'utilise cette ligne, il n'y a qu'une personne à qui je veux parler. Remettez immédiatement ce poste sur le bureau du directeur. »

Hoover ne put jamais s'y habituer. Il lui arrivait de décrocher pour entendre les enfants de Kennedy glousser à l'autre extrémité. William Hundley, du ministère de la Justice, se souvient de Kennedy appuyant sur ce damné bouton et « le vieil homme arrivant tout rouge. Ils commençaient à se quereller devant moi. Aucun autre ministre de la Justice ne s'était conduit comme cela avec Hoover. Je ne pouvais pas y croire ».

Robert Kennedy avait brisé d'un coup le moule que Hoover avait mis des années à façonner. Il réaffirmait l'autorité du ministre qu'Edgar n'avait cessé de miner et il le privait du lien le plus précieux : le contact direct avec le président lui-même. Evelyn Lincoln, la secrétaire de John Kennedy, ne se souvient pas d'un seul appel téléphonique entre le président et Hoover. Il s'agissait, pour Kenneth O'Donnell d'une politique délibérée de la Maison-Blanche. Si Hoover essayait de joindre directement le président, il tombait toujours sur Evelyn Lincoln ou sur O'Donnell lui-même. « Bobby est le patron et, pour la première fois de sa vie, Hoover ne peut passer par-dessus sa tête. »

A soixante-six ans, Hoover avait déjà du mal à supporter d'avoir un patron, mais que ce fût Robert Kennedy était inacceptable. Ce n'était pas seulement une question de style personnel, à l'antithèse de tout ce que Hoover estimait juste. L'insistance de Kennedy pour que les choses se passent suivant sa volonté était telle qu'ou bien il inspirait l'amour et la loyauté, ou bien il déclenchait une inimitié féroce. C'était le cas pour Hoover.

Avec ses fidèles, Edgar ne mâchait pas ses mots. Il dit à Roy Cohn que le jeune Kennedy était un arrogant « petit merdeux ». Il parla un jour de lui à Richard Nixon comme d'un « petit salaud sournois ». Mais lorsque cela l'avantageait il n'hésitait pas à mentir. Il écrivit un jour au cardinal Cushing, ami de la famille Kennedy : « Le ministre de la Justice Kennedy et moi-même travaillons ensemble dans la plus grande cordialité. Nous n'avons jamais eu la moindre divergence. »

L'équipe Kennedy trouvait Hoover étrange. John Seigenthaler du ministère de la Justice dut un jour écouter une harangue sur la façon dont les principaux journaux étaient infiltrés par les communistes, puis sur la prétendue homosexualité d'Adlai Stevenson, ainsi qu'une longue diatribe sur celle du grand journaliste Joseph Alsop. Tout cela semblait très bizarre aux Kennedy et, pour la première fois peut-être, des gens au pouvoir laissèrent entendre qu'Edgar n'était pas tout à fait sain d'esprit. « Il était à côté de ses pompes aujourd'hui ! » murmura Robert à Seigenthaler après avoir entendu Edgar sur le communisme et l'homosexualité dans la presse. On commença au ministère à parler des « bons » et des « mauvais » jours d'Edgar.

« Il se conduit d'une façon étrange et particulière, déclara Robert Kennedy en 1964 dans un entretien confidentiel. C'est une sorte de psychopathe. Je pense qu'il est devenu sénile et assez inquiétant. »

En coulisse, Hoover commença très vite à exploiter le point faible du président : ses relations avec les femmes. Dix jours après l'intronisation, un magazine italien publia des déclarations d'Alicia Purdom, la femme de l'acteur britannique Edmund Purdom. Elle prétendit qu'en 1951, avant son mariage, elle avait eu une liaison avec Kennedy et que si Joseph n'était pas intervenu, John l'aurait épousée.

Cet article ne fut pas repris par la presse américaine. Mais Hoover, alerté par son représentant à Rome, s'empressa d'avertir le frère du président. L'histoire aurait été très préoccupante bien avant l'élection et la famille aurait payé très cher pour étouffer le scandale. Edgar avait même appris que la femme aurait été enceinte. Au fur et à mesure qu'il recevait des informations, Hoover veillait bien à ce que les Kennedy sachent qu'il était au courant.

Pamela Turnure, qui avait été impliquée avec John dans un scandale lorsqu'il était sénateur, était devenue, comble de l'ironie, l'attachée de presse de la femme du président. Son ancienne propriétaire Florence Kater, toujours obsédée par cette affaire, essaya à nouveau de jeter le trouble. Le bureau de Robert Kennedy demanda au FBI s'il savait quelque chose et se vit répondre que non, un mensonge bien sûr. Edgar jouait son jeu et les deux frères, conscients que Hoover s'était servi du dossier sur la sexualité de Kennedy pour pousser Lyndon Johnson à la vice-présidence, étaient contraints de s'en accommoder.

Ils devaient aussi supporter des attaques de Hoover contre les personnalités de la Maison-Blanche qu'il n'aimait pas. L'attaché de presse Pierre Salinger fut contacté un jour par le magazine *Time* pour savoir s'il avait dans sa jeunesse reçu une formation de communiste. Il s'agissait en fait d'un séjour de vacances qu'il avait effectué dans un camp du syndicat des dockers. Le journaliste lui apprit que l'information lui avait été communiquée par le bureau de Hoover. Edgar lui-même avertit personnellement John Kennedy que Salinger avait fait un séjour en prison. C'était exact. Jeune reporter du *San Francisco Chronicle*, il s'était fait mettre en prison afin d'écrire une série d'articles sur les conditions de détention.

En étudiant les dossiers du FBI sur les postulants, John Kennedy constata avec étonnement leur caractère mesquin, l'accent étant mis sur le discrédit sexuel. Il remarqua l'histoire d'un ambassadeur américain, surpris avec une femme mariée, qui s'était enfui par la fenêtre sans son pantalon. Kennedy fit savoir au FBI qu'il « souhaitait seulement que ses diplomates courent plus vite ». Informé qu'une secrétaire de la Maison-Blanche avait la cuisse légère, il se contenta d'en rire : « Génial ! Je ne le savais pas ! »

Mais la plaisanterie cessa lorsque John Kennedy comprit l'étendue de l'inquisition de Hoover. Il avertit Kenneth O'Donnell qu'il ne voulait plus lire aucun de ces dossiers : « Je ne veux rien avoir à faire avec cela. Je veux simplement connaître les rapports qu'ils ont sur moi. » Et, selon l'agent Gordon Liddy, il y avait de nombreuses fiches faisant référence au passé et au présent du président. « Il y en avait un tas, se souvient-il, et cela a continué à grossir. »

La connaissance que Hoover avait des secrets d'alcôve du président, qui entraîneraient certainement sa chute s'ils étaient divulgués, était une menace constante. Avec une faible marge électorale, sa réélection de 1964 était donc loin d'être assurée : les Kennedy ne pouvaient se permettre de s'aliéner les citoyens pour qui Edgar représentait l'ordre, le bien public et le rêve américain.

Quand Robert Kennedy envoya la troupe fédérale dans l'Alabama pour protéger les défenseurs des droits civiques, il se trouva une nouvelle fois confronté avec le FBI. Alors que les Blancs racistes attaquaient les Noirs, les agents de Hoover se contentaient de prendre des notes et n'intervenaient pas. Le quartier général du Bureau, informé de la collusion entre le Ku Klux Klan et la police locale, se garda d'avertir le ministère de la Justice. Edgar répugnait à faire quoi que ce soit qui pût lui aliéner les conservateurs du Sud qui le soutenaient au Congrès. Ce comportement raciste fut contré par Robert Kennedy qui fit pression sur Hoover pour qu'il engage des agents noirs.

Au début, plutôt que d'admettre que les seuls Noirs du FBI étaient ses domestiques, il se contenta d'ignorer les injonctions de Robert Kennedy. Puis, comme le ministre insistait, il se décida à en engager quelques-uns, comme nous l'avons vu au chapitre 5. Cependant, pour

Robert Kennedy la lutte pour les droits civiques ne venait qu'en deuxième position derrière la croisade contre le crime organisé.

Le 4 février 1961, alors que Kennedy était en fonctions depuis moins de deux semaines, le commentateur Drew Pearson mentionna dans son émission de radio le premier épisode de la guerre entre Robert et Hoover : « Le nouveau ministre de la Justice veut que tout soit mis en œuvre contre la pègre. Pour cela, Bobby Kennedy propose la formation d'une équipe de choc contre le racket, mais Hoover fait des objections. Il prétend qu'un bureau spécial du crime nuirait à la réputation du FBI et il s'oppose à son nouveau patron. »

Les deux frères Kennedy avaient participé aux commissions spéciales du Sénat contre le crime, John comme sénateur et Robert comme conseiller. Mais John avait reconnu ne l'avoir fait qu'à la demande de son frère car ses priorités étaient essentiellement d'ordre politique, tandis que Robert était un combattant pugnace. C'était Robert qui, lors de l'enquête du Sénat, avait dénoncé la collusion entre certains syndicats et le crime organisé. Il avait provoqué la chute de Dave Beck, patron du syndicat des camionneurs et l'avait fait envoyer en prison. Puis, au cours d'une deuxième enquête, il s'était battu contre son successeur corrompu Jimmy Hoffa.

Joseph Kennedy, compte tenu de ses liens anciens avec la Mafia, considérait que le comportement de ses fils était de la folie. Il essaya d'adoucir les choses mais Robert ne se laissa pas persuader. Comme ministre de la Justice, sa lutte était devenue bien plus qu'une juste cause, une véritable obsession.

Robert arriva au ministère avec la détermination de s'attaquer pour la première fois réellement à la pègre. Mais avant même qu'il ait pris ses fonctions, Edgar l'avait exhorté à combattre le communisme. « Le parti communiste des États-Unis, avait-il écrit dans son mémorandum, est devenu une menace contre la sécurité de la nation plus grande qu'elle ne l'a jamais été. » Kennedy n'était pas d'accord et déclara : « C'est une absurdité de perdre son temps à pourchasser le parti communiste. Il n'a jamais été aussi faible et inoffensif ; en outre, ses adhérents sont surtout des agents du FBI ! »

Robert savait que Hoover avait une part de responsabilité coupable concernant la pègre. Alors qu'il était au Sénat, il avait demandé à voir les dossiers des gangsters arrêtés lors de la réunion des soixante-six patrons de la Mafia à Apalachin en novembre 1957. Le résultat avait été pitoyable : « Le FBI, déclara-t-il, ne savait rien, absolument rien sur ces gens qui étaient les plus grands gangsters des États-Unis. Ce fut vraiment un choc pour moi... J'ai adressé la même demande au Bureau des narcotiques et lui avait quelque chose sur chacun d'entre eux. »

Lorsque Robert avait mené son enquête pour le Sénat, toutes les agences locales du FBI avaient reçu l'ordre de ne lui apporter aucune aide et ces instructions venaient directement de Hoover.

Avant de prendre ses fonctions, Robert avait proposé la constitution d'une commission nationale pour coordonner l'action des agences fédérales concernées par la lutte contre les divers aspects du crime. Edgar s'y était publiquement opposé en déclarant qu'une telle autorité fédérale serait un « danger pour nos idéaux démocratiques ». Il considérait comme un véritable fléau ceux qui réclamaient une action conjointe contre un syndicat du crime qui, pour lui, n'existait pas.

Quelques jours après la passation des pouvoirs, Luther Huston, un des assistants du ministre sortant, alla voir Hoover. Il se souvient de la scène : « J'ai dû attendre parce que le nouveau ministre de la Justice était là. Il n'avait pas prévenu ni pris de rendez-vous. Il avait simplement fait irruption. Cela ne se fait pas avec Mr Hoover ! Puis ce fut mon tour et je peux vous dire que l'homme le plus furieux à qui j'aie jamais parlé était J. Edgar Hoover. Il écumait littéralement. Apparemment, Kennedy voulait mettre sur pied une sorte d'organisation supplémentaire qui couvrirait une partie du travail d'enquêtes du FBI. Je suppose que Mr Hoover a dit à Bobby : "Si vous faites cela, je prends ma retraite demain." »

Des informations sur ce désaccord filtrèrent dans la presse. En Floride, alors qu'il jouait au golf avec Tony Curtis, Joseph Kennedy essaya de dissimuler la vérité : « Je ne sais pas d'où viennent ces rumeurs ridicules, dit-il à un journaliste. Rien n'est plus éloigné de la vérité. Jack et Bob admirent tous les deux Hoover. Ils considèrent qu'ils ont beaucoup de chance de l'avoir à la tête du FBI. Hoover est un homme merveilleux et ne croyez pas que Jack et Bob n'en sont pas conscients. »

En coulisse, le père suppliait ses fils de ménager Hoover. En février 1961, une réunion à la Maison-Blanche, la seule sur les six qui eurent lieu pendant la présidence de Kennedy, fut probablement destinée à négocier une trêve. Mais rien ne pouvait arrêter Robert. Pour contourner le rejet par Edgar d'une commission du crime, il quadrupla l'effectif et le budget de la section criminelle du ministère, que cela plût ou non à Hoover.

Dans les deux régions les plus sensibles, New York et Chicago, le FBI reprit son action. A l'agence new-yorkaise – où moins d'une douzaine d'hommes s'occupaient du crime organisé lorsque Robert prit ses fonctions – le nombre d'agents de cette section allait grimper à 115. A Chicago, l'effectif passa de 6 à 80. Pour contrer l'excuse de Hoover qui prétendait que ce n'était « pas sa juridiction », Robert s'empressa de faire voter de nouvelles lois. Ainsi, alors qu'en 1960 19 membres seulement de la pègre avaient été poursuivis en justice, on procéda à 121 inculpations dont 96 débouchèrent sur une condamnation au cours de la première année de la présidence Kennedy.

Les agents du FBI étaient dans leur élément. Ils aimaient Robert Kennedy et la façon dont il prenait contact directement avec eux sur le terrain. « Kennedy et ses bonshommes, se souvient l'agent Neil Welch, arrivaient pleins de dynamisme. Ils étaient au bureau le samedi et expédiaient des messages dans toutes les directions. Kennedy était si jeune et si enthousiaste ! Il envoyait balader tous les freins qui avaient empêché d'agir les ministres précédents. Il rendait furieux Hoover qui n'avait plus le contrôle. »

« C'est une honte, déclara Hoover à l'agent Kenneth Whittaker. Kennedy manque de maturité et est trop impétueux. Il détruit en cinq minutes la considération que le FBI a mis des années à acquérir. » De son côté, Whittaker se rappelle : « Quand Kennedy s'en est pris à Hoffa et qu'il faisait le tour des bureaux annexes pour dire aux agents ce qu'ils devaient faire, on nous a fait savoir d'en haut que, bon, il était peut-être ministre de la Justice mais que nous ne devions rien entreprendre sans le feu vert du quartier général. »

En dépit des entraves de Hoover, les victimes de Kennedy devenaient furieuses, en particulier Carlos Marcello et Sam Giancana, persécutés maintenant sans merci par l'organisme qui jusque-là les avait laissés en paix. Giancana était potentiellement le plus dangereux. Celui dont on disait qu'il avait aidé John à être élu en achetant des voix espérait que le ministère de la Justice serait compréhensif à son égard. Au lieu de cela, il était l'objet d'attaques constantes. Au cours d'une conversation téléphonique sur écoute, Roselli, son homme de confiance, lança : « J'ai aidé le gouvernement et voilà que maintenant ce petit salaud est en train de me casser les couilles. »

Le soir du 12 juillet 1961, Giancana, accompagné de sa maîtresse Phyllis McGuire, entra dans une salle d'attente de l'aéroport de Chicago pour une escale de routine. Une équipe d'agents du FBI l'y attendait et le gangster perdit son sang-froid. Il dit aux agents qu'il savait que tout ce qu'il prononcerait serait rapporté à J. Edgar Hoover, puis il explosa : « J'emmerde J. Edgar Hoover ! J'emmerde votre super-patron, et votre super-super-patron ! Et vous savez qui je veux dire, les Kennedy ! » Puis il s'adressa directement à l'agent Bill Roemer, son plus tenace persécuteur : « Écoute bien, Roemer, je sais tout sur les

Kennedy, et Phyllis en sait encore plus que moi sur eux, et un de ces jours on va tout raconter. Allez vous faire foutre ! Vous verrez, un de ces jours... »

A ce moment-là, Roemer ne savait pas ce que Giancana voulait dire exactement. Aujourd'hui, ce « tout » est moins mystérieux : les votes achetés, le complot contre Castro et, bien entendu, les histoires de femmes dans lesquelles non seulement John mais encore Robert étaient impliqués.

Au début de septembre 1961, un informateur avisa le Bureau que Robert Kennedy avait été vu récemment « dans le désert près de Las Vegas avec non pas une mais deux filles sur une couverture. Quelqu'un de la pègre avait pris des photos au téléobjectif et allait s'en servir pour faire chanter le ministre de la Justice. Diverses sources l'ont confirmé à plusieurs reprises ».

Hoover aurait condensé l'histoire et envoyé Courtney Evans, qui faisait la liaison avec le ministère, pour avertir Robert Kennedy. Le ministre aurait écouté sans faire de commentaire. Ensuite, il aurait simplement demandé à Evans ce qu'il faisait pour le week-end, car c'était le jour de la fête du Travail, puis il aurait mis fin à la réunion.

Interrogé à ce sujet, Courtney Evans, pourtant d'une discrétion exemplaire, reconnaît que la rencontre « s'est probablement déroulée comme cela. Il m'est arrivé à plusieurs reprises, dit-il, d'avoir des informations de ce genre. Mr Hoover me donnait ses instructions et je les exécutais. Je sais que le crime organisé s'efforçait de faire pression sur la présidence ».

Il y a peu de chances qu'à cette époque, en dépit de ses moyens, Hoover ait compris toute la complexité des relations des Kennedy avec la pègre. Il se contentait de faire ce qu'il savait le mieux faire : ramasser la boue, manœuvrer en sorte que les frères soient au courant et s'opposer à Robert Kennedy jusqu'à friser l'insubordination.

Un fonctionnaire du ministère de la Justice, envoyé à l'agence de Chicago pour améliorer la liaison, découvrit que le responsable du Bureau avait brusquement quitté la ville. Sachant que l'homme de Kennedy était en route, Hoover avait délibérément envoyé son agent dans l'Iowa. A Washington, il snobait ostensiblement Kennedy. « Quand Bob était ministre, raconte Joe Dolan, il déjeunait tous les mardis et jeudis à son bureau, avec ses adjoints, moi-même et d'autres invités, dont Hoover. Le directeur du FBI vint deux fois le premier mois, puis il n'y remit jamais les pieds. »

Lorsque Robert se rendait dans une agence locale, Hoover s'abstenait d'y paraître. Quand il s'y rendait lui-même, c'était pour découvrir, vexé, que les choses avaient changé. Avant, il y avait dans chaque agence un portrait d'Edgar. Maintenant sur ordre du ministre, « Big Brother » était flanqué du président Kennedy.

C'était une guerre d'usure. Hoover et les Kennedy exhibaient officiellement leur respect mutuel. Peut-être que les deux frères, accoutumés à des années de politesse hypocrite entre Edgar et leur père, espéraient pouvoir cohabiter avec le directeur du FBI en flagornant son ego, en se souvenant de son anniversaire et en faisant publiquement son éloge. Ils flattaient le vieil homme même s'ils le considéraient à moitié débile. Hoover, vieux routier dans ce genre de sport, envoya à Robert cette lettre écrite à la main le 9 juin 1961 :

Cher Bob,
… Votre confiance et votre appui ont beaucoup de prix pour moi et j'espère sincèrement en être toujours digne.
Bien à vous,
Edgar.

Le 5 décembre 1961, le président écrivit à Hoover pour le féliciter :

Cher Mr Hoover,
La récompense qui vient de vous être attribuée à Omaha est une preuve supplémentaire de la haute estime dans laquelle l'Amérique tient le bilan de vos efforts inlassables pour l'application des lois fédérales… Je suis fier d'y joindre mes félicitations et d'exprimer à nouveau ma gratitude pour vos contributions exceptionnelles au bien de la nation.
Sincèrement à vous,
John F. Kennedy.

Hoover, qui répondit qu'il était très « touché », venait juste d'apprendre que le président projetait de le mettre à la porte. Quelques jours plus tard, « Edgar » remercia « Bob » pour son invitation à sa soirée de Noël, en s'excusant de ne pas pouvoir s'y rendre.

Mais les Kennedy ne devaient pas passer un joyeux réveillon en 1961. Le 19 décembre, sur le terrain de golf de Palm Beach, le père du président fut victime d'une attaque cérébrale. Tout son côté droit et son visage restèrent paralysés, et au cours des huit années qu'il allait encore vivre, il ne devait plus jamais parler d'une façon intelligible. Dans les querelles entre ses fils et Hoover, Joseph avait jusque-là aplani les choses. Maintenant son rôle de pacificateur était terminé.

De même, Joseph ne pourrait plus intervenir dans les relations complexes de ses fils avec la Mafia. Désormais ses deux garçons seraient livrés à leur sort.

26

Des relations orageuses

Le 6 janvier 1962, l'éditorialiste Drew Pearson fit une prédiction osée : « J. Edgar Hoover n'aime pas occuper un strapontin derrière un jeunot comme Bobby... et celui-ci le poussera vers la sortie si cela ne fait pas trop de bruit. » Ce n'était qu'un bref commentaire dans une émission de radio, mais cela fit du bruit à Washington. Trois jours plus tard, dans une note à son frère, Robert Kennedy supplia le président de faire une référence favorable au FBI dans son prochain message aux États de l'Union. « Seulement une phrase, dit-il à John, mais cela fera une grosse différence pour nous. »

Le 11 janvier, devant l'assemblée des sénateurs et des représentants, John Kennedy parla du Viêt-nam, des droits civiques et des impôts. Personne n'eut le temps de remarquer les quelques mots de félicitations pour le FBI, son « effort pugnace et coordonné ». Un peu de pommade pour Hoover, mais l'époque des flatteries était révolue. Un mois avant, ses espions l'avaient informé que non seulement les Kennedy voulaient se débarrasser de lui, mais qu'un candidat, William Boswell, directeur de la sécurité du Département d'État, était prêt à lui succéder. Peu de temps après, le président, qui n'avait pas daigné le rencontrer pendant un an, lui fit savoir qu'il « désirait parler avec Mr Hoover ».

Le 22 mars, à 13 heures, Edgar descendit de sa limousine devant la porte nord-ouest de la Maison-Blanche. Il fut conduit au bureau ovale, puis le président et lui prirent l'ascenseur pour aller dans la salle à manger. La seule autre personne présente était Kenneth O'Donnell. Le déjeuner dura longtemps. Quatre heures plus tard, alors que Hoover s'apprêtait à sortir, arrivèrent les assistants de Kennedy Theodore Sorensen et Arthur Schlesinger. Comme leurs noms étaient synonymes d'anathèmes pour les conservateurs, Kennedy s'abstint de les présenter. Il devait leur dire quelques instants plus tard qu'il ne voulait pas « perturber Mr Hoover davantage ».

On ne saura probablement jamais si ce jour-là Kennedy essaya ou non de licencier Hoover. La bibliothèque John-F.-Kennedy n'a aucun document sur ce qui s'est dit à ce déjeuner. Pas plus que le FBI, bien que Hoover ait eu l'habitude de rédiger une note chaque fois qu'il se rendait à la Maison-Blanche. Mais nous savons que la réunion s'est mal passée. Interrogé plusieurs années plus tard, Kenneth O'Donnell dit simplement que le président finit par perdre patience. Il lui avait glissé discrètement à l'oreille : « Débarrassez-moi de cette ordure. C'est un raseur. »

Beaucoup plus tard, une enquête du Sénat montra que cet entretien avait une signification particulière. Edgar avait affronté le président avec une arme beaucoup plus explosive que celles dont il s'était servi jusque-là. Ironiquement, il le devait à l'offensive de Robert Kennedy contre le patron de la Mafia Sam Giancana.

Alors qu'Eisenhower était encore président, Edgar avait appris qu'il existait un complot pour tuer Fidel Castro et que Giancana y était impliqué. Au début de la présidence Kennedy, il découvrit que Giancana travaillait avec la CIA ; en mars 1962, il apprit que Judith Campbell, qui était en relations avec Giancana et Johnny Roselli, était une des maîtresses du président. Hoover avait peut-être même obtenu des informations directement auprès de Roselli qu'il fréquentait en Californie. Hoover était au courant de la menace de Giancana de « tout dire » sur les Kennedy et, dans une conversation téléphonique enregistrée, Giancana et Roselli avaient parlé de « Bobby » et de son retour à Washington.

Le directeur du FBI avait donc la preuve que le président des États-Unis entretenait des relations intimes avec une jeune femme proche d'un patron de la Mafia qui était impliqué avec la CIA dans un complot visant à assassiner un chef d'État étranger ; et il avait toutes les raisons de soupçonner que le président avait donné son autorisation. Et pendant tout ce temps le FBI poursuivait ce même patron de la Mafia sur l'ordre du jeune frère du président. Tout directeur du Bureau aurait dû attirer l'attention du président sur un tel scénario. Mais à cause de la rancune qu'il témoignait aux deux frères et de la menace de son renvoi, Hoover s'abstint de le faire.

Judith Campbell, connue maintenant sous son nom marital, Exner, a révélé récemment qu'Edgar avait ce jour-là mentionné son nom. « Dans l'après-midi, se souvient-elle, Jack m'a appelée et m'a demandé d'aller dans la maison de ma mère et de lui téléphoner de chez elle. Il m'expliqua alors que ma ligne personnelle n'était pas sûre. Il était furieux. Je sentais sa colère. Il me dit qu'au cours de la réunion Hoover avait essayé de l'intimider. Il avait fait savoir clairement qu'il était au courant de mes relations avec Jack, que je m'étais rendue à la Maison-Blanche, que j'étais amie de Sam et Johnny Roselli et que

Jack connaissait aussi Sam. Jack avait parfaitement compris où Hoover voulait en venir : sachant que l'on voulait se débarrasser de lui, il consolidait sa position en faisant savoir à Jack qu'il avait prise sur lui. »

Selon Judith Campbell, il y avait quelque chose d'encore plus dangereux à cacher. Au début de sa présidence, Kennedy avait renouvelé sa gaffe de la période électorale et avait à nouveau rencontré Giancana. Le président avait dit à Judith que ce contact « avait un rapport avec l'élimination de Fidel Castro ». En une vingtaine d'occasions, Kennedy avait même utilisé Judith comme courrier pour faire parvenir des enveloppes à Giancana. Selon Miss Campbell, Kennedy lui aurait dit que ces enveloppes contenaient des « renseignements » en rapport avec les complots, mais elle ne put jamais le vérifier elle-même car les enveloppes étaient cachetées.

Le témoignage de Judith Campbell ne peut être écarté. Dates et détails sont confirmés par des documents, ainsi que trois de ses visites à la Maison-Blanche. En outre, Chuck, le demi-frère de Giancana, a également parlé de contacts entre le patron de la Mafia et Kennedy pendant sa présidence et a confirmé le rôle de messagère joué par Miss Campbell.

La plupart des historiens reconnaissent maintenant que les frères Kennedy étaient impliqués dans des complots anticastristes. Après la débâcle de la baie des Cochons ils n'avaient plus confiance dans la CIA. Il est par conséquent concevable que, compte tenu de ses relations avec Giancana, le président ait choisi de traiter directement avec le gangster pour préparer l'assassinat de Castro. C'était d'une extrême imprudence, mais coïncidait bien avec le goût de Kennedy pour l'intrigue. De son côté, Giancana espérait que son aide, d'abord pour faire élire Kennedy, puis dans l'opération Castro, serait récompensée par la clémence fédérale. Il n'en fut rien car la lutte de Robert Kennedy contre le crime organisé visait aussi Giancana, objet d'un harcèlement spécial. D'après son demi-frère Chuck, le gangster eut l'impression que le président avait renié son marché. Pour un mafioso, un tel manquement est puni de mort, et Giancana était un tueur professionnel. Toujours selon Chuck, il devait jouer un rôle important dans la préparation de l'assassinat de Kennedy à Dallas.

Il est difficile de savoir si Hoover avait compris en mars 1962 toutes les implications de l'affaire Giancana ; en tout cas, il en savait beaucoup et le laissa entendre au président. Judith Campbell se souvient : « D'après ce que m'a dit Jack, j'ai eu l'impression que Hoover lui avait fait peur en lui disant qu'il savait que je portais des documents de Jack à Sam. » Selon Cartha DeLoach, Edgar rentra de la réunion en prétendant qu'il avait dit au président qu'il savait « beaucoup de choses » sur ce qui se passait.

Et, d'après les archives, il semble bien que les deux frères aient été encore plus dépendants de Hoover. A moins que Jack ne lui ait caché l'histoire du complot Castro, ce qui est tout à fait invraisemblable, Robert devait être au courant du rôle de Giancana. Il était donc vital, pour lui et pour son frère le président, de se protéger contre toute implication dans ces complots. Un document fut alors concocté qui comportait une note de Hoover prétendant que Robert et lui avaient appris avec « un grand étonnement » l'utilisation de Giancana par la CIA. Ce document constituait à lui seul une dette du ministre de la Justice à l'égard de Hoover.

Le président ne cessa pas ses relations avec Judith Campbell après la réunion de mars avec Hoover. Les archives de la Maison-Blanche indiquent que les contacts téléphoniques ont continué au moins jusqu'à la fin de l'été de 1962. Mais, selon Miss Campbell, la plupart du temps elle et le président utilisaient d'autres lignes pour échapper aux écoutes du FBI. Kennedy, d'après sa secrétaire Mrs Lincoln, suspectait Hoover d'espionner la Maison-Blanche. Ce qui n'empêcha pas Judith de continuer à voir le président pendant les mois suivants, tout en fréquentant toujours Giancana.

Constamment harcelée par le FBI, Judith Campbell demanda au président de venir à son aide. Elle se souvient : « Je l'ai supplié : "Jack, fais quelque chose, la situation m'échappe." J'étais tout le temps suivie. Mais Jack me répondait toujours : "Ne t'en fais pas. Tout va bien pour toi, tu n'as rien fait de mal. Tu sais bien que Sam Giancana travaille pour nous." »

Le président était néanmoins furieux. « Jack était très irrité lorsqu'il parlait de Hoover, dit Judith. Dans le genre : "Je voudrais qu'il me fiche la paix." C'était évident qu'il voulait se débarrasser de lui. »

Le président ne pouvait pas se permettre de renvoyer le directeur du FBI. Car, en plus de l'imbroglio Giancana, Hoover disposait d'une documentation sur toute une série d'autres frasques de Kennedy. Même avant la confrontation de mars, Edgar avait fait comprendre au président qu'il était au courant de ses ébats avec des prostituées pendant la convention de 1960. Mais il connaissait aussi l'histoire d'une relation ancienne qui pouvait avoir des conséquences politiques désastreuses.

Au début du mois de mars, un petit magazine de New York, *The Realist*, publia un article sous le titre : « RUMEUR CONCERNANT LE PREMIER MARIAGE DU PRÉSIDENT KENNEDY ». En 1947,

Kennedy aurait été quelque temps marié avec Durie Malcolm, de la bonne société de Floride. Les archives privées de sa famille indiquaient que parmi ses divers maris se trouvait « John F. Kennedy, fils de Joseph P. Kennedy, ancien ambassadeur en Grande-Bretagne ».

Ce mariage était de la dynamite. Cela signifiait que le premier président catholique était divorcé, ce qui était contraire à sa religion, et, comme il l'avait gardé secret, il avait en outre trompé le pays. Jusqu'à ce jour, les recherches ont seulement établi que Kennedy et Durie Malcolm se fréquentèrent au cours des années quarante, assez pour susciter des ragots dans la presse à scandales de Floride. Les archives du FBI indiquent qu'en novembre 1961, dès que le Bureau eut été informé de la rumeur, un agent se rendit aussitôt à la bibliothèque publique de New York pour étudier l'histoire de la famille Malcolm. Son rapport, ainsi que d'autres du New Jersey et du Massachusetts, fut remis directement à Hoover qui le porta à la connaissance de Robert Kennedy.

En 1962, après son déjeuner avec le président, l'histoire commença à sortir dans la presse. Le *Thunderbolt*, un journal raciste de droite, publia en première page : « DIVORCE DE KENNEDY ! SON MARIAGE ACTUEL EST-IL VALIDE ? » Les organisations d'extrême droite s'empressèrent de distribuer dans le pays des centaines de milliers de copies de l'histoire de la famille Malcolm. Les agences de presse se mirent à fouiner. Un article de Henry Taylor fut censuré à la dernière minute. Puis Walter Winchell posa la question : « Pourquoi la Maison-Blanche n'a-t-elle pas démenti ? »

Le démenti fut publié par le magazine *Newsweek* et Ben Bradlee, alors rédacteur en chef de l'agence de Washington, se souvient dans quelles conditions : « J'en ai parlé au président qui m'a dit que le FBI avait fait une enquête et que certains de ces documents étaient disponibles par l'intermédiaire de son attaché de presse Pierre Salinger. Mais nous ne pouvions en disposer qu'une seule nuit. Alors on a passé toute la nuit à travailler dessus pour écrire l'histoire dans un motel... Je ne sais pas à quel prix Kennedy a pu obtenir ce matériel du FBI... »

Edgar était venu à la rescousse pour une opération de sauvetage qui n'aurait jamais été nécessaire s'il n'y avait pas eu les articles du *Thunderbolt* et de Walter Winchell. Or ce dernier était depuis longtemps manipulé par le FBI. Quant à Taylor, il était depuis des années l'ami de Hoover qui lui fournissait des informations, en échange de quoi il attaquait ceux qui critiquaient le directeur. Et c'est sur l'intervention de Hoover, à la demande de la Maison-Blanche, que son article sur le « second mariage » avait sauté de justesse.

Le magazine *Thunderbolt* ressortit alors la vieille histoire de Kennedy avec sa secrétaire au Sénat, Pamela Turnure, sous le titre

« JFK ACCUSÉ D'ADULTÈRE ». L'article parut après que l'ancienne propriétaire de Pamela, qui avait enregistré ses ébats au lit, eut envoyé des lettres à diverses personnalités officielles. Bobby Baker, ancien assistant de Lyndon Johnson, raconte : « Johnson m'a dit que Hoover lui avait donné les enregistrements de la propriétaire pendant la campagne de 1960. Puis, au cours de la présidence, il s'assura que l'information parviendrait à ceux qui voudraient l'utiliser. Pas la grande presse, mais les journaux à scandale... » Comme *Thunderbolt*.

Tout semble indiquer que Hoover a commencé par attiser le feu des ragots Turnure et de « l'autre mariage » à son propre avantage. Puis, lorsque le mal a été fait, il a fait de Kennedy son débiteur en lui fournissant le matériel pour le démenti de *Newsweek*.

Comme si tout cela ne suffisait pas, vinrent ensuite les affaires d'Hollywood : la liaison du président avec l'actrice Angie Dickinson et celle des deux frères avec Marilyn Monroe.

Angie Dickinson entra dans la vie de Kennedy avant son intronisation. Le photographe Slim Aarons, un ami de Kennedy, se souvient : « Angie et JFK ont disparu pendant deux ou trois jours à Palm Springs, peu de temps avant qu'il n'entre en fonctions. Ils étaient dans une villa dont ils ne sont pas sortis. Tout le monde était au courant. » En effet, les journalistes qui suivaient Kennedy eurent vent de l'affaire. Le reporter de *Newsweek* Dick Schumacher se souvient qu'un jour il ouvrit une porte à Palm Springs pour découvrir Dickinson couchée sur un lit. Il s'empressa d'« oublier » ce qu'il avait vu. Il faut dire que les journalistes de l'époque aimaient le plus souvent Kennedy et enviaient son succès auprès des femmes. Ils estimaient alors que la vie privée des hommes politiques était leur affaire et ne donnait pas matière à enquête ou article. Les Services secrets raisonnaient de même et le protégeaient de leur mieux. Quant aux agents du FBI, ils faisaient ce qu'on leur avait appris... et envoyaient leurs rapports à Hoover.

Un agent du FBI, qui souhaite demeurer anonyme et dont l'équipe travaillait en liaison avec les Services secrets, connaît bien l'histoire Dickinson : « Cela s'est produit lorsque Kennedy était sur la côte Ouest pour des affaires politiques. Il a pris à l'aéroport de Burbank un avion affrété pour Palm Springs. Angie Dickinson était à bord. Ils ont fait un détour par l'Arizona. Quand ils sont arrivés à Palm Spring, Kennedy est sorti seul. Je pense qu'il ne voulait pas que la presse voie Dickinson. L'avion loué était un appareil privé avec une chambre à coucher. Le copilote, employé de Lockheed, y avait placé un micro clandestin pour enregistrer secrètement les conversations. Ensuite, il écrivit anonymement au président pour lui extorquer une grosse somme d'argent en échange de l'enregistrement. Sa lettre fut interceptée par les Services secrets qui contactèrent le FBI. Notre but était de récupérer la bande. La trouver, un point c'est tout. Pas un mot. Nous avons enquêté sur l'équipage de l'appareil et le copilote avait l'air louche. Alors nous avons attendu qu'il reparte en voyage et nous avons graissé la patte de son propriétaire pour qu'il nous laisse entrer dans son appartement. Nous avons trouvé la bande cachée dans le mur. Nous l'avons prise et nous avons refermé le trou de façon que le type ne s'en aperçoive pas. Quand il en a été informé le Bureau nous a donné des ordres stricts. Pas question de l'expédier par la poste. La bande devait être portée par messager au directeur. On s'est expliqué avec Lockheed, qui a fichu le copilote à la porte. Pas de poursuites, pas d'histoires. Silence partout. Mais Hoover avait l'enregistrement. »

Après Dickinson, Hoover allait s'intéresser à une autre aventure, cette fois-ci avec la plus célèbre beauté d'Hollywood.

Curieusement, Marylin Monroe était la pin-up préférée aussi bien de Hoover que de Kennedy. Sa photo nue sur un calendrier décorait avec d'autres images de femmes dévêtues le mur du bar d'Edgar dans sa maison de Washington. Certains pensaient qu'il voulait ainsi contrer les rumeurs sur son homosexualité. Or en 1954, alors qu'il était à l'hôpital pour se faire opérer du dos, Kennedy avait sur le mur de sa chambre une photo de Marilyn en short, les jambes écartées, mais il l'avait épinglée à l'envers, les pieds en l'air.

Kennedy et Marilyn avaient eu une liaison au début des années cinquante. Ils étaient restés en relations et eurent des rapports sexuels à plusieurs reprises au cours de la campagne électorale de 1960. Le beau-frère du président, Peter Lawford, s'est souvenu d'avoir pris des photos des deux amants dans une baignoire. Leurs relations continuèrent pendant la première et la deuxième année de la présidence. La plus célèbre blonde du monde, camouflée sous une perruque noire et des lunettes de soleil, était introduite secrètement dans la suite de Kennedy à l'hôtel Carlyle, à New York, parfois même à bord de l'avion présidentiel. De telles frasques étaient particulièrement risquées, compte tenu de l'état d'esprit de la star à l'époque.

Peu de gens, à l'exception de ses psychiatres et ses amis, savaient à quel point Marilyn était désespérément perturbée. Son mariage avec l'auteur dramatique Arthur Miller était un échec et l'abus de barbituriques l'avait conduite pour une courte période dans une clinique psychiatrique. Puis encore plus de docteurs, de drogues et d'alcool avaient accentué sa cyclothymie la faisant passer de l'exaltation la plus folle au désespoir le plus profond. Aucun personnage public soucieux de protéger son image n'aurait dû s'approcher d'elle. Cependant, John Kennedy continua à voir Marilyn Monroe tandis qu'Edgar veillait.

Il est sûr maintenant, d'après des interviews de détectives privés et de techniciens, que Marilyn était sur écoute pendant la présidence de Kennedy. Mais on ne sait pas exactement pour le compte de qui. Le patron du syndicat des camionneurs, Jimmy Hoffa, une des cibles préférées du ministre de la Justice Robert Kennedy, a certainement bénéficié de documents compromettants. Il l'a confié à des camarades de cellule lorsque, plus tard, il fut envoyé en prison, et son avocat l'a confirmé dans une interview en 1990. Mais il est probable aussi que le gangster Sam Giancana ait également commandité des écoutes. Selon son demi-frère, Giancana en 1962 avait perdu patience. Sous la constante pression du ministère de la Justice, il avait engagé des spécialistes pour couvrir de boue les Kennedy. Puisqu'il n'avait pas réussi à collaborer avec eux, il allait utiliser le chantage, une tactique dans laquelle la Mafia excellait.

Peter Lawford était, lui, sous surveillance d'Edgar. Le spécialiste qui installa des micros clandestins chez lui est toujours en activité et il a révélé en 1991 le rôle qu'il a joué, mais en exigeant l'anonymat : « Le travail chez Lawford a été exécuté pour le FBI. J'ai placé des micros dans la salle de séjour, dans les chambres à coucher et une des salles de bains. Un représentant de Hoover est venu surveiller l'installation, je crois que c'était à la fin de l'été de 1961. La raison officielle qui me fut donnée était que Hoover avait besoin d'informations sur des caïds du crime organisé qui venaient de temps en temps chez Lawford, Sam Giancana en particulier. Mais, bien entendu, les Kennedy, tant John que Robert, s'y rendaient également. L'homme de Hoover m'a dit que le ministre de la Justice avait donné des ordres formels pour que la maison ne soit pas sur écoute. Mais l'opération a été montée sur les instructions personnelles de Hoover, qui a eu tous les enregistrements. Jimmy Hoffa en a obtenu un de Kennedy-Monroe grâce à un opérateur qui voulait se faire du fric et qui le lui a vendu pour 100 000 dollars, une grosse somme à l'époque. Ainsi, pendant près d'un an, Edgar Hoover a été au courant de tout ce qui se passait dans la maison de la plage, y compris lorsque les Kennedy étaient là. A vous d'en tirer la conclusion. » John Danoff, qui contrôlait les écoutes de la maison de Lawford, se souvient qu'en novembre 1961 il a été le témoin auditif d'une rencontre amoureuse entre Kennedy et Monroe : « J'ai été tout étonné de reconnaître la voix du président, avec son accent caractéristique de Boston, et celle de Marilyn Monroe. Je les ai entendus parler, puis ils se sont déshabillés et ont eu des relations sexuelles sur le lit... »

Pour Edgar, l'enregistrement de ces scènes n'était que le commencement de la moisson. Le 1ᵉʳ février 1962, Marilyn rencontra pour la première fois Robert au cours d'un dîner chez Lawford. Elle raconta ensuite à une amie qu'elle lui avait demandé s'il était vrai qu'Edgar Hoover allait être bientôt limogé. Et Robert lui avait répondu que « lui et le président en avaient bien envie mais qu'ils ne se sentaient pas assez forts pour le faire ». Cette conversation, qui fut captée par les micros clandestins, a dû faire un grand plaisir à Hoover. Grâce à la phrase de Robert, il savait maintenant avec certitude que les Kennedy avaient peur de le destituer, en tout cas pour le moment. C'était une raison de plus pour continuer son espionnage afin d'amasser des informations compromettantes.

Lors du déjeuner à la Maison-Blanche de mars 1962, Hoover était donc au courant aussi bien de son avenir personnel par la conversation entre Marilyn et Robert que des ébats sexuels entre Marilyn et Jack. Qu'il en ait ou non parlé ce jour-là, en même temps que de Judith Campbell, n'empêcha pas le président de retrouver joyeusement la star deux jours plus tard en Californie. Mais la saga Monroe prit une tournure étrange. John revit l'actrice une fois encore le 19 mai à New York, mais ce fut apparemment la dernière. Selon Peter Lawford, Hoover aurait mis en garde le président en lui confiant que la maison de son beau-frère « avait vraisemblablement été truffée d'écoutes clandestines par la Mafia ». On peut être certain qu'il n'a pas avoué que c'était sur ses ordres !

Malheureusement pour les Kennedy, Marilyn ne voulut pas accepter la fin de cette liaison. De retour en Californie, elle plongea dans le désespoir à coups de drogues et de barbituriques. « Marilyn, se souvient Lawford, commença à écrire des lettres pathétiques à Jack et continua à l'appeler au téléphone. Elle menaça de parler à la presse. Finalement, Jack envoya Robert en Californie pour la calmer. » Mais, au lieu d'apaiser Marilyn, Robert l'excita encore plus en prenant la succession de son frère. « Ce n'était pas dans les intentions de Bobby, dit Lawford, mais ils sont devenus amants et ont passé la nuit dans la chambre d'amis. Presque aussitôt l'affaire s'est aggravée... » Lawford explique que, très rapidement, Marilyn dit qu'elle était « amoureuse de Bobby et qu'il avait promis de l'épouser. C'était comme si elle ne faisait plus de différence entre Bobby et Jack ». De nombreux autres témoins et des enregistrements téléphoniques confirment la version de Lawford, en particulier que Robert a essayé très vite de prendre ses distances. Pas assez toutefois pour empêcher que Marilyn ne s'effondre psychiquement. Et trop tard aussi pour éviter de tomber dans un double piège : la surveillance par les criminels Giancana et Hoffa, ainsi que la toile d'araignée de Hoover.

Hoover fut très vite au courant. Le 27 juin, Robert Kennedy se rendit seul à la maison de l'actrice « dans une Cadillac décapotable ». Presque aussitôt un rapport arriva sur le bureau de Hoover en provenance de William Simon, le chef de l'agence du FBI de Los Angeles. Cartha DeLoach s'en souvient : « J'ai été choqué. Simon racontait que Bobby lui avait emprunté sa Cadillac pour aller voir Marilyn Monroe. » A partir de ce moment-là, tous les voyages du ministre de la Justice en Californie furent suivis et surveillés par les hommes de Hoover.

Le samedi 4 août, on trouva Marilyn Monroe morte. Le rapport d'autopsie indiquait que la mort était due à « un empoisonnement par ingestion d'une overdose de barbituriques » et le coroner conclut que c'était « probablement » un suicide. D'autres ont émis la théorie que ces drogues n'avaient pas été absorbées par voie buccale mais injectées.

Chuck, le demi-frère de Giancana, affirma en 1992 que le gangster de Chicago avait éliminé la star : de cette façon, « la liaison entre Bobby et Marilyn aurait été dévoilée... et on aurait pu se débarrasser des deux chevaliers de la Table ronde ! ». Que Giancana y ait participé ou non, il est évident que la version de la mort telle qu'elle fut communiquée au public n'est pas exacte, en particulier en ce qui concerne le rôle de Robert Kennedy au cours de ce week-end. Le ministre de la Justice se trouvait à ce moment-là en Californie pour s'adresser à l'Association du Barreau et prendre des vacances en famille.

D'après plusieurs témoignages, dont celui de Peter Lawford, Kennedy prit l'avion pour Los Angeles pour aller voir Marilyn. Selon Lawford, qui reconnaît avoir accompagné son beau-frère chez la star, une querelle violente éclata. « Marilyn, dit-il, déclara que la première chose qu'elle allait faire le lundi matin serait de convoquer une conférence de presse pour faire connaître au monde entier le traitement que lui avaient infligé les frères Kennedy. Bobby devint livide. Il lui affirma sans équivoque qu'à partir de maintenant elle devait leur fiche la paix, plus de coups de téléphone, plus de lettres, rien. » Il s'ensuivit une véritable crise d'hystérie. Puis elle se calma et appela d'urgence son psychiatre, le Dr Ralph Greenson. Il vint la voir, lui parla jusqu'à ce qu'il ait l'impression de l'avoir calmée, puis rentra chez lui. Ce fut lui que l'employée de maison de Marilyn appela aux premières heures de la matinée, après qu'elle eut trouvé la star morte dans son lit. L'étude des déclarations des policiers, des ambulanciers, de l'employée de maison, des médecins suggère le scénario suivant : après des coups de fil désespérés de Marilyn chez Lawford, Kennedy et son beau-frère sont retournés chez Marilyn. Ils ont trouvé l'actrice morte ou dans le coma et ont appelé une ambulance. L'un d'eux ou les deux ont accompagné l'ambulance à l'hôpital, pour revenir ensuite avec la confirmation de son décès. Le corps fut replacé sur le lit et le frère du président repartit rapidement comme il était venu, par hélicoptère puis avion. Des années plus tard, le Dr Greenson a confirmé en privé que Robert Kennedy était présent cette nuit-là et qu'une ambulance a bien été appelée.

Pour Robert Kennedy, la crise était loin d'être terminée. Le matin de la mort de Monroe, la police de Los Angeles apprit qu'il y avait un « problème ». Dans les vêtements de nuit de Marilyn on avait trouvé un papier chiffonné portant un numéro de téléphone de la Maison-Blanche.

Il s'ensuivit une opération de camouflage tout à fait remarquable. Le bout de papier disparut. Il en fut de même de la liste des appels téléphoniques de Marilyn, grâce au capitaine de la police James Hamilton, ami de longue date du ministre de la Justice. Mais ce ne fut pas la police qui détruisit la trace des dernières communications. Un journaliste découvrit à l'époque que le matin même de la mort de Marilyn elles avaient disparu du siège central de la compagnie du téléphone. C'était l'œuvre du FBI, comme l'a confirmé un ancien responsable d'une ville de la côte Ouest : « J'étais en visite en Californie lorsque Marilyn Monroe est morte et il y avait au Bureau beaucoup d'agents venus d'ailleurs et qui n'avaient pas de raisons d'être là. Tout de suite après que l'on eut appris sa mort, ils étaient sur les lieux avant même de comprendre ce qui se passait. Par la suite, j'ai appris qu'ils avaient fait disparaître des documents. C'était sur les instructions de quelqu'un de très haut placé, plus haut que Hoover. »

La mort de Marilyn Monroe fit enfin comprendre au président l'étendue des risques qu'il courait. Judith Campbell appela la Maison-Blanche deux fois le lendemain, dans l'après-midi puis dans la soirée. Le relevé indique « non », Kennedy était en conférence. Il semble bien que la dangereuse liaison avec Campbell ait ainsi pris fin au même moment. Mais si les gangsters avaient espéré se servir de l'affaire Monroe pour détruire Robert Kennedy, ils en furent frustrés par l'efficacité du camouflage, essentiellement grâce à Hoover. En faisant disparaître les relevés des communications téléphoniques, il avait rendu les Kennedy plus tributaires de lui que jamais.

Le 7 août, deux jours après cette faveur, Robert Kennedy renvoya l'ascenseur. Quelques heures auparavant, un membre de la Fondation Ford pour la promotion des libertés civiques, W. H. Ferry, avait fustigé l'alarmisme anticommuniste de Hoover en le qualifiant d'« ineptie sentencieuse ». Robert Kennedy pensait de même. Et pourtant il se précipita à la rescousse de Hoover, le félicitant avec effusion de son attitude concernant le communisme. « J'espère, dit-il, que Hoover continuera à servir le pays pendant encore de nombreuses années. »

Dans les archives des agences photographiques, on ne trouve pas un seul cliché de Marilyn avec un des frères Kennedy, même pas celui de son apparition publique aux côtés du président après qu'elle eut chanté « Joyeux Anniversaire » sur la scène du Madison Square Garden. Et pourtant, Globe Photos en a détenu deux. « Sur l'une d'elles, dit un ancien de l'agence, il la regarde et on peut voir l'admiration dans ses yeux. C'est une merveilleuse image. » Mais quinze jours après la mort de Marilyn Monroe, deux hommes se présentèrent à Globe. « Ils ont dit qu'ils rassemblaient des documents pour la bibliothèque présidentielle. Ils ont demandé à voir tout ce que nous avions sur Miss Monroe. Une documentaliste s'est occupée d'eux et ensuite nous avons découvert que tout avait disparu, y compris les négatifs. » Le personnel ne se rappelle qu'une chose concernant les hommes qui s'emparèrent des photos : ils s'étaient présentés comme des agents du FBI et avaient montré leurs insignes pour le prouver.

Walter Winchell, le journaliste porte-parole de Hoover, écrivit ultérieurement un article accusant à demi-mot Robert Kennedy d'avoir tué la star. Plus tard, lorsqu'il tempêtait contre les Kennedy au cours de ses vacances en Californie, Edgar manquait rarement l'occasion de mentionner le nom de Marilyn Monroe. Des années plus tard, un de ses jeunes voisins de Washington qui l'interrogeait se souvient de ce qu'il a répondu : « Il m'a dit qu'elle avait été assassinée, que ce n'était pas un suicide et que les Kennedy étaient impliqués. »

A l'automne de 1962, le froid entre Hoover et Robert Kennedy était devenu glacial. « La rupture était totale, dit l'ancien cadre du FBI Courtney Evans. Il n'y eut plus aucune liaison téléphonique entre eux et le poste de la ligne spéciale ne sonna plus jamais. » Le président, de son côté, ne devait voir Hoover que deux fois pendant l'année qui lui restait à vivre. Les deux frères s'en tenaient aussi éloignés que possible, car ils entrevoyaient enfin la possibilité de se débarrasser de lui.

27

Chantage sur le président

Le jour de l'an 1963, au lieu d'aller se faire bronzer à Miami Beach, sa retraite habituelle pendant les vacances, Hoover s'enterra dans un hôtel à New York, en convalescence d'une opération de la prostate. Il se sentait solitaire et vieux. En 1965, il aurait soixante-dix ans, l'âge obligatoire de la retraite pour les fonctionnaires fédéraux. Seul un décret-loi signé par le président pourrait le maintenir en place. Et comme dans deux ans Kennedy serait vraisemblablement réélu, le règne de Hoover au FBI risquait de prendre fin, à moins que quelque événement inattendu ne se produise.

En février, Hoover donna une interview énigmatique. Il affirma solennellement : « Mes relations avec Robert Kennedy ont toujours été agréables et cordiales, ainsi que mes entrevues avec le président. » Qu'en était-il des rumeurs concernant son départ ? « Rien n'est vrai. Je compte rester longtemps à mon poste… Le président a tout pouvoir pour prolonger mon affectation. »

Mais le président n'en avait absolument pas l'intention. Les deux frères en avaient assez de lui, et la règle de la retraite obligatoire à soixante-dix ans leur permettrait de se débarrasser de leur persécuteur sans avoir l'air de le mettre à la porte. Le seul problème était de tenir le coup jusqu'après l'élection de 1964, et alors le couperet de l'âge leur permettrait de le remplacer. Le limogeage serait enveloppé dans du papier cadeau. Nicolas Katzenbach, du ministère de la Justice, se souvient : « Robert Kennedy m'a dit qu'ils avaient l'intention d'organiser en sa faveur une grande cérémonie. » Courtney Evans, qui assurait la liaison entre Hoover et les Kennedy, dit qu'« ils envisageaient de le nommer ambassadeur en Suisse, le pays d'origine de sa famille ».

A Washington circulaient les noms de ses remplaçants éventuels, dont ceux de Courtney Evans et de John Connally, gouverneur du Texas, qui se souvient d'avoir dit : « "Bobby, vous n'arriverez jamais à vous débarrasser de J. Edgar Hoover", mais il m'a assuré que le temps viendrait. »

Les rumeurs se répandaient à tous les échelons du Bureau et du ministère de la Justice, et tout le monde était convaincu qu'en 1964 le directeur sauterait. Selon William Hundley du ministère, « le président aurait dit à Bobby : "Je ne peux pas le faire maintenant, mais quand je serai réélu, je vais me débarrasser de lui, le nommer commissaire à la boxe ou n'importe quoi." Et quand j'en parlais à Bobby, il me disait : "Attendez, attendez seulement." Ce genre de remarques et de commentaires étaient bien entendu rapportés à Hoover ». « A partir de ce moment-là, dit Courtney Evans, le directeur n'a plus rien voulu avoir à faire avec les Kennedy, en dehors des formalités. Il était tellement furieux ! »

Au cours du printemps et de l'été de 1963, Hoover raviva la vieille blessure des liaisons féminines du président. Le 29 mai, il revint dans une lettre à Kenneth O'Donnell sur le cas de Pamela Turnure, maintenant attachée de presse de la femme de Kennedy. Une semaine plus tard, il ressortit l'histoire de 1951 avec Alicia Purdom et s'arrangea pour que les Kennedy sachent qu'il était au courant du prétendu demi-million de dollars versés pour qu'elle se taise à propos de sa supposée grossesse. A cette époque, en 1963, les Kennedy commencèrent à jouer le même jeu que lui. Un jour qu'on l'informait d'une manigance louche de Hoover, le président répondit : « Racontez tout à Kenny [O'Donnell]. C'est lui qui s'occupe de cela. » Ainsi les Kennedy faisaient comme Hoover et constituaient un dossier sur lui.

Mais Hoover avait une longueur d'avance. En juin 1963 se présenta une nouvelle affaire de femme, qu'il était difficile d'escamoter. Alors que les Kennedy se débattaient dans la crise des droits civiques, Hoover ouvrit tranquillement un nouveau dossier portant le nom de code « Nœud papillon ». Il devait comporter plus d'un millier de pages, bien que le scandale semblât concerner un autre pays.

Le ministre de la Guerre britannique, John Profumo, avoua avoir eu des relations sexuelles avec une femme qui était en même temps en cheville avec l'attaché naval soviétique à Londres, Yevgeni Ivanov. Profumo démissionna mais la crise continua. Le gouvernement de Macmillan, qui avait soutenu Profumo jusqu'au bout, fut profondément ébranlé, tandis que la presse alimentait la controverse en publiant chaque jour des révélations sur les orgies et les coucheries de la bonne société britannique.

A Washington, le président Kennedy suivait toute cette affaire de très près. Le journaliste Ben Bradlee dit : « Il dévorait tout ce qui était écrit sur l'affaire Profumo. Il avait donné l'ordre que toutes les dépêches lui soient immédiatement communiquées. » Bradlee pense que le président était surtout fasciné par l'exotisme sexuel de l'affaire. Mais cela allait beaucoup plus loin. Selon plusieurs rapports, il aurait eu lui-même des relations avec deux des jeunes femmes impliquées dans le scandale. En épluchant les dépêches en provenance de Londres, Kennedy devait être plus particulièrement préoccupé par une prostituée de vingt-deux ans d'origine anglo-tchécoslovaque dénommée Mariella Novotny. Au début de 1961, elle s'était trouvée à New York et avait été présentée à Kennedy par Peter Lawford. Ils avaient à plusieurs reprises eu des relations sexuelles à Manhattan, une fois même dans une « partouze » avec d'autres prostituées. Comme dans le cas de Profumo, ces relations avaient des incidences sur les problèmes de sécurité, car le nom de Novotny était associé à un prétendu réseau soviétique du vice aux Nations unies. De toute façon, l'attaché naval Ivanov, qui était au centre de l'affaire Profumo, connaissait Novotny avec laquelle il s'était entretenu à Londres.

Au cours de la troisième semaine de juin 1963, John Kennedy aborda le sujet de l'affaire Profumo avec Martin Luther King. Après deux années orageuses, le leader du mouvement des droits civiques affrontait une nouvelle crise – à cause du FBI. Hoover, qui avait depuis longtemps classé King dans la catégorie des « mauvais », avait informé Kennedy que le pasteur noir était sous influence communiste. Plus précisément, il avait persuadé le ministre de la Justice Robert Kennedy d'autoriser la mise sur écoute d'un des conseillers de King qui, selon lui, était un agent soviétique. Ce n'était que l'effet d'une des obsessions irrationnelles d'Edgar, mais les Kennedy ne pouvaient en être sûrs. Ils craignaient que la divulgation de tels faits ne soit désastreuse, non seulement pour King mais également pour le gouvernement qui le soutenait.

C'est pourquoi le 22 juin, avant de s'adresser à la Maison-Blanche à un groupe de dirigeants des droits civiques, le président emmena discrètement King dans le Jardin rose. Il le pria de se débarrasser de deux de ses collègues dont Hoover prétendait qu'ils étaient communistes, puis lui demanda s'il avait suivi l'affaire Profumo dans la presse. « Voilà, lui dit-il, un exemple d'amitié et de loyauté poussé à l'extrême. Macmillan risque de perdre son gouvernement parce qu'il est resté loyal vis-à-vis d'un ami. Il faut que vous fassiez attention à ne pas mettre votre cause en péril pour la même raison. » Kennedy alla même plus loin. « Je suppose que vous savez, lui dit-il, que vous êtes sous étroite surveillance. » Il conseilla à King d'être très prudent au téléphone, car si Edgar pouvait prouver qu'il avait des liens avec les communistes, il s'en servirait pour torpiller la législation en cours sur les droits civiques.

Après cet entretien avec le président, King se demanda pourquoi, pour lui parler, Kennedy l'avait emmené dans le jardin. Il devait expliquer plus tard à un de ses collaborateurs : « Le président a lui-même peur de Hoover puisqu'il n'a pas voulu me parler dans son bureau. Je pense que Hoover l'a mis lui aussi sur écoute. »

Le 23 juin, le président quitta Washington pour l'Europe où il allait effectuer la grande tournée devenue célèbre par sa déclaration à Berlin : « *Ich bin ein Berliner* », et par son pèlerinage en Irlande. Le soir de son arrivée à Londres, il dîna avec le Premier ministre, Macmillan, et c'est alors qu'il apprit que l'affaire Profumo risquait d'affecter sa présidence. Ce jour-là, l'édition de midi du *Journal-American* de New York portait en titre : « UNE HAUTE PERSONNALITÉ AMÉRICAINE DANS LE SCANDALE ANGLAIS DES PROSTITUÉES ». La première ligne disait : « Un des plus grands noms de la politique américaine, un homme qui occupe une charge élective "très élevée", est impliqué dans le scandale du vice et de la sécurité de Grande-Bretagne... » L'article ne nommait pas le président, mais le sous-entendu était clair. Il ne fut publié que dans la première édition du journal, puis disparut sans explications, Robert Kennedy était intervenu. D'après les archives du FBI, il avait téléphoné à son frère au milieu du dîner avec Macmillan et le président s'était montré « préoccupé ». Le représentant du FBI à Londres, Charles Bates, reçut l'ordre de rendre compte à Kennedy le lendemain matin, avant son départ pour l'Italie. « S'il se passe quoi que ce soit, dit le président à Bates, nous voulons en être informés. Contactez-moi à Rome. »

A Washington, quarante-huit heures après la publication de l'article, les auteurs se retrouvèrent dans le bureau du ministre de la Justice, après avoir été amenés de New York dans l'avion privé des Kennedy. Les deux journalistes sont morts depuis, mais leur entretien avec Robert Kennedy a été enregistré par le FBI. Selon les archives, le frère du président les somma de dire qui était la « haute personnalité américaine » liée, à leur avis, au scandale Profumo. Le rédacteur en chef répondit qu'il s'agissait évidemment du président et que, suivant les sources du journal, se trouvait impliquée une femme qu'il avait connue peu de temps avant d'être élu. « L'atmosphère était très hostile, raconte Courtney Evans, et le ministre garda ses distances avec les journalistes. » Lorsqu'ils refusèrent de révéler leurs sources, Kennedy se montra impitoyable. Suivant le gendre du magnat de la presse Randolph Hearst, propriétaire du journal, il menaça de déposer une plainte antitrust contre eux. Ils décidèrent alors de laisser tomber l'affaire.

Après cette confrontation avec les reporters, Robert Kennedy laissa voir à quel point il se sentait vulnérable à l'égard de Hoover. Selon Charles Bates, du FBI de Londres, cela faisait un certain temps que Hoover suivait cette histoire. « Je recevais tout le temps des télégrammes, dit-il, me demandant : "Est-ce que c'est vrai ? Qu'est-ce que vous pouvez trouver ?" »

Le soir du 29 juin, pendant que Kennedy dînait avec Macmillan, Bates envoya à Hoover le télégramme codé 861, avec la mention « TRÈS URGENT ». Des vingt lignes, dix-sept ont été effacées par la censure. Il reste seulement : « ... [nom censuré] a parlé du président Kennedy et repris une rumeur qui court à New York. » Un second document donne plus d'informations. Il était adressé à William Sullivan, du FBI :

> Un des clients de ... était John Kennedy, à l'époque candidat à la présidence... a déclaré que Marie Novotny, prostituée anglaise, est allée à New York à la place de... car elle suivait certaines tournées électorales de Kennedy.

Avant de garder le silence, le *Journal-American* de New York fit allusion à une seconde femme mystérieuse, « une très belle fille sino-américaine, dont l'identité serait Suzy Chang ». Suzy Chang était mannequin et voulait devenir actrice. Rien ne prouve qu'elle ait été une prostituée, mais elle fréquentait les cercles londoniens huppés liés à l'affaire Profumo. Retrouvée en 1987, elle a admis timidement qu'elle a connu Kennedy. « Nous nous sommes rencontrés au Club 21 et tout le monde m'a vue manger avec lui. Je trouve que c'était un garçon très charmant. » Puis elle a éclaté de rire : « Qu'est-ce que vous voulez que je vous dise de plus ? »

L'affaire Profumo fut traitée avec le plus grand sérieux à Washington. Tous les rapports, qui ont été presque entièrement censurés, allaient directement au bureau du président, à ceux de son frère et de Hoover. Courtney Evans se souvient de la gravité manifestée à l'époque : « Découvrir que le président avait peut-être un lien avec quelqu'un impliqué dans le scandale anglais... personne n'avait envie de rire ! » Sauf peut-être Hoover. Il avait tout un stock d'informations sur Suzy Chang et probablement aussi sur Mariella Novotny. Pour alimenter la crainte de la « menace rouge », il utilisait depuis longtemps le *Journal-American* comme les autres publications de droite de la presse Hearst qui, de son côté, adoptait une position éditoriale très hostile à la politique du gouvernement de Kennedy. Le président avait été compromis, par ses relations avec Judith Campbell, Marilyn Monroe, et maintenant Novotny et Chang, dans des affaires liées à la sécurité de la nation. Toutes avaient été découvertes par Hoover. Et pourtant au cours de l'été les deux frères et leur directeur du FBI maintinrent une cordialité de façade.

Edgar écrivit à « Cher Bob » pour le féliciter de la naissance de Christopher, son huitième enfant. Il compatit lorsque le président perdit un nouveau-né seulement deux jours après sa naissance. Les frères répondirent par des lettres polies. Mais tandis qu'il témoignait sa sympathie au président, ses agents enquêtaient sur une histoire avec une autre femme, touchant également à la sécurité du pays.

Ellen Rometsch, une très séduisante jeune réfugiée d'Allemagne de l'Est, était arrivée aux États-Unis en 1961 avec son mari, un sergent d'Allemagne fédérale envoyé en mission militaire à Washington. Elle ressemblait à Elizabeth Taylor et devint très vite une vedette des soirées mondaines. Elle y rencontra en particulier Bobby Baker, secrétaire et ami de Lyndon Johnson, et s'afficha en jupe courte et en maillot collant au club Quorum, près du Capitole.

Au cours de cet été de 1961, un des habitués du Club était Bill Thompson, ami intime du président. Riche célibataire, il partageait la plupart des secrets de la vie sexuelle de Kennedy et avait assisté, entre autres, à une rencontre avec Judith Campbell. Baker se souvient : « Nous buvions un verre au Quorum lorsque Bill Thompson est venu vers moi. Désignant Ellen, il m'a dit : "Eh ben, mon pote, cette poupée, c'est quelque chose ! Tu crois qu'elle accepterait de dîner avec moi et le président ?" Ça a marché et j'ai appris ensuite que le président estimait que ç'avait été un des meilleurs moments de sa vie. Ce ne fut pas le seul. Elle l'a revu en plusieurs autres occasions et cela a duré un certain temps. »

Mais Ellen Rometsch ne savait pas tenir sa langue et commença à parler de ses relations. Quelqu'un en informa le FBI et, en juillet 1963, des agents vinrent lui poser des questions. En tant que réfugiée de l'Est, ancien membre de l'organisation des Jeunesses communistes, elle aurait très bien pu être une espionne. Rapidement, avec la coopération des autorités de Bonn, elle fut rapatriée en Allemagne avec son mari. Les choses auraient pu en rester là si, trois semaines après le départ des Rometsch, un scandale n'avait éclaté à propos de Bobby Baker. Il s'agissait de corruption financière et non de sexe, mais les relations du Club Quorum se révélaient explosives. Un mémorandum du FBI en date du 26 octobre indique : « L'information recueillie concerne d'éventuelles activités douteuses de la part de hautes personnalités du gouvernement. On prétend également que le président et le ministre de la Justice ont profité des services de femmes faciles. » Le reste du texte du mémorandum a été censuré avant sa publication par le FBI et l'auteur n'a pu en être identifié.

Ce même samedi 26 octobre, le journal *The Des Moines Register* publia en première page l'histoire de l'expulsion des Rometsch. L'enquête du FBI, était-il écrit, « établit que la jolie brunette a assisté à des soirées avec des personnalités du Congrès et des membres de haut rang du gouvernement... La possibilité que son activité ait été liée à l'espionnage est préoccupante, en raison du rang élevé de ses relations masculines ». L'auteur de l'article, Clark Mollenhoff, était un journaliste ami de Hoover. Il mentionnait que le sénateur républicain de l'État du Delaware avait « obtenu un compte rendu » des activités de Rometsch. On devait découvrir plus tard que le sénateur était entré en possession de documents du FBI qu'il n'avait pu obtenir qu'avec l'autorisation de Hoover. Selon le journal, ce compte rendu incluait la liste des « amis gouvernementaux » de la jeune femme et le sénateur avait l'intention de le présenter le mardi suivant devant la commission du Sénat qui enquêtait sur Bobby Baker.

Les Kennedy agirent aussitôt pour limiter les dégâts. Dans une série d'appels téléphoniques paniqués au bureau de Hoover, un assistant de la Maison-Blanche demanda expressément au FBI d'empêcher la publication de l'affaire par d'autres journaux. Le président lui-même, dit-il, y était « personnellement intéressé ». Le Bureau refusa d'intervenir. Mais comme l'article était publié pendant le week-end et dans un journal local, il restait un peu de temps pour respirer. Le ministre de la Justice envoya par le premier avion en Allemagne un ami de Kennedy, La Verne Duffy. Sa mission était de s'assurer du silence d'Ellen Rometsch avant que la presse ne l'assaille. Plusieurs jours après, on apprit que « des hommes portant des insignes de la Sécurité américaine se sont rendus chez Mrs Rometsch le dimanche pour lui faire signer une déclaration démentant toute relation intime avec d'importantes personnalités ». Elle écrivit ensuite à Duffy pour le remercier d'avoir envoyé de l'argent et pour lui confirmer leur accord : « Bien entendu, je ne dirai rien. »

A Washington, très tôt le lundi matin, et vingt-quatre heures avant que le sénateur du Delaware ne s'adresse à la commission du Sénat, Robert Kennedy appela Hoover chez lui. Comme il avait accès à l'ensemble du dossier, Hoover était la seule personne susceptible de persuader les autorités du Sénat que cette audition serait contraire à l'intérêt national et également à celui du Sénat, dans la mesure où certains de ses membres seraient impliqués.

Les notes de Hoover sur la conversation avec Kennedy et une réunion ultérieure au ministère de la Justice ne laissent aucun doute sur l'humiliation du ministre. Le frère du président était dans la position de l'humble solliciteur, suppliant Hoover de faire céder le Sénat.

L'après-midi, Hoover s'entretint avec les chefs des deux grands partis au Sénat, Mike Mansfield, le démocrate, et son homologue, le républicain Everett Dirksen. Pour respecter le secret, la rencontre eut lieu chez Mansfield. Ce qui s'y est dit a été censuré dans le rapport du FBI, mais l'opération a réussi, puisque le Sénat a annulé la discussion sur le cas Rometsch.

La crise était terminée mais elle avait été extrêmement dangereuse. L'affaire Rometsch avait menacé de devenir un scandale Profumo américain, touchant au sexe et à la sécurité nationale, qui aurait obligé le président à démissionner. L'escamotage avait réussi mais à quel prix : les Kennedy étaient plus que jamais les débiteurs de Hoover. L'affrontement avait duré près de trois ans, mais ils étaient les perdants.

Cela se confirma dans l'affaire Martin Luther King. Depuis trois mois, Robert Kennedy avait refusé la demande du FBI de mettre sur écoute le pasteur noir que Hoover prétendait être sous contrôle communiste. L'expulsion d'Ellen Rometsch avait coïncidé avec la grande marche des droits civiques de Washington, au cours de laquelle 250 000 personnes avaient défilé à Washington pour entendre Martin Luther King parler de son rêve de liberté. Pour des millions de citoyens américains ce fut un moment d'inspiration et d'espoir de progrès. Pour Hoover, l'homme du Sud né au XIXᵉ siècle, cette manifestation ne fit qu'enflammer sa crainte du pasteur noir.

Hoover insista une nouvelle fois auprès du ministre de la Justice pour l'autoriser à mettre King sur écoute. De nouveau, Robert Kennedy hésita, sachant bien que la découverte d'une telle surveillance aurait des conséquences politiques désastreuses. Puis il finit par céder à la pression et autorisa la surveillance d'une seule ligne. Mais en octobre, au plus fort de la crise Rometsch, Hoover demanda de mettre sur écoute quatre lignes supplémentaires, et Robert Kennedy fut contraint de s'incliner. Les écoutes téléphoniques ainsi que les micros clandestins furent maintenus jusqu'en 1966.

Robert Kennedy était dans une situation impossible. D'une part, il suppliait Hoover de l'aider dans l'affaire Rometsch. De l'autre, il était furieux contre lui parce qu'il répandait le bruit outrageusement fallacieux que Martin Luther King se « laissait sciemment, volontairement et régulièrement guider par les communistes ». Le ministre essaya de protester, mais Hoover resta de marbre. Les Kennedy avaient perdu tout contrôle sur J. Edgar Hoover. Ce dernier choisit le 29 octobre, le lendemain du jour où il avait sauvé le président du scandale Rometsch, pour discuter de son avenir avec Robert. Il lui demanda ce qu'il en était des rumeurs qui circulaient au Capitole à propos de son licenciement. Edgar y nota avec satisfaction que Kennedy l'assura que ces rumeurs n'étaient pas fondées. Deux jours plus tard, Hoover alla déjeuner avec le président à la Maison-Blanche.

Ce dut être une entrevue assez extraordinaire et profondément humiliante pour le président. Au plus fort de la crise Rometsch, il avait dû violer ses propres consignes pour téléphoner directement à Hoover. Et maintenant ils se trouvaient face à face. Dans les archives Kennedy, le compte rendu de cette rencontre est classé « confidentiel » mais nous savons un peu ce qui s'y est passé, grâce au journaliste ami de Kennedy Ben Bradlee : « Jack m'a confié que Hoover lui avait parlé de cette femme allemande et des relations qu'elle avait eues avec des hommes politiques. » Mais Kennedy ne dit pas un mot à Bradlee de toute la boue qu'Edgar avait amassée sur lui et son frère. Il semble qu'au cours du repas on ait également parlé de l'avenir de Hoover. Suivant Bradlee, Kennedy avait décidé de voir Hoover plus souvent. Depuis 1961, ils ne s'étaient rencontrés que six fois, et ce déjeuner secret à la Maison-Blanche devait être le dernier.

Vingt-deux jours plus tard, le président John Kennedy s'envolait pour Dallas.

28

Dallas

Hoover apprit l'assassinat de Kennedy par la même source que les journalistes du monde entier, un bulletin de l'agence de presse UPI qui tomba sur son téléscripteur à 13 h 34, heure de Washington, quatre minutes après les coups de feu, tandis que la limousine du président fonçait vers un hôpital de Dallas.

Neuf minutes plus tard, alors que UPI annonçait que la blessure de Kennedy était « peut-être fatale », Hoover décrocha le combiné de la ligne directe avec le ministre de la Justice, dont ni l'un ni l'autre ne s'étaient servis depuis des mois. Robert Kennedy déjeunait chez lui, où la communication fut aussitôt transférée. « J'ai tout de suite compris que c'était grave, se souvient le frère du président, car Hoover ne m'aurait jamais appelé chez moi. » Hoover téléphona de nouveau quarante minutes plus tard, mais en ne parlant toujours que de blessures « critiques ». Le ministre de la Justice, qui avait de meilleures sources d'information, lui répliqua sèchement : « Cela vous intéressera peut-être de savoir que mon frère est mort ! »

Hoover ne témoigna jamais aucune compassion. Au cours des neuf mois où Robert Kennedy devait rester en fonctions, les deux hommes ne se parlèrent pas. Lorsque le téléphone de la ligne directe sonna de nouveau, Hoover attendit simplement que la sonnerie cessât, puis il donna l'ordre : « Rebranchez ce foutu machin sur le bureau de Miss Gandy. C'est sa place normale ! » Le soir de la mort du président, Hoover rentra chez lui pour regarder la télévision. Le lendemain, il se rendit aux courses. Un des dirigeants du champ de Pimlico se souvient : « Les chevaux ont couru le samedi, le lendemain de la mort de Kennedy. Mr Hoover y était. Il a utilisé notre bureau, où il est resté presque tout le temps pour s'occuper des affaires liées à l'assassinat. Tolson, qui était venu avec lui, était chargé de placer les paris. »

Avant de quitter son bureau, Edgar avait écrit une lettre prévenante à Lyndon Johnson, l'homme qui avait parié, à juste titre, que le destin lui apporterait la présidence :

Cher Monsieur le Président,
J'ai été profondément choqué par l'assassinat brutal aujourd'hui du président Kennedy et je tiens à vous exprimer ma profonde sympathie pour la perte nationale tragique de votre ami personnel.
Mon équipe et moi-même tenons à réaffirmer notre sincère désir de vous apporter toute l'aide nécessaire.

C'était pure hypocrisie. Hoover savait très bien que Johnson et les Kennedy avaient du mal à se supporter. En revanche, Johnson et lui échangeaient depuis longtemps des messages d'admiration mutuelle. Quelques mois auparavant, le vice-président lui avait exprimé son « total dévouement ».

Les premières personnes que le nouveau président contacta furent ses deux prédécesseurs, Truman et Eisenhower... ainsi que Hoover. Dès qu'il fut installé à la Maison-Blanche, il manifesta sa préoccupation d'être lui aussi assassiné. Edgar lui proposa alors d'utiliser une de ses voitures blindées et Johnson en fut très ému. Hoover note : « J'étais pour lui plus que le chef du FBI, j'étais son frère et un ami personnel... Il avait plus confiance en moi qu'en n'importe qui à Washington. »

Dans une de ses notes datant de sa vice-présidence, Johnson avait parlé de continuer à s'appuyer sur Hoover « au cours des années à venir ». Maintenant, avec Johnson au pouvoir, le chef du FBI voyait disparaître la menace de la retraite obligatoire, incontournable sous les Kennedy.

En attendant, il avait à jouer une partie particulièrement délicate : faire régner l'ordre après le drame de Dallas.

En raison de deux versions officielles contradictoires, des millions d'Américains avaient des doutes sur l'assassinat. La première enquête de la commission dirigée par le président de la Cour suprême, Earl Warren, avait conclu que le président avait été tué par Lee Harvey Oswald, ancien Marine de vingt-quatre ans, déserteur ayant vécu en Union soviétique, qui avait agi seul. Mais nous savons maintenant que quatre des membres éminents de la commission en doutaient. En 1978, une commission du Congrès établit qu'il y avait « probablement » eu complot.

La commission conclut qu'il y avait eu un tireur en plus d'Oswald et que l'assassinat avait vraisemblablement été monté par la Mafia. D'autres, se fondant sur les preuves qu'Oswald avait des liens avec les services de renseignements américains, se demandèrent si c'était aussi simple. L'ancien responsable de la Division de l'Hémisphère occidental de la CIA, David Phillips, qui témoigna devant la commission du Congrès, déclara en 1988 qu'il croyait qu'il s'agissait d'un complot impliquant « des espions américains douteux ».

La situation aurait été plus nette si la commission Warren n'avait été obligée de s'en remettre uniquement au FBI pour la majorité de ses informations. Dès le début, la priorité de Hoover fut de protéger sa propre personne et le Bureau en soutenant qu'Oswald était l'unique assassin. Moins de quatre heures après l'attentat, Norbert Schlei, du ministère de la Justice, fut stupéfait d'entendre Hoover déclarer qu'il était « absolument convaincu qu'ils avaient découvert le vrai coupable ». Cependant, lorsque Hoover fut convoqué le lendemain par le nouveau chef d'État, il fut moins positif. Prenant note de ce que Hoover lui avait dit, le président Johnson écrivit : « La preuve n'est pas solide… pas assez pour être convaincante. »

On ne parla plus de la faiblesse des preuves après qu'Oswald eut été abattu par Jack Ruby, annulant ainsi tout procès. « Ce qui me préoccupe, dit Hoover à la Maison-Blanche deux heures après la mort d'Oswald, c'est de présenter quelque chose qui puisse convaincre le public qu'Oswald était l'unique assassin. » Le président, de son côté, espérait qu'ils pourraient « s'en tirer » grâce à un rapport rapide du FBI. Certains ont émis l'hypothèse pas du tout invraisemblable que Johnson préférait la version du « détraqué solitaire » car il craignait que, si l'Union soviétique était impliquée, il y aurait un risque de guerre nucléaire.

En tout cas, l'instruction du dossier fut vite expédiée, comme le dit Courtney Evans : « Hoover était tellement obsédé par le temps que des enquêtes sérieuses sur le terrain étaient impossibles. Je ne peux m'empêcher de penser que s'il avait laissé les agents faire leur travail, en prenant le temps nécessaire dans de telles affaires, une autre théorie que celle du tireur solitaire Oswald aurait pu se faire jour. Mais Hoover réclamait que l'on fasse vite ! Ce n'est pas la meilleure façon de découvrir la vérité. »

De son côté, l'agent Harry Whidbee avait pour mission d'interroger les gens qui avaient connu Oswald alors qu'il servait chez les Marines en Californie. Il déclara en 1988 : « Je m'en souviens très bien. Ce fut un boulot bâclé. En moins de trois semaines on a reçu des instructions générales nous engageant à prouver simplement qu'Oswald était le meurtrier. Il n'y avait pas d'autre conspirateur et il n'y avait pas de conspiration internationale… J'ai fait moi-même un certain nombre d'interviews qui ont été expédiées et réécrites suivant les instructions de Washington. »

Il existe de nombreux cas de témoins harcelés et de preuves déformées. Les assistants de Kennedy Kenneth O'Donnell et David Powers sont tous deux convaincus que les coups mortels provenaient d'une haie située devant le cortège, et du bâtiment derrière, où Oswald était prétendument en embuscade. « J'ai dit au FBI ce que j'ai entendu, se souvient O'Donnell, mais ils m'ont déclaré que c'était impossible... »

En tant que ministre de la Justice, Robert Kennedy aurait dû normalement jouer un rôle important dans le déroulement de l'enquête. Mais il était tellement traumatisé que pendant des semaines après l'assassinat il ne mit même pas les pieds à son bureau. Selon un responsable important du FBI, Hoover donna l'ordre que le rapport sur l'assassinat disparaisse du ministère de la Justice « avant que Bobby ne revienne ».

Hoover fit opposition à toute enquête qui n'aurait pas été menée par le FBI. Et lorsque Johnson décida de nommer une commission officielle pour écarter le danger d'une investigation indépendante, Hoover souhaita la présider. Quand Earl Warren fut nommé, Hoover continua à intervenir. Le directeur du FBI se servit de Cartha DeLoach pour faire la liaison avec deux des membres de la commission, le sénateur Richard Russell et le représentant Gerald Ford, qui devait plus tard devenir président. Ford réunissait les informations sur les délibérations secrètes de la commission et les remettait à DeLoach. Ford, dit William Sullivan, faisait partie de « l'équipe du FBI au Congrès... notre homme au sein de la commission Warren. C'était sur lui que nous comptions pour protéger nos intérêts et pour nous tenir au courant de toute évolution défavorable pour nous... et il l'a fait ».

Bobby Baker, l'ancien assistant de Johnson fournit une explication à cet empressement de Ford à servir le FBI. Ils avaient tous deux la clé d'une suite de l'hôtel Sheraton-Carlton de Washington pour y recevoir qui ils voulaient. Or la suite en question était sous écoute du FBI. Baker pense que des informations compromettantes sur Ford avaient été ainsi transmises à Hoover qui aurait ensuite fait pression sur lui pour l'amener à coopérer.

Hoover avait pendant longtemps courtisé le président de la Cour suprême, Earl Warren, au point de faire enquêter par le FBI sur les petits amis de sa fille. Mais maintenant il le considérait comme un gêneur et alla même jusqu'à griffonner sur une note : « Si Warren avait fermé sa grande gueule, ces hypothèses n'auraient pu voir le jour. » Et il chargea des agents du FBI de réunir des charges sur les membres de la commission.

Nicholas Katzenbach, adjoint du ministre de la Justice Robert Kennedy, se souvient que Hoover et le FBI avaient virtuellement le monopole sur toute information essentielle. « Je ne savais pas ce qui se passait, dit-il, et personne d'autre au sein du gouvernement. » S'ils l'avaient su, pas plus Katzenbach que la commission Warren n'auraient eu la moindre confiance en Hoover. Car le FBI avait caché des informations et avait même, dans un cas précis, été jusqu'à détruire des preuves. En effet, les membres de la commission Warren avaient remarqué une divergence entre le carnet d'adresses d'Oswald et le texte du FBI qui en inventoriait le contenu. Une des pages reproduites dans la version du FBI ne faisait pas mention d'une donnée figurant sur l'original : il y manquait le nom, l'adresse et le numéro d'immatriculation de la voiture d'un agent du FBI, James Hosty.

Hosty était chargé à Dallas de surveiller Oswald en raison de son passé d'ancien déserteur. Il affirma qu'il n'avait jamais rencontré Oswald mais que, peu de temps avant l'assassinat de Kennedy, il avait laissé un message à sa femme, lui demandant de le rappeler. S'il ne s'était agi que de cela, pourquoi le Bureau aurait-il essayé de cacher à la commission la relation avec Hosty ? Le FBI nia l'avoir fait et expliqua l'omission par une simple défaillance administrative. Les membres de la commission restèrent sceptiques. Plus tard, cela les amena à une découverte inquiétante dont la commission n'avait jamais eu connaissance. Oswald avait dit à la meilleure amie de sa femme, Ruth Paine, qu'à la suite de la visite de Hosty il avait laissé une note à l'agence de Dallas du FBI. Après l'assassinat, un agent lui ayant affirmé qu'il n'en était rien, Mrs Paine en avait déduit que c'était un « bobard ». Mais, en 1975, une commission du Congrès apprit que l'assassin présumé avait bien laissé au FBI une note adressée à l'agent Hosty, quinze jours avant l'attentat. D'après une réceptionniste, la note renfermait une menace d'Oswald de faire un scandale à l'agence si on ne cessait pas d'« importuner [sa] femme ». Selon Hosty, il n'était pas question de violence mais c'était un avertissement qu'Oswald pourrait « prendre les moyens appropriés et faire un rapport aux autorités responsables ». Or cette note ne figurait pas dans le dossier officiel et était restée dans le bureau d'un autre agent qui, après l'assassinat d'Oswald, la remit à Hosty en disant : « Oswald est mort maintenant. Il n'y aura pas de procès. Alors débarrassez-vous de cela. » Hosty prit le papier, le déchira et le jeta dans les cabinets.

Personne ne saura probablement jamais qui a donné l'ordre de détruire la note et pourquoi. Hosty se refuse à parler et l'autre agent est mort depuis. Mais il semble inconcevable que la note ait pu être détruite sans l'accord de Washington. Selon William Sullivan, le quartier général du FBI connaissait l'existence de cette note et c'est Hoover qui aurait personnellement donné l'ordre qu'elle ne soit pas transmise à la commission Warren. Le conseiller juridique de la commission, Lee Rankin, a depuis déploré : « Nous ne pensions pas que le FBI ait délibérément menti... Mais la destruction de cette note implique peut-être qu'il y avait autre chose derrière... » Rankin pensait à la bombe qui avait menacé pendant un temps de changer le cours de l'enquête, lorsque le ministre de la Justice de l'État du Texas avait mentionné le « bruit suivant lequel Lee Harvey Oswald aurait été un agent secret du FBI ».

Hoover a toujours nié devant la commission qu'Oswald ou Ruby, son meurtrier, aient jamais été des informateurs du FBI. Mais on a découvert plus tard que, bien avant l'assassinat, le Bureau avait eu neuf contacts avec Jack Ruby qui était fiché dans les dossiers du FBI comme un « informateur potentiel ». Si Edgar a trompé la commission à propos de Ruby, pourquoi ne l'aurait-il pas fait également à propos d'Oswald ? Marina Oswald a déclaré qu'elle croyait que son mari « travaillait pour le gouvernement américain ». Deux témoins de La Nouvelle-Orléans où Oswald passa quelque temps avant l'assassinat, affirment qu'ils l'y ont vu en compagnie d'agents du FBI. Un shérif adjoint de Dallas dit que le Bureau le payait 200 dollars par mois au moment de l'assassinat et qu'ils lui avaient même donné le numéro d'informateur S-172.

La commission Warren n'enquêta pas sur tous ces points. Elle se contenta des démentis du FBI. Mais Lee Rankin a été surpris dès le début par sa position. D'habitude Hoover ne cessait d'affirmer que le travail du Bureau consistait à fournir des faits, pas des conclusions. Mais cette fois-ci c'était le contraire. « Ils n'ont pas suivi toutes les pistes, dit Rankin, mais ils ont affirmé qu'Oswald était l'assassin... et qu'il n'y avait pas eu complot. Ce n'est pas normal... Pourquoi étaient-ils si impatients d'en arriver à ces deux conclusions ? »

Certains pensent que l'obsession de Hoover de protéger sa réputation l'a conduit à camoufler tout le reste. Il se dépêcha d'expédier des lettres secrètes de réprimande à dix-sept agents, ceux qui avaient eu à s'occuper d'Oswald avant l'assassinat. S'ils avaient fait correctement leur travail, soutenait Hoover, le nom d'Oswald aurait figuré sur la liste des personnes à surveiller particulièrement. Plus tard, lorsque le rapport Warren sermonna, avec ménagements, le Bureau pour n'avoir pas été assez vigilant, Hoover ne cessa de tracasser ces mêmes agents. « Le Bureau, dit-il, n'oubliera jamais cela. » Cependant, Oswald n'avait jamais fait ou dit quoi que ce soit de violent qui aurait justifié une mise en garde des Services secrets responsables de la protection du président. La vindicte de Hoover contre ses agents n'était qu'une tactique pour protéger ses arrières.

La Commission du Congrès déclara en 1979 que l'enquête du FBI

sur l'assassin de Kennedy avait été « gravement défectueuse… insuffisante pour découvrir un éventuel complot ». En outre, elle identifia des
individus qui avaient dit que le président allait être tué, ainsi que d'autres
qui s'étaient comportés d'une façon extrêmement suspecte avant et après
l'assassinat. Bien plus, il semble maintenant que le FBI connaissait dès
1963 la plupart des indices que la commission devait étudier seize ans
plus tard. Comme le confirment plusieurs de ses anciens assistants, Hoover s'intéressa personnellement à tous les aspects de l'attentat. Selon
DeLoach, « Il a tout eu, tout su. Nous n'osions pas lui cacher quelque
chose. » Pourtant, Hoover ignorait une masse d'informations qui, des
années plus tard, lorsqu'elles seraient découvertes par la Commission
du Congrès, allaient suggérer une conspiration.

Plus de trois ans avant l'attentat, alors qu'Oswald n'était qu'un obscur déserteur vivant en Union soviétique, un mémo le concernant avait
été communiqué par Hoover au Département d'État, en date du 3 juin
1960 : « Il existe une possibilité qu'un imposteur se serve du certificat
de naissance de Lee Harvey Oswald. »

Un officier des services de renseignements de l'armée déclara,
quelques semaines après l'assassinat, que des responsables haut placés
du gouvernement savaient que deux certificats de naissance et deux
passeports au nom d'Oswald avaient circulé avant l'assassinat et
avaient été utilisés par deux personnes différentes.

Il existe des preuves que quelques mois après qu'Edgar eut écrit son
mémo sur « l'imposteur », quelqu'un se faisait passer pour Oswald. En
janvier 1961, un Américain et un exilé cubain avaient négocié l'achat
de dix camionnettes Ford chez un revendeur de La Nouvelle-Orléans.
Après l'assassinat, le négociant se souvint de l'incident, rechercha dans
ses vieilles factures et découvrit que sa mémoire ne lui avait pas joué
de tour. Un des acheteurs était un dénommé Oswald, représentant d'une
organisation appelée les « Amis de la démocratie cubaine ». La facture
fut conservée par le FBI jusqu'en 1979.

Les Amis de la démocratie cubaine étaient un groupe anticastriste
et l'achat des camions coïncidait avec la préparation du débarquement
de la baie des Cochons [1]. Or, à l'époque, le pro-communiste Lee Oswald
était loin de là, en Union soviétique. Il semble donc bien que pendant
ce temps quelqu'un d'une opinion politique opposée utilisait son nom

---

1. Eisenhower avait préparé contre Castro un plan d'invasion de Cuba. Devenu
président en janvier 1961, John Kennedy approuva l'opération prévue par son prédécesseur. Le 16 avril 1961, 1 500 exilés cubains anticastristes, entraînés aux États-Unis,
tentèrent sur la baie des Cochons un débarquement qui fut un échec complet. [N.d.T.]

aux États-Unis. Ici intervient un mystérieux personnage, Guy Banister. Il avait servi au FBI pendant vingt ans. Après une grave opération chirurgicale il était retourné en Louisiane, le pays de son enfance. D'une nature instable que n'améliorait pas l'abus de l'alcool, il se considérait comme un super-patriote en croisade contre le communisme. Membre d'organisations d'extrême droite, comme la John Birch Society, il enquêtait pour la Commission des activités anti-américaines de Louisiane. Il croyait que les projets d'intégration raciale faisaient partie d'une machination communiste contre les États-Unis, et il travaillait avec ferveur au complot soutenu par la CIA et destiné à renverser Fidel Castro. Lors d'un voyage en Europe, il avait contacté des membres de l'OAS qui préparaient l'assassinat de De Gaulle. Comme la plupart des anciens du FBI, Banister était détective privé et gardait des liens au plus haut niveau avec le Bureau, y compris avec Hoover. Sa secrétaire, Delphine Roberts, confirme : « Mr Banister travaillait toujours pour eux. Je sais que lui et le FBI échangeaient des informations. »

Dans le passé, à Chicago, l'équipe anticommuniste de Banister avait été une des plus efficaces. De même en 1963, à La Nouvelle-Orléans, il mena contre la gauche des opérations d'infiltration, engageant des jeunes gens pour recueillir des informations sur les organisations pro-castristes et pour les droits de l'homme, exactement le genre de travail que le FBI faisait à l'époque. En 1963, cet été-là, Oswald était également à La Nouvelle-Orléans, et se posait comme pro-castriste, exactement le genre de « coco » que détestait Banister. Et pourtant on a des preuves qu'il existait entre eux des relations secrètes. Suivant la secrétaire de Banister, son patron aurait prêté un bureau à Oswald et aurait dit : « Ne vous en faites pas pour lui. Il est avec nous, il est associé au Bureau. »

Un des partenaires de Banister, d'extrême droite comme lui, l'ancien pilote David Ferrie, avait également des liens avec Oswald. De nombreux témoins se souviennent d'avoir vu Oswald en compagnie de quelqu'un qui était probablement Ferrie, moins de trois mois avant l'assassinat de Kennedy. Ils étaient arrivés à Clinton, au nord de La Nouvelle-Orléans, dans une Cadillac noire et se conduisirent d'une façon étrange pendant l'inscription des Noirs sur les listes électorales. Les militants des droits civiques locaux les prirent pour des agents secrets du FBI. Aussitôt après l'attentat de Dallas, un des enquêteurs de Banister, Jack Martin, attira l'attention sur son patron et Ferrie. Il déclara, pour se rétracter ensuite, que Ferrie était compromis avec Oswald et la préparation de l'attentat. Pendant ce temps, de son côté, Ferrie sillonnait fiévreusement La Nouvelle-Orléans pour rechercher une carte de bibliothèque auprès de ceux qui connaissaient Oswald. Or on sait qu'Oswald portait sur lui une carte semblable lorsqu'il avait été arrêté et que cette carte était au nom de Ferrie.

Banister passa plusieurs heures après l'attentat de Dallas à boire abondamment avec Martin. Il accusa Martin de fouiller dans ses dossiers confidentiels, puis lui donna un coup sur la tête avec un revolver Magnum 357. Martin alors explosa et lui demanda : « Qu'est-ce que tu vas me faire ? Me tuer comme vous avez fait avec Kennedy ? » Cela aurait dû sembler plus que suffisant pour déclencher une enquête sérieuse, mais le FBI laissa tomber l'affaire. Banister fut interrogé mais on ne lui demanda rien au sujet d'Oswald. Ni son nom, ni celui de Ferrie ne figurent dans le rapport Warren. Avant que la commission ait fini ses travaux, Banister fut trouvé mort dans son appartement, victime d'une attaque cardiaque, un fusil près de lui. Ferrie mourut en 1967, probablement d'un suicide, après que le procureur Jim Garrison, de La Nouvelle-Orléans, ait rouvert le dossier et se soit apprêté à le convoquer comme témoin.

Le FBI détenait une preuve des rapports entre Oswald et Banister, mais ne la communiqua jamais à la commission Warren. Quelques-uns des tracts pro-castristes trouvés chez Oswald portaient comme adresse 544 Camp Street, celle du bâtiment où se trouvait l'agence de détectives de Banister. Cette information eût pu alerter les soupçons de la commission Warren, mais elle n'en sut rien. Le FBI donna comme adresse de Banister : 531 Lafayette Street. La commission n'avait aucun moyen de savoir qu'il s'agissait en fait du même immeuble situé au coin de deux rues. En revanche, le FBI, lui, ne l'ignorait pas.

Si Hoover avait donné tous les détails sur les relations d'Oswald avec Banister et David Ferrie, la commission aurait peut-être prêté plus d'attention à un élément très sérieux, l'éventualité que la Mafia ait quelque chose à voir avec l'assassinat. Il fallut attendre la Commission du Congrès pour que soit évoquée l'éventuelle implication de deux patrons de la Mafia : Santos Trafficante, de Floride, et Carlos Marcello, de La Nouvelle-Orléans.

Marcello, comme Trafficante et Sam Giancana, avait été une des cibles particulières du ministère de la Justice, sur ordre de Kennedy, à qui il vouait une rancune personnelle. Peu de temps après avoir pris ses fonctions en 1961, le frère du président l'avait fait brusquement expulser au Guatemala comme étranger indésirable. Après que le gangster fut entré clandestinement aux États-Unis, Kennedy avait repris la lutte pour l'expulser définitivement. David Ferrie avait, depuis le début de 1962, travaillé avec l'avocat de Marcello en même temps qu'avec Guy Banister. Ils avaient aidé tous les deux à préparer la défense de Marcello contre l'accusation d'avoir utilisé un faux certificat de naissance pour éviter d'être exilé. Si la piste Marcello avait été suivie, bien des éléments nouveaux en seraient sortis. L'oncle de Lee Harvey Oswald et son subrogé tuteur, Dutz Murret, chez qui Oswald avait séjourné en 1963, travaillaient dans l'organisation de jeux clandestins de Marcello. Quant à Jack Ruby, l'assassin d'Oswald, qui avait de nombreux contacts avec la pègre, il était en relations avec Nofio Pecora, un lieutenant de Marcello, trois semaines avant l'attentat. Pecora, de son côté, était très proche de l'oncle d'Oswald. Après la mort de Kennedy, des témoins affirment qu'un associé de Marcello avait été vu donnant de l'argent à Oswald et qu'un autre avait été entendu discuter de l'efficacité d'un fusil de fabrication étrangère pour « descendre le président ».

Le FBI ne suivit aucune de ces pistes. Le nom de Marcello ne figure ni dans le rapport Warren ni dans aucun des vingt-six volumes d'enquête. Pas plus que ceux de Santos Trafficante ou de Sam Giancana. La CIA « omit » d'informer la commission qu'elle avait fait appel à la Mafia pour tuer Castro, jusqu'au début de 1963. Hoover aussi, au courant depuis longtemps, se tut. « Comme on ignorait toutes ces ramifications, déclare Burth Griffin, procureur de la commission, nous ne disposions d'aucun élément pour établir un lien entre la pègre et Cuba, rien pour faire le rapprochement avec Oswald et par conséquent avec l'assassinat du président. » Or ces connexions étaient connues de la CIA et de Hoover. Ils détenaient la clé du labyrinthe mais la dissimulèrent à la commission.

De nombreuses autres sources laissent entendre que les principaux parrains de la Mafia n'étaient pas étrangers à l'affaire. Le secrétaire de Guy Banister, l'ancien agent du FBI qui manipulait Oswald, dit qu'il reçut avant l'attentat Johnny Roselli, l'homme de confiance de Giancana. De son côté, le demi-frère de Giancana a soutenu que le parrain de la Mafia de Chicago avait manigancé l'affaire en compagnie de Marcello, de Trafficante et d'agents de la CIA.

Frank Costello, le vieux patriarche de la Mafia qui avait aidé Marcello à construire son empire du crime, dit avant de mourir qu'Oswald n'était que le « jobard » dans l'assassinat du président. Frank Ragano, ancien avocat du patron du syndicat des camionneurs, Jimmy Hoffa, dit qu'il avait été envoyé pour parler de l'assassinat du président avec Trafficante et Marcello au début de 1963. Il en avait gardé l'impression qu'ils « avaient déjà un tel projet en tête ».

Plus convaincant encore est ce que la nouvelle génération d'agents du FBI apprit en 1975 en surveillant Trafficante et Marcello. Sur une écoute clandestine, on entend Trafficante dire : « Maintenant, il n'y a plus que deux personnes vivantes qui savent qui a tué Kennedy. » Trafficante est mort naturellement, en 1987, mais Marcello vit toujours. Il y a quelques années, selon le mouchard du FBI Joseph Hauser, il aurait reconnu qu'Oswald aurait servi d'intermédiaire dans son opération de paris clandestins en 1963.

Une information sérieuse concernant Trafficante et Marcello suggère la possibilité que le FBI se soit rendu gravement coupable de négligence avant l'assassinat. D'après Jose Aleman, un riche exilé cubain, Trafficante aurait fait d'inquiétantes remarques sur le président au cours d'une réunion d'affaires en septembre 1962. Les Kennedy, aurait dit le gangster, « ne sont pas honnêtes. Ils prennent le fric et ne respectent pas un marché... Croyez-moi, ce Kennedy est dans le pétrin, et il aura ce qu'il mérite ». Lorsque Aleman objecta que le président serait réélu, Trafficante aurait déclaré calmement : « Vous n'avez pas compris ce que j'ai dit. Kennedy n'ira pas jusqu'à l'élection. Il se fera descendre. »

En Louisiane, ce même mois, Marcello et deux de ses séides discutaient un projet pétrolier avec un entrepreneur de Californie, Ed Becker. Tandis que le whisky coulait à flots, le gangster, courroucé, se plaignit de ce qu'il endurait de Robert Kennedy. Puis, laissant échapper un juron sicilien, il s'écria qu'on allait « s'occuper » du ministre de la Justice. Selon Becker, Marcello compara le président Kennedy à un chien, son frère Robert étant sa queue, et ajouta : « Le chien continuera à vous mordre si vous ne lui coupez que la queue. » Autrement dit, si on coupait la tête du chien, il ne mordrait plus ! Plus il tempêtait et plus Marcello semblait sérieux. Toujours d'après Becker, « il déclara nettement qu'il allait s'arranger pour que le président Kennedy soit assassiné ». Et, à titre d'assurance, il parla de « trouver un connard sur qui rejeter la faute ».

Aleman, un contact estimé du FBI, devait plus tard déclarer qu'il avait parlé des remarques de Trafficante à des agents du Bureau, peu de temps après qu'elles eurent été formulées, en 1962. Après l'assassinat, selon lui, deux agents étaient aussitôt venus le voir, lui avaient fait répéter toute son histoire, puis lui avaient demandé de garder le secret. Mais les dossiers du FBI ne contiennent aucun document indiquant que les commentaires de Trafficante ou la menace de Marcello aient été signalés. Paul Scranton, un des deux agents qui avaient interrogé Aleman refusa de nier ou de confirmer l'entretien. « Je ne veux rien dire qui puisse embarrasser le Bureau », dit-il au *Washington Post* en 1976.

De son côté, Ed Becker a affirmé dès le début que lui aussi avait informé le FBI de la menace de Marcello. « Quand je suis rentré de

Louisiane, dit-il, j'ai trouvé des agents du Bureau qui m'attendaient. Ils voulaient savoir si j'avais vu Marcello et pourquoi. Je leur ai parlé de notre affaire pétrolière et leur ai dit ce que Marcello avait déclaré concernant l'assassinat de Kennedy. Mais ils ne sont jamais revenus me voir et le FBI ne m'a jamais posé de questions jusqu'à ce jour. »

En 1962, lorsque Ed Becker vit Marcello, il travaillait pour un ancien agent du FBI devenu enquêteur privé, Julian Blodgett, qui a révélé en 1992 que Becker lui avait parlé aussitôt de la menace du gangster. En bon défenseur du respect de l'ordre, il en avait immédiatement avisé le FBI. « J'ai pris l'histoire au sérieux, dit Blodgett. Becker m'a décrit les circonstances avec beaucoup de soin et je l'ai jugé digne de confiance, comme encore aujourd'hui. J'ai aussitôt prévenu un de mes contacts au FBI, le patron de Los Angeles. C'était un professionnel très sérieux et je suis sûr qu'il en a rendu compte. Une affaire aussi vitale devait faire l'objet d'un rapport transmis à Washington. »

Blodgett était un agent de la vieille école très respectueux de J. Edgar Hoover. Il a été tout à fait désorienté de voir que les archives du FBI ne contiennent aucune trace de son rapport ni des déclarations de Becker. En revanche, des mémos du dossier indiquent qu'en 1967, alors que l'écrivain Ed Reid se préparait à publier l'histoire Becker, Hoover et ses assistants montèrent une opération destinée à jeter des doutes sur la crédibilité de Reid. Un agent est venu voir l'écrivain pour essayer de le convaincre que Becker était « un menteur et un imposteur ». Il en résulta que Reid supprima de son livre le passage dans lequel Becker affirmait avoir communiqué la menace de Marcello au FBI.

Hoover avait assuré la commission Warren que l'assassinat de Kennedy « ne serait jamais une affaire classée... et qu'une enquête serait toujours menée sur quelque information de quelque source que ce soit ». Cependant, en violation de sa promesse, il fit tout son possible pour enterrer l'affaire Becker lorsqu'il en fut question en 1967. Aujourd'hui, alors que l'on sait, grâce à la déclaration de l'ex-agent Blodgett, que la menace fut communiquée au FBI plus d'un an avant l'assassinat, le fait est encore plus grave. La loi impose au FBI d'aviser les Services secrets de toute menace contre une personnalité officielle. La routine veut que, chaque jour, les propos présentant un caractère menaçants proférés par des ivrognes ou des maniaques à travers tout le pays soient aussitôt enregistrés et communiqués. Mais il n'y a aucune trace que le FBI ait alerté les Services secrets sur les remarques violentes des gens de la pègre à propos des frères Kennedy. Il n'existe également aucune preuve que le FBI ait transmis aux Services secrets les commentaires de Marcello et de Trafficante sur l'assassinat du président.

Clint Murchison, le milliardaire ami de Hoover, avait, comme tous les autres magnats du pétrole, soutenu Johnson pour la Maison-Blanche en 1960 et ses craintes concernant Kennedy se révélèrent justifiées. Le jeune président ne cachait pas son hostilité aux étonnants privilèges fiscaux de ces hommes d'affaires et se préparait à réformer tout cela. Or, curieusement, on trouve des liens troublants entre Murchison et ses compères et la saga de l'assassinat.

Quatre jours après le drame de Dallas, le FBI reçut une information suivant laquelle Clint Murchison et Tom Webb, l'ancien agent du FBI passé à son service sur la suggestion d'Edgar, étaient tous deux en relations avec Jack Ruby qui, de son côté, avait rencontré un des meilleurs amis de Murchison, le magnat du pétrole Billy Byars. Ce dernier était également très proche de Hoover. Ils avaient des bungalows voisins dans l'hôtel californien où séjournait Murchison chaque été. Le relevé des communications téléphoniques indique que l'après-midi de l'assassinat de Kennedy, Hoover n'a appelé, à l'exception du ministre de la Justice et du chef des Services secrets, qu'un seul individu, Billy Byars.

Billy Byars est décédé, mais son fils, étudiant à l'époque, se souvient d'avoir vu Hoover l'été suivant l'assassinat de Kennedy à l'hôtel Del Charro. Il a déclaré en 1988 : « J'étais là pour une ou deux semaines. Ils mangeaient ensemble, mon père, Murchison et Hoover. Hoover semblait dans un curieux état d'esprit. Ses relations étaient évidemment infiniment meilleures avec le président Johnson qu'avec Kennedy, mais cela n'allait pas du tout avec Bobby. Il parlait de cela constamment, et j'eus un jour l'occasion de le questionner directement sur l'assassinat. Je lui ai demandé : "Est-ce que vous pensez que Lee Harvey Oswald l'a commis ?" Il m'a regardé pendant un long moment, puis il m'a dit : "Si je vous disais ce que je sais, ce serait dangereux pour le pays. Tout notre système politique s'écroulerait." C'est tout ce qu'il m'a dit et je me suis bien rendu compte qu'il n'avait pas l'intention d'en dire plus. »

Le président Johnson, qui devait être au courant de toutes les informations sur l'assassinat, pensait qu'il y avait eu complot. Madeleine Brown, qui dit avoir été sa maîtresse, raconte : « Quelques semaines plus tard je lui ai dit que les gens de Dallas prétendaient que lui-même avait quelque chose à voir avec cela. Il est devenu très violent et désagréable et m'a dit que c'était l'espionnage américain et le pétrole qui étaient derrière. Puis il a quitté la pièce en claquant la porte. Il m'a fait peur. »

Johnson semble avoir hésité, convaincu qu'il y avait eu complot mais ne sachant qui était coupable. Ses soupçons oscillaient entre les Vietnamiens, Fidel Castro et les services d'espionnage des États-Unis. En 1967, il dit à son assistant Marvin Watson qu'il pensait que « la CIA avait quelque chose à voir avec le complot ». Lorsqu'il mourut, en 1973, il se demandait toujours si les coups montés entre la Mafia et la CIA pour tuer Castro, dont il avait été informé en prenant ses fonctions, ne seraient pas revenus comme un boomerang.

Plusieurs mois après les événements de Dallas, dans l'intimité de son bureau, Hoover dit à un visiteur que cette histoire était « un foutoir, un tas de trucs qui ne tenaient pas debout ». Mais, dans ce cas, pourquoi a-t-il orienté avec tant d'insistance la commission Warren vers la théorie de l'assassin solitaire, alors que de nombreux indices auraient nécessité des enquêtes sur les services d'espionnage, la Mafia et même ses amis magnats du pétrole ? Exécutait-il les ordres de Johnson qui craignait que des révélations ne déclenchent une crise internationale ? Ou bien était-il lui aussi la victime de pressions ? De même que, des années auparavant, il n'avait eu d'autre choix que de freiner la lutte contre la Mafia, peut-être que, pour des raisons identiques, il ne pouvait se permettre en 1963 de suivre des pistes qui mettaient en cause la pègre.

En tout cas, une des conséquences les plus révélatrices de l'assassinat fut le sort de la croisade de Robert Kennedy contre le crime organisé. Avant la mort du président, son frère, le vrai patron du Bureau, avait réussi à contraindre Hoover à s'attaquer à la pègre. Que cela ait plu ou non à son directeur, le FBI était devenu ce qu'il n'avait jamais été auparavant : une force qui effrayait la Mafia. « A l'instant où la balle frappa le crâne de Jack Kennedy, affirme William Hundley, du ministère de la Justice, tout fut terminé. Immédiatement. Le programme de lutte contre le crime organisé s'arrêta net et Hoover reprit le contrôle. » Quinze jours plus tard, Robert Kennedy devait dire avec amertume en parlant du FBI : « Ces gens-là ne travaillent plus pour nous. » Dans les mois suivants, profitant du fait qu'il était accablé par la peine, Hoover reprit l'avantage. « La poursuite contre le crime organisé continua, se souvient l'ancien agent de Chicago Bill Roemer, mais pas avec la même intensité. » Les agents sur le terrain découvrirent qu'ils avaient moins d'argent à dépenser et moins d'autorisations pour installer des écoutes clandestines chez les membres de la pègre. Les statistiques confirment que la lutte contre la Mafia mollit brusquement. A la fin de la présidence Kennedy, les membres de la section contre le crime organisé effectuaient 6 699 journées de travail sur le terrain par an. Trois ans plus tard, le chiffre était réduit de moitié. Les assignations des malfrats devant les tribunaux diminuèrent de 72%.

Après la mort du président, son frère n'était plus qu'un ministre de la Justice amputé. En revanche, Hoover remontait au sommet. Le

7 mai 1964, alors même qu'il sabotait secrètement le travail de la commission Warren, le Congrès honora sa quarantième année au FBI par la résolution numéro 106. Elle faisait l'éloge d'« un des plus remarquables bilans au service de Dieu et de la patrie de l'histoire de notre nation ». Elle mentionnait « la forte détermination morale » de Hoover et son « inexorable bataille » contre la pègre criminelle d'Amérique. Le lendemain, au cours d'une cérémonie à la Maison-Blanche, le président Johnson annonça le décret 10682. Hoover à ses côtés, il déclara qu'il dérogeait à la règle de la retraite obligatoire qui devait s'appliquer à Hoover lorsqu'il aurait soixante-dix ans, sept mois plus tard. Il fit son éloge – « calme, humble… une malédiction pour les hommes malfaisants » – et promit qu'il pourrait rester à son poste « pendant une période indéterminée ».

Dans l'hebdomadaire *Life*, Loudon Wainwright commenta : « Le Sénat romain a accordé un statut divin à quelques empereurs alors qu'ils étaient encore en fonctions. C'est plus ou moins ce qui vient d'arriver à J. Edgar Hoover. N'est-il pas un demi-dieu depuis longtemps ? »

29

Le complice Johnson

Le 4 juin 1964, l'historien William Manchester fut introduit dans le bureau de Hoover, au quatrième étage du ministère de la Justice. Dans l'antichambre, son attention avait été attirée par un buste de bronze grandeur nature du directeur. « Entre le buste et moi, dit Manchester, il y avait un drapeau américain fait d'une gaze transparente à travers laquelle je voyais un Hoover bleu, blanc, rouge ! » Manchester, qui enquêtait pour son livre *Death of a President* (Mort d'un président), était venu pour l'interroger sur l'assassinat du président Kennedy. Mais il se rendit vite compte que Hoover n'avait aucune envie de parler de l'attentat. Il ne voulait parler que de lui-même. « Il passait son temps, dit Manchester, à revenir aux années trente pour me dire comment il avait pris en chasse Dillinger et Floyd le Beau Gosse et tout le reste. Je ne pouvais jamais le ramener à Kennedy et, à mon avis, il était déjà complètement sénile. »

George Ball, le sous-secrétaire d'État de Johnson, rencontra un jour Hoover pour discuter de problèmes de sécurité du Département d'État. « Ses avis étaient complètement idiots, dit-il. Son monologue était incohérent et interminable... J'ai trouvé intolérable de rester là assis à écouter de telles inepties. Alors je me suis excusé sous prétexte d'un appel téléphonique dans ma salle de conférences et je suis parti. Ce jour-là, j'ai eu des doutes sur sa compétence. »

De son côté, Nicolas Katzenbach explique : « Je me rendais généralement à son bureau plutôt que de lui demander de venir dans le mien, en partie par courtoisie, mais surtout parce que ainsi il m'était possible de partir. Lorsqu'il venait chez moi, je n'arrivais jamais à le faire sortir. Il n'écoutait rien et se contentait de parler sans suite. Il était beaucoup plus proche de la sénilité qu'on ne le pensait... Et pourtant, après le président, il était l'homme le plus puissant du pays. »

Peu après la mort de Kennedy, une nouvelle photo de Lyndon Johnson fit son apparition sur le mur du bureau de Hoover avec la dédicace : « A J. Edgar Hoover, un homme comme il n'en est pas de plus grand. De la part de son ami de trente ans. » La femme du président, « Lady

Bird », qui parlait de Hoover avec chaleur lorsqu'il était vivant, s'est montrée beaucoup plus réservée en 1988 : « Je ne le considérerais pas comme un de nos amis. » D'autres sont plus brutaux. « Johnson ne l'aimait pas, dit Hugh Sidey, correspondant de *Time* à la Maison-Blanche. Il avait un grand respect pour sa force de frappe, mais il se méfiait beaucoup de lui. Quand Johnson me parlait de lui, il me semblait méprisant. »

« Johnson m'appelait parfois au téléphone, raconte Katzenbach pour me dire : "Bon Dieu, vous ne pouvez pas faire quelque chose pour moi au sujet de Hoover ? Ces coups de téléphone qu'il me donne ! Le connard parle pendant des heures !" » De son côté, Hoover ne portait pas le nouveau président dans son cœur. Dès le début, il avait prévenu ses proches collaborateurs : « Johnson peut devenir très dictatorial. Il faut nous tenir sur nos gardes. » En fait, Johnson pouvait se servir de Hoover, lorsque Hoover s'y prêtait, mais il ne pouvait escompter lui donner des ordres. Son attaché de presse, George Reedy, admet : « Le président était conscient que Hoover était très puissant. Il avait tellement d'informations sur tout le monde. »

Johnson laissa percer les raisons de ses craintes. Selon William Sullivan, « il lui arrivait de temps en temps d'appeler Hoover pour lui dire : "Je vous le demande à nouveau. Dites-moi si vous avez un enregistrement sur moi du temps où j'étais sénateur." Johnson était loin d'avoir la conscience tranquille. Je pense qu'il estimait que si nous avions eu un enregistrement sur lui lorsqu'il était sénateur, il aurait vraiment eu de sérieux ennuis ». Hoover en savait trop sur Johnson depuis trop longtemps pour ne pas être une menace. Il connaissait les combines de l'élection de 1948 qui l'avaient amené au Sénat et il était au courant des corruptions qui l'avaient enrichi.

En outre, sans qu'il y eut de commune mesure avec son prédécesseur, Johnson avait également eu des aventures extra-conjugales.

Madeleine Brown, du Texas, a dit que Johnson et elle avaient eu une liaison pendant une vingtaine d'années. Elle raconte qu'elle l'avait rencontré au cours d'une réception à Dallas en 1948, alors qu'il était membre de la Chambre des représentants. Elle était alors âgée de vingt-quatre ans et travaillait dans une agence de publicité. Trois ans plus tard, elle mit au monde son fils Steven, dont Johnson s'occupa comme un père. Pendant l'ère Kennedy, alors que Steven était âgé de dix ans, le vice-président Johnson informa sa maîtresse que Hoover était devenu une menace. Au cours d'un de leurs rendez-vous amoureux à l'hôtel Driskill, à Austin, Johnson confia à Madeleine Brown qu'il avait un « sérieux problème » : « Hoover veut que je fasse pression sur Kennedy pour qu'il le garde comme directeur du FBI. Il est au courant pour toi et Steven. » Johnson, raconte Madeleine Brown, voulait qu'elle fasse rapidement un mariage de complaisance : « Le but était d'arrêter les commérages, et cela a marché, surtout plus tard, lorsqu'il est entré à la Maison-Blanche... Lyndon m'a dit qu'il avait peur de Hoover, qui voulait l'obliger à faire pression en sa faveur auprès des Kennedy, et il a insisté : "Je voudrais que tu fasses ce mariage pour que Hoover cesse de me coincer les couilles." »

Compte tenu de la manière dont il était compromis, il est évident que, dès qu'il fut président, Johnson s'empressa de maintenir Hoover à son poste : « La nation ne peut se permettre de perdre un homme tel que vous », dit-il à Edgar en le lui annonçant. Ou n'était-ce pas plutôt que Johnson « ne pouvait se permettre » d'affronter le courroux de Hoover ? Peut-être Johnson et Hoover avaient-ils trouvé une forme d'arrangement. En effet, les dossiers officiels et confidentiels de Hoover et du FBI sur le président contiennent très peu d'éléments compromettants sur les scandales de corruption et rien du tout sur Madeleine Brown. Selon le *Washington Post*, « des dossiers et des enregistrements ont existé sur les activités en coulisse de Johnson. Mais ce matériel embarrassant a été extrait des archives et envoyé à la Maison-Blanche ». En outre, Clyde Tolson aurait fait également disparaître des documents aussitôt après la mort de Hoover.

Les initiés des milieux politiques de Washington ont tout un stock de citations grossières de Johnson, et une des plus connues a trait à Hoover. Alors qu'un jeune assistant lui demandait de se débarrasser de Hoover, le président aurait répondu : « Non, mon gars. S'il y a un putois dans le coin, vaut mieux qu'il soit à l'intérieur de la tente pour pisser dehors que dehors pour pisser dedans. »

Hoover avait maintenant plus facilement accès à la Maison-Blanche qu'au cours des quarante années précédentes. Un nouvelle antenne du FBI fut installée au Texas, tout près de la demeure de Johnson. Très vite, un agent du FBI accompagna régulièrement Johnson lorsqu'il voyageait à bord de l'avion présidentiel. Et pourtant la sécurité du président était sous la responsabilité des Services secrets, leur patron étant de toute façon un ancien du FBI.

Cartha DeLoach, le favori de Hoover, le manipulateur de la presse et du Congrès, fut désigné pour assurer la liaison avec la Maison-Blanche quelques heures après l'assassinat de Kennedy. Il remplaçait Courtney Evans, qui semblait s'être trop bien entendu avec les Kennedy. C'est DeLoach qui rédigea le décret maintenant Hoover à son poste après ses soixante-dix ans. Pendant cinq années, DeLoach fut le lien entre le FBI et la Maison-Blanche et devint l'intime de la première famille du pays à un point surprenant pour un simple fonctionnaire. Il était invité à déjeuner et jouait aux dominos avec le président ; il alla passer un week-end de Pâques avec les Johnson dans la retraite de Camp David. « Très vite, dit-il, le président me consulta souvent, en particulier pour des nominations au gouvernement. »

Johnson ayant eu des difficultés à joindre DeLoach chez lui, où une adolescente bavarde bloquait trop longtemps le téléphone, il fit installer immédiatement une ligne directe spéciale et un poste dans la chambre à coucher. DeLoach se souvient : « Le président appelait à n'importe quelle heure, jour et nuit. » Il lui envoya un jour une lettre débordante de flagorneries :

> Cher Monsieur le Président,
> Merci de nous avoir permis, à Barbara et à moi-même, de partager hier après-midi ce moment de grandeur avec la première famille du monde. Votre simplicité, alliée à votre calme dignité, ne cesse jamais de m'inspirer... Ma vieille mère m'a téléphoné hier soir à 21 heures pour me dire que Mr Johnson est la meilleure des choses qui soit jamais arrivée à la nation...

Le président aimait à dire qu'il voulait être entouré d'hommes « assez loyaux pour [lui] baiser le cul dans la vitrine des grands magasins Macy et dire que ça sent la rose ». DeLoach en était l'illustration parfaite, un collaborateur ambitieux qui veillait non seulement à faire respecter la volonté de Johnson, mais encore à ce qu'elle coïncide avec celle de Hoover.

Hoover aussi faisait sa cour car les deux hommes étaient unis par la crainte. Hoover avait peur en permanence d'être écarté de son poste. Quant à Johnson, on connaît aujourd'hui les raisons de ses terreurs cachées. Deux de ses assistants, Richard Goodwin et Bill Moyers, furent si alarmés par l'état d'esprit du président que, chacun de leur côté, ils allèrent secrètement consulter un psychiatre. En 1988, Goodwin confia : « Le diagnostic fut le même pour chacun de nous. Nous avions décrit un cas tout à fait classique de désintégration paranoïaque, avec des poussées d'irrationalités longuement réprimées... L'évolution varierait dans le bon sens ou le mauvais, en fonction de la résistance de Johnson. »

Son ancien attaché de presse, George Reedy, pense que le président était « un maniaco-dépressif ». Johnson était tout le temps préoccupé par la crainte d'être à son tour assassiné et il vivait dans l'obsession d'un complot des anciens du gouvernement de Kennedy pour le faire tomber. Il en était venu à croire que la presse voulait sa perte, et que les journalistes et le gouvernement étaient infiltrés par les communistes.

Hoover avait fulminé toute sa vie contre des ennemis réels ou imaginaires et ses fonctions de policier lui avaient depuis longtemps assuré une place en coulisse dans le monde politique. Au cours de la présidence Johnson, cette conjugaison de psychoses constitua un dangereux mélange. L'équilibre nécessaire pour assurer la séparation entre l'exécutif et le respect de la loi était tout simplement inexistant.

Pour les deux hommes, l'ennemi évident était Robert Kennedy, qui devait rester ministre de la Justice jusqu'en septembre 1964. Johnson parlait de lui comme d'« un petit avorton » et Kennedy considérait Johnson comme « un minable, un vicieux, une bête ». En dépit de cela, Kennedy avait l'impression que Johnson aurait besoin de lui pour être élu en 1964 et il se voyait son vice-président. C'était une illusion. Dès le début, Johnson écarta Kennedy et ses amis[1].

Hoover et Kennedy jouaient le même jeu hypocrite. En janvier 1964, pour apaiser les tensions, Kennedy remit à Hoover en cadeau de Noël une paire de boutons de manchettes en or, gravés du sceau du ministère de la Justice et portant ses initiales et celles de Hoover. Hoover répondit par un mot adressé à « Cher Bob », l'assurant que ces boutons de manchettes « lui rappelleraient sans cesse une amitié qui [lui] serait toujours précieuse ». A la même période, Johnson recevait un flot d'informations du FBI concernant l'équipe Kennedy encore en poste à la Maison-Blanche. Même si la demande provenait dans la plupart des cas du président, le ton des notes ne permettait aucun doute sur la complicité de Hoover.

Hoover ne manquait aucune occasion de semer le trouble. En février, l'agent responsable de l'agence de Minneapolis lui communiqua des racontars au sujet d'un dîner où des « membres de l'équipe Kennedy » auraient conspiré pour « créer une situation dans laquelle Johnson serait obligé de choisir Robert Kennedy comme vice-président ». Hoover envoya aussitôt DeLoach pour transmettre à Johnson ces potins, sans même les avoir vérifiés et confirmés.

Johnson aimait les histoires scabreuses et Hoover s'empressait de le satisfaire, surtout lorsqu'il s'agissait des Kennedy. Un de ses adjoints, qui a demandé de rester anonyme, a raconté l'histoire suivante : « Nous avons fourni à Johnson un rapport complet sur une jeune femme qui avait servi d'hôtesse dans l'avion des Kennedy et accordé des faveurs sexuelles à John. Kennedy l'avait fait entrer à la Maison-Blanche

---

1. Robert Kennedy devait annoncer en mars 1968 son intention de se présenter comme candidat démocrate aux élections présidentielles de novembre, mais il fut assassiné en juin par Sirhan Sirhan. [*N.d.T.*]

comme attachée de presse. Pour des raisons évidentes ! Lorsque Johnson a pris ses fonctions, nous avons recherché et trouvé des photos d'elle nue lorsqu'elle était adolescente. Nous les avons remises à Johnson, qui les a cachées dans son bureau. Quand cette jeune fille venait chercher les dépêches sur les téléscripteurs, le président sortait les photos et lui jetait un clin d'œil. C'était devenu une blague à la Maison-Blanche... »

Au cours de la première année de la présidence de Johnson, Hoover faillit être mis en cause. Le journaliste William Lambert, du magazine *Life*, qui enquêtait sur l'origine de la fortune de Johnson, interviewa Allan Witwer, l'ancien directeur de l'hôtel qui appartenait à Clint Murchison, ami aussi bien de Johnson que de Hoover. Il apprit ainsi de Witwer que Hoover ne payait rien à l'hôtel et qu'il y fréquentait des parrains du crime organisé. Mais les patrons et les avocats de *Life* censurèrent l'histoire. Ils étaient déjà victimes de la pression de la Maison-Blanche pour leur série sur Johnson et jugèrent que ce serait une folie d'impliquer également Hoover. Le journaliste communiqua alors ses informations à Robert Kennedy, qui demanda à des amis du ministère de la Justice de poursuivre l'enquête. Mais il fut difficile d'établir la preuve que Hoover avait violé la loi et ses agissements avec Murchison restèrent secrets.

Quand Kennedy quitta le ministère pour se présenter comme sénateur, Hoover fit parvenir à la presse des tuyaux calomnieux. Lorsque la question des écoutes téléphoniques fut soulevé, il accusa Kennedy d'en avoir été l'instigateur quand il était ministre. Et quand il fut question de soumettre le problème à une commission d'enquête du Congrès, un rapport perfide de Cartha DeLoach précisa :

> Watson, assistant de Johnson, affirme que le président est très soucieux ; il voudrait être sûr que le directeur ne souffrira pas de cette histoire... Le président voudrait que ces faits soient révélés dans la mesure où cela causerait du tort à Kennedy. Mais en même temps, le directeur le sait mieux que moi, il y a de bien meilleurs moyens d'arriver à ce résultat que par une commission du Congrès.

Des années plus tard, interrogé par une commission du Sénat en 1975, DeLoach joua les naïfs : « J'étais un enquêteur, pas un politicien... Je ne savais pas si l'histoire avait des implications politiques ou pas. Nous ne savions pas comment réagissaient le personnel de la Maison-Blanche ou le président. » Récemment, il s'est montré plus franc : « Le président Johnson savait faire pression sur les gens, et il savait comment les utiliser. Dès le début du jeu, il avait compris qu'avoir le FBI de son côté et s'en servir lui serait très utile. »

Rien de tout cela n'avait un rapport quelconque avec la mission du FBI : faire respecter la loi et veiller à la sécurité de la nation. Cependant, DeLoach reconnaît le rôle qu'il jouait sans aucune préoccupation éthique. Il ne faisait qu'exécuter les ordres, assure-t-il : « Je tenais le directeur au courant en permanence. Je n'ai rien fait, à aucun moment, dont Mr Hoover n'ait été totalement informé. »

Ceux qui ont servi Johnson à la Maison-Blanche ont encore des frissons au souvenir d'une des bévues de Hoover. En 1965, le représentant du FBI à Londres, Charles Bates, entendit dire que le Premier ministre britannique Harold Wilson avait des relations sexuelles avec son assistante Marcia Williams. Avant la visite de Wilson à Washington Bates envoya l'information à Hoover, en même temps qu'une rumeur suivant laquelle Wilson était entre les mains des Soviétiques. « Lorsque j'ai revu Hoover, raconte Bates, il m'a dit que l'information que je lui avais envoyée sur Wilson était "formidable". Il l'avait aussitôt communiquée au président Johnson. Quand il m'a dit cela, j'ai pensé : "Mon Dieu !", parce que ce n'était qu'un racontar à l'état brut et j'espérais qu'ils ne s'en serviraient jamais. »

Il s'ensuivit une grande pagaille diplomatique. Le sous-secrétaire d'État George Ball l'explique : « Johnson n'aimait pas Wilson, qui ne le soutenait pas sur la guerre au Viêt-nam. Hoover savait le plaisir que procurerait à Johnson toute information pornographique ou scatologique concernant quelqu'un qu'il n'appréciait pas. Johnson jubilait quand il me montra ce ragot sur Wilson. Puis, lorsque Wilson amena Marcia Williams avec lui pour la première rencontre avec le président, Johnson me prit à part et me dit : "Virez-moi cette femme !" J'ai dû trouver une excuse pour expliquer à Wilson que cette réunion était réservée aux responsables gouvernementaux. Ce fut très pénible !... Hoover avait une influence extrêmement néfaste. Je détestais ces ragots saugrenus... Ils avaient pour effet de modifier le comportement du président au point d'influer sur sa politique. » D'autant plus que des sources compétentes reconnaissent aujourd'hui que l'histoire « formidable » de Wilson avait été montée par ses ennemis politiques.

Le secrétaire à la Défense Robert McNamara eut également maille à partir avec Hoover parce qu'il ne voulait communiquer avec le FBI que par le canal régulier du ministère de la Justice. Pour le faire changer d'avis, Hoover envoya à Johnson des informations malveillantes sur Robert Kennedy, que le président s'empressa de communiquer à

McNamara, qui à son tour déclara à Johnson que Hoover était une « menace » et devrait être renvoyé.

Le juge Laurence Silberman, ancien adjoint du ministre de la Justice, examina les dossiers « Officiel et confidentiel » de Hoover en 1974 et en conclut que Johnson avait utilisé le FBI comme sa « police politique privée ». On estime que Hoover lui a fourni 1 200 dossiers sur des citoyens américains.

Les journalistes étaient particulièrement vulnérables, surtout avec les tensions de l'affaire vietnamienne. Hoover envoya à Johnson du matériel sur nombre d'entre eux, en particulier David Brinkley de NBC, Joseph Kraft et Harrison Salisbury du *New York Times*. Il lui fit également parvenir un dossier sur le reporter d'Associated Press Peter Arnett, qui s'est récemment distingué pour sa couverture de la guerre du Golfe pour CNN.

Les citoyens qui adressaient des télégrammes au président pour critiquer sa politique auraient été consternés d'apprendre que le FBI enquêtait aussitôt sur eux. Les sénateurs auraient réagi de même s'ils avaient su à quel point à la Maison-Blanche Johnson jubilait en lisant des rapports sur leur vie sexuelle. Il se tapait les cuisses de plaisir en lisant le récit de la visite d'un sénateur dans un bordel.

Le FBI fit particulièrement la preuve de son efficacité en août 1964 à Atlantic City, pendant la convention du parti démocrate qui devait choisir le candidat à l'élection présidentielle de novembre. Quand les délégués arrivèrent en ville, les micros clandestins et les écoutes sur les lignes étaient prêts à tous les points stratégiques. DeLoach était le patron de l'opération à la tête de vingt-sept agents, d'un technicien radio et de deux sténographes. Des lignes téléphoniques spéciales reliaient le bâtiment de la poste aux standards de la Maison-Blanche et du FBI à Washington.

La nomination de Johnson pour la candidature ne faisait pas de doute, mais il était hanté par le souvenir de sa défaite de 1960 au profit des frères Kennedy. Comme Robert Kennedy devait prononcer à la convention un hommage à la mémoire de John, il pourrait gagner la faveur des électeurs et être choisi comme vice-président au lieu de Hubert Humphrey. Surveillant tout de Washington, Johnson joua avec l'emploi du temps pour être sûr que les nominations soient terminées avant que Robert ne prononce l'éloge de son frère défunt. C'est alors seulement que le président se rendit à Atlantic City pour être acclamé en vainqueur.

Certains se sont demandé comment il se fait que Johnson ait réussi à manipuler si brillamment la convention. Selon le journaliste Walter Lippmann, la question intéressante est plutôt de savoir comment il a fait. Les dossiers du FBI fournissent la réponse : « Nous avons pu tenir la Maison-Blanche parfaitement au courant de tout, précise un rapport de DeLoach, grâce à nos informateurs... en infiltrant les groupes importants avec des agents clandestins et en en utilisant d'autres en les faisant passer pour des journalistes... Grâce à la coopération de la direction de NBC, nos agents ont pu obtenir les accréditations de presse. » La direction de NBC nie cette accusation et affirme que les documents ont été obtenus du Comité national démocrate. De son côté, DeLoach reconnaît que cette ruse s'est révélée très efficace. On ne peut que conjecturer le nombre de fois que le FBI a utilisé ce truc. En tout cas, plus tard sous Nixon, un agent du FBI fut repéré posant des questions au cours d'une conférence de presse.

Alors que DeLoach soutient que le rôle essentiel du Bureau pendant la convention était de prévenir la violence, l'ancien agent Leo Clark donne une tout autre version. Selon lui, le travail principal du Bureau était d'espionner les sénateurs et membres du Congrès, les principaux délégués, les activistes des droits civiques... et Robert Kennedy. Clark en sait quelque chose puisqu'il était présent lorsque DeLoach faisait son rapport à Johnson et à Hoover sur la ligne directe.

Le président confia plus tard à Hoover que le « boulot » à Atlantic City avait été un des meilleurs qu'il ait connus. Et Hoover écrivit sur un rapport : « DeLoach devrait recevoir une récompense. »

Après la convention démocrate qui désigna comme prévu Johnson candidat à la présidence, et Hubert Humphrey à la vice-présidence, tout sembla aller à merveille pour Johnson et Hoover. Robert Kennedy était retourné au Sénat. Le rapport Warren, qui mettait un point final à l'ère Kennedy, fut publié. Puis, brusquement, le 14 octobre 1964, quelques semaines avant la date de l'élection, un scandale vint secouer la présidence.

Walter Jenkins, le plus proche des assistants de Johnson, fut arrêté dans les toilettes d'un bâtiment proche de la Maison-Blanche pour cause de relations sexuelles avec un ancien militaire. Jenkins reconnut la faute, démissionna et entra à l'hôpital pour « fatigue ». Une enquête rapide du FBI conclut que la sécurité nationale n'avait pas été en danger. Mais il subsiste un certain nombre de questions agaçantes, en particulier comment et pourquoi l'arrestation a-t-elle été gardée secrète pendant une semaine. Pourquoi le FBI, soi-disant si efficace concernant les problèmes de sécurité, avait-il omis de mentionner à la Maison-Blanche que six ans plus tôt le même Jenkins avait été arrêté pour le même motif dans les mêmes toilettes ? En outre, Hoover s'abstint de signaler que Jenkins, colonel de réserve de l'armée de l'air, avait essayé de se servir de son influence pour faire réintégrer un camarade officier congédié pour délit sexuel. Bien que la réaction habituelle de Hoover sur l'homosexualité fût généralement une condamnation, parfois même cruelle, il en fut différemment cette fois-ci. Il rendit visite à Jenkins à l'hôpital et lui envoya des fleurs. Le frère de Jenkins était un ancien agent du FBI et la famille entretenait des liens avec DeLoach et sa femme.

Avec la complicité de Hoover, et probablement sur sa suggestion, Johnson essaya d'utiliser l'histoire Jenkins au détriment du candidat républicain, le sénateur Barry Goldwater. Il se trouvait que Goldwater avait été commandant de l'escadrille 999, dans laquelle Jenkins avait servi, et les deux hommes avaient volé ensemble. C'est pourquoi, trois jours après la démission de Jenkins, le sénateur reçut la visite de deux agents du FBI. Goldwater était en pleine campagne électorale et cet interrogatoire l'irrita prodigieusement. Mais s'il avait su la réalité des faits, il aurait été encore plus furieux. Hoover avait donné l'ordre de mettre sur écoute clandestine l'avion de Goldwater. Le FBI enquêta également sur seize membres de son équipe. Un rapport, établi « suivant les instructions du directeur » affirme que l'un d'eux « recevait fréquemment des prostituées dans son bureau ».

Le président Johnson eut ainsi le dossier complet sur son rival républicain. Quant à Edgar, il avait probablement des motifs personnels le poussant à torpiller Goldwater. En effet, en privé et sans qu'il soit au courant de la présence d'un agent du FBI, le sénateur avait commis l'erreur de dire que s'il était élu président, il se débarrasserait de Hoover. Sa victoire de novembre 1964 ne calma pas Lyndon Johnson. Un jour de l'année suivante, au bord de sa piscine du Texas, il se laissa aller à de sombres remarques sur la crise grandissante du Viêt-nam : « Je resterai dans l'histoire, dit-il, comme le président qui a perdu l'Asie du Sud-Est. Je serai celui qui a altéré notre forme actuelle de gouvernement. Les communistes contrôlent déjà les trois plus grands réseaux de télévision et quarante des plus grands moyens de communication. Walter Lippmann est communiste et il n'est pas le seul. Vous seriez scandalisés du genre de révélations contenues dans les dossiers du FBI. »

Sa femme, « Lady Bird », lui répondit : « Lyndon, tu ne devrais pas lire autant ces rapports… Ils sont remplis d'informations non vérifiées, d'accusations et de potins qui n'ont pas été prouvés.

– Ça ne fait rien, grommela le président. Si vous saviez à quel point ils connaissent bien les gens… Je ne veux pas me comporter comme McCarthy, mais ce pays est beaucoup plus en danger que nous ne le pensons. »

Mais peut-être pas pour les raisons qu'il croyait !

30

Le « négro »
Martin Luther King

A la fin de 1963, lorsque le magazine *Time* désigna Martin Luther King « homme de l'année », Hoover entra en fureur. Il griffonna sur la dépêche d'agence qui donnait l'information : « Il a fallu qu'ils plongent au fond de la poubelle pour aller le chercher, celui-là. »

L'attitude de Hoover à l'égard du racisme, que ce soit sa réticence à engager des agents noirs ou son opposition aux mouvements des droits civiques, s'explique par ses origines. Il était né à l'époque de l'apartheid dans le Sud, où les Noirs étaient des serviteurs et reconnaissants de l'être. Une servante noire avait servi la famille de Hoover pendant sa jeunesse et il avait fréquenté un établissement réservé aux Blancs. Lorsque, des années plus tard, il s'ouvrit aux gens de couleur, de nombreux anciens élèves ulcérés renvoyèrent les insignes de cette institution qu'ils considéraient comme un bastion de la respectabilité blanche. Mais les préjugés de Hoover avaient des racines plus profondes. Durant toute sa jeunesse et jusqu'à sa majorité une rumeur, dont il était certainement averti, circulait à Washington : il aurait du sang noir.

En 1958, le journaliste William Dufty, qui enquêtait sur Hoover pour le *New York Post*, s'adressa à un agent de couleur du Bureau des narcotiques pour obtenir une interview clandestine de Sam Noisette, le serviteur noir de Hoover. Dufty se rendit compte que ses deux interlocuteurs faisaient souvent référence à Hoover comme à « une espèce de revenant », « une âme sœur » même. Il découvrit plus tard que, dans la communauté noire de la côte Est, tout comme Clark Gable et Rudolph Valentino, on considérait généralement que Hoover était de sang mêlé. Le romancier Gore Vidal, qui grandit à Washington au cours des années trente, s'en souvient : « On disait toujours de lui, dans ma famille et en ville, que Hoover était un mulâtre parce qu'il provenait d'une famille qui était "passée de l'autre côté", comme on désignait les gens d'origine noire qui, après des générations de croisements, avaient maintenant assez de sang blanc pour être considérés comme des Blancs. » Le journaliste Dufty commente : « Les Noirs éprouvaient toujours une sorte d'admiration secrète pour ceux qui avaient réussi à "passer de l'autre côté". C'était facile de tromper les Blancs, mais pas les Noirs. »

Sur ses premières photos, Hoover a un aspect un peu négroïde, malgré sa chevelure raide. Un article de 1939 fait mention de sa « peau foncée, presque tanée par le soleil. Et cela fait un violent contraste avec son costume blanc ». Mais qu'y a-t-il de vrai dans cette histoire ?

Comme c'était souvent le cas à l'époque, le certificat de naissance de Hoover ne fut pas établi quand il vint au monde, en 1895. Le document rédigé ultérieurement, en 1938, indique simplement que sa mère et son père sont blancs. En ce qui concerne les ancêtres de sa mère, on est bien documenté car il est facile de remonter la lignée des bourgeois suisses. Quant à l'histoire de la famille de son père, elle se compose d'ascendants allemands, suisses ou anglais qui vinrent s'établir en Amérique deux cents ans avant la naissance de Hoover. Au cours d'une si longue période, des mélanges raciaux furent possibles.

Après la mort de Hoover, même la fidèle Helen Gandy évoqua une « histoire ancienne » suivant laquelle il aurait eu du sang noir. Elle mentionna cette rumeur au cours d'une interview, puis n'en parla plus jamais. Selon Gore Vidal, « Hoover lui-même devait savoir ce que l'on disait de lui. Dans ma jeunesse, il existait deux certitudes à son sujet : il était pédéraste et noir. Washington était et est encore une ville très raciste, et je peux vous dire qu'à cette époque le sang noir, c'était ce qu'il y avait de pire. On connaît des gens qui se seraient suicidés si on avait appris qu'ils étaient "passés de l'autre côté". Être considéré comme un Noir était une souillure épouvantable au sein de la société blanche. C'est ce que beaucoup pensaient de Hoover, et il a dû en être très affecté ».

Que cette rumeur soit ou non fondée, elle a dû causer une angoisse perpétuelle à Hoover, dont l'attitude publique était celle d'un raciste blanc, ennemi de tout étranger indésirable. De même qu'il cachait son homosexualité en s'en prenant à ceux du même bord, son problème d'identité raciale influait peut-être sur son comportement à l'égard des Noirs. Pour ceux qui restaient à leur place de serviteurs, comme Noisette, James Crawford et quelques autres, il jouait le patron correct et paternaliste. Mais il ne voulait rien avoir à faire avec ceux qui essayaient de s'élever au-dessus de leur condition, comme il pouvait croire l'avoir fait lui-même. Né à une époque où un homme noir était régulièrement lynché si une Blanche l'accusait de viol, Hoover préférait ignorer les misères des Noirs américains. Il dit un jour : « Je ne vais pas envoyer le FBI chaque fois qu'une négresse dit qu'elle a été violée. »

Même si Hoover monta plusieurs opérations efficaces contre le Ku Klux Klan, son choix devint plus net lorsque les Noirs commencèrent à lutter pour leurs droits. « Quand je travaillais dans le Sud, au cours des années-cinquante, raconte l'ancien agent Murtagh, il n'y avait aucune comparaison. Le Bureau ne lançait une enquête contre le Ku Klux Klan que lorsqu'un meurtre avait été commis et que la presse nous y obligeait. En revanche, nous consacrions beaucoup de temps et d'efforts à enquêter sur les militants noirs. »

Il en fut autrement sous la présidence Kennedy. D'accord ou pas, Hoover fut contraint de s'impliquer dans la lutte raciale. La campagne en faveur des droits civiques et la violence avec laquelle les Blancs du Sud y réagissaient, étaient devenues la principale préoccupation politique. Hoover dut cesser de faire obstruction aux demandes du ministère de la Justice et suivre la politique du gouvernement fédéral sur les problèmes raciaux. Les agents du FBI se trouvèrent brusquement obligés d'enquêter sur les brutalités policières et de protéger le droit de vote des Noirs. Le Bureau était maintenant requis d'exécuter ces missions et Hoover en souffrait.

Martin Luther King, fils pacifiste d'un pasteur d'Atlanta, était un de ces Noirs qui n'avaient pas su rester à leur place et il avait gagné ce que Hoover avait perdu : l'oreille attentive du président et du ministre de la Justice des États-Unis. Bien que King ait été une personnalité appréciée du public depuis cinq ans, Hoover le considérait comme un partisan de la lutte violente comme Malcolm X. Il dit un jour lors d'un déjeuner avec Johnson, sénateur à l'époque : « On n'aurait plus de problème si on pouvait faire en sorte que ces deux types se battent et que chacun tue l'autre. »

Mais on ne pouvait plus maintenant plaisanter avec Luther King. En mai 1961, un rapport du FBI fit naître chez Hoover l'idée que le militant noir pouvait avoir des liens avec le parti communiste ; le mémo suggérait qu'il serait peut-être bon d'enquêter en profondeur. Hoover griffonna en marge : « Pourquoi pas ? » Ces deux mots devaient marquer le début d'une guerre qui dura sept ans. Ce n'était pas la première fois que Hoover s'en prenait à un Noir. Il avait déjà été obsédé par le grand chanteur et acteur Paul Robeson, un militant politique qui défendait du racisme les pauvres et les opprimés. Pendant trente ans, les agents du FBI avaient gardé Robeson sous surveillance, enregistré ses conversations téléphoniques et répandu la fausse rumeur qu'il était membre du parti communiste. Ils l'avaient harcelé à un point tel que son fils pense que le Bureau le « neutralisa » pendant les années cinquante en lui faisant absorber des drogues hallucinogènes. On ne peut vérifier cette accusation car les dossiers du FBI sur Robeson sont toujours gardés secrets pour raison de « sécurité nationale ». Hoover était donc bien entraîné pour lutter contre Martin Luther King, les armes à sa disposition étant l'accusation de communisme, l'utilisation de mouchards noirs dans son organisation, et l'espionnage de sa vie privée par les écoutes téléphoniques clandestines.

« De toute façon, King ne vaut rien », écrivit Hoover au début de la présidence Kennedy. Son obsession consistait à persuader Washington que le mouvement des droits civiques était contrôlé par les communistes, même s'il n'était pas en mesure de le prouver. En octobre 1963, il se lança dans une surveillance intensive de King, avec écoutes clandestines et micros cachés. A la fin de l'année, les enregistrements n'avaient apporté aucune preuve que le leader noir était communiste, mais en revanche soulevaient des questions sur sa moralité. Le révérend King était très intéressé par le sexe et le fait qu'il fût pasteur et marié ne le gênait pas. Il avait dit à un ami : « Je suis absent de chez moi de vingt-cinq à vingt-sept jours par mois. Faire l'amour est une façon de réduire mon anxiété. » Passant son temps à voyager à travers le pays, King trouvait le repos dans les bras de trois maîtresses régulières et, éventuellement, de prostituées. Certains dans son entourage, en particulier son ami le plus intime le révérend Ralph Abernathy, se comportaient de même.

Cette activité sexuelle, tolérée par ceux qui l'entouraient, aurait pu rester le secret de King, s'il n'y avait eu le FBI. Dormir avec une femme n'était certes pas un délit fédéral, mais pour Hoover c'était une arme redoutable. Puis, en décembre 1963, après une réunion de neuf heures au quartier général, l'objectif officiel changea. La surveillance policière fut officiellement justifiée par d'éventuels liens avec les communistes, camouflant ainsi d'autres objectifs.

Le résultat recherché était de « neutraliser King en tant que leader noir charismatique ». On pouvait y parvenir en le présentant comme « un imposteur clérical », « un opportuniste immoral ». Pour le discréditer, on utiliserait d'autres pasteurs, « des amis mécontents »…, « des journalistes agressifs »…, « des agents de couleur », même sa femme et sa domestique, et on ferait « engager une belle espionne au bureau de King ». Le ministre de la Justice Robert Kennedy devait tout ignorer de ce plan.

Quinze jours plus tard, quand on apprit que King allait venir à l'hôtel Willard de Washington, les agents s'empressèrent de truffer les lieux de micros cachés et de magnétophones clandestins. Il résulta de sa visite de deux jours quinze bandes enregistrées, dont certaines répondaient parfaitement aux souhaits du FBI : entre autres, une soirée très arrosée de King et ses amis en compagnie de deux femmes de Philadelphie. Le lendemain, tandis que les sténographes du Bureau continuaient à transcrire les bandes, le directeur adjoint Sullivan dicta un premier mémo :

> Il faut montrer au peuple de ce pays et aux adeptes noirs du pasteur un Martin Luther King tel qu'il est réellement, c'est-à-dire un imposteur démagogue et une fripouille morale. Si les faits réels concernant ses activités sont présentés astucieusement, cela devrait suffire à le faire tomber de son piédestal... Les Noirs se retrouveront alors sans leader national suffisamment charismatique pour les entraîner dans la bonne voie. A moins qu'un autre leader noir correct ne s'affirme progressivement et fasse de l'ombre au Dr King pour se trouver en mesure d'assumer ce rôle à la tête du peuple noir lorsque King aura été complètement discrédité.

Sullivan suggérait pour remplacer King un certain Samuel Pierce, un juriste républicain qui devait beaucoup plus tard, après avoir été ministre du Logement du président Reagan, être impliqué dans une histoire de corruption. En marge de la suggestion de Sullivan, Hoover écrivit : « OK. »

Les enregistrements de l'hôtel Willard furent apportés comme des trophées de chasse à Hoover, qui s'empressa d'appeler au téléphone la Maison-Blanche pour en décrire personnellement le contenu à l'assistant du président Johnson, Walter Jenkins. Puis il envoya Cartha DeLoach avec les transcriptions. DeLoach, qui entendit un des enregistrements, prétendit que King se trouvait à l'hôtel avec « des prostituées à 100 dollars la nuit, commettant des actes sexuels en présence de huit, neuf, dix, onze hommes réunis autour du lit, nus et buvant de la vodka... ». On comprend mal comment DeLoach a pu, simplement au son, compter le nombre de spectateurs et savoir qu'ils étaient nus !

Edgar considérait King comme « un gros matou doté d'impulsions dégénérées obsessionnelles » et insistait pour qu'on s'occupât particulièrement de ce qu'un rapport du FBI appelait « les loisirs ». Quand King se rendit à Honolulu, une équipe d'élite du FBI, comprenant même un crocheteur de serrures, fut envoyée par avion. Dans le groupe de King se trouvaient deux femmes mais les fouineurs n'eurent pas de chance cette fois-là car le son de la télévision et des climatiseurs recouvrait tous les autres bruits.

Les espions d'Edgar eurent plus de veine à Washington. Sur une de leurs bandes, on entendait King s'amuser à gratifier ses compagnons de mots obscènes et raconter des histoires scabreuses sur le sexe et la religion. On y entendait également une plaisanterie sexuelle grossière sur le défunt président Kennedy et sa veuve, Jacqueline. Jusque-là, craignant que le ministre de la Justice ne prévienne King, Hoover s'était abstenu de lui faire connaître le résultat de ses opérations d'écoute. Mais cette fois, il veilla à ce que la transcription de ce passage diffamatoire soit communiquée à Robert Kennedy. Le frère du défunt président fut atterré.

Johnson écouta certains des enregistrements originaux et passa même tout un après-midi à en parler avec Hoover. Cependant, il faut reconnaître qu'en dépit de tout ce que Hoover a fait ou dit sur King, rien n'a pu détourner Johnson de son engagement sur les droits civiques. Quelles qu'aient pu être ses erreurs dans d'autres domaines, c'est lui qui a mené jusqu'au bout la bataille pour l'adoption de la nouvelle législation raciale, qui constitue la mesure la plus révolutionnaire depuis la Guerre civile. Et c'est un Martin Luther King en larmes, bouleversé, qui devait en 1965 téléphoner à Johnson après sa célèbre adresse au Congrès sur le droit de vote des Noirs.

Edgar était assis, impassible, dans la galerie du Capitole tandis que Johnson invoquait les paroles de l'hymne baptiste qui étaient devenues la devise du mouvement de King : « Nous vaincrons. » Mais lorsque King prit position contre la guerre du Viêt-nam, il provoqua l'exaspération du président qui ne put s'empêcher de confier à un de ses assistants : « Bon Dieu ! Si seulement vous pouviez savoir comment cet hypocrite de pasteur se comporte sexuellement… »

Hoover se servait de King pour jouer avec les craintes du président.

Selon Richard Goodwin, Hoover suggéra que « Bobby Kennedy avait embauché ou payé King pour jeter le trouble à propos du Viêt-nam. Mais cela n'avait pas de sens, car le pasteur était opposé à la guerre bien avant que Bobby ne le soit ».

C'est au cours du printemps de 1964 que Hoover s'attaqua le plus efficacement au militant noir. Apprenant qu'une université de Milwaukee s'apprêtait à donner au pasteur un titre honorifique, Hoover s'empressa d'envoyer un agent pour persuader, avec succès, les personnalités officielles de changer d'avis. C'était d'autant plus choquant pour Hoover qu'il avait reçu le même quelques années plus tôt !

Le Conseil national des Églises du Christ, informé par William Sullivan de la « conduite privée » de King, promit qu'à l'avenir il ne lui donnerait plus un sou. Sur ordre de Hoover la même démarche fut faite auprès des baptistes. Les agents reçurent l'ordre d'empêcher la publication d'articles et d'un livre de King.

L'hostilité d'Edgar envers King baignait dans une atmosphère de tension raciale et de voies de fait. Le grand drame de 1964 fut la disparition de trois jeunes militants des droits civils du Mississippi, qu'on pensait avoir été massacrés par le Ku Klux Klan. La première réaction du FBI fut molle – un agent alla même jusqu'à déclarer « avoir ressenti une bouffée de joie » en apprenant la nouvelle. Mais ce FBI que méprisait King fut rapidement obligé de changer d'attitude.

Le président Johnson força Hoover à prendre des mesures. Car, comme il le dit à un de ses collaborateurs : « Trois puissances sont en jeu : d'abord les États-Unis, puis l'État du Mississippi, puis J. Edgar Hoover. » Cette fois-ci, les États-Unis eurent la prédominance. En dépit des protestations de Hoover, des agents furent envoyés à Jackson, dans le Mississippi, pour y ouvrir un nouvelle agence et Johnson y expédia Edgar par avion présidentiel pour l'inaugurer.

Grâce à de généreux pots-de-vin, des tuyaux et des manœuvres d'intimidation aussi musclées que celles du Ku Klux Klan, une équipe formée des meilleurs agents du FBI découvrit les assassins du Mississippi et rétablit la loi fédérale dans l'État. A Washington, Hoover continuait à salir la réputation de Martin Luther King. Il fournit à James Eastland, sénateur démocrate du Mississippi, le film d'une caméra de surveillance où l'on voyait King entrant dans un hôtel avec une femme blanche. A la même époque, un agent informa Berl Bernhard, directeur de la Commission des droits civiques, que King était un bissexuel, « à voile et à vapeur ».

Dans une conversation avec Carl Rowan, alors directeur de l'Agence d'information, Rooney, un membre du Congrès, dit avoir écouté une bande magnétique du FBI dans laquelle King invitait son collègue Ralph Abernathy à avoir des relations sexuelles avec lui. Rowan, lui-même noir, essaya d'expliquer à Rooney que ce genre d'échange sur le sexe était une blague classique entre hommes noirs. Mais cela n'empêcha pas Rooney de saisir toutes les occasions de répandre des ragots sur King.

Avec l'aide d'un mouchard et au moyen de caméras infrarouges, le FBI réussit également à avoir des images de King nu sous sa douche puis étendu sur le lit avec, assis à côté de lui, son adjoint Bayard Rustin, homosexuel notoire. Quand il vit ces images, probablement montrées intentionnellement par le FBI pour faire pression sur le leader noir, Rustin fut horrifié. « Dans les deux cas, dit-il, c'était le seul moment où je pouvais m'entretenir avec Martin. Rien, mais absolument rien ne s'est passé. »

Cet aspect de la campagne de calomnies de Hoover n'impressionna personne – sauf peut-être ses plus proches partisans au Congrès. Il faut insister sur le fait, en tout cas, qu'aucun biographe n'a mentionné de relation homosexuelle entre King et Abernathy ou Rustin, ou qui que ce soit.

En septembre 1964, alors que Martin Luther King s'apprêtait à se rendre au Vatican, le FBI demanda au cardinal Spellman, un ami personnel d'Edgar, de persuader le pape Paul VI de ne pas accorder d'audience au leader noir. A la grande surprise d'Edgar, le pape ne tint pas compte de la requête. Puis on apprit que le militant des droits civiques allait recevoir le prix Nobel de la paix. King réagit en déclarant que « cette éminente récompense terrestre s'adressait non à lui-même mais au mouvement ». Quant à Hoover, il était vert de rage. Ne tenant pas compte du fait que le prix Nobel était attribué par des étrangers, il écrivit : « Les mœurs de notre pays sont tombées au plus bas. » Il dit également : « C'est le dernier homme au monde qui aurait dû le recevoir. J'ai pour lui le plus grand mépris... Il mérite tout juste le prix du meilleur chat de gouttière ! »

Cette rancœur s'accompagnait de jalousie car Hoover guignait depuis longtemps le Nobel. L'ancien chef de la police d'Atlanta Herbert Jenkins explique : « Pendant des années, Hoover a essayé sans succès d'avoir le prix. Il avait demandé à de hautes personnalités américaines d'écrire au comité Nobel en sa faveur... toujours en vain... Et voilà que c'était ce négro du Sud qui l'avait ! C'était plus que Hoover ne pouvait supporter. »

Hoover couvrit King d'ordures auprès de toutes les personnalités officielles qui pouvaient influencer l'attribution du Nobel, au Département d'État ou aux Nations unies. Le représentant du FBI à Londres, Charles Bates, reçut l'ordre de prendre l'avion pour la Scandinavie pour « dire à nos ambassadeurs quel genre de type c'était, et les ordres venaient directement de Hoover ». Des techniciens furent contactés afin d'installer des micros à Oslo pour espionner King quand il viendrait assister à la cérémonie, ce qui constituait une violation flagrante de la loi interdisant au FBI de telles opérations en dehors du territoire des États-Unis. A Washington, Hoover fit une démarche surprenante. Après avoir refusé pendant des mois de les rencontrer, il se décida brusquement à recevoir un groupe de dix-huit femmes journalistes. Au cours d'un monologue qui dura trois heures, il se plaignit de la commission Warren, qui se serait montrée injuste à l'égard du FBI, il accusa Fidel Castro d'essayer de soumettre les Portoricains à un « lavage de cerveaux ». Puis, sans la moindre gêne, il déclara que Martin Luther King était « le plus fieffé menteur du pays ». A ses côtés, Cartha

DeLoach lui glissait fiévreusement des notes l'avertissant de bien préciser que cette dernière remarque était *off the record* et ne devait pas être publiée. « Mais, comme le raconte DeLoach, il ne tint aucun compte des bouts de papier, précisa à l'assistance qu'il voulait que ce soit dit... et tout le monde se précipita sur le téléphone. » Le « menteur King » fit la une des journaux. Selon Edgar, le « mensonge » de King consistait à dire que les agents du FBI qu'on envoyait sur les lieux des troubles étaient des gens originaires du Sud et par conséquent susceptibles d'être racistes. Notons ici que cela avait été le cas deux ans plus tôt. Mais, cette fois-ci, Edgar insinuait quelque chose d'autre. « King, ajouta-t-il, est une des personnalités les plus viles de ce pays... J'ai à peine amorcé tout ce que je pourrais dire sur ce sujet. » Certains officiels du FBI estimèrent que « le patron avait perdu le nord ». King pensait la même chose et il confia à un reporter : « Mr Hoover a apparemment flanché sous le fardeau terrible de la complexité et des responsabilités de ses fonctions. » Grâce aux écoutes, les mouchards du FBI surent qu'il disait à ses amis que Hoover était « vieux et au bout du rouleau... sénile... ». Il fallait « l'attaquer de tous les côtés à la fois » jusqu'à ce que le président Johnson s'en débarrasse.

Edgar brûlait de dire quelque chose d'encore plus fort, en particulier lorsque King demanda à le rencontrer pour discuter avec lui des manquements du Bureau. Le directeur écrivit à William Sullivan : « Je ne peux pas comprendre pourquoi nous n'arrivons pas à faire connaître la vérité au public. Nous ne parvenons même pas à ce que nos succès soient publiés dans la presse. Nous ne prenons jamais l'offensive (*sic*)... »

L'entourage d'Edgar répondit à l'appel.

Une semaine après la conférence de presse de Hoover, et alors que les cérémonies du Nobel approchaient, le directeur de la rédaction de *Newsweek*, Ben Bradlee, dit que le magazine avait été contacté par DeLoach « au sujet d'enregistrements intéressants impliquant le Dr King ». DeLoach a toujours nié cette histoire de Bradlee. Témoignant devant le Sénat en 1975, il affirma qu'il n'avait « aucun souvenir » d'avoir parlé à des journalistes des enregistrements de King. « Aucune proposition, a-t-il dit récemment, n'a été faite par moi, Hoover, Tolson ou quiconque du Bureau de faire écouter ces enregistrements. J'en jurerais sur la Bible. » Mais Bradlee, qui devait devenir plus tard rédacteur en chef du *Washington Post*, est tout aussi affirmatif : « DeLoach m'a demandé si j'étais intéressé par le texte des transcriptions des enregistrements. Il me proposait de me les montrer... J'ai répondu que cela ne m'intéressait pas. »

D'autres journalistes de renom connurent des expériences identiques. John Herbers, du *New York Times*, se souvient : « Un agent spécial, un de ces types qui travaillaient pour DeLoach, m'a parlé de ces trucs qu'ils avaient sur King. Il tenait les enregistrements à ma disposition au cas où j'aurais voulu les entendre. J'ai pensé qu'ils étaient cinglés. » Au *Los Angeles Times*, David Kraslow écouta « avec dégoût » un « passage scandaleux » de l'enregistrement de King qu'un agent du FBI avait voulu lui faire entendre au téléphone. Des transcriptions furent proposées à l'éditorialiste Jack Anderson, qui refusa de les publier. Selon Mike Royko, du *Chicago Daily News*, un agent aborda la question après une partie de golf : « Il m'a demandé si cela m'intéresserait de lire certaines transcriptions qui concernaient les activités sexuelles de King… J'ai pensé : "Comment peuvent-ils être aussi stupides ?" J'étais un sympathisant inconditionnel de King et de son mouvement. »

Eugene Patterson, d'un journal d'Atlanta, fut averti par un agent du FBI de l'arrivée de King dans un aéroport de Floride pour un rendez-vous secret avec une femme. « Pourquoi ne pas envoyer un journaliste et un photographe ? » suggéra l'agent. Mais Patterson, qui devait ultérieurement recevoir le prix Pulitzer pour ses éditoriaux prônant la justice raciale, envoya promener l'agent : « Le pauvre type qui n'avait pas réussi à me convaincre fut transféré ailleurs, sous prétexte qu'il était trop gros ! J'avais beaucoup de sympathie pour lui et cette démarche n'était pas du tout dans son caractère. Mais il était terrorisé par Hoover. Comme tous. »

Edgar lui-même parla des bandes magnétiques de King au cours d'un déjeuner avec le rédacteur en chef du *Washington Star*, un homme, selon DeLoach, que l'on « menait par le bout du nez ». Il fit également entendre certains enregistrements à un journaliste du *Reader's Digest*. Pas un seul organe de presse n'accepta de faire plaisir à Hoover en remuant cette boue. Mais aucun non plus n'eut l'audace de révéler ce qu'il était vraiment.

Martin Luther King finit par être mis au courant des manœuvres du FBI. Horrifié par le préjudice éventuel, il pressa ses contacts au gouvernement d'arranger une rencontre avec Hoover qu'il avait depuis longtemps demandée. Le 1ᵉʳ décembre, quelques jours avant le voyage à Oslo, Hoover, King et leurs adjoints se retrouvèrent dans le bureau du directeur.

« Mr Hoover était très, très froid, se souvient Ralph Abernathy, tandis que le Dr King s'efforçait d'être très, très chaleureux. Dans son costume bleu, Hoover ne sourit jamais. Il nous appelait "les gars". » Les Noirs, perplexes, durent écouter pendant cinquante minutes un monologue de Hoover sur le travail du FBI dans le Sud et ses efforts pour engager des agents noirs. « Hoover, poursuit Abernathy, fit un sermon à Martin, lui rappelant qu'il était ecclésiastique... Il dit : "Vous, les gars, si vous ne faites rien de mal, vous n'avez pas à vous en faire. Mais si vous faites quelque chose de mal, nous le saurons..." » Ce fut apparemment l'allusion la plus directe que fit Edgar concernant la vie sexuelle de King. Ce dernier, qui était probablement au courant des photographies suggestives distribuées par le FBI où on le voyait en compagnie de Rustin, ne fut pas rassuré par cette omission. Selon Abernathy, « Martin commença à devenir nerveux et à se ronger les ongles. Il était inquiet ». Il l'était toujours lorsque, en sortant, il retrouva les journalistes pour leur dire que Hoover et lui s'étaient « mieux compris ». Puis il se dirigea rapidement vers l'ascenseur. Il ne savait pas que, pendant son entrevue, un agent du FBI avait essayé dans le couloir d'intéresser un des journalistes à des photos de King en compagnie d'une femme.

L'anxiété concernant les manœuvres du FBI vint s'ajouter à la grande fatigue qui l'avait auparavant conduit à l'hôpital. Au cours du long voyage vers l'Europe, il eut le temps de ressasser ses inquiétudes. Sa femme Coretta, qui l'accompagnait à Oslo, se souvient de sa profonde dépression : « C'était pourtant un moment où il aurait dû être heureux... Mais il était préoccupé par les conséquences que ces rumeurs pourraient avoir sur le mouvement et sur ce que le peuple noir penserait... Il réussit néanmoins à assumer toutes les cérémonies officielles. »

Martin Luther King revint aux États-Unis pour une réception enthousiaste à travers le pays qu'il parcourut dans un avion privé mis à sa disposition par le gouverneur de l'État de New York, Nelson Rockefeller.

Au début de janvier 1965, de retour à Atlanta, Coretta King ouvrit une petite boîte que lui avait fait suivre le quartier général de King. Elle contenait une bande magnétique que l'on crut d'abord être l'enregistrement d'un des discours de son mari. Sa voix était bien sur la bande, mais il ne s'agissait pas d'un discours. Dans le paquet se trouvait également une lettre tapée à la machine et non signée, où on pouvait lire, entre autres :

King,
Je ne te ferai pas l'honneur de t'appeler Monsieur, ou Révérend ou Docteur. King, regarde dans ton cœur. Tu sais que tu es un imposteur et que tu représentes un passif pour nous tous les Noirs... Tu n'es pas un pasteur et tu le sais. Tu n'es qu'un imposteur malfaisant et vicieux... King, ta fin est proche. Tu aurais pu être notre grand chef... Tes diplômes d'honneur, ton prix Nobel (quelle farce !) et tes autres récompenses ne te sauveront pas. Tu es fini...
King, il ne te reste plus qu'une chose à faire. Tu sais quoi. Tu as juste

34 jours... Tu es fichu. Tu n'as qu'une façon de t'en tirer. Tu ferais bien de le faire avant que ton écœurante personnalité ne soit révélée à la nation.

King écouta la bande avec son ami Abernathy, qui se souvient : « On entendait des voix étouffées qui semblaient venir d'une pièce lointaine... J'ai reconnu Martin, et puis moi... Puis il y eut d'autres sons... Il s'agissait nettement de murmures et de soupirs dans une chambre à coucher. » Les deux hommes restèrent un moment silencieux, puis Abernathy dit simplement : « J. Edgar Hoover. » Il avait raison, comme une commission du Sénat devait l'établir dix ans plus tard. L'enregistrement était un montage de plusieurs écoutes clandestines réalisé dans le laboratoire du FBI. William Sullivan avait chargé un agent de confiance d'emporter le paquet en Floride par avion et de l'expédier à Mrs King d'un bureau de poste situé près de l'aéroport de Miami.

Hoover eut le plaisir de connaître les réactions de sa victime vingt-quatre heures plus tard, grâce à une autre écoute téléphonique clandestine. King y dit : « Ils veulent me briser, me tourmenter, me détruire le moral. » Il tomba dans une profonde dépression, aggravée encore par l'insomnie. Quelques jours plus tard, les agents du FBI découvrirent la retraite secrète de King. Ils déclenchèrent alors une fausse alerte d'incendie. Les camions des pompiers arrivèrent toutes sirènes hurlantes et King devina tout de suite qui les avait envoyés. « C'était une bonne blague ! » a reconnu un des agents locaux.

Le paquet visait à effrayer King au point qu'il décide de ne pas se rendre à Oslo pour recevoir son prix Nobel. Heureusement, il avait été retardé par l'amoncellement du courrier. Des années plus tard, Sullivan reconnut que l'idée venait d'Edgar et de Clyde. Le harcèlement se poursuivit et accrut pendant un temps la dépression de Martin Luther King. Puis il se ressaisit. Après en avoir discuté avec Abernathy, il décida de ne plus donner prise aux pressions. « Nous n'allions pas laisser Hoover et le FBI nous faire virer de bord, expliqua plus tard Abernathy. Nous nous battions pour une cause juste. »

Martin Luther King fut tué le 4 avril 1968, à trente-neuf ans. Il fut abattu d'un seul coup de feu sur le balcon d'un motel de Memphis, dans le Tennessee. Il mourut en quelques minutes. Il avait, la veille, évoqué sa propre mort dans un discours. La communauté noire du pays explosa de chagrin et de colère. Tous les leaders de la nation accompagnèrent sa veuve au cours de ses funérailles, suivies par 150 000 personnes.

Hoover n'était pas parmi eux. Bien que l'on ait annoncé qu'il prenait personnellement l'enquête en main, il consacra la matinée suivante aux relations publiques et fit une séance de photographies. Le lendemain, il fit la même chose qu'après la mort de Kennedy : il alla aux courses.

Deux mois plus tard, après une chasse à l'homme, un petit criminel sans envergure, James Earl Ray, fut arrêté à Londres et extradé aux États-Unis. Il avoua être l'auteur de l'assassinat de King et fut condamné à quatre-vingt-dix neuf ans de prison. Mais l'histoire ne se termine pas là. La décision de plaider coupable était le résultat d'un accord entre la défense et l'accusation. Ray se rétracta aussitôt et invoqua l'erreur judiciaire. Puis le juge mourut et, en dépit de nombreuses actions juridiques, la culpabilité de Ray n'a jamais été prouvée : il est toujours en prison.

Peu de gens croient que Ray ait agi seul. William Sullivan, qui participa à l'enquête de 1968, a lui-même de sérieux doutes. Dix ans plus tard, lorsqu'une commission du Congrès ordonna une nouvelle enquête, la conclusion en fut qu'il y avait vraiment eu complot. On soupçonna Ray d'avoir été engagé pour tuer King, et ses deux frères auraient également été impliqués. Après l'arrestation de Ray, Hoover, à qui on demandait s'il y avait une preuve quelconque de conspiration, répondit : « Aucune, d'aucune sorte. » Après que Ray eut plaidé coupable, DeLoach lui fit la proposition suivante qu'il approuva :

> Je suggère que l'on envisage de contacter sur un plan strictement confidentiel un journaliste ami pour lui confier que Coretta King et le révérend Abernathy font le maximum pour qu'on continue à parler dans la presse de l'assassinat de King, en prétendant qu'il s'agit d'un complot et non pas d'un meurtre commis par un homme seul. Évidemment, c'est un truc grossier pour que l'argent continue à affluer dans leurs caisses... On peut monter l'opération sans que le FBI soit impliqué.

Ralph Abernathy soupçonnait deux scénarios à l'époque. Dans le premier, le Ku Klux Klan aurait tiré les ficelles. Dans le second, King avait été tué, disait-il, « par quelqu'un qui avait été formé ou engagé par le FBI » et qui aurait agi sur ordre de J. Edgar Hoover lui-même. En 1988, au cours d'une interview télévisée faite en prison, Ray déclara qu'il avait reconnu le crime sous la pression du FBI. Il affirma que des agents avaient menacé d'emprisonner son père et un de ses frères s'il ne le faisait pas. Il avait été manipulé, soutint-il, pour camoufler un complot du FBI. Si la version de Ray n'a convaincu personne, en revanche certains faits indiquent qu'il avait eu des contacts avec un informateur du FBI et que le Bureau avait appris que King allait être tué à Memphis, mais ne l'avait pas averti.

La commission de 1978 n'a pas jugé que le FBI était impliqué dans l'assassinat. En revanche, elle a conclu que l'enquête avait été insuffisante. Personne n'a expliqué d'une façon satisfaisante pourquoi il fallut attendre quinze jours pour que le FBI lance un avis de recherche contre Ray, un prisonnier évadé, alors que ses empreintes digitales avaient été retrouvées sur les lieux du crime sur des affaires lui appartenant et qui portaient même son numéro d'écrou : 00416.

L'ancien agent d'Atlanta Donald Wilson est encore troublé aujourd'hui par l'attitude de ses supérieurs à l'époque. Il se souvient que pendant la poursuite de Ray, lui et un collègue avaient repéré un homme qu'ils croyaient être le suspect : « Nous avons aperçu ce type en passant près d'une maison où on savait que Ray avait habité… C'était son portrait craché et on a pensé : "Ça y est, c'est lui, on est vernis !" Nous avons aussitôt appelé le central par radio pour dire que nous voulions l'arrêter et vérifier son identité. Mais on nous a répondu de ne rien faire et de revenir à l'agence. Nous nous sommes regardés tous les deux stupéfaits, mais on a obéi… Je ne dis pas que c'était Ray, mais ç'aurait très bien pu être lui. Il n'a été arrêté que beaucoup plus tard par la police de Londres. Pourquoi nous a-t-on dit de ne rien faire ?… Même à l'époque j'ai eu des doutes, j'ai pensé qu'il y avait quelque chose de tordu… » Un autre agent d'Atlanta à l'époque, Arthur Murtagh, a également des soupçons : « On m'a dit qu'il ne fallait pas parler de complot. Je pense que c'était une décision politique… Je me souviens que, quand on a annoncé la mort de King à la radio, un collègue a sauté en l'air de joie en disant : "Nous avons enfin réussi à l'avoir, cet enfant de salaud !" Je ne sais pas ce qu'il entendait par "nous", mais c'est ce qu'il a dit. »

Même si Hoover et le FBI n'ont rien eu à voir directement avec le crime, ils ont tout de même eu une certaine part de responsabilité. Andrew Young, un collègue de King, explique : « Parmi les groupes en marge de la légalité avec lesquels le FBI travaillait, il a pu s'en trouver un qui prenne la décision de tuer Martin, en sachant que le FBI en serait très content et ne leur attirerait donc aucun ennui… Dans ce cas, il est responsable du climat rendant l'assassinat de Martin possible. »

Hoover continua à chercher pendant l'enquête à influencer les journalistes. Selon Jack Anderson : « Hoover fit savoir par un de ses sbires que le FBI avait une piste. D'après eux, King aurait eu une aventure avec la femme d'un dentiste de Los Angeles et ils pensaient que le mari avait pu tuer King pour se venger. Je ne pouvais négliger cette piste et je suis allé voir cette femme, une superbe créature. Elle reconnut plus ou moins que King et elle avaient été amants… La thèse du

FBI semblait donc tenir debout... jusqu'à ce que je parle au mari. Il était flagrant qu'il n'avait aucune envie ni aucune possibilité de tuer King. La version du FBI était fausse. J'en conclus que Hoover avait espéré que je morde à l'hameçon et que je raconte l'histoire qui aurait discrédité King en le montrant comme un obsédé qui courait après les femmes des autres.» Plus tard, Hoover lutta pour persuader les membres du Congrès que King était un « vaurien » et empêcher ainsi que le jour de la naissance de Martin Luther soit décrété fête nationale, ce qui ne fut fait qu'en 1983.

En 1975, le président Ford annonça que les responsables de la campagne de calomnies contre King devraient être jugés. Le directeur du FBI Clarence Kelley, qui avait succédé à Hoover, était tout à fait d'accord. Mais Hoover était mort, ainsi que Clyde. D'autres personnes compromises étaient encore en vie, mais nul ne fut inquiété.

Deux mois après la mort de King, lorsque Robert Kennedy fut assassiné à Los Angeles, Clyde et Hoover ne témoignèrent aucune douleur. Il faut dire qu'ils ne portaient pas la famille dans leur cœur. Après la mort du président, en 1963, William Sullivan avait entendu Clyde Tolson s'écrier : « Ces salauds de Kennedy ! D'abord il y a eu Jack, maintenant c'est Bobby, et après ce sera Teddy. On va les avoir sur le dos jusqu'à l'an 2000. » Au cours de l'été de 1968, alors que Robert semblait bien placé pour la présidence, Clyde stupéfia ses collègues au cours d'une réunion en s'exclamant : « J'espère que quelqu'un va descendre cet enfant de salaud ! »

Son souhait s'était donc réalisé, et le président Johnson réveilla Hoover dans la nuit pour lui dire que, comme en 1963, il comptait sur le FBI pour mener une enquête sérieuse. Et cependant, encore aujourd'hui, comme dans le cas de son frère, l'assassinat de Robert Kennedy n'est toujours pas élucidé. On doute de plus en plus que Sirhan Sirhan ait été l'unique responsable. Le premier rapport du FBI, diffusé seulement après la mort de Hoover, indique que douze balles au moins ont été tirées. Or l'arme de Sirhan n'en contenait que huit. En outre, de nombreux autres documents indiquent qu'il y avait deux tireurs.

Edward Kennedy fut aussi victime de la rancune de Hoover. Lorsqu'il se présenta au Sénat en 1962, le plus jeune des frères fut très gêné par la révélation qu'il avait été suspendu de Harvard pour avoir demandé à un ami de passer un examen à sa place. C'était Hoover qui avait veillé à ce que l'histoire soit publiée dans les journaux. En 1967, Hoover avait qualifié Edward Kennedy d'« irresponsable », un jugement qui se trouva confirmé deux ans plus tard lorsque le sénateur abandonna une femme dans sa voiture qui avait coulé dans la baie de Chappaquiddick. Cet accident était du ressort de la police locale mais Hoover fut ravi de satisfaire Nixon lorsque la Maison-Blanche lui demanda d'envoyer des agents pour remuer un peu la boue. Hoover prenait plaisir à ressasser cette tragédie, parfois pendant des heures.

Après la disparition de Robert Kennedy, au cours de l'été de 1968, l'avenir de Hoover semblait ne plus devoir rencontrer d'opposition. Mais n'était-ce pas une illusion ?

31

Le « copain » Nixon

« Le plus grand ennemi est le temps », disait souvent Hoover. Mais il se comportait comme s'il pouvait arrêter la pendule. En 1968, à l'âge de soixante-treize ans, son visage bien connu de bouledogue semblait inchangé. Ses médecins décidèrent qu'il était apte à conserver ses fonctions et ses assistants s'empressèrent de communiquer cette nouvelle rassurante à la presse. Mais ils se gardèrent de parler de Clyde Tolson. Bien qu'il fût de cinq ans plus jeune qu'Edgar, Clyde avait subi une opération à cœur ouvert et la première de plusieurs attaques cardiaques. Sa vue était si faible qu'il devait se faire lire son courrier et il lui arrivait souvent de ne pas se rendre au bureau. Hoover ne supportait pas que son ami affiche sa faiblesse en public. Sur un champ de courses de Californie, un jour que Clyde avait trébuché et était tombé, Edgar interdit à l'agent qui les accompagnait de se porter à son aide. « Laissez-le, ordonna-t-il d'un ton sec. Que ce connard se relève tout seul ! »

Clyde prit sa retraite à soixante-dix ans, comme c'était l'usage. Mais pour une journée seulement. Par un tour de passe-passe administratif, Hoover s'empressa de le réengager. Clyde continua à bénéficier de rapports vantant ses services « éminents », et, en dépit de sa faible vue, se vit doté d'une nouvelle arme de service. La propagande du FBI insistait sur le fait que le directeur et son adjoint avaient toujours bon pied bon œil et étaient plus indomptables que jamais. Pourtant, les personnes concernées étaient de moins en moins convaincues. Un groupe d'agents de Los Angeles écrivit au ministre de la Justice pour se plaindre des « progrès rapides de la sénilité du directeur et de sa mégalomanie grandissante ». Deux anciens agents eurent même l'audace de publier des livres où ils le critiquaient. Même la presse conservatrice était disposée à sortir des articles ironiques à son égard et à poser la question de savoir jusqu'à quand il allait rester directeur du Bureau.

L'histoire avait relégué Hoover à la traîne. Dans le passé, il avait toujours su comment manœuvrer et s'adapter aux changements afin que le FBI garde toujours bonne figure. Maintenant, il ne voyait plus l'évolution de cette Amérique moyenne qui l'avait soutenu. L'opinion était en faveur des droits civiques, un élément que le FBI aurait pu exploiter à son avantage en faisant rigoureusement respecter la loi. Au lieu de cela, Hoover tempêtait contre la prétendue influence communiste sur le mouvement des Noirs et sur les « mensonges » de Martin Luther King. Des millions d'Américains étaient désormais opposés à la guerre du Viêt-nam, mais Hoover les exaspérait en infiltrant les groupes de militants et en envoyant des agents provocateurs dans leurs manifestations. Le manipulateur de l'opinion publique avait perdu le contact.

Mais alors que le déclin puis la chute de Hoover semblaient inévitables arriva Richard Nixon.

Vingt et un ans s'étaient écoulés depuis que Hoover avait jeté un regard approbateur sur Nixon. Avec ses riches amis les pétroliers du Texas, il l'avait soutenu pour qu'il devienne vice-président d'Eisenhower en 1952. Nixon était constamment vu aux côtés de Hoover, que ce soit aux courses ou aux championnats de base-ball, jusqu'à l'arrivée du démocrate Kennedy, en 1960. Même pendant sa traversée du désert, Hoover était resté un visiteur bienvenu de la demeure californienne de Nixon, qui le considérait comme son « copain ».

Pendant sa campagne pour la présidentielle de novembre 1968, Nixon s'engagea à garder Hoover. De son côté, le directeur du FBI lui communiqua des informations préjudiciables aux démocrates, mais il écarta en souriant la proposition de se présenter comme vice-président aux côtés du conservateur George Wallace. Il avait depuis longtemps abandonné l'idée d'entrer lui-même à la Maison-Blanche et se contentait maintenant d'avoir une position assurée à bord du vaisseau républicain. Il avait pour cela battu le rappel du ban et de l'arrière-ban, dont les millionnaires : cet été-là, les fonds affluèrent dans les coffres de Nixon en provenance de Clint Murchison, du Texas, et Lewis Rosenstiel, de New York. Quant à Louis Nichols, qui avait été conseiller politique de Hoover, puis de Rosenstiel, il était maintenant celui de Nixon. Mais Hoover assurait ses arrières. Il savait que le candidat démocrate, le vice-président Hubert Humphrey, avait encore des chances de gagner. C'est pourquoi il ne formula aucune objection lorsque l'équipe de Humphrey lui demanda de lui rendre à la convention « les mêmes services » que le FBI avait accordés à Johnson quatre ans plus tôt. Mais cette fois-ci le ministre de la Justice, Ramsey Clark, interdit les écoutes téléphoniques.

Hoover était préoccupé de son sort si Humphrey était élu. Johnson aussi, à la Maison-Blanche, était préoccupé, mais pour sa sécurité personnelle. Il demanda à un de ses assistants : « Rappelez à Edgar Hoover que j'ai pris soin de lui dès le début de mon gouvernement et que j'attends de lui, maintenant que je pars, qu'il prenne soin de moi... Il y a tout un tas de cinglés qui vont être à mes trousses après le 20 janvier 1969. »

En novembre, lorsque Nixon remporta de justesse la victoire avec 500 000 voix d'avance, Edgar envoya à Johnson une dernière lettre obséquieuse :

> Cher Monsieur le Président,
> Vous m'avez procuré de nombreux moments agréables pendant des années. Comme ami personnel, voisin et subordonné, j'ai grandement apprécié votre compagnie... Clyde Tolson et Deke DeLoach se joignent à moi pour vous exprimer notre gratitude pour votre bienveillance. Eux aussi vous sont très reconnaissants du temps qu'ils ont passé avec vous.
> Sincèrement votre,
> Edgar.

Deux jours après avoir écrit cette lettre d'adieu, Hoover s'enferma avec Nixon dans une chambre de l'hôtel Pierre, à New York, pour l'informer des services illicites que Johnson avait exigés du FBI pendant la campagne présidentielle. « Hoover, rapporte Nixon, m'a dit que la cabine de mon avion était sur écoute clandestine pendant les deux dernières semaines... Johnson en avait donné l'ordre. » On n'en trouve aucune preuve dans les dossiers du FBI mais non seulement Hoover l'affirma, mais encore il joua avec les nerfs de Nixon en lui donnant cet avertissement : « Quand vous serez à la Maison-Blanche, ne passez jamais d'appel par le standard téléphonique... A l'écoute se trouvent des types que vous ne connaissez pas. » Comme les communications présidentielles étaient sous le contrôle du service des transmissions de l'armée, Hoover estimait qu'elles n'étaient pas sûres et qu'elles pouvaient être espionnées.

L'assistant de Nixon, H. R. Haldeman, se souvenait : « Hoover venait toujours avec quelques friandises, des petits bouts d'information qu'il distribuait, des avertissements et des digressions pour alimenter notre imagination. Il roulait les yeux au ciel, sans apporter de conclusion précise, simplement pour donner l'impression que le Bureau serait très utile au président. » Edgar devait espérer le retour du pouvoir et des privilèges dont il avait joui sous le dernier gouvernement républicain, quand Nixon était vice-président. Haldeman, qui assista à la rencontre à l'hôtel Pierre, estime qu'ils se congratulèrent « comme de vieux copains... Nixon a dit : "Edgar, vous êtes l'une des rares personnes qui auront directement accès à moi n'importe quand" ». Cependant, Haldeman considère que Nixon avait des doutes sur la compétence de Hoover et envisageait secrètement de s'en débarrasser. En dépit de ses promesses à Edgar, il prenait des contacts pour le remplacer. Ce fut le cas à Palm Springs, où Nixon fit miroiter le poste à Pete Pitchess, shérif du comté de Los Angeles, conservateur d'extrême droite et ancien agent du FBI. Pitchess réagit avec prudence :

« Hoover n'a pas dit qu'il partait.

– Non, répondit Nixon, mais il va le faire le jour de son anniversaire.

– Ah bon ? reprit Pitchess. Mais lequel ? »

Nixon changea de sujet.

« Il avait peur, explique Pitchess. Tous les présidents avaient peur de Hoover. Johnson, et même Kennedy. Tous. J'étais très proche de Nixon mais il ne pouvait pas être plus explicite. Il s'est contenté de dire : "Je suis obligé de manier Hoover avec des gants de velours." »

John Connally, qui fut ministre des Finances sous Nixon, pensait de même : « Nixon aurait aimé obliger Hoover à se retirer, mais il n'était pas prêt à le lui imposer. Il n'avait pas confiance en lui. Il avait peur... »

En 1973, alors que Hoover était mort, Nixon aurait souhaité qu'il soit encore là pour l'aider à se sortir du guêpier du Watergate[1] et il s'exclama un jour : « Merde alors ! Il avait des dossiers sur tout le monde ! »

Le président avait dit à un de ses amis que le FBI détenait un épais dossier concernant Nixon. On aurait pu s'attendre à ce qu'il soit bourré de rapports sur les relations avec la criminalité en col blanc ou de douteuses transactions financières. Mais celui que nous connaissons est une véritable surprise. Il s'agit d'une liaison entre Richard Nixon et une femme, exotique qui plus est.

L'histoire a commencé en 1958. Nixon, quarante-cinq ans, marié et vice-président, fit la connaissance de Marianna Liu, guide touristique de Hong Kong, âgée d'une vingtaine d'années. La rencontre était fortuite mais, pendant la traversée du désert de Nixon, les deux se revirent

---

1. Au cours de la campagne présidentielle de 1972, cinq individus entrèrent par effraction dans les locaux du parti démocrate dans un immeuble nommé « Watergate » pour y installer des micros clandestins. La Maison-Blanche fut accusée par la presse. En février 1973, le Sénat décida la création d'une commission d'enquête. Mis directement en cause, Nixon fut contraint, le 5 août 1974, de rendre publiques les conversations enregistrées qui prouvaient qu'il avait fait pression sur le FBI pour l'empêcher de poursuivre ses recherches sur l'affaire. L'opinion publique fut choquée par le ton vulgaire et parfois ordurier employé par Nixon, qui démissionna trois jours plus tard pour éviter d'être destitué. [N.d.T.]

chaque fois qu'il se rendait à Hong Kong pour affaires. Liu pense qu'ils se sont revus chaque année entre 1964 et 1966, alors qu'elle travaillait comme hôtesse au Den, le bar du Hilton. Ils furent d'ailleurs photographiés ensemble.

D'après son récit, Liu et une amie, serveuse, retrouvaient Nixon et son compagnon de voyage, l'homme d'affaires douteux Bebe Rebozo, dans une suite de l'hôtel Mandarin. Elle a nié – comme le fit, finalement, Nixon après un premier « sans commentaire » – qu'ils aient eu des relations sexuelles. Liu raconta que lorsque Nixon vint pour la dernière fois à Hong Kong elle était à l'hôpital, et qu'il lui avait envoyé des fleurs et un flacon de son parfum préféré.

Mais l'ancien représentant du FBI à Hong Kong se souvient que les relations de Nixon avec Liu ont eu une incidence sur le plan de la sécurité. « Un de mes contacts dans une autre agence américaine, raconte Dan Grove, aujourd'hui conseiller en sécurité, vint me voir un matin et m'apprit qu'une de ses sources, Marianna Liu, fréquentait Nixon. Il pensait qu'il fallait que je sois au courant car elle était soupçonnée d'être un agent chinois et parce qu'elle voyait aussi des officiers de la marine américaine. Il me dit savoir que Nixon avait eu un briefing ultrasecret sur la République populaire de Chine et que de ce fait ses relations avec Liu constituaient un danger. »

Grove se rendit au Hilton à l'heure du déjeuner pour parler avec Liu. « Mon contact, se souvient-il, lui a simplement dit : "Vous étiez avec un personnage important la nuit dernière, n'est-ce pas ?", et elle a répondu : "Oui, comment le savez-vous ?" ; il a demandé alors : "Qui était avec vous ?", elle a répondu : "Son ami Bebe Rebozo." Marianna et une de ses amies avaient passé la journée et la soirée avec eux.

« Cela n'était pas de la juridiction du FBI, mais j'ai décidé de faire un rapport si jamais je découvrais qu'elle avait déposé une demande de visa pour les États-Unis. En réalité, elle en avait fait deux, et au regard des deux formulaires, son passé ne coïncidait pas exactement – ce qui est un signe classique d'une possible activité d'espionnage. J'ai vérifié auprès de la section spéciale britannique et ils m'ont dit : "Nous avons un dossier sur elle." Ils s'étaient intéressés à elle comme à un éventuel agent des services d'espionnage chinois. Mais ils n'avaient pas poursuivi leur enquête parce que toute son activité semblait porter sur des Américains et non sur des sujets britanniques... J'ai fait un rapport au Bureau à Washington, et Sullivan, l'adjoint du directeur, m'a répondu quelque chose du genre : "La vie privée de Mr Nixon ne présente aucun intérêt pour le Bureau... faites vos vérifications et fermez le dossier." »

Selon l'avoué de Liu, les dossiers du FBI confirment bien que ses contacts avec Nixon ont déclenché l'alarme et que Nixon lui-même a été mis sous surveillance à Hong Kong, au point d'être filmé par la fenêtre de sa chambre avec une caméra infrarouge. Grove pense que le travail fut effectué par les Britanniques à la demande de la CIA.

Un document du FBI de 1976 montre bien que les souvenirs de Grove sont exacts :

ORIGINE : DIRECTEUR DU FBI   18 août 1976
OBJET : MARIANNA LIU   – HISCH
                            (Bureau Sécurité Interne en Chine)

Dossier du Bureau concernant indication origine portée attention de ce Bureau par lettre attaché Bureau Hong Kong datée 10/12/67 dans laquelle soupçons de possible implication du sujet avec espionnage Com-Chi [Chine communiste]. Supposé mais pas prouvé par branche spéciale Police Hong Kong et représentant agence américaine... [nom effacé] indique qu'il a appris... que sujet [a vu régulièrement] vice-président Nixon quand il venait à Hong Kong.

« Quand Nixon a été élu président, se souvient Grove, j'étais à l'agence un dimanche matin et j'ai vu dans un journal une photo de Liu avec Nixon. Si ma mémoire est bonne, elle avait été prise au bal inaugural du nouveau mandat. J'ai pensé : "Comment a-t-elle fait pour être ici ?", j'avais demandé qu'on contrôle les demandes de visa car j'étais censé être averti si elle essayait d'entrer aux États-Unis... Comme je ne l'avais pas été, j'ai envoyé une lettre officielle avec la mention : "A l'attention particulière de Mr Hoover". Nous avions pour instruction d'aviser personnellement le directeur en cas d'éventuelle activité hostile contre de hautes personnalités du gouvernement. Mais le directeur n'a pas répondu à ma lettre. »

Rien de tout cela ne prouve que Nixon et Liu ont eu des relations sexuelles et – quoi qu'aient pu faire les autres agences – le FBI de Hong Kong n'a jamais fait d'enquête. Mais les insinuations non vérifiées d'ordre sexuel ont toujours été pain bénit pour l'appétit d'Edgar. Selon William Sullivan, il lut avec « grand plaisir » l'information concernant Liu et montra personnellement le rapport à Nixon avant qu'il ne devienne président.

Bebe Rebozo, magnat de l'immobilier en Floride et compagnon de Nixon à Hong Kong, était son plus proche confident. Il a depuis été impliqué dans un réseau de trafics suspects, comprenant le transfert de fonds de la campagne électorale dans le coffre personnel de Nixon. Hoover demanda à Kenneth Whittaker, son chef de poste à Miami, d'être particulièrement « attentif » à l'égard de Rebozo et de le surveiller avec le plus grand soin.

Nous ne savons pas ce qui s'est passé entre Hoover et Nixon à propos des voyages à Hong Kong ou de Marianna Liu. Mais, en ce qui concerne Nixon, une chose était certaine. Pour irréprochables que ses relations avec Liu aient pu être, le fait d'en dévoiler l'aspect « sécurité nationale » pendant la campagne électorale ou la présidence aurait pu l'handicaper gravement, voire lui être fatal. Et Edgar Hoover détenait le dossier.

Juste avant la Noël de 1968, quelques semaines après la rencontre de l'hôtel Pierre, Nixon annonça qu'il reconduisait Hoover à la tête du FBI. Cette décision s'accompagnait d'une augmentation de salaire de 42 500 dollars par an, ce qui représentait une véritable fortune à l'époque.

La parade inaugurale de Nixon se déroula dans des conditions exceptionnelles de sécurité en raison de la crainte de manifestations des opposants à la guerre du Viêt-nam. Toutes les fenêtres donnant sur Pennsylvania Avenue avaient été fermées sur ordre des Services secrets. Sauf une. Comme ils l'avaient fait si souvent dans le passé, Hoover et Clyde, sur le balcon de leur quartier général, assistèrent à la naissance d'un nouveau régime.

Nixon demanda à son proche collaborateur Ehrlichman d'établir avec Hoover des relations « d'ami et de confident de la Maison-Blanche ». Sa première mission devait être de rassurer Hoover sur un projet qui lui tenait à cœur : la construction d'un grand nouveau quartier général du FBI. Cela faisait huit ans que le Congrès en avait accepté le principe : un immeuble de béton de dix étages donnant sur Pennsylvania Avenue entre la 9e et la 10e Rue. Hoover, qui se battait avec les architectes, était préoccupé par les arcades ouvertes prévues pour le bâtiment, qui laisseraient « l'accès libre aux alcooliques, aux homosexuels et aux putains ». Il pensait que les colonnades permettraient aux assassins de se cacher. Officiellement, il laissa entendre qu'il ne tenait pas à ce que l'édifice portât son nom. Mais, en privé, il avouait que c'était son vœu. Ehrlichman donna l'assurance à Hoover que la construction serait rapidement menée, puis il s'assit pour écouter un autre des monologues du directeur : « Il m'a vendu sa salade, dit-il à Nixon, en me détaillant tout ce dont il fallait se méfier : le communisme, les Kennedy, les Panthères noires... Il parlait de tous les mouvements noirs avec passion et haine.

– Je sais, répondit le président, mais c'est nécessaire, John, c'est nécessaire. »

Hoover continuait à jouer son jeu parfaitement rodé, accordant des faveurs et se rendant indispensable. Nixon choisit John Mitchell, un riche juriste sans qualifications particulières, comme ministre de la Justice. Hoover s'entendit très bien avec lui, qu'il considérait « honnête, sincère et très humain » : « C'est le ministre pour qui j'ai eu le plus grand respect. » Lors de la crise du Watergate, John Mitchell devait passer dix-neuf mois en prison après avoir été condamné pour complot, obstruction à la justice et mensonge sous serment.

Au début, Nixon recevait Hoover à la Maison-Blanche près d'une fois par mois. « Il venait au petit déjeuner, raconte le président. Il nous apportait des informations. Il y a des moments où j'ai eu l'impression que la seule personne de ce foutu gouvernement qui soit avec moi était Edgar Hoover... Il me donnait tout ce qu'il avait... même des bricoles. » En revanche, les collaborateurs de Nixon n'étaient pas impressionnés. Henry Kissinger et Alexander Haig se moquèrent ouvertement des rapports outranciers sur le défunt Martin Luther King. John Ehrlichman estime : « Le travail d'enquête du FBI que j'ai suivi était d'une médiocre qualité... Rumeurs, potins et conjectures... souvent des on-dit. Quand le travail était particulièrement mauvais, je le renvoyais à Hoover, mais il était rarement amélioré au retour. »

Haldeman, un autre collaborateur de Nixon, n'appréciait pas beaucoup que Hoover entre si facilement dans le bureau ovale du président, grâce à la secrétaire Rose Mary Woods, qui devait plus tard, dans l'affaire du Watergate, connaître la célébrité pour avoir effacé « accidentellement » certaines bandes magnétiques. Elle travaillait pour Nixon depuis le début des années cinquante et Edgar était en excellents termes avec elle, dont le frère, Joseph, était un ancien agent du FBI. Sous la pression de Haldeman, le président Nixon accepta de distendre ses relations avec Hoover. Le magazine *Newsweek* écrivit en mai 1969 : « Le directeur du FBI Hoover ne jouit plus de l'accès direct à la Maison-Blanche. » Lorsque Hoover comprit que les collaborateurs de Nixon étaient responsables de ce changement, il riposta à sa manière habituel. En se servant de Rose Mary Woods pour être sûr que le message passerait bien, il fit circuler une information stupéfiante : Haldeman, Ehrlichman et un autre collaborateur, Dwight Chapin, était homosexuels et amants.

« Cela venait, raconte Haldeman, d'un barman informateur du FBI. Nous étions censés avoir participé à des soirées homosexuelles. Il y avait les dates, les lieux, tout. Et tout était complètement faux et facile à réfuter. Mitchell, le ministre de la Justice, nous a conseillé de faire des dépositions au FBI car il serait utile pour nous que cela figure dans nos dossiers. C'est ce que nous avons fait. Mitchell en conclut que c'était une tentative de Hoover de nous barrer la route, une menace pour nous faire filer doux et nous rappeler sa puissance. » Quant à

Ehrlichman, il se rappelle : « J'en vins à penser que Hoover avait fait cela pour montrer ses griffes ou pour se faire bien voir de Nixon, probablement les deux. »

Ce n'était que le commencement du jeu. Au milieu de l'été, après que Hoover eut de nouveau fait d'étranges déclarations sur Robert Kennedy et Martin Luther King, l'ancien ministre de la Justice, Ramsey Clark, de même qu'un éditorial du *Washington Post*, demanda sa démission. Le président, disaient-ils, cherchait comment se débarrasser de lui. Nixon démentit. Au mois d'octobre, à la surprise de ses collaborateurs, il quitta la Maison-Blanche pour dîner chez Hoover, un honneur qu'il n'avait jamais fait même à un de ses ministres. Il veilla à ce que des photographes soient présents pour le voir souhaiter une bonne nuit à Hoover sur le pas de la porte. Cependant, selon Ehrlichman, « le président ne semblait pas à son aise ce soir-là. Il partit de chez Hoover dès que cela lui fut décemment possible ».

Le jour de l'An 1970, date des soixante-quinze ans de Hoover, Nixon lui téléphona pour lui souhaiter un bon anniversaire. De nouveau, il veilla à ce que la presse soit au courant et répéta que Hoover ne prévoyait pas de se retirer. D'ailleurs, quelques mois plus tard, sur une dépêche d'agence affirmant qu'il envisageait de partir, Hoover griffonna rageusement : « Pas question ! »

Une nouvelle plaisanterie faisait maintenant le tour de Washington. On racontait que l'on faisait des plans pour que Hoover soit automatiquement reconduit dans ses fonctions... en l'an 2000 !

Choqués par l'homosexualité de Hoover, les assistants du président auraient été intéressés par le récit de ce qu'il faisait en 1969. Plus tard, la police devait apprendre que, pendant des vacances en Californie avec Clyde, il avait mis beaucoup d'ardeur pour satisfaire son grand intérêt sexuel pour de jeunes garçons.

L'histoire est racontée aujourd'hui par Charles Krebs qui faisait partie d'un groupe assez fermé d'homosexuels de Los Angeles vers la fin des années soixante. Un des amis de Krebs était Billy Byars Jr, le riche fils du magnat du pétrole, qui occupait le bungalow voisin de celui d'Edgar à l'hôtel Del Charro à La Jolla. Grâce à ses relations avec Byars Jr, selon Krebs, Edgar put prendre les contacts nécessaires pour se faire amener des adolescents à La Jolla.

En 1969, Byars, âge de trente-deux ans, était cinéaste à ses heures, passionné de sport et dilettante. Il avait produit *The Genesis Children*, classé X en raison de scènes dans lesquelles on voyait de jeunes garçons dénudés. Il devait être inculpé en 1973, peu après la mort d'Edgar, avec quatorze autres personnes, au cours d'une enquête de police concernant d'autres films montrant des actes sexuels avec de jeunes garçons. A l'époque, Byars était à l'étranger, soi-disant au Maroc, et devait rester hors des États-Unis pour plusieurs années.

Selon Krebs et d'autres, la maison de Byars à Los Angeles, au sommet du Laurel Canyon, a été pendant un temps un refuge pour homosexuels adultes et jeunes adolescents. Quelques-uns des amis de Byars, comme le confirment des employés du Del Charro ainsi que Byars lui-même, étaient conscients que leur hôte connaissait Edgar et avaient vu ce dernier à La Jolla. Ils avaient remarqué qu'Edgar avait envoyé une carte pour un Noël et qu'un garçon de quinze ans avait avoué avoir rencontré Edgar au Del Charro. « Hoover m'a engueulé, se plaignit-il, parce que j'avais les cheveux longs, mais j'ai répondu au vieux d'aller se faire voir. Pas question que je me fasse couper les cheveux. »

Krebs se souvient : « Dans notre groupe, nous considérions Hoover et Tolson comme homosexuels. D'après ce qu'en disait Byars, j'ai eu l'impression que Hoover et Tolson avaient eu des relations sexuelles lorsqu'ils étaient plus jeunes, mais que, maintenant, c'était terminé. Ce n'était plus que deux vieilles tantouzes, mais c'étaient des vraies tapettes. A trois reprises, peut-être quatre, j'ai appris que de jeunes garçons avaient été envoyés à La Jolla à la demande de Hoover. Je pense que ces combines étaient arrangées par un vieil ami de Billy.

« Je suis descendu quelquefois à La Jolla avec un groupe de copains et nous passions pas mal de temps dans un bar, le Rudi's Hearthside, où Hoover donnait ses rendez-vous. Nous y allions avec des garçons, un de quinze ans et un autre plus jeune. Hoover et Tolson y venaient en limousine, toujours de nuit. Je les ai vus plusieurs fois avec leurs gardes du corps, des types en complet veston et chaussures pointues qui ressemblaient à des malfrats. Je restais tandis qu'ils partaient dans deux voitures, celle de Hoover et une autre transportant les garçons. D'après ce que je savais, ils se rendaient près d'un réservoir dans les collines. Les deux voitures se garaient phare contre phare tandis qu'une troisième assurait la surveillance au bas de la colline. Les garçons passaient alors dans la voiture de Hoover et c'est là qu'ils faisaient leurs petites affaires. »

Le détective Don Smith de la police de Los Angeles interrogea les jeunes témoins lors de l'enquête sur les films X en 1973. « Il s'agissait d'un groupe d'homosexuels, dont certains pédophiles, se souvient-il. On y trouvait un certain nombre de gens de Hollywood, et aussi des docteurs, des avocats, des enseignants et même un chef d'entreprise. Ils faisaient partie du gratin, mais c'était leur bizarrerie. Les gosses les connaissaient comme "Oncle Mike" ou "Mamie John" mais jamais sous leurs vrais noms. Ils ont décrit les voitures qu'ils avaient et les chauffeurs qui venaient les ramasser. Les garçons ont ainsi révélé quelques noms de gens célèbres, y compris ceux de Hoover et de son copain. »

Charles Krebs donne libre cours à sa colère quand il parle de ces expéditions à La Jolla : « Il y avait ce Hoover, lui-même homosexuel ! Dès qu'on proposait une loi pour aider les homosexuels, il faisait tout pour la casser. Si quelqu'un connu pour être homosexuel essayait de trouver un travail, il le cassait. Il constituait des dossiers sur les homosexuels et les faisait suivre partout. Il détestait tous les pédés. Et pourtant il faisait comme eux. »

32

Jane Fonda
et Jean Seberg

En avril 1969, un sombre président Nixon convoqua Hoover pour discuter avec lui de l'agitation sur la guerre du Viêt-nam, qui gagnait toute la nation. Nixon était préoccupé : troubles violents chez les étudiants, insoumission des appelés et menaces de mutineries au front. Il pensait que ce genre de situation était de nature à « abattre les gouvernements ». Hoover répondit en comparant la situation à celle de la révolution russe de 1917 et dit à Nixon que l'on pourrait facilement venir à bout de la révolte des campus si « les présidents d'université faisaient preuve d'un peu plus de cran et expulsaient les activistes ».

Lorsque, quelque temps plus tard, la Garde nationale de l'Ohio tira sur la foule à l'université de Kent State, tuant quatre jeunes gens et en blessant huit, Hoover ne fit preuve d'aucune compassion. « Les policiers ont gardé leur calme le plus longtemps possible, déclara-t-il. Les étudiants l'ont bien cherché et ont eu ce qu'ils méritaient. » L'enquête prouva que l'on avait tiré en réalité sur les étudiants alors qu'ils étaient beaucoup trop loin des gardes pour présenter une menace. Aucun des morts n'était un militant. L'enregistrement sonore de l'incident indiquait que la salve mortelle avait été précédée d'un coup de feu isolé. Selon l'historien William Manchester, « ce coup aurait été soit un signal, soit tiré dans l'affolement par Terence Norman, un prétendu photographe qui était en réalité un informateur payé par le FBI ».

Toutes les manifestations de protestation contre la guerre du Viêt-nam étaient infiltrées par des agents du FBI. Sur l'ordre de Hoover, des informateurs étaient payés pour enquêter sur les projets et la vie privée des militants pacifistes. Certaines de leurs victimes étaient célèbres. C'était le cas en particulier de Jane Fonda, qui était surveillée par le FBI bien avant qu'elle ne fasse son voyage très controversé au Nord-Viêt-nam : un rapport la concernant signale qu'elle arriva dans un aéroport « tout échevelée et sale ». Son carnet, avec « les noms, les adresses et les numéros de téléphone de nombreux groupes gauchistes et révolutionnaires », fut confisqué et photocopié par le FBI. Son cour-

316

rier était ouvert, son téléphone sur écoute et son compte en banque étudié à la loupe. Pour le Bureau, elle était : « Jane Fonda, anarchiste. »

Encore était-elle dans une certaine mesure protégée par sa célébrité. Ce ne fut pas le cas de l'obscur Scott Camil, ancien Marine qui avait fait deux séjours au Viêt-nam et en était revenu avec des blessures, neuf décorations et une forte hostilité pour la guerre. Après qu'il eut participé à la fondation de l'Association pacifiste des anciens combattants du Viêt-nam et qu'il eut jeté ses médailles devant le Capitole, Hoover ordonna une « enquête approfondie » sur lui. L'ancien Marine fut mis hors circuit, d'abord sur accusation de kidnapping, qui fut vite abandonnée, puis pour possession de marijuana. Des agents ont reconnu depuis qu'ils avaient reçu l'ordre de trouver un moyen, n'importe lequel, pour « neutraliser » le militant pacifiste Camil.

Le FBI se servait des mêmes armes qu'il avait employées treize ans plus tôt contre le parti communiste : faux documents, faux appels téléphoniques et fausses informations. C'est ainsi qu'en 1968, avec l'approbation de Hoover, des agents concoctèrent une lettre au magazine *Life* signée d'un certain Howard Rasmussen, de Brooklyn. Rasmussen n'existait pas mais le but de la missive était de salir un des meneurs du Parti international de la jeunesse, dont les membres étaient appelés les « hippies ». Un professeur de l'université de l'Arizona, Morris Starsky, militant pacifiste, perdit son travail après qu'une lettre anonyme eut été envoyée à ses supérieurs. Elle avait été écrite par le FBI. Le FBI travaillait à diviser, à démembrer, ainsi qu'à dresser les groupes contestataires les uns contre les autres. Des artistes du Bureau fabriquèrent de faux prospectus dénonçant des crapuleries, des influences immondes dans le Nouveau Comité contre la guerre du Viêtnam, et en soumirent un exemplaire à Hoover. La mention « obscène » figurait sur le faux, afin de justifier l'usage d'un langage vulgaire indispensable lorsqu'on s'adresse à la nouvelle gauche.

Le Bureau, fondé pour la prévention du crime, en était venu maintenant à le provoquer. Robert Hardy, un ancien informateur du New Jersey, a certifié que des agents lui avaient demandé d'inciter des militants pacifistes à saccager le bureau d'enrôlement local. « Ils m'ont dit, rapporte Hardy, qu'ils voulaient seulement une preuve qu'il y ait complot... Mais au cours du mois suivant, sur instructions des agents du FBI, mon rôle grandit au point de devenir absurde. Non seulement j'excitais le groupe à l'attaque, mais j'en vins à établir les plans moi-même et à leur fournir tout le matériel dont ils avaient besoin : échelles, cordes, perceuses, mèches de vilebrequin, marteaux... Sur ordre, j'ai même essayé de leur donner des armes, mais ils ont refusé... Tout était payé par le FBI. »

Au lieu de se contenter de déjouer une conspiration, les agents voulurent qu'un sabotage ait vraiment lieu. C'est ce qui se produisit, et les militants furent pris sur le fait. « Ainsi, explique Hardy, le pays avait une preuve matérielle que le gouvernement avait raison d'alerter le public sur la menace que représentait la gauche... Je n'oublierai jamais le rôle que j'ai joué dans cette violation de la justice américaine. »

Que le FBI récuse l'histoire de Hardy n'est pas une raison suffisante pour la mettre en doute. Car le Bureau se conduisit tout aussi mal dans d'autres domaines. Les mouvements noirs, en particulier les Panthères noires, furent impitoyablement harcelés. Comme ils prêchaient la révolution, certains étaient armés et dangereux, d'autres non. Hoover les jugea en bloc « la plus grande menace pour la sécurité intérieure du pays ». Le chef de l'agence de Newark proposa d'expédier un faux télégramme, censé provenir de l'organisation des Panthères noires, pour avertir que des « supporters » blancs envoyaient aux œuvres sociales des Panthères des dons contenant de la nourriture empoisonnée. Pour le prouver, il suggéra que le laboratoire du Bureau « traite des fruits, des oranges par exemple, en y injectant du laxatif avec une seringue. Ensuite, le colis de fruits serait expédié comme un don d'une personne anonyme ». Si incroyable que cela paraissse, le bureau de Hoover estima que ce plan « avait du mérite », et il le rejeta uniquement « parce que l'on ne pourrait pas exercer de contrôle pendant le trajet sur les fruits trafiqués ».

Une campagne vicieuse fut montée pour discréditer l'actrice de cinéma Jean Seberg, qui comptait parmi les supporters blancs des Panthères. L'agent Richard Held, de Los Angeles, fit la proposition suivante à Hoover :

> Permission est demandée au Bureau de rendre public que la célèbre actrice de cinéma Jean Seberg est enceinte de Raymond Hewitt, du parti des Panthères noires... Il semble possible que la révélation de l'état de Seberg la mette dans l'embarras et ternisse son image auprès du public. Il est proposé d'envoyer aux journalistes de Hollywood la lettre suivante en provenance d'une personne fictive :

> *Je viens juste de penser à vous et me souviens que je vous dois une faveur. J'étais à Paris la semaine dernière et j'ai rencontré Jean Seberg, visiblement enceinte. J'ai pensé qu'elle s'était remise avec Romaine (sic) mais elle me confia en secret que l'enfant était de Raymond Hewitt des Panthères noires. La chère petite roule sa bosse ! En tout cas, vous devriez avoir un scoop avec cette histoire. A bientôt.*
> *Amitiés,*
> *Sol.*

Le FBI avait découvert que Seberg était enceinte en interceptant un télégramme. Pour ne pas être soupçonné, Hoover recommanda que la lettre de « Sol » ne soit envoyée que « lorsque sa grossesse serait évidente ». Mais, deux semaines plus tard, le journaliste du *Los Angeles Times* Joyce Haber publia une anecdote qui avait trait à une actrice qu'il ne nommait pas mais qui était évidemment Seberg : « Il paraît que le père, écrivait-il, est une personnalité importante des Panthères noires. » L'histoire fut reprise par le *Hollywood Reporter*, puis, trois mois plus tard, par *Newsweek* qui cette fois nomma Seberg.

Comme le FBI le savait très bien, Jean Seberg était déjà profondément perturbée et sous traitement psychiatrique. Peu de temps après ces événements, elle prit une forte dose de barbituriques. L'enfant qu'elle portait naquit prématurément quelques jours après l'article de *Newsweek* et ne vécut que deux jours. Le père du nouveau-né n'était certainement pas un membre des Panthères noires, ni son mari, le romancier français Romain Gary, mais un Mexicain qu'elle avait rencontré au cours d'un tournage. La perte du bébé devint une obsession pour Jean Seberg ainsi que le sinistre rôle joué par le FBI, qu'elle apprit des années plus tard. Elle se suicida en 1979, neuf ans presque jour pour jour après la mort de l'enfant. Romain Gary déclara : « Jean Seberg a été détruite par le FBI. »

Rien de tout cela n'a été connu avant la mort de Hoover et, en dépit des preuves qui figurent dans le dossier, le FBI n'a jamais admis avoir communiqué cette calomnie à la presse. Le rédacteur en chef du *Los Angeles Times* de l'époque dit qu'il se souvient seulement que l'histoire provenait d'un « représentant de la loi ». Quant à Richard Held, de l'agence de Los Angeles, qui rédigea la proposition « Sol », il est maintenant chef de l'agence du FBI à San Francisco. Il s'est contenté d'affirmer que la note qu'il a écrite n'était qu'« une demande administrative en réponse à une pression de quelqu'un de Washington ».

Le jour même où le premier écho parut dans le *Los Angeles Times*, Hoover envoya un rapport à la Maison-Blanche dans lequel il décrivait Jean Seberg comme « une perverse sexuelle, actuellement enceinte de la Panthère noire Raymond Hewitt ». Pour l'ancien directeur adjoint du FBI Charles Bates, qui a étudié le dossier Seberg, l'origine de l'affaire n'est pas douteuse : « Cela s'est fait avec l'accord de Washington. L'information a probablement été communiquée à la presse oralement, pour en camoufler l'origine. Mais le directeur était au courant, il a même annoté les papiers. Il le savait. »

319

Le comédien Dick Gregory était une cible particulièrement choisie – sur l'ordre de Hoover. Il avait trois défauts majeurs : il était noir, il soutenait bruyamment le Mouvement des droits civiques et il avait publiquement traité Edgar d'« un des hommes les plus dangereux de ce pays ». Celui-ci envoya donc des ordres à l'agence du FBI à Chicago où vivait Gregory :

> Mettre au point des mesures de désinformation pour le neutraliser [...] Cela ne doit pas prendre la forme d'une révélation, car il bénéficie déjà d'une trop grande publicité. Au lieu de cela, il faudrait trouver des moyens sophistiqués et indiscernables pour neutraliser Gregory.

Pour certains milieux du renseignement, « neutraliser » est souvent synonyme de « tuer ». Ce n'est pas le cas au FBI, mais le message suivant envoyé aurait bien pu aboutir tout de même à la mort de Gregory. Edgar remarqua que l'acteur venait de critiquer très vivement le crime organisé, qualifiant ses membres de « serpents les plus répugnants qui existent sur terre ». Aussi il avisa Marlin Johnson, le chef de l'agence de Chicago :

> Essayez d'utiliser cette déclaration pour monter une opération visant à alerter la Cosa Nostra sur l'attaque de Gregory.

L'ordre d'Edgar ne peut être considéré que comme une incitation à faire battre, et peut-être même tuer, Gregory par la pègre. Johnson, aujourd'hui à la retraite, s'est refusé à dire s'il avait ou non suivi les instructions d'Edgar. En tout cas, Gregory a survécu.

La commission du Sénat a découvert ultérieurement que les tours vicieux du FBI avaient provoqué « des fusillades, des brutalités et un profond malaise » au sein du mouvement des Panthères noires. En effet, les manœuvres du FBI entraînèrent la mort brutale de deux militants de Chicago. Fred Hampton et Mark Clark furent tués dans une fusillade nourrie et trois autres furent blessés lorsque la police entra en force dans leur appartement à 4 heures du matin le 3 décembre 1969. On découvrit plus tard que la police avait tiré 98 balles et les Panthères noires, peut-être, une seule !

En 1982, après une longue procédure judiciaire, les survivants obtinrent 1,85 million de dollars de dommages de la police, l'enquête ayant révélé que la tuerie avait été une conséquence directe de l'action du FBI. Le Bureau avait fourni à la police de Chicago des informations détaillées sur les déplacements de Hampton ainsi qu'un plan précis de l'appartement. L'ancien agent Wesley Swearingen rapporta qu'un de ses collègues de Chicago lui avait confié : « On a dit aux flics à quel point ces types étaient dangereux et qu'ils feraient bien de faire gaffe à eux s'ils ne voulaient pas que leurs femmes deviennent veuves [...] On a poussé la police à y aller et à tuer tout le monde. »

Elmer « Geronimo » Pratt, un ancien leader des Panthères de Californie, est toujours en prison, accusé du meurtre d'une femme au cours d'un cambriolage. Mais l'émission « 60 minutes » de CBS a révélé que le FBI avait dissimulé le fait que le principal témoin à charge du procès était un de ses informateurs. Pratt figure maintenant sur la liste d'Amnesty International des personnes qui n'ont pas bénéficié d'un procès juste pour des raisons politiques.

On sait maintenant que Hoover avait personnellement donné des instructions pour que l'on trouve un moyen de mettre Pratt hors circuit. Edgar était toujours précisément tenu au courant des opérations menées contre les Panthères noires et il veilla à ce qu'elles restent les secrets les mieux gardés de l'histoire du FBI.

La Maison-Blanche, sous Nixon, estimait que Hoover n'agissait pas avec assez de poigne contre les mouvements de gauche. En 1969 et au début de 1970, on comptait 80 attentats à la bombe ou menaces par jour. En une seule journée, on enregistra même 400 alertes à New York. Des explosions dévastèrent les bureaux d'IBM, de General Telephone et de Mobil Oil. 43 personnes furent tuées et les destructions se montèrent à 21 millions de dollars. Ce fut, selon Nixon, une « période de terreur irresponsable ». Peu de coupables furent pris et, sur 40 000 incidents, 64% étaient l'œuvre d'individus inconnus et aux mobiles incompréhensibles. L'entourage du président s'était plaint dès le début de l'insuffisance de l'information du FBI sur les sujets vraiment importants, et de l'abondance de « cochonneries » touchant à la vie privée.

D'autres éléments semblaient également intolérables dans la situation présente. Les relations entre le FBI et les autres agences de renseignements étaient au plus bas. Hoover avait toujours été hostile à la collaboration avec la CIA mais, au printemps de 1970, à la suite d'une futilité, il ordonna que toute liaison soit coupée. Il en était de même avec les autres organismes, l'Agence nationale de sécurité, les services militaires et les Services secrets. Il avait brisé tous les liens, sauf avec la Maison-Blanche. Les vieillards tendent à s'isoler et Hoover isolait le FBI. Les assistants de Nixon estimaient que la situation avait atteint le comble de la stupidité, particulièrement en cette période de crise.

En avril 1970, Haldeman se plaignit au président de Hoover et proposa des changements. Nixon écouta et décida que tous les chefs des services de renseignements de la nation devaient se réunir pour étudier rapidement les problèmes de sécurité. Conscient du mépris de Hoover à l'égard de ses homologues, le président joua sur sa vanité en le nommant président de la commission. Avec moins d'adresse, il désigna un de ses assistants, Tom Huston, coordonnateur. Bien qu'il fût d'extrême droite, Huston exaspéra Hoover dès le début. Il était jeune, vingt-neuf ans, très intelligent, très cultivé. Mais il portait des favoris et les cheveux longs, ce qui en faisait pour Hoover un « intellectuel hippie ».

Au cours de la première réunion, Hoover étonna tout le monde quand il commença par expliquer que le président voulait essentiellement un historique de l'agitation actuelle. Ses collègues le remirent à sa place en affirmant que Nixon voulait savoir ce qui ne marchait pas dans le domaine du renseignement sur les mouvements de gauche. Hoover devint rouge de colère et mit brusquement fin à la réunion. Deux semaines plus tard, il irrita ses collègues en ajoutant ses notes personnelles au texte que les autres agences avaient déjà approuvé. Puis au moment de signer il les stupéfia en relisant à haute voix l'intégralité du document de quarante-trois feuillets. A chaque page, il demandait des commentaires aux assistants en se trompant régulièrement sur le nom de Huston qui devenait « Mr Hoffman » ou « Hutchinson », n'importe quoi commençant par un H. Cette fois encore, la réunion prit fin dans le plus complet désordre.

Les recommandations de Huston, approuvées par le président, réclamaient une surveillance accrue des « menaces contre la sécurité » : l'écoute des communications téléphoniques internes, moins de restrictions sur l'ouverture du courrier, plus d'informateurs dans les campus, et la création d'un groupe chargé de la sécurité chapeautant toutes les agences. Une commission du Sénat devait plus tard déclarer qu'il était « profondément troublant » qu'un président eût approuvé de telles mesures. En tout cas, Hoover était contre, mais pas pour des raisons de principe. Nixon dit en 1988 : « Hoover était en faveur du plan Huston. Mais seulement si c'était lui qui le mettait en pratique. Il n'avait pas confiance dans la CIA, il n'avait confiance en personne d'autre. »

Tom Huston mena une violente bataille d'arrière-garde. Il envoya un message « top-secret » à Haldeman, indiquant que Hoover était la seule personnalité officielle à avoir soulevé des objections :

> Il nous a fallu rappeler à Hoover qui était le président. Il était devenu complètement déraisonnable... Le directeur du FBI est payé pour prendre des risques lorsque la sécurité du pays est en jeu... S'il continue comme cela, il va être plus puissant que le président.

Rien ne se produisit. Richard Nixon n'était pas l'homme des affrontements. Hoover partit en vacances en Californie. Tom Huston fut mis à l'écart puis démissionna. Cependant, d'une façon quasi indiscernable à l'époque, la terre avait tremblé. Hoover s'était aliéné des hommes dont l'action allait être déterminante pour ses derniers jours, pour l'avenir du FBI et pour l'histoire de la nation.

William Sullivan, longtemps le plus fidèle des assistants de Hoover, sortit aigri de la confrontation avec Huston. Comme la plupart de ses collègues des services de renseignements, il se plaignait depuis longtemps des restrictions apportées au combat contre le terrorisme interne. Il avait également commencé à jouer double jeu, d'une part en appuyant Huston, d'autre part en faisant croire à Hoover qu'il défendait la politique du Bureau. Il n'était pas seulement question pour lui de préserver l'avenir, mais la succession d'Edgar était en jeu. S'il devait être remplacé par quelqu'un du sérail, Sullivan et DeLoach étaient les deux principaux candidats. Ce dernier prétendait : « Sullivan était capable d'écrire une lettre de huit pages à Hoover pour lui dire : "Vous êtes trop âgé pour ce travail. Vous méritez d'être comparé à Konrad Adenauer et à Charles de Gaulle. Pensez à ces deux plus grands leaders du monde. Vous êtes comme eux." »

En plein milieu de l'affaire Huston, DeLoach jugea qu'il n'y avait plus de raison d'attendre que Hoover se retire. Il décida de répondre à l'offre qui lui avait été faite depuis longtemps de devenir vice-président de la société Pepsico. Il se souvient : « J'ai été voir le Vieux et nous avons parlé pendant deux heures et quarante-sept minutes, mais c'est lui qui tenait le crachoir 98 % du temps. Quand je me suis levé pour sortir, il m'a lancé : "Si vous décidez de partir, revenez me voir pour me le dire", et je lui ai répondu : "C'est ce que je viens de faire." Il a conclu : "J'avais toujours pensé que vous ne me quitteriez jamais." »

Au cours des deux semaines qui suivirent, Hoover refusa d'adresser la parole à DeLoach. Puis il prit une décision qui indisposa non seulement DeLoach, mais encore Clyde et Miss Gandy. Il désigna Sullivan pour prendre la place du partant, celle d'adjoint du directeur, le numéro 3 du Bureau, juste derrière Clyde, le malade.

« Je pense que Sullivan est loyal à mon égard », déclara Hoover. Sullivan l'avait été depuis trente ans. Mais maintenant, avec les nouveaux amis qu'il s'était faits dans l'entourage de Nixon, un œil sur le fauteuil de directeur et l'autre sur ses désaccords, il n'était plus fiable du tout. Sullivan était devenu Judas et n'attendait qu'une occasion pour trahir.

A la Maison-Blanche, Huston fut remplacé par un jeune homme, John Dean, qui arriva très vite à la même conclusion que la majorité des membres de l'équipe de Nixon. « Hoover a perdu les pédales », dit-il. Et dans les mois qui suivirent il commença à travailler en coulisse contre l'intransigeance de Hoover, ouvrant ainsi la voie à la trahison.

33

Des fuites
au Pentagone

Au cours de l'hiver 1970, il arriva à plusieurs reprises, alors que Hoover était encore endormi, qu'un jeune homme avec une moustache à la Pancho Villa gare sa voiture à proximité de la maison, marche rapidement dans l'allée longeant l'arrière et fouille dans la poubelle. Mais ce n'était pas l'éboueur de service. Il s'agissait de Charles Elliott, un journaliste débutant qui travaillait pour Jack Anderson, du *Washington Post*.

Environ une heure plus tard, alors que Hoover était monté dans sa limousine pour se rendre au travail, Elliott continuait à surveiller les lieux. Pendant la journée, il s'avançait jusqu'au paillasson aux initiales J. E. H., à côté de la boîte aux lettres surmontée d'un aigle. Il regardait par la vitre de la porte d'entrée le buste en bronze de Hoover trônant dans le hall. Puis il allait interroger les voisins. Le *Washington Post* publia les résultats de ces petites manœuvres dans son numéro du jour de l'An 1971, qui allait être la dernière année du règne de Hoover. « Nous avons décidé, écrivit Anderson, de renverser les rôles et de mener sur la vie privée de J. Edgar Hoover une enquête à la façon du FBI. » En fait, la poubelle ne révéla rien, sauf quelques menus de dîner rédigés à la main sur du papier à en-tête, par exemple : « Soupe de bisque de crabe, spaghettis et boulettes de viande aux asperges, glace à la menthe et fraises. » On y apprenait également que le grand homme buvait du whisky Black Label, du Coca-Cola et du soda, prenait des pilules Gelusil pour la digestion et se lavait les dents avec Ultra Brite.

Hoover, en rage, qualifia Anderson, à juste titre cette fois, de « pire ramasseur d'ordures de toute la presse ». Elliott l'éboueur trouva un soir deux individus « du genre FBI » devant sa porte. Ils prirent des photos puis repartirent en voiture. Néanmoins, les articles suivants du journal allaient contenir des informations plus sérieuses. Anderson révéla que les amis millionnaires de Hoover payaient depuis longtemps les factures de ses vacances d'été en Californie. Il écrivit également que Hoover avait accepté plus d'un quart de million de dollars de l'époque de droits d'auteur pour le livre *Masters of Deceit* et deux autres ouvrages sur le communisme dont il n'avait jamais écrit un seul mot. Anderson conclut : « Il s'agit d'une infraction sur laquelle, si elle avait été commise par un autre haut fonctionnaire du gouvernement, le FBI aurait été chargé d'enquêter. »

Si ces articles effrayèrent Hoover, un troisième le frappa en direct. « Selon des sources sérieuses, écrivait Anderson, nous avons appris que Hoover avait consulté le Dr Marshall, du cabinet du Dr Ruffin, le célèbre psychiatre, à propos de ses cauchemars. » Anderson touchait là à un des secrets les plus sensibles de Hoover car il s'agissait (comme nous l'avons vu au chapitre 8) du médecin qu'Edgar avait consulté des années plus tôt sur son homosexualité.

Hoover était sérieusement ébranlé par ces révélations. Il demanda conseil à Richard Kleindienst, l'adjoint du ministre de la Justice, John Mitchell. « Je ne sais pas, lui dit-il, si je vais ou non les attaquer en justice pour diffamation. » Et Kleindienst lui répondit : « S'ils ont épelé votre nom correctement, laissez tomber ! »

Anderson déclara également que Clyde Tolson était maintenant trop « faible » pour faire son travail correctement. C'était la vérité. Cette année-là, Clyde avait eu une nouvelle attaque cardiaque et n'avait même pas reconnu son propre neveu lorsqu'il était venu le voir à l'hôpital. En outre, il avait beaucoup de mal à suivre une conversation. Pour qu'on ne le voie pas quand il se rendait au travail, on le faisait sortir de chez lui par une porte dérobée, et il gagnait son bureau par l'ascenseur direct du parking au sous-sol. Tout cela n'empêcha pas Hoover de donner à son ami une prime spéciale pour services rendus. « Mr Tolson, écrivit-il, accomplit sa tâche avec une grande rapidité et une étonnante précision... Ses services sont sans égal. »

L'emploi du temps de Hoover, loin d'être épuisant comme le laissait entendre sa publicité, s'était lui aussi considérablement allégé. « Lorsque je suis parti en 1970, dit Cartha DeLoach, il arrivait à 9 heures pile, restait jusqu'à 11 h 45, puis allait déjeuner au Mayflower d'où il revenait vers 13 heures. Il s'enfermait jusqu'à 15 heures, et rentrait alors chez lui. Je ne pouvais le voir pendant ce temps-là... Voilà, c'était sa journée de travail ! » Hoover était devenu pratiquement inaccessible. Neil Welch raconte : « Les mois passaient et il ne voyait plus personne. Auparavant, il recevait systématiquement chaque chef de poste une fois par an. Mais, pendant les trois derniers semestres, il coupa tout contact. Nous ne pouvions avoir aucune information. Silence complet. Personne n'arrivait à le voir. »

L'image que le public avait maintenant de lui était celle d'un vieillard revêche, qui déversait un flot de critiques sectaires sur ses ennemis, et même sur ceux qui n'étaient plus en mesure de lui répondre, comme Robert Kennedy et Martin Luther King. Lorsque l'ancien ministre de la Justice Ramsey Clark critiqua dans un ouvrage « la préoccupation égocentrique qu'il avait de sa propre réputation », Edgar s'empressa de démontrer qu'il était dans le vrai. Dans un discours de trois heures et demie à un journaliste, il traita Clark de « méduse » et de « froussard ». A la Maison-Blanche, la gêne grandissait. On le gardait par crainte de mettre en péril une institution nationale en se séparant d'un homme qui avait le soutien enthousiaste du public. Or ce n'était plus le cas. Au cours d'un sondage, 51% des personnes interrogées estimèrent que Hoover devait partir. Comme le dit un journaliste de Washington : « J. Edgar Hoover a été un demi-dieu trop longtemps. » Lawrence Brooks, un ancien juge de quatre-vingt-dix ans, qui avait suivi la carrière de Hoover depuis 1919, cita Abraham Lincoln : « Nous devons nous libérer nous-mêmes. »

En février 1971, Patrick Buchanan, qui rédigeait les discours de Nixon, avertit le président que Hoover était devenu une charge politique et qu'il devait être remplacé dès que possible :

> Il ne peut plus maintenant que descendre, ce qu'il fait régulièrement... Avec chacune de ces chamailleries mesquines il ternit sa réputation... Je recommande vivement que Hoover soit mis à la retraite maintenant, alors qu'il connaît encore toute la gloire et l'estime qu'il a méritées. Il ne faut pas le laisser, dans son intérêt et dans le nôtre, finir sa carrière comme un lion mort déchiqueté par les chacals de la gauche.

Mais le moment était mal venu pour un président de plus en plus préoccupé. Nixon connaissait le plus fort taux de chômage du pays depuis dix ans. L'opinion publique critiquait l'invasion du Laos par l'armée sud-vietnamienne, soutenue par les États-Unis. Bientôt éclateraient les révélations sur le massacre de My Lai[1]. Le Viêt-nam était devenu pour Nixon, comme il l'avait été pour Johnson, le pélican qui se fait dévorer les entrailles.

Puis, au mois d'avril, le chef de la majorité de la Chambre des représentants, Hale Boggs, accusa le FBI de mettre sur écoute des membres du Congrès et d'infiltrer les universités : « Lorsque le FBI, dit-il en session, adopte les méthodes de l'Union soviétique et de la

---

1. Deux ans plus tôt, au Viêt-nam, 120 GI de la 2ᵉ brigade d'infanterie légère avaient massacré les 567 paysans de la commune de My Lai. Le lieutenant qui les commandait fut condamné à la détention à perpétuité, puis gracié au bout de trois ans par le président Nixon. [N.d.T.]

Gestapo de Hitler, alors le moment est venu, s'il n'est pas déjà trop tard, de faire en sorte que le directeur actuel ne le soit plus… Le moment est venu pour le ministre de la Justice des États-Unis de demander la démission de Mr Hoover. » Hoover fut aussitôt informé du discours par le téléscripteur du Congrès. Il venait de voir un exemplaire du dernier *Life* : sur la couverture figurait un dessin le représentant, l'image d'un vieillard maussade ressemblant à une statue de la Rome impériale. En titre : « LES 47 ANS DE RÈGNE DE J. EDGAR HOOVER, EMPEREUR DU FBI. ». L'article suggérait que ce règne prît fin. Hoover savait que le magazine *Newsweek* préparait également un numéro intitulé : « LE FBI DE HOOVER. L'ÉPOQUE DU CHANGEMENT ? »

Suivant le mémo des archives, Hoover aurait offert sa démission l'après-midi même. Il aurait appelé le ministre de la Justice, John Mitchell, qui se faisait brunir en vacances, pour l'informer du discours de Boggs. Edgar écrivit plus tard : « Je voulais qu'il sache, ainsi que le président, que si ma présence embarrassait le gouvernement, s'ils considéraient que je pouvais être un fardeau ou gêner la réélection, je m'empresserais de démissionner. » Si Hoover a offert sa démission, ni Mitchell ni personne d'autre de l'entourage de Nixon ne se souvient de cette démarche capitale. En revanche, ceux qui espéraient se débarrasser de lui constatèrent que Mitchell ainsi que Nixon réagissaient curieusement. Nixon dit qu'il pensait que Hoover « s'était fait taper sur les doigts ». Quant à Mitchell, il exigea que Boggs « se rétracte immédiatement et présente ses excuses à un grand et dévoué Américain ». Quelques semaines plus tard, il prit avec agressivité la défense de Hoover lorsqu'un journaliste lui demanda si le directeur envisageait de se retirer. Mitchell le rembarra d'un ton sec : « Vous êtes tellement à côté de la plaque que je vais vous remettre à votre place… Il s'agit de l'homme le plus remarquable en ce qui concerne l'application de la loi. »

Nixon et son gouvernement n'avaient pas d'autre choix que de plier devant Hoover. Car il détenait maintenant une information qui renforçait sa prise sur le président et faisait de sa démission un risque inacceptable.

Deux années auparavant, au cours du printemps de 1969, Nixon et Henry Kissinger avaient été exaspérés par une série d'informations sur le Viêt-nam parues dans la presse qui, à leur avis, compromettaient la sécurité nationale. Selon eux, les fuites provenaient de hauts fonctionnaires de confiance et ils demandèrent à Hoover et au ministre de la

Justice de démasquer les coupables. Il en résulta que le FBI entreprit une vaste opération d'écoutes téléphoniques clandestines sur six des collaborateurs de Kissinger, huit autres personnalités officielles et quatre éminents journalistes. Et cela jusqu'en 1971. D'après Kissinger, c'est Hoover qui proposa l'opération. Mais il en parle d'une manière légèrement différente dans ses Mémoires : « J. Edgar Hoover, écrit-il, citait invariablement une personnalité en dehors de la hiérarchie du FBI pour justifier une demande de mise sur écoute, même dans les cas où j'avais entendu Hoover lui-même la recommander à Nixon. » Le comportement de Hoover avait pour résultat d'entraîner le gouvernement dans une situation dangereuse, tout en « protégeant ses arrières », comme le dit Kissinger. Pour cela, il veillait à ce que chaque écoute soit autorisée par écrit par le ministre de la Justice.

Le fait que de prestigieux correspondants de presse (William Beecher et Hedrick Smith, du *New York Times*, Marvin Kalb, de CBS, et l'éditorialiste Joseph Kraft) soient l'objet de cette surveillance la rendait très délicate. Le résultat n'apporta aucun soupçon de preuve pour identifier les fuites, mais constitua une bombe à retardement pour le président. Nixon avait approuvé les écoutes ; par conséquent, cela signifiait que le couperet s'abatterait sur lui si l'affaire était découverte. Une telle révélation pourrait ruiner ses chances de réélection en 1972 et Hoover savait que c'était ce que craignait le président, qui avait donné l'ordre que les transcriptions des conversations téléphoniques soient remises dans des enveloppes scellées à Haldeman en personne.

L'homme chargé de ces écoutes clandestines était William Sullivan, le numéro 3 du FBI. Lui aussi savait que le secret était capital. Hoover donna l'ordre que les copies soient réduites à un exemplaire pour la Maison-Blanche et un pour lui. Il dit à Sullivan : « C'est une opération de la Maison-Blanche et non du FBI, par conséquent elle ne sera pas enregistrée dans les archives. » Les transcriptions furent secrètement conservées, d'abord dans le bureau de Hoover, puis dans celui de Sullivan. Ces documents détenus par Hoover constituaient une arme potentielle contre Nixon. Il s'en servit en avril 1971, quelques jours après l'accusation publique de Boggs dénonçant au Congrès les écoutes clandestines d'hommes politiques et après que le ministre adjoint de la Justice, Richard Kleindienst, se fut déclaré officiellement en faveur d'une enquête officielle sur les allégations de Boggs.

S'il devait être mis au pilori pour écoutes illégales, Hoover n'avait pas l'intention d'être la seule victime. Il appela au téléphone Kleindienst qui tint le combiné à bout de bras pour que son assistant Robert Mardian puisse écouter. Mardian entendit Hoover déclarer : « Comprenez bien que si je suis convoqué pour témoigner devant le Congrès, je serai obligé de dire TOUT ce que je sais. » Mardian pensa qu'il avait menacé le président des États-Unis. Il informa la Maison-Blanche de la conversation, qu'il communiqua deux ans plus tard aux enquêteurs du Watergate. Hoover alla encore plus loin : on sait par une note trouvée par Sullivan dans les papiers privés de Mardian qu'il appela le président lui-même à Camp David. S'il était convoqué devant le Congrès, avait dit Hoover, il se verrait « dans l'obligation de dévoiler toutes les opérations délicates du FBI, ce qui serait peu souhaitable et très dommageable ».

L'affaire s'arrêta là et aucune enquête ne fut ouverte après les accusations de Boggs. Au mois de mai, Hoover célébra sa quarante-septième année de service et annonça qu'il n'était en rien désireux de prendre sa retraite : « J'ai l'intention de rester directeur du FBI aussi longtemps que je pourrai servir mon pays. » Le 12 juin, il assista au mariage de Tricia, la fille de Nixon, souriant et saluant les photographes comme si tout allait bien entre lui et le président. Ce n'était pas le cas et ce fut bien pire encore le lendemain matin. Dans l'édition du dimanche du *New York Times*, les lecteurs découvrirent sept pages d'informations concernant l'escalade de la guerre au Viêt-nam. Ces documents secrets, les célèbres « Dossiers du Pentagone » avaient été photocopiés clandestinement par Daniel Ellsberg, ancien membre du gouvernement, qui les avait remis au journal [1]. Cette fuite monumentale devait conduire Nixon à faire un pas irréversible vers l'engrenage du Watergate. Pour Hoover, il en résulta des conflits inévitables avec Nixon et William Sullivan.

A la différence de ses collègues soumis, Sullivan s'était déjà ouvertement opposé à Hoover. Il avait eu la témérité de dire publiquement que les émeutes raciales et l'agitation étudiante ne devaient pas être attribuées au parti communiste, ce qui avait rendu son chef furieux. Commençant à perdre patience, Sullivan prit des contacts discrets avec des membres du gouvernement de Nixon qui partageaient ses sentiments. C'était le cas en particulier de Robert Mardian qui savait que Hoover l'avait qualifié de « saloperie de juif libanais » et qui considérait Hoover comme « un prétentieux bavard, une minable vieille canaille ». Pour bien faire comprendre ses critiques, Sullivan remit une liasse de correspondance interne de Hoover à Mardian, qui s'empressa d'en envoyer une partie à John Mitchell et classa le reste dans un dossier marqué « John ».

---

1. Ellsberg avait contacté Neil Sheehan, alors journaliste du *New York Times*, qui obtint le prix Pulitzer pour avoir fait publier les Dossiers du Pentagone dans son journal. [*N.d.T.*]

On se doutait, et pas seulement au FBI, qu'un jour ou l'autre Hoover découvrirait tout.

Au plus fort de la bataille des Dossiers du Pentagone, Sullivan partageait avec Mardian la conviction que Hoover n'était « pas sain d'esprit ». Mardian se souvient : « Sullivan m'a dit que Hoover avait en sa possession des informations en dehors de la filière officielle, des écoutes clandestines. Il me dit que Hoover les avait utilisées contre les présidents précédents et était capable d'agir de même pour faire chanter Nixon. Tant qu'il posséderait ces documents, Nixon ne pourrait se débarrasser de lui. » Sullivan faisait allusion aux transcriptions des écoutes téléphoniques que Nixon avait ordonnées à l'encontre des membres du gouvernement et des journalistes, et que Hoover gardait en sécurité dans son bureau. Mardian fit aussitôt connaître la menace de chantage au président, qui se trouvait alors en Californie et qui prit la chose très au sérieux. Mardian reçut l'ordre de prendre un avion spécial pour retrouver Nixon. Les notes sur la réunion rédigées par John Ehrlichman montrent bien l'urgence de la situation : « OK... Obtenir et détruire tous les textes... Donner l'ordre à Hoover de détruire... Haig demande que le FBI (Sullivan) détruise toutes les informations spéciales... »

A Washington, Sullivan remit les deux sacoches usagées contenant les transcriptions des conversations à Mardian, qui les plaça dans une chambre forte en attendant les instructions de la Maison-Blanche. Au FBI, Hoover et Sullivan étaient à couteaux tirés. Le 28 août, après des discussions avec vingt-deux collègues, Sullivan envoya à Hoover une longue missive exposant leurs différends. « Je voudrais vous convaincre, écrivait-il, que ceux d'entre nous qui ne sont pas d'accord avec vous essaient de vous aider et non de vous nuire... Cette lettre va probablement vous mettre en colère. En raison de votre pouvoir absolu vous pouvez me licencier... ou me faire payer d'une façon ou d'une autre votre déplaisir à mon égard. Qu'il en soit ainsi... »

Lors de la réunion suivante avec Sullivan, Hoover commença par un sermon. Il dit qu'il « avait beaucoup prié » sur ce problème. Puis il se mit à postillonner et à bafouiller. Quand Sullivan lui conseilla de prendre sa retraite, il répondit qu'il n'en ferait rien. Au contraire, c'était à Sullivan de partir, de réclamer les jours de congés auxquels il avait droit et de demander sa retraite.

Comme il ne savait pas que les transcriptions des écoutes téléphoniques avaient été remises à Mardian, Hoover profita d'une absence de Sullivan pour faire fouiller son bureau. Les agents cherchèrent partout et ne trouvèrent rien. Quand Sullivan revint, il refusa de dire ce qu'il était advenu des documents. « Si vous voulez en savoir plus, dit-il sèchement, adressez-vous au ministre de la Justice. » Le 1er octobre, Sullivan quitta définitivement le FBI, en abandonnant ostensiblement la photo dédicacée du directeur. Mark Felt, qui prit sa place, informa Hoover du résultat négatif des fouilles. Exceptionnellement, Edgar resta sans voix. Puis il secoua la tête. « La plus grosse erreur que j'ai commise, murmura-t-il, fut de promouvoir Sullivan. » Il resta immobile, perdu dans ses pensées, tandis que Felt se glissait doucement hors du bureau.

Le dimanche 3 octobre 1971, Robert Mardian, qui détenait les transcriptions des écoutes, demanda à John Ehrlichman de venir le voir chez lui. Mardian était paniqué. Ehrlichman se souvient : « Mardian avait très peur non seulement pour la conservation de ces écoutes téléphoniques, mais aussi pour sa propre sécurité. Il craignait d'être surveillé par Hoover et pensait que ce n'était plus qu'une question de temps avant que Hoover n'envoie des agents du FBI pour ouvrir la chambre forte et récupérer les documents. »

Cette semaine-là, dans le bureau ovale, se tint une réunion au cours de laquelle Ehrlichman et le ministre de la Justice, John Mitchell, demandèrent au président des conseils sur ce qu'il fallait faire des documents. Voici la conversation d'après l'enregistrement de la Maison-Blanche rendu public en 1991 :

> MITCHELL : Hoover met la pagaille partout pour essayer de les trouver. La question est de savoir si nous devons les sortir du bureau de Mardian et les amener ici avant que Hoover ne fasse sauter le coffre…
> EHRLICHMAN : D'après ma conversation avec Mardian, j'ai l'impression que Hoover ne se sentira pas en sécurité tant qu'il n'aura pas ses propres exemplaires. Parce que, bien entendu, cela lui donnera un ascendant sur Mitchell et sur vous.
> NIXON : Ouais…
> EHRLICHMAN : Parce que ces écoutes sont illégales. Actuellement, il n'en a pas de copie et il a envoyé ses agents à travers toute la ville pour interroger les gens et essayer de trouver où ils sont. L'immeuble de Mardian est sous surveillance.
> NIXON : Voyons, pourquoi diable n'en a-t-il pas aussi un exemplaire ?
> EHRLICHMAN : Si c'était le cas, il vous ficherait un grand coup sur la tête avec.
> NIXON : Oh… Faut les faire sortir de là.
> MITCHELL : Hoover ne viendra pas m'en parler. Il a simplement sa Gestapo partout.
> NIXON : Ouais… Dites simplement à Mardian qu'on veut les voir et les mettre dans un coffre spécial.

Et ainsi fut fait. Les preuves des écoutes téléphoniques compromettantes furent retirées du bureau de Mardian et enfermées dans un coffre de la Maison-Blanche. En outre, Sullivan confia aux hommes du président qu'avant de quitter le FBI il avait donné ordre à l'agence de Washington de détruire tout ce qu'elle détenait sur cette opération.

34

Les « plombiers »
du président

Cela faisait près d'un an que les collaborateurs de Nixon discutaient pour savoir comment déloger Hoover de son poste. Au début, le risque était politique car il était réputé très populaire dans le pays. Maintenant, les sondages indiquaient que l'enthousiasme à son égard déclinait sérieusement et la presse commençait à le harceler de critiques.

Hoover prononça un discours sur les « prostituées du journalisme » et interdit que quiconque du Bureau s'entretienne avec le *Washington Post*, le *New York Times*, le *Los Angeles Times*, CBS ou NBC, c'est-à-dire les plus grands journaux et réseaux de radio et de télévision du pays. De tels accès de colère convainquirent la Maison-Blanche que Hoover était devenu très embarrassant. En janvier, le président lui-même reconnut qu'il constituait « un problème ». Le ministre adjoint de la Justice, Richard Kleindienst, avait pris maintenant l'habitude d'écarter l'écouteur de son oreille quand Hoover l'appelait en grimaçant et en gesticulant. « Ce type, dit Kleindienst à Sullivan après un de ces coups de téléphone, a perdu la tête depuis trois ans. Combien de temps faudra-t-il encore que nous le supportions ? »

En dépit de son soutien officiel à Hoover, le ministre de la Justice, John Mitchell, assura en privé à ses collègues : « Nous allons nous débarrasser de lui rapidement. » Selon Henry Kissinger, Nixon de son côté était « décidé à se séparer de Hoover à la première occasion ». Un matin, Mardian convoqua dans son bureau du ministère de la Justice un certain nombre de cadres du FBI, dont Sullivan. Il régnait une atmosphère de conspiration. A 9 h 45, Mardian désigna la pendule : « Dans un quart d'heure, notre problème avec Hoover sera réglé. Car le président l'a convoqué à 10 heures et il va lui demander de démissionner. » Le temps s'écoula et la Maison-Blanche ne téléphona pas. L'expectative se transforma en doute, puis en frustration, et les hommes sortirent navrés du bureau de Mardian. Ils devaient rapidement apprendre que Hoover, à la sortie de son entrevue avec Nixon, s'était mis à dicter triomphalement des notes. Au lieu de le renvoyer, Nixon avait donné le feu vert à Hoover pour qu'il crée un nouveau réseau d'agences du FBI dans le monde, une expansion à laquelle étaient opposés le ministre de la Justice, le secrétaire d'État et plusieurs des adjoints de Hoover. Mardian appela la Maison-Blanche pour savoir ce qui s'était passé. « Rien, répondit Ehrlichman. Absolument rien. Nixon n'a pas pu couper le cordon... Il a eu la frousse. »

« Je voudrais bien le combattre, mais je ne le peux pas, avoua Nixon au cours de la réunion du 8 octobre 1971 dans le bureau ovale. Il faut que nous évitions une situation dans laquelle il partirait sur un mauvais coup... J'ai essayé de... Il y a des problèmes. Si je renvoie Hoover et si vous pensez que l'on aura une insurrection et une émeute... S'il part, il faut que ça soit de son propre chef. » Quelques semaines plus tard, Ehrlichman remit au président un rapport spécial sur Hoover et le FBI. Attendre plus longtemps serait désastreux :

> Le moral des agents du FBI sur le terrain se détériore rapidement... Toute activité clandestine est arrêtée. Les liaisons avec l'espionnage et les services de renseignements ont été interrompues... Il est dit que Hoover a menacé le président... Des années de flatteries l'ont immunisé contre le doute, il reste cependant réaliste et le 30 juin dernier son plus fidèle confident, Clyde Tolson, aurait dit à un témoin de confiance : « Hoover sait que, quel que soit le vainqueur aux présidentielles de 1972, lui est fini. »

En conclusion, le rapport recommandait qu'Edgar prît sa retraite avant la fin de 1971 et Nixon acquiesça avec enthousiasme. Il dit à ses collaborateurs : « Hoover doit comprendre qu'il ne peut pas rester éternellement... Il est trop vieux... Je crois... je pense que je pourrais l'amener à démissionner si je lui présentais cela en lui faisant comprendre qu'autrement il en souffrirait politiquement... Mais il faut jouer très serré... »

Cette fois-ci, l'opération fut soigneusement préparée. Mitchell convoqua Cartha DeLoach, qui se souvient : « Je suis entré dans le bureau du ministre de la Justice et il m'a dit de fermer la porte. Puis il m'a demandé brutalement : "Il faut que nous nous débarrassions de Hoover, mais nous ne voulons pas qu'il rue dans les brancards. Est-ce que vous connaissez un moyen de le faire sans qu'il réagisse ?" J'ai répondu : "Eh bien, si vous voulez le faire, il faut qu'il puisse sauver la face. Laissez-lui sa voiture blindée et son chauffeur. C'est une marque de prestige qu'il apprécie beaucoup. Laissez-lui également sa secrétaire, Helen Gandy, parce que c'est elle qui lui achète ses friandises et paie ses factures, ce qu'il n'a jamais fait lui-même. Nommez-le directeur honoraire, ou ambassadeur de la sécurité interne. Et faites en sorte que le président l'appelle de temps en temps pour lui demander conseil." »

A la Maison-Blanche, un Nixon nerveux mit au point un habile compromis. Au lieu de licencier brutalement Hoover, il avait l'intention de lui dire qu'il pourrait rester jusqu'à l'élection de 1972. Ainsi le FBI ne deviendrait pas le terrain d'un match politique durant la campagne. Mais, pour désamorcer les critiques, l'annonce en serait faite immédiatement. Et afin de ménager la dignité de Hoover, il serait autorisé à la révéler lui-même. Tandis qu'Ehrlichman prenait des notes, Nixon prépara le petit discours qu'il avait l'intention de servir à Hoover et que l'on a retrouvé dans les archives : « Mon cher Edgar, comme vous pouvez l'imaginer, j'ai beaucoup réfléchi à votre situation. Je suis absolument ravi que vous ayez pu aussi bien résister aux attaques contre vous-même et le Bureau... Il est bien évident que, si je suis réélu, votre remplaçant devra être quelqu'un qui maintienne une continuité dans votre œuvre... Je pense sincèrement que c'est dans notre intérêt commun. » Et ainsi de suite, dans le même esprit. Nixon tenta peut-être cette démarche vers la fin de décembre, lorsque Hoover vint lui rendre visite dans sa résidence de Floride. Mais Edgar resta dîner sur la terrasse et dégusta des crabes et un soufflé au Grand Marnier arrosé de vin rouge. Si Nixon recula devant l'affrontement ce soir-là, peut-être a-t-il essayé de le faire le jour du Nouvel An, lorsqu'il demanda à Hoover de rentrer avec lui à Washington dans l'avion présidentiel. Avant le vol, Hoover avait dit à un collègue : « Le président veut me parler de quelque chose. » Mais, une fois de plus, Nixon se déroba. La Maison-Blanche fit savoir que ce vol était une faveur présidentielle pour célébrer les soixante-dix-sept ans de Hoover et que Nixon lui avait remis un gâteau d'anniversaire.

La presse maintenant ne parlait plus de départ mais annonçait que Nixon « voulait que Hoover restât à son poste ». Dans la dernière interview importante de sa vie, juste avant son voyage en Floride, Hoover s'était déclaré déterminé à continuer : « Nombreux sont nos grands artistes et compositeurs, dit-il, qui ont réalisé leurs meilleures œuvres vers quatre-vingts ans. On les juge sur les résultats, non sur leur âge... Regardez un peu ce qu'ont fait Herbert Hoover et le général Douglas MacArthur lorsqu'ils avaient quatre-vingts ans... Telle est ma ligne de conduite... » Le ministre de la Justice, John Mitchell, qui depuis des mois avait recommandé en privé la mise à la retraite de Hoover, se montra d'accord avec lui ce jour-là : « Le remplacement éventuel d'Edgar, dit-il, n'est que spéculation erronée. »

Les conseillers de Nixon ne savaient pas pourquoi Hoover continuait à s'en sortir alors qu'à deux reprises au moins le président les avait assurés qu'il allait lui ordonner de partir. La première fois, c'était au cours de l'automne. Haldeman dit à Ehrlichman que le président avait refusé de discuter de cette question. Deux heures après, Ehrlichman repartit à l'attaque et Haldeman lui répondit : « Ne posez pas de question. Il ne veut pas en parler. » Puis il lui conseilla d'oublier ce petit déjeuner. Plusieurs mois plus tard, après la mort de Hoover, Nixon fit quelques confidences à Ehrlichman : « Cette réunion fut un échec complet. Hoover m'a dit que je devrais le forcer à partir. » Et le président a écrit dans ses Mémoires : « La démission de Hoover avant l'élection aurait soulevé plus de problèmes qu'elle n'en aurait résolus. » Cependant, Nixon nie que ce jour-là Hoover avait barre sur lui. Il dit en 1988 : « Hoover n'a montré aucune intention de chantage. » Plus précisément, Nixon nie que Hoover l'ait menacé de révéler les écoutes clandestines des journalistes. Henry Kissinger est moins formel à ce sujet. Il se souvient : « Hoover était tout à fait capable d'utiliser les connaissances qu'il avait acquises au cours de ses enquêtes pour faire chanter le président. »

Contrairement à ce que Nixon avait d'abord pensé, la menace n'avait pas disparu lorsque Sullivan avait remis à Mardian les transcriptions des écoutes téléphoniques. Car quand Mardian en vérifia la liste, il découvrit qu'il en manquait. Elles étaient aux mains de Hoover. Le 1er janvier 1972, le président avait donc toujours des raisons de craindre Edgar, surtout qu'il fallait tout faire pour qu'une nouvelle affaire n'éclatât pas. Nixon avait dit à Ehrlichman : « Nous avons peut-être maintenant sur le dos un homme prêt à faire s'écrouler avec lui le temple, et moi avec... »

Six mois plus tôt, Nixon avait perdu son calme et s'était lui-même forgé un nouveau piège. En dépit de tous ses efforts et moyens juridiques, il n'avait pas pu empêcher le *New York Times* de continuer la publication des Dossiers du Pentagone. Il craignait que d'autres articles n'aient un effet désastreux sur lui et que l'auteur des fuites, Daniel Ellsberg, ne fasse partie d'une sinistre conspiration de la gauche. Le président était furieux que Hoover, comme il l'a écrit dans ses Mémoires, « ait traîné des pieds » dans cette enquête. « Si le FBI ne poursuit pas cette affaire, décida-t-il, alors il faudra que nous le fassions nous-mêmes. »

A la fin de juin 1971, Nixon s'était répandu en invectives à ce sujet dans le bureau ovale. Son assistant Charles Colson a rapporté les paroles du président : « Je me fous de la façon dont ce sera fait. Faites ce qu'il faut pour arrêter ces fuites et empêcher d'autres révélations du même genre. Je ne veux pas que l'on me dise pourquoi on ne peut pas le faire... Je veux savoir qui est derrière tout cela... Je veux des résultats, quel qu'en soit le prix à payer. » Ce qui fut fait. Mais le prix, quand on le découvrit deux ans plus tard, en serait monstrueux. Les griefs de Nixon à l'égard des manquements de Hoover, ou de ce qu'il croyait tels, furent le premier pas qui devait le conduire à la perte de la présidence.

Deux jeunes hommes, Egil Krogh et David Young, furent installés dans un local situé au sous-sol du bâtiment officiel voisin de la Maison-Blanche. Ils disposaient d'une salle de conférences, d'un coffre-fort à triple combinaison et de téléphones protégés de toute écoute. Comme leur travail consistait à s'occuper de « fuites », Young s'amusa à mettre sur la porte une pancarte : « Mr Young – Plombier. » Et le terme est resté depuis pour qualifier ces travailleurs clandestins.

Les personnages de l'opération sont maintenant bien connus. A leur tête, Nixon, assisté par Ehrlichman, puis Krogh et Young, Colson et le conseiller du président John Dean y mettant leur grain de sel. Sur le terrain, pour exécuter le sale boulot de la Maison-Blanche, se trouvaient Howard Hunt et Gordon Liddy. Hunt, âgé de cinquante-deux ans, était un ancien officier de carrière de la CIA qui avait pris sa retraite pour se mettre à son compte. Liddy avait été adjoint du procureur de l'État de New York, puis assistant spécial au département du Trésor sous Nixon, après avoir quitté le FBI en 1962. De son propre aveu, Liddy était obsédé par les armes et la violence. Il aimait discuter des moyens les plus originaux de donner la mort et se vantait d'avoir lui-même tué un homme lorsqu'il était au FBI. Un ancien du Bureau disait de lui qu'il était à la fois un « sauvage » et une « super-andouille ». Krogh le prit dans l'équipe au salaire de 26 000 dollars par an, afin de coordonner les opérations sur le terrain pour le compte des « plombiers » du président.

La nuit du 4 septembre 1971, sous le commandement de Liddy et de Hunt, trois exilés cubains pénétrèrent par effraction dans le bureau du psychiatre de Daniel Ellsberg à Los Angeles. Les plombiers espéraient y trouver des preuves de complot au sujet des Dossiers du Pentagone, ainsi que des détails sur la vie sexuelle d'Ellsberg qui permettraient de salir sa réputation. Selon Ehrlichman, le président avait été informé de l'opération qui se révéla un échec. Le commando mit à sac les archives du médecin pour en repartir les mains vides. Ultérieurement, ce délit inutile allait tenir une place importante dans le scandale du Watergate et valoir la prison à tous ceux qui y avaient participé. Mais, à l'automne de 1971, l'opération était restée secrète, et toute personne au courant détenait un pouvoir considérable sur le président.

Hoover était dans ce cas. Il en avait été informé, comme l'expliqua plus tard Ehrlichman à la commission d'enquête sur le Watergate : « Il était évident, dit-il, qu'à la demande de Mr Krog le président avait secoué le directeur, qui traînait des pieds dans cette histoire... Il lui dit qu'il allait être obligé d'envoyer des hommes de la Maison-Blanche. »

En dehors de cela, Hoover pouvait très bien connaître les secrets du président grâce à une surveillance électronique. En août 1970, suivant le journaliste Tad Szulc, spécialiste des questions d'espionnage, les Services secrets avaient découvert un petit micro clandestin caché dans le mur du bureau ovale. Il y avait été placé lorsque la pièce avait été repeinte par un décorateur d'intérieur. Szulc a dit récemment : « D'après mes sources, l'opération avait été montée par Hoover. Et lorsque vous disposez de cette information de base, vous maîtrisez totalement ce qui se passe dans l'esprit du président. » Mais Hoover n'avait peut-être pas besoin de ce micro clandestin pour connaître les conversations les plus secrètes de Nixon. Car il avait accès aux enregistrements que ce dernier faisait pour la postérité avec l'aide des Services secrets, et qui sont devenus les fameuses bandes magnétiques du Watergate.

En 1977, peu de temps avant sa mort, William Sullivan parla avec le producteur de cinéma Larry Cohen, qui réalisait un film sur la vie de Hoover. « Sullivan m'a dit, raconte Cohen, que Hoover était au courant que Nixon faisait enregistrer toutes ses conversations. Il le savait car plusieurs des agents des Services secrets étaient des anciens du FBI. Il savait que les enregistrements étaient conservés dans la pièce 175 du bâtiment administratif proche de la Maison-Blanche, à laquelle d'autres personnes avaient accès. Des assistants de Hoover avaient eu souvent la possibilité d'emprunter les bandes et même de les faire passer au cours de réceptions, particulièrement celles où Nixon faisait des gaffes embarrassantes. Ils les écoutaient, tout le monde riait et ils allaient ensuite les remettre en place. C'était un système complètement vaseux, pas du tout comme si les bandes avaient été gardées dans un coffre-fort. Cela me dépasse que Nixon ait pu accepter ça. Il devait se considérer comme immunisé. »

En fait, Nixon devenait de plus en plus vulnérable les mois passant. Et Hoover de son côté était au courant du complot qui se montait contre lui après le rapport interne de la Maison-Blanche sur son incompétence, concluant qu'il fallait se débarrasser de lui dès que possible. Le jour de l'An 1972, en dépit des assurances officielles de confiance, le voyage en avion avec le président, le gâteau d'anniversaire et les sourires, les relations de Hoover avec Nixon s'étaient sérieusement dégradées. Ce jour-là, peu de temps avant de prendre l'avion avec Nixon, Hoover passa quarante-cinq minutes dans sa limousine à s'entretenir avec le chef de l'agence de Miami, Kenneth Whittaker, qui se souvient : « Il était bouleversé. Il me parla de ses problèmes avec Sullivan et de Nixon. Il ne l'estimait pas beaucoup et me confia : "Je vais vous dire une chose, Whittaker, Pat Nixon ferait un meilleur président que son mari." Ce fut la dernière fois que je vis Hoover. »

De retour à Washington, Hoover fit une démarche inhabituelle. Il demanda au journaliste Andrew Tully, en qui il avait confiance, de venir déjeuner chez lui. « J'ai quelque chose à vous dire, expliqua-t-il, mais je ne voudrais pas que vous le publiez avant ma mort. » Tully accepta, puis posa une seule question :

« Est-ce que le président fait pression sur vous pour que vous partiez ?

– Non, plus maintenant, répondit Hoover. J'ai réglé le sort de ces cafards qui veulent se débarrasser de moi... Le président m'a demandé ce que je pensais de l'éventualité de ma retraite et je lui ai répondu : "Rien du tout !" Puis je lui ai dit pourquoi ; il avait besoin de moi pour se protéger contre tous ces types autour de lui. Quelques-uns de ces gars n'ont pas la moindre idée de ce qu'est le respect de la loi. Ils pensent qu'on leur pardonnerait s'ils tuaient père et mère. J'ai dit au président que j'espérais vivre assez longtemps pour empêcher qu'ils ne lui attirent des ennuis... John Mitchell n'a jamais été dans un tribunal de sa vie et il n'a pas ce qu'il faut pour être ministre de la Justice. Ehrlichman, Haldeman et l'attaché de presse Ron Ziegler ne savent rien d'autre que vendre de la pub. Quant à son conseiller Dean, il ne connaît rien à la loi. Je ne veux rien avoir à faire avec ce salaud. »

Il parla également du « jardin d'enfants du président » avec ces individus qui « passaient leur temps à proposer des projets bâclés ». Puis, manifestant une prescience à donner froid dans le dos, il annonça le désastre du Watergate : « Le président est un type bien, dit-il. C'est un patriote. Mais il écoute ceux qu'il ne devrait pas. Bon Dieu ! Dire que travaillent pour lui d'anciens agents de la CIA que je ficherais à la porte de mon bureau ! Un jour, cette bande va l'entraîner dans un sacré pétrin. »

Le sentiment protecteur de Hoover à l'égard de Nixon n'était pas réciproque. « La haine de Nixon et de son équipe contre Hoover était devenue de plus en plus vive... Ce n'était un secret pour personne que Nixon voulait se débarrasser de lui par n'importe quel moyen... Hoover le savait et était décidé à se présenter devant le Congrès pour dénoncer la mise sur écoute des journalistes et la fouille d'Ellsberg. C'était ce que craignait le plus Nixon. »

Les écoutes furent arrêtées et Hoover n'y fit aucune référence lorsqu'il se présenta devant la commission du Congrès, le 2 mars 1972. Mais il allait à nouveau se trouver en travers du chemin de Nixon. A la fin de février le journaliste Jack Anderson avait révélé une histoire qui avait secoué le gouvernement. Les républicains avaient accepté une importante donation de la firme International Telephone & Telegraph en remerciement d'une intervention du gouvernement dans un procès antitrust contre la compagnie. L'affaire était fondée sur un mémorandum rédigé par Dita Beard, de ITT, et authentifié par Anderson avant sa publication. Comme il savait à quel point Hoover détestait Anderson, John Dean alla le voir de la part de Nixon pour que le FBI prouve que le mémo de Beard était un faux.

Dean se souvient : « Hoover se tenait à l'extrémité d'une longue table de conférence comme s'il attendait que je le photographie. » Dean, qui remarqua que Hoover s'était parfumé, présenta sa demande. Hoover, toute gentillesse et amabilité, reconnut qu'Anderson, le journaliste instigateur du raid sur sa poubelle, était « le plus bas spécimen d'être humain sur Terre... un fouille-merde menteur et voleur... pire qu'une crotte de chien ». Certainement, dit-il, il serait très heureux que le laboratoire du FBI examine le mémorandum de Beard. Dean, confiant, en conclut que le mémo si compromettant pour le gouvernement serait rapidement reconnu faux. Il n'en fut rien. Au lieu de le démolir, le rapport du Bureau conclut que le document était probablement authentique. Quand Dean appela le bureau de Hoover pour faire pression sur lui, un assistant se souvient que Hoover explosa : « Rappelez Dean au téléphone tout de suite, dit-il, et dites-lui qu'il aille se faire voir !... Cette demande est absolument inconvenante ! »

Cela n'empêcha pas le président d'essayer lui-même d'intervenir. Il envoya une note personnelle à Hoover, qui resta inébranlable. Nixon fut plus furieux que jamais. Et il fut de nouveau question de se débarrasser de Hoover, ou du moins de le nommer à un poste honorifique où il n'aurait aucun pouvoir.

Au plus fort de la querelle, le président fut considérablement gêné par un accablant dossier du magazine *Life*. On y découvrait en détail comment la Maison-Blanche était intervenue pour aider le banquier Arnholt Smith, un des meilleurs amis de Nixon, ainsi que le bookmaker John Alessio, autre relation du président, à se dégager des accusations de corruption et de fraude fiscale. Selon *Life*, Edgar s'était servi de toute son influence personnelle pour contrer l'action de la Maison-Blanche et veiller à ce qu'Alessio soit jugé. McCord estime, d'après ses contacts à la Maison-Blanche, que c'est ce qui a poussé Nixon à prendre Hoover à la gorge. Et c'est alors que tout allait être révélé.

35

L'enterrement
d'un héros national

A la fin de mars 1972, Gordon Liddy était en conversation privée avec Charles Colson, le conseiller du président. Lorsqu'ils eurent fini, Colson appela au téléphone Jeb Magruder du Comité pour la réélection du président : « Gordon Liddy ne peut arriver à obtenir une décision de votre part sur le programme des renseignements généraux. Je ne veux pas entrer dans un débat sur ses qualités... Maintenant il faut s'y mettre. » Le programme en question portait le nom de code Gemstone (« Pierre précieuse ») et avait été conçu par Liddy en réponse à une demande au plus haut niveau de la Maison-Blanche. Deux mois plus tôt, dans le bureau du ministre de la Justice, Liddy l'avait exposé à John Mitchell, à John Dean et à Magruder.

Le projet « Pierre précieuse » prévoyait la surveillance électronique de la convention nationale du parti démocrate, un avion de chasse pour intercepter les communications radiotéléphoniques, des cambriolages pour obtenir et photographier des documents, des kidnappeurs pour enlever des militants de gauche et les garder au Mexique dans une demeure sûre, des équipes armées pour cogner sur les manifestants, des prostituées pour séduire des hommes politiques démocrates et les emmener dans un yacht trafiqué où ils seraient filmés pendant leurs activités sexuelles, enfin le sabotage du système d'air conditionné de la salle où aurait lieu la convention démocrate. Les supérieurs de Liddy ne le licencièrent pas aussitôt pour avoir proposé un projet aussi délirant. Ils lui demandèrent simplement de revoir sa copie, avec mission de l'adoucir un peu. La version suivante de « Pierre précieuse », qui se limitait à une surveillance électronique, des écoutes clandestines et des photographies en cachette, fut mieux reçue par l'autorité supérieure. Bien que le signal de départ ne dût être donné qu'au mois d'avril, les dés étaient jetés pour l'effraction du Watergate.

Au cours des semaines qui suivirent, Liddy et Howard Hunt sillonnèrent le pays pour exécuter des coups insensés. Ils s'envolèrent pour Los Angeles afin d'y voler les documents qui devaient porter un coup fatal au sénateur démocrate Muskie. Le plan échoua. Affublé d'une perruque rousse, Hunt se précipita au Colorado pour persuader Dita Beard, de ITT, de nier être l'auteur du mémorandum qui, selon le journaliste Jack Anderson, prouvait la corruption des républicains. Puis, le 24 mars, Hunt et Liddy déjeunèrent à l'hôtel Hay Adams, juste à côté de la Maison-Blanche, en compagnie d'un ancien médecin de la CIA. Cette fois-ci, leur mission consistait à « neutraliser » Anderson, même définitivement.

Le journaliste ne cessait d'exciter la fureur du gouvernement de Nixon en publiant plus de soixante articles fondés sur des témoignages. Il était d'ailleurs illégalement surveillé par la CIA. Hunt, lui-même ancien de la CIA, dont on disait qu'il avait été impliqué dans des complots visant à assassiner des personnalités étrangères, déclara à Liddy que, cette fois-ci, Anderson avait été trop loin, car, à la suite d'un de ses articles, un important espion américain à l'étranger avait été dangereusement exposé.

Hunt devait déclarer plus tard à ses associés que l'ordre de tuer Anderson venait d'une personnalité haut placée à la Maison-Blanche. Mais Liddy prétendait que l'idée était de lui. Il s'était récemment procuré un parabellum 9 mm de la CIA pour l'utiliser, avoua-t-il, « au cas où Bud Krogh ou un autre de [ses] supérieurs de la Maison-Blanche [le] chargerait d'un assassinat ».

Dans la luxueuse salle à manger du Hay Adams, Hunt, Liddy et le médecin de la CIA « à la retraite » étudièrent les meilleurs moyens d'agir. Anderson devait-il être tué dans un accident de voiture simulé ? Ou devait-il être la victime d'une fatale attaque à main armée ? Ou était-il préférable de mettre des pastilles empoisonnées parmi les médicaments de son armoire pharmaceutique ? La CIA travaillait depuis des années sur les procédés chimiques d'élimination. Sa division des services techniques avait fabriqué des cigarettes infectées de toxine botulique pour tuer le président Nasser, un mouchoir imbibé de poison destiné au général irakien Kassem, un produit chimique qui imprégnait la brosse à dents du Premier ministre congolais Lumumba, un stylo à bille piégé pour se débarrasser de Fidel Castro. Même si aucun de ces projets ne se réalisa, l'assassinat par poison était une notion parfaitement acceptée par les Services secrets gouvernementaux, comme il était d'ailleurs utilisé depuis longtemps par le KGB soviétique.

Liddy devait écrire plus tard : « J'étais prêt à obéir à l'ordre de tuer Anderson et ce meurtre devait être préventif et non punitif. » Quelle que soit la méthode utilisée, Hunt et lui déclarèrent que des exilés cubains devaient participer à l'opération, comme cela avait été le cas pour le psychiatre d'Ellsberg et comme cela le serait pour le Watergate.

Mais Liddy fut déçu. Après qu'il eut trouvé un poison ne laissant aucune trace, on l'informa que la décision de tuer Anderson avait été annulée. L'équipe se mit alors au travail sur ce qui allait être l'opération du Watergate.

Certains pensent que le Watergate n'a été que la partie visible de l'iceberg. Durant la présidence de Nixon, des individus non identifiés firent intrusion au domicile et dans les bureaux de nombreuses personnes que le gouvernement considérait comme « ennemies ». On compte au moins une centaine de ces opérations, ayant toutes apparemment un motif politique, mais qui ne donnèrent aucun résultat. Les cibles habituelles étaient des militants d'extrême gauche et des diplomates étrangers jugés subversifs. Mais on comptait également parmi eux des journalistes réputés. En avril 1972, le domicile du correspondant de CBS à la Maison-Blanche, Dan Rather, fut ouvert par effraction. Il en fut de même pour Tad Szulc, véritable épine dans le flanc de Nixon. Des hommes politiques éminents comme le trésorier du parti démocrate connurent le même sort. Et il y eut même peut-être une victime encore plus célèbre : J. Edgar Hoover en personne. Les cibles de ces cambriolages possédaient en général des documents compromettants pour le régime de Nixon. Or Hoover, plus qu'aucun autre, avait connaissance de toute une série de méfaits commis par les hommes du président et pour lesquels il disposait de preuves.

Un an après Watergate, un jeune journaliste de Washington, Mark Frazier, publia dans une revue universitaire, le *Harvard Crimson*, un article fondé sur des interviews d'un membre de la commission d'enquête sur le Watergate, d'un « ancien associé de Howard Hunt », et de Felipe DeDiego, un Cubain qui avait travaillé avec Hunt et Liddy lors du cours du raid chez le psychiatre d'Ellsberg et aussi lors de la première des deux opérations du Watergate.

Hoover avait été la cible de deux opérations, suivant ces sources. La première tentative avait eu lieu vers « la fin de l'hiver 1972 » et était destinée à « retrouver des documents pouvant être utilisés pour exercer un chantage sur la Maison-Blanche ». Le coup échoua mais fut suivi d'un second réussi celui-là. « Cette fois, raconte Frazier – était-ce accidentel ou volontaire ? –, un poison fut placé parmi les affaires de toilette de Hoover. » Le produit, à base de thiophosphate, s'emploie dans les insecticides et est dangereusement toxique pour les êtres humains. Son absorption peut entraîner une crise cardiaque mortelle et ne peut être détectée que si l'autopsie est faite peu de temps après la mort. Aujourd'hui, Gordon Liddy nie avoir eu connaissance de la fouille chez Hoover. Hunt, contacté au Mexique, a répondu sèchement que « cette histoire ne l'intéressait pas ». Haldeman, cependant, reconnaît qu'une mesure de ce genre a pu exister : « Je dois en admettre la possibilité. Je pense qu'à l'époque Nixon était capable de dire à Colson : "Je veux que l'on fasse cela. Je ne veux pas discuter, et je ne veux pas que vous en parliez à Haldeman parce qu'il demanderait de n'en rien faire. Faites-le. Allez-y !" »

Le plombier du Watergate Felipe DeDiego, qui prétend aujourd'hui avoir tout ignoré de l'opération chez Hoover, a été interviewé deux fois en 1973 par Frazier. La première fois, il dit qu'il était au courant de l'opération et serait bientôt en mesure de « parler de tout ». Puis, interrogé de nouveau, il se rétracta. Cependant, chez lui, en Floride, il avoua au procureur général de l'État, Richard Gerstein, qu'il avait des informations « sur d'autres cambriolages d'ordre politique ».

Un autre des plombiers du Watergate, Frank Sturgis, déclara en 1988 que DeDiego s'était entretenu avec lui de l'opération chez Hoover juste après sa mort : « Felipe m'en a parlé. J'ai soupçonné la CIA d'être derrière et j'ai dit à DeDiego que je pensais que nos amis y étaient allés pour voir quel genre de documents Hoover avait planqués. Felipe a ri et m'a répondu : "C'est dangereux. C'est très dangereux..." Et nous n'en avons plus reparlé depuis. » Sturgis reconnut que les cambriolages étaient fréquents à Washington bien avant le scandale du Watergate. Quand on lui demanda si lui-même avait été impliqué dans l'opération Hoover, il esquiva : « Je ne dirai pas oui en ce qui concerne ma participation. Alors laissez-moi dire non. C'est un vrai panier de crabes. »

Un jour, au début d'avril 1972, Edgar prenait son déjeuner habituel – pamplemousse et salade au fromage – dans son restaurant favori, à l'hôtel Mayflower. Il était en compagnie de Clyde et de Thomas Webb, le juriste de confiance et le vétéran du FBI que Hoover avait recommandé pour travailler avec Clint Murchison. Ses deux amis écoutaient, déconcertés, Hoover leur raconter ses démêlés avec Nixon.

Hoover était fatigué maintenant. Quelques semaines plus tôt, en parlant au journaliste Andrew Tully du « jardin d'enfants » de Nixon, il s'était arrêté et avait fermé les yeux : « Je deviens vieux, avait-il soupiré. Je le sais. Moi non plus, je ne peux pas être éternel. » Quelque temps plus tard, un chirurgien esthétique de Washington, Gordon Bell, avait opéré Hoover d'un petit cancer de la peau sur le visage. La veuve du Dr Bell se souvient : « C'était un gros bébé, un hypocondriaque classique. Il avait une terreur folle de la chirurgie et Clyde Tolson restait auprès de lui et le consolait comme l'aurait fait une femme. Hoover demanda à Clyde de vérifier ce qu'on lui injectait en disant :

"Je ne veux pas de sérum de vérité." Plus tard, il nous offrit des exemplaires de ses livres avec des dédicaces dithyrambiques, et mon mari me dit : "Ce type a perdu l'esprit." »

Un autre jour, Clyde appela le Dr Bell au téléphone dans les premières heures de la matinée. « Il dit que Hoover avait fait une mauvaise chute, se souvient Mrs Bell. Nous avons ouvert notre salle de consultation et ils sont arrivés. Hoover s'était entaillé le front et l'arcade sourcilière jusqu'à l'os. Je dirais qu'ils avaient trop bu. Mon mari, qui avait l'esprit caustique, se tourna vers Clyde et lui dit : "La prochaine fois que vous cognerez sur votre patron, mieux vaut éviter l'arcade sourcilière." Clyde, furieux, quitta la pièce et mon mari fit la leçon à Hoover, lui rappelant qu'il était temps de commencer à tenir compte de son âge. »

Vers la fin avril, Hoover participa au déjeuner de la presse Hearst à New York. Roy Cohn, son protégé du temps du maccartisme l'y trouva en pleine forme, plus jeune que ses soixante-dix-sept ans. « J'ai passé un examen médical complet, lui dit-il, et tout va bien. Si je prends ma retraite, je vais tomber en morceaux et me décomposer. C'est ce qui se passe quand on s'arrête. Alors je reste. » Il avait une autre raison de se maintenir. Il confia à Cohn : « Vous avez vous aussi connu ce genre de persécution. Ça va être mon tour. On veut me flanquer à la porte. Alors je reste où je suis. »

De retour à Washington, Edgar dîna au Cosmos Club, puis se rendit comme d'habitude aux courses de Pimlico. Le dimanche 30 avril, il alla boire l'apéritif chez des voisins, bricola dans le jardin, puis regarda à la télévision le film *The FBI*.

Ironiquement, le dernier jour de la vie d'Edgar fut le 1er mai, fête du Travail célébrée par la gauche et qu'il avait essayé de faire supprimer toute sa vie. Hoover arriva seul à son bureau, sans Clyde, qui ne se sentait pas bien. Ce ne fut pas une journée agréable. Ce matin-là, dans le *Washington Post*, Jack Anderson annonçait des révélations sur les dossiers que le FBI détenait à propos de la vie privée d'hommes politiques, de leaders noirs, de journalistes et de gens du spectacle. Quelques heures plus tard, au Capitole, il promit d'étayer ses accusations. Devant une commission du Congrès, il affirma : « L'exécutif a conduit des enquêtes secrètes sur d'éminents Américains... Le chef du FBI, J. Edgar Hoover, a montré le vif intérêt qu'il éprouve à savoir qui couche avec qui à Washington... Je voudrais qu'il soit bien clair que je ne rapporte pas des on-dit. J'ai vu les rapports du FBI sur des relations sexuelles et j'ai examiné les dossiers... Je suis prêt à communiquer ces documents à la commission. »

En 1972, de telles affirmations étaient surprenantes et les couloirs du FBI résonnaient ce jour-là des commentaires sur l'article d'Anderson. Mais ce n'étaient pas les premières attaques. Quelque temps plus tôt, Hoover s'était fait communiquer les épreuves de deux livres qui lui étaient consacrés et qui allaient être publiés en dépit, cette fois-ci, de l'intervention du FBI. *Citizen Hoover*, de Jay Robert Nash, était une violente attaque contre toute sa carrière. Les Américains, écrivait Nash, ne savent plus quoi faire de Hoover. Il a été à la fois « un bienfaiteur et une brute, un protecteur et un oppresseur, il a dit la vérité et il a menti... La vérité est que le FBI de notre mémoire collective n'a jamais véritablement existé en dehors de l'esprit fertile et imaginatif de son éternel directeur... Selon lui, toute aventure était licite pour la cause du droit, la victoire morale sur le mal était inévitable, du moment que l'on avait une foi absolue dans la toute-puissance bénéfique de sa fonction ». Le second livre, dont le FBI s'était clandestinement procuré les épreuves, était encore plus redoutable. Intitulé simplement *John Edgar Hoover*, l'ouvrage du journaliste Hank Messick, faisait allusion aux sombres vérités qui se cachaient derrière le comportement complaisant de Hoover à l'égard du crime organisé. Il insistait en particulier sur les relations avec Lewis Rosenstiel, qui avaient rapproché Hoover de la pègre. Sur la page de garde figurait une citation de Tocqueville : « Nous ne devons pas tant craindre l'immoralité des grands que le fait que l'immoralité puisse conduire à la grandeur. »

Ce dernier jour, Hoover resta au travail jusqu'à près de 18 heures, nettement plus tard que d'habitude. Puis il alla dîner dans l'appartement de Clyde et dut rentrer chez lui vers 22 h 15, accueilli par ses deux terriers. Hoover aimait prendre avant de se coucher un dernier verre de son bourbon favori, Jack Daniel's Black Label. Il se servait d'une carafe musicale qui jouait *For He's a Jolly Good Fellow* quand on l'inclinait. Hoover adorait ça !

Cette tranquillité nocturne fut troublée par un coup de téléphone inattendu. Helen Gandy raconte qu'entre 22 heures et minuit le président Nixon appela Hoover chez lui pour lui dire, prétend-elle, qu'il devait partir une fois pour toutes. Aussitôt après, Hoover joignit Clyde pour tout lui raconter, et Clyde téléphona ensuite à Helen Gandy. C'est ainsi que nous connaissons ces faits. Il est probable que Hoover était complètement bouleversé lorsqu'il alla se coucher. Il traversa le hall devant son buste qui accueillait les visiteurs, passa devant les photos et les documents qui racontaient cinquante-neuf ans de sa vie au service du gouvernement, puis monta l'escalier menant au palier où trônait un grand portrait de lui, et entra dans la chambre à coucher meublée d'un lit à colonnes en bois d'érable.

Le mardi 2 mai fut un jour de printemps typique pour Washington, trop chaud même pendant la matinée pour être agréable. L'employée de maison de Hoover, la Noire Annie Fields, monta de son logement au sous-sol pour préparer le petit déjeuner, que Hoover prenait régulièrement à 7 h 30. Pas ce jour-là.

Le chauffeur arriva à 7 h 45, suivi par son prédécesseur James Crawford. Crawford, un des Noirs que Hoover avait engagés au FBI pour contrer les accusations de discrimination raciale, continuait après sa retraite à travailler pour lui comme homme à tout faire et jardinier. Il avait rendez-vous ce matin-là avec son maître pour discuter de l'endroit où il devait planter des massifs de roses. Mais le directeur ne se montra pas. Les domestiques patientaient, tandis que les chiens couraient à travers la maison dans l'attente des reliefs du petit déjeuner que leur distribuait habituellement leur maître.

A 8 h 30, on commença à s'inquiéter : aucun bruit ne provenait du premier étage. Annie Fields monta pour voir. Elle frappa timidement à la porte de la chambre, puis, comme elle ne recevait pas de réponse, essaya d'ouvrir la porte. Fait inhabituel, elle n'était pas verrouillée. Dès qu'elle fut entrée dans la chambre, elle vit, étendu en travers du lit, le corps de Hoover revêtu seulement de son pantalon de pyjama. Elle redescendit en toute hâte pour prévenir Crawford. Le vieux serviteur ne put que constater la mort de son maître. Crawford se précipita vers le téléphone. Il appela d'abord le docteur puis Clyde qui faillit ne pas répondre. En effet, de sa démarche lente et hésitante, il était déjà sorti de son appartement pour attendre la limousine qui ne devait tarder. Il s'était brusquement rendu compte qu'il avait oublié quelque chose. Il était revenu en boitant péniblement et avait entendu le téléphone sonner.

Le médecin de Hoover, le Dr Robert Choisser, fut sur place en moins d'une heure. Il se souvient : « Mr Hoover était mort depuis plusieurs heures. J'ai été surpris par ce décès soudain, car il était en bonne santé. Je ne me souviens pas de lui avoir prescrit de médicaments pour l'hypertension ou pour le cœur. Rien n'aurait pu faire penser qu'il allait mourir. Sauf son âge, peut-être. » D'après la rigidité du corps, la mort devait remonter à plusieurs heures, entre 2 et 3 heures du matin, estima Choisser. Plus tard, dans la matinée, comme pour toute mort à domicile, il contacta les services de l'état civil, en particulier un de ses anciens camarades, le Dr Richard Welton, médecin légiste. D'habitude, les autorités se contentent d'enregistrer la déclaration du médecin, mais, cette fois, elles se rendirent sur place, compte tenu de la personnalité éminente du défunt. Les deux légistes arrivèrent peu après 11 heures. Le Dr Welton se souvient : « Tout était absolument normal. Hoover faisait partie de cette tranche d'âge où de tels faits sont habituels... Il est classique qu'une personne de cet âge soit trouvée morte après avoir essayé d'aller aux toilettes pendant la nuit. »

En retournant à sa voiture, Welton s'interrogea au sujet d'une éventuelle autopsie et demanda à Luke : « Que se passera-t-il si quelqu'un dans six mois annonce qu'on lui a fait absorber de l'arsenic ? Alors on se dira que l'on aurait pu faire une autopsie. » Mais ce ne fut qu'une pensée furtive. Néanmoins, de retour à son bureau, le Dr Luke appela au téléphone le Dr Milton Helpern à New York, le plus célèbre expert légiste.

Aucun médecin légiste n'aurait eu de raison de supposer que quelqu'un avait administré à Hoover de l'arsenic ou tout autre poison. A ce moment-là, personne ne savait que les plombiers du Watergate existaient, et encore moins que deux d'entre eux avaient consulté un expert de la CIA sur les moyens de tuer le journaliste Anderson, envisageant la possibilité de placer du poison dans son armoire à pharmacie. Personne n'était au courant des visites par effraction au domicile de Hoover, pas plus que de la suggestion qu'une substance toxique ait été « placée au milieu des affaires de toilette de Hoover », une substance capable de provoquer un arrêt cardiaque indécelable si une autopsie n'était pas rapidement pratiquée.

Les médecins n'avaient également aucune notion de la tension dans laquelle vivait Hoover, pas plus que des récentes menaces contre sa réputation : le témoignage au Congrès de Jack Anderson, qui promettait de produire les preuves des enquêtes de Hoover sur des personnalités publiques, et de ses liens avec le crime organisé, qu'allait révéler le livre de Hank Messick. Ils n'étaient pas non plus au courant du coup de téléphone de Nixon la veille pour lui dire qu'il était temps de « décrocher ».

Trois jours après la mort de Hoover, le Dr Luke, ayant décidé qu'une autopsie n'était pas nécessaire, signa le certificat de décès :

> Nom : John Edgar Hoover.
> Sexe : masculin.
> Race : blanche.
> Profession : directeur du FBI.
> Cause du décès : hypertension cardio-vasculaire.

Le 5 mai, trois jours après la mort de Hoover, les hommes qui devaient pénétrer par effraction au quartier général du parti démocrate dans l'immeuble du Watergate s'installèrent dans la pièce 419 de l'immeuble d'en face. Leur première opération, trois semaines plus tard, échoua. Ils firent une deuxième tentative – réussie – en juin, puis une troisième, où ils se firent prendre. La saga du Watergate entraîna la démission du président Nixon et la condamnation à des peines de prison des plombiers, mais aussi du ministre de la Justice, John Mitchell, de Haldeman, Ehrlichman, John Dean, Charles Colson, Egil Krogh et d'autres encore.

Krogh, le chef des plombiers, ami de Nixon, fut incarcéré dans la prison d'Allenwood, en Pennsylvanie. Au début de 1974, s'y trouvait également l'ancien membre du Congrès Cornelius Gallagher, victime de la fureur de Hoover parce qu'il n'avait pas voulu coopérer à une campagne de calomnie contre Robert Kennedy et qui avait été condamné pour fraude fiscale (comme nous l'avons vu au chapitre 19). Selon Gallagher, Krogh devait dire quelque chose d'étrange sur la mort de Hoover. En 1991, Gallagher a raconté : « J'étais le bibliothécaire de la prison et Krogh venait souvent avec ses deux bibles. Il était très religieux et appartenait à la secte des Christian Scientists. Il venait s'asseoir à la grande table pour écrire son courrier et il nous arrivait de parler. Un soir, alors que j'étais près de fermer et que nous étions les deux derniers, nous avons parlé de Hoover. Je lui ai confié que je trouvais assez étranges les circonstances de sa mort. En raison de mon conflit avec lui, j'avais suivi tout cela de très près. J'ai dit à Krogh : "Hoover savait tout ce qui se passait à Washington. Il était certainement au courant des histoires des plombiers et du reste. Est-ce que vous pensez que Hoover faisait chanter le président ?" Puis j'ai ajouté, ce qui me surprend encore aujourd'hui : "Est-ce que c'est vous qui l'avez descendu ? Vous aviez les hommes pour le faire et des motifs valables." Quelques secondes de silence, puis Krogh bondit littéralement de sa chaise. D'une voix haut perchée, il s'écria : "Nous ne l'avons pas zigouillé. Il l'a fait lui-même !" Alors je lui ai dit : "Bon Dieu, cela explique un tas de choses sur la mort de ce salaud !" Krogh a ramassé ses papiers et ses bibles et s'est enfui en courant. Nous n'avons plus jamais parlé ensemble tant que nous sommes restés à Allenwood. »

Il est impossible maintenant de savoir pourquoi le conseiller de Nixon a dit que Hoover s'était suicidé, ni pourquoi ce problème le troublait tellement. Si la vérité en était connue à la Maison-Blanche, elle a disparu en même temps que bien d'autres mystères de l'époque du Watergate. De même qu'il n'est pas permis aujourd'hui de porter un jugement sur le fait que les enquêteurs du Watergate n'ont pu établir si l'on s'était introduit chez Hoover avant sa mort. Ainsi la thèse selon laquelle un poison provoquant la mort par arrêt cardiaque aurait été placé au cours de la seconde effraction ne peut-elle être sérieusement étayée.

Dès qu'il apprit la nouvelle de la mort de Hoover, Clyde Tolson passa deux coups de téléphone. Le premier à Helen Gandy, la fidèle secrétaire qui servait Hoover depuis 1919. Le second fut adressé au bureau du ministre de la Justice, puis transmis à Haldeman à la Maison-Blanche pour être communiqué au président à 9 h 15, suivant ses notes manuscrites.

Autant que Haldeman s'en souvienne, la nouvelle ne fut pas « une grande surprise » pour le président. Il ne dit rien à propos de son coup de téléphone de la nuit précédente. Il écrivit dans son journal, tel qu'il nous a été transmis par ses Mémoires : « Hoover a disparu au bon moment. Heureusement, il était encore en service. Cela l'aurait tué s'il avait été renvoyé ou s'il avait démissionné volontairement. Je me souviens de la dernière conversation que j'ai eue avec lui deux semaines auparavant, lorsque je l'ai appelé pour le féliciter de l'excellent travail du Bureau dans les affaires de contrebande de marchandises volées. »

Ehrlichman et Haldeman ne se rappellent aucune réaction du président à la mort de Hoover, sauf de sa préoccupation concernant les dossiers. John Mitchell, qui avait quitté le poste de ministre de la Justice pour se consacrer à la campagne de réélection de Nixon, avait le même souci. Ce matin-là, comme l'a noté Haldeman à l'époque, ses ordres furent de rechercher les « cadavres ». Il fut décidé de ne pas annoncer la mort de Hoover avant 11 heures du matin.

Gordon Liddy, spécialiste des « sales boulots » de Nixon, pensait qu'il était vital de retrouver les « cadavres ». En tant qu'ancien du FBI, il avait travaillé dans le temps sur quelques-uns des dossiers politiques les plus délicats de Hoover. « J'ai aussitôt appelé la Maison-Blanche, se souvient Liddy, et je leur ai dit : "Il faut que vous récupériez ces dossiers. Ils représentent une arme terrrible. Vous n'avez pas beaucoup de temps. Ça va être la course." » Ehrlichman confirme qu'il a parlé du danger à Nixon et que quelqu'un, ce matin-là, a pris une décision énergique. Lorsque les employés des pompes funèbres arrivèrent dans la maison de Hoover, vers 12 h 30, ils découvrirent une scène digne de l'imagination d'Orwell. L'un d'eux, William Reburn, se souvient : « Tout était dans le plus complet désordre. Quinze ou vingt hommes en complet veston étaient éparpillés dans tous les coins et fouillaient partout. Ils avaient l'air d'agents du gouvernement. Ils épluchaient tout, les livres, les bureaux, les tiroirs, comme s'ils cherchaient quelque chose. Ils travaillaient méthodiquement. Un agent assigné à une bibliothèque feuilletait chaque livre page par page. Ils les sortaient tous des étagères et regardaient au-dessus et dessous. Le bruit courait que Hoover avait des dossiers secrets et j'ai pensé que c'était ce qu'ils voulaient trouver. »

Quels que soient ceux qui perquisitionnaient, quelqu'un était passé avant eux. Très tôt ce matin-là, deux des voisins de Hoover avaient assisté à un curieux spectacle. En 1992, Anthony Calomaris a raconté : « C'était très tôt le matin, j'avais dix-sept ans à l'époque et je me préparais pour l'école. Ma mère m'a appelé dans sa chambre et nous avons regardé du balcon. Deux hommes sortaient quelque chose par la porte de la cuisine de Mr Hoover en présence d'Annie, la domestique. Ce qu'ils portaient était long et lourd, enveloppé dans une sorte de couverture. Ils l'ont chargé dans une voiture familiale stationnée dans l'allée, puis ils sont partis. »

En raison de la forme du paquet, Calomaris et sa mère pensèrent qu'il s'agissait d'un corps, que Hoover était mort pendant la nuit et que les pompes funèbres étaient venues de bonne heure pour éviter les journalistes. Mais on sait que la dépouille ne fut déplacée que beaucoup plus tard, vers midi. A l'heure où les voisins aperçurent les hommes avec le colis, on n'était même pas au courant officiellement de la mort de Hoover. Cependant, Calomaris et sa mère sont formels. Ils ont vu que quelque chose a été emporté avant qu'Anthony ne parte pour l'école. Les hommes n'étaient certainement pas des intrus puisque la domestique les regardait calmement sortir par la porte de la cuisine. Connaissant les craintes de Hoover concernant ses secrets, s'agissait-il d'amis s'employant à les mettre en lieu sûr avant que la mort ne soit connue, pour déjouer l'entreprise de curieux ultérieurs ?

Outre sa maison, les hommes de Nixon étaient préoccupés par le contenu du bureau de Hoover. Ce matin-là, après une conversation avec la Maison-Blanche, Kleindienst, qui faisait office de ministre de la Justice, ordonna que la pièce soit mise sous scellés. L'après-midi, l'homme que Nixon avait choisi pour être temporairement directeur du FBI, Patrick Gray, demanda à John Mohr où se trouvaient les « dossiers secrets ». Mohr répondit qu'il n'y en avait pas. A 9 heures le lendemain matin, Gray revint à la charge. Mohr se rappelle : « D'après ce qu'il me dit et ses commentaires, j'ai pensé qu'il cherchait des dossiers secrets compromettants pour le gouvernement de Nixon... Je lui ai redis sans hésitation qu'il n'y en avait pas. » Il s'ensuivit une dispute, au cours de laquelle Gray cria qu'il était « un Irlandais têtu » et qu'il ne se laisserait « bousculer par personne ». Mohr répondit qu'il était, lui, un Hollandais tout aussi obstiné et qu'on ne l'aurait pas non plus. Le bruit de leur querelle résonna dans le couloir jusqu'aux bureaux voisins.

Gray, qui devait plus tard échapper de peu à des poursuites pour avoir détruit des documents après le Watergate, est peut-être arrivé à ses fins. Joe Diamond, un jeune débutant employé aux archives du FBI, se souvient d'un curieux épisode : « C'était mon deuxième jour au Bureau et on me demanda de monter avec trois autres collègues pour un travail spécial. Nous avons trouvé quatre types en complet veston. On nous a demandé d'emporter des caisses au sous-sol pour les passer au pilon. C'est ce que nous avons fait et ils se comportaient tous comme si nous transportions de l'or. Il nous a fallu deux heures pour que tout soit détruit. Ensuite, ils sont partis. Parmi les hommes j'ai reconnu Patrick Gray, le nouveau patron. »

Mais il est presque certain que de nombreux documents avaient disparu avant que Gray ne prenne les choses en main. Kleindienst raconte : « J'ai appris plus tard que certains dossiers avaient été enlevés avant même que je ne donne l'ordre de fermer le bureau de Hoover. » Liddy, de son côté, affirme : « Selon mes sources du FBI, Miss Gandy s'était déjà débarrassée des dossiers avant que Gray ne s'en empare. » De toute façon, les instructions de Kleindienst de fermer le bureau de Hoover n'eurent aucun effet, parce que John Mohr avait suivi l'ordre au sens littéral : il n'avait condamné que le bureau personnel de Hoover, qui ne contenait aucun dossier. Les neufs autres pièces de la suite, qui regorgeaient de documents, étaient restées ouvertes. Elles contenaient les plus secrets de tous, y compris les « Officiel et confidentiel » conservés dans des armoires verrouillées sous le regard d'aigle de Helen Gandy.

Trois ans plus tard, une commission du Congrès s'efforça de comprendre ce qui ressortait des propos de Gandy, de Mohr, de Felt et des autres. Elle en conclut qu'une seule chose était sûre : des documents avaient bien été transportés à la maison de Hoover au cours des semaines qui avaient suivi sa mort. Selon Miss Gandy, il ne s'agissait que des dossiers personnels de Hoover, contenant sa correspondance privée, ses livres de comptes et autres broutilles. Suivant les désirs exprimés par Hoover, dit-elle, elle les avait triés puis renvoyés au bureau pour qu'ils soient détruits. Les membres de la commission qui entendirent la déposition de Helen Gandy furent persuadés qu'elle mentait. Le camion qui avait apporté les dossiers au domicile de Hoover contenait, outre des dossiers privés, des dossiers officiels. Gandy avait déclaré que le chargement ne se composait que de quatre classeurs et de trente-cinq cartons. Elle fut contredite par le chauffeur du camion, Raymond Smith. Il affirma qu'il avait transporté au moins vingt et probablement vingt-cinq classeurs depuis le bureau de Hoover jusqu'au sous-sol de sa maison. Un classeur s'était ouvert pendant le transfert et il avait vu qu'il était rempli de chemises, certaines très épaisses. L'employée de maison Annie Fields dit aux voisins que les documents étaient conservés sous étroite surveillance depuis leur arrivée.

Il n'est pas certain que tous les dossiers transportés chez Hoover aient été ultérieurement détruits. *Newsweek* révéla en 1975 que des dossiers « très, très préjudiciables pour la Maison-Blanche de Nixon » étaient restés sous la garde de Clyde Tolson. Lorsqu'il mourut à son tour, le magazine précisa que des agents du FBI étaient venus à son domicile pour reprendre les dossiers. L'ancienne secrétaire de Clyde, Dorothy Skilman, raconta une histoire semblable à celle de Helen Gandy. Elle avait détruit, dit-elle, la correspondance de Clyde, qui consistait essentiellement en « cartes d'anniversaire ».

« Je trouve qu'il est très difficile de croire vos allégations, dit le représentant Andrew Maguire à Helen Gandy lorsqu'elle témoigna, en décembre 1975, sur ces mystérieux dossiers.

– Ça, c'est votre droit », répondit-elle avec arrogance.

« C'est peine perdue, déclara Mark Felt aux enquêteurs du Congrès. Seule Miss Gandy sait ce qui a été détruit. Et même... si vous le découvriez... Ce n'est pas si grave d'avoir perdu quelques papiers. Je n'ai jamais vu de problème, et je n'en vois toujours pas. »

Épilogue

Le jour de la mort de Hoover, à midi, heure de Washington, la bannière étoilée fut mise en berne sur tout ce qui, dans le monde entier, était propriété des États-Unis : immeubles et ambassades, installations militaires et bâtiments de la marine. Nixon, enfin soulagé du problème Hoover, allait donner au pays le spectacle de la douleur publique.

Le président affirmait maintenant que l'homme dont il avait essayé de se débarrasser avait été « un de [ses] plus proches amis personnels et conseillers ». Hoover, ajouta-t-il, était « le symbole et l'incarnation des valeurs qu'[il] chérissait le plus : courage, patriotisme, dévouement à son pays, honnêteté et intégrité à toute épreuve ». Le vice-président, Spiro Agnew, qui allait bientôt passer en jugement pour corruption et fraude fiscale, dit que Hoover s'était fait aimer des Américains pour « s'être entièrement consacré aux grands principes et pour son comportement totalement incorruptible ». John Mitchell, qui avait réclamé le renvoi de Hoover, qualifia sa mort de « grande tragédie ». Le nouveau ministre de la Justice, Richard Kleindienst, qui éloignait le combiné de son oreille lorsque Hoover l'appelait au téléphone, le considérait maintenant comme « un géant parmi les patriotes » qui n'avait jamais accepté la corruption des intrigues politiques. Ronald Reagan, alors gouverneur de Californie, déclara : « Au cours de tout le XXe siècle, aucun homme n'a signifié plus pour son pays que Hoover. »

Le Congrès se précipita en masse pour chanter les louanges de Hoover. John Rooney, qui avait été mis en cause dans de nombreux abus de pouvoir de Hoover, parla de « son profond respect pour ses semblables ». Hale Boggs, un membre du Congrès qui avait, l'année précédente, réclamé la mise à la retraite du directeur du FBI, prétendit qu'il ne l'avait personnellement jamais critiqué. Même le sénateur Edward Kennedy parla de « son honnêteté », de « son intégrité » et de « son désir d'agir pour le bien de son pays ». En tout, 149 représentants et sénateurs lui rendirent hommage.

Parmi les rares voix discordantes se trouvait celle de Coretta, la veuve de Martin Luther King. Elle parla d'un héritage « lamentable et

355

dangereux » et d'un système de fiches « remplies de mensonges et de détails sordides sur la plupart des hauts membres du gouvernement, y compris les présidents ». Le Dr Benjamin Spock se déclara heureux que Hoover soit mort : « C'est un grand soulagement, surtout si son successeur est un homme qui comprend mieux les institutions démocratiques et l'évolution de la société américaine. »

Du quartier général du FBI des télex furent envoyés dans les coins les plus reculés de l'empire de Hoover, demandant à tous les employés du Bureau de prier pour le directeur défunt. Signés par Clyde, ils avaient probablement été rédigés par John Mohr. A Miami, le responsable de l'agence locale, Kenneth Whittaker, dit qu'en perdant Hoover ils avaient « perdu un père ». De sa retraite, Cartha DeLoach déclara à la presse que Hoover avait été « un grand Américain, un homme compatissant d'une loyauté et d'un dévouement inébranlables ». Mais, en privé, il exprimait des réserves : « Je le respectais mais je ne l'ai jamais considéré comme un véritable ami. » Quant à Mark Felt, il déclara : « Pour moi ça n'a pas été une perte. Ça ne m'a pas ému. Ce jour-là, j'ai surtout pensé aux problèmes que soulevait sa mort. »

La solennité ne régna pas dans toutes les agences du FBI. En Californie, l'agent Cyril Payne se rendit à une petite fête organisée pour le départ à la retraite d'un collègue. Avec la mort de Hoover, il s'attendait à trouver une atmosphère de tristesse. Mais il se souvient : « Je ne pouvais pas en croire mes yeux. La pièce était bondée. Les plus anciens étaient venus en nombre. Si un étranger était entré par hasard, il aurait pensé qu'il s'agissait d'une soirée de Noël. Au lieu de la lugubre réunion que j'escomptais, le déjeuner se transforma en une joyeuse célébration… Je pense que la majorité des agents éprouvait un sentiment de soulagement… » Un autre agent eut cette remarque sarcastique : « C'est tout à fait opportun que Hoover soit mort dans son sommeil. C'est comme ça que le Bureau fonctionnait depuis longtemps. »

Trois gangsters de la famille Gambino de New York apprirent la nouvelle dans le journal. Le plus vieux dit en haussant les épaules : « Vous voulez savoir ce que j'éprouve ? Absolument rien. Ce type ne signifiait rien pour nous, de quelque façon que ce soit. »

Mais les réactions furent différentes dans les lieux que fréquentait Hoover. La table qu'il occupait régulièrement au Pimlico fut drapée de noir. Et celle du déjeuner au Mayflower, où il avait encore mangé la veille de sa mort, fut décorée de rouge, blanc et bleu. « Le choc de la perte de frère Hoover, dit le porte-parole de la loge maçonnique de Washington, a été ressenti bien au-delà des frontières de notre grand pays... Lorsque frère Hoover est mort, un géant est tombé et les dieux ont pleuré. »

Les employés des pompes funèbres qui prirent en charge le corps de Hoover étaient habitués aux défunts célèbres, amis ou ennemis de Hoover ; ils avaient pris soin de Joseph McCarthy et Dwight Eisenhower, de John Kennedy et Estes Kefauver. Même pour des gens blasés, la demi-heure qu'ils passèrent dans la maison de Hoover fut un choc. L'un d'eux, William Reburn, se souvient : « L'endroit avait l'air d'un musée, comme un mausolée qu'il se serait consacré à lui-même. Il devait être drôlement égocentrique. En haut de l'escalier, le grand tableau de lui évoquait Napoléon la main dans son gilet. »

Edgar était obèse et ce ne fut pas facile de descendre son corps et de le faire sortir par une porte latérale pour le charger dans une vieille berline, afin de dissimuler l'opération aux journalistes. La dépouille fut embaumée, revêtue d'un costume avec cravate choisis par Clyde, et placée dans un cercueil de 3 000 dollars. Margaret Fennell, la nièce de Hoover, se rappelle : « Il paraissait très bien, mais plus petit que dans mes souvenirs. Je pense que la mort produit cet effet. » Il faut dire que, pour la première fois depuis des années, Hoover ne bénéficiait pas des divers éléments – semelles épaisses, bureau surélevé – qu'il avait toujours utilisés pour paraître plus grand qu'il n'était. Miss Gandy s'entretint avec Clyde Tolson et John Mohr et tous trois décidèrent que le cercueil serait fermé.

Mohr et Miss Gandy avaient prévu une discrète cérémonie maçonnique, comme l'avait souhaité Hoover, mais le président Nixon décida de le traiter en héros national. Le lendemain matin, sous une pluie battante, un corbillard emmena le corps dans la rotonde du Capitole. Tous les juges de la Cour suprême, les membres du gouvernement et du Congrès étaient là pour l'accueillir. Le cercueil, enveloppé du drapeau, fut déposé sur le catafalque de Lincoln, un privilège auquel vingt et une personnes seulement avaient eu droit jusque-là. Hoover était le premier fonctionnaire civil à jouir de cet honneur et 25 000 personnes défilèrent au Capitole pour lui rendre hommage. Ce fut Nixon qui, le lendemain, prononça l'éloge funèbre à l'église presbytérienne : « L'Amérique, dit-il, a vénéré cet homme, non seulement en tant que directeur d'une institution, mais en tant qu'institution lui-même. Pendant près d'un demi-siècle, presque un quart de l'histoire de notre République, J. Edgar Hoover a exercé une profonde influence en faveur du bien sur notre nation. Tandis que huit présidents se sont succédé, le directeur restait à son poste... Chacun de nous a une dette envers lui… Sa mort ne peut qu'accroître le respect et l'admiration que l'on éprouve pour lui non seulement à travers tout le pays mais dans toutes les contrées où les hommes chérissent la liberté. »

Les bandes magnétiques du Watergate montrèrent que dix mois plus tard, au summum de la crise qui l'avait discrédité, Nixon parlait d'Edgar avec John Dean :

> JOHN DEAN : Maintenant, l'autre chose est que… il est entendu que nous sommes des politiciens et qu'eux n'en sont pas – que Hoover était au-dessus de tout reproche.
> RICHARD NIXON : Conneries ! Conneries !
> JOHN DEAN : Conneries totales. Heu… la personne qui pourrait, voudrait détruire l'image de Hoover sera cet homme, Bill Sullivan. Mais ça va ternir assez sévèrement le FBI et l'ancien président.
> RICHARD NIXON : Très bien.

Des policiers venus de partout étaient postés le long de la voie qui conduisait au cimetière du Congrès, où les parents de Hoover avaient été enterrés. En rappelant que c'était le vœu de son ami, Clyde avait insisté pour qu'il y soit inhumé, et non au cimetière d'Arlington, comme l'avait suggéré Nixon. Le cortège était maintenant réduit à dix limousines, pour Clyde, John Rooney, quelques collègues et parents, neveux et nièces et leurs enfants.

Le cimetière, un des plus vieux de Washington, était à l'époque relativement négligé, une destination finale peu conforme à la stature de Hoover. Les véhicules eurent du mal à franchir les étroites portes et à atteindre la tombe, autour de laquelle les assistants s'assemblèrent pour la cérémonie finale. Clyde fut poussé jusque-là dans une chaise roulante. Selon Fred Robinette, le neveu de Hoover : « Clyde, avec son regard sans expression, semblait ne pas savoir où il était. » Comme il n'y avait pas de veuve, c'est à Clyde que l'on remit le drapeau qui recouvrait le cercueil. Quelques minutes après la fin de la cérémonie, des gosses du voisinage s'empressèrent de chiper les fleurs de la tombe.

Clyde était désormais reclus. Il refusa de répondre à un message de condoléances du directeur du FBI, Patrick Gray, et ne remit plus les pieds sur son lieu de travail. Sa lettre de démission, invoquant son mauvais état de santé, fut écrite par un membre du Bureau tandis qu'une secrétaire imitait sa signature. Il s'installa dans la maison d'Edgar et y resta jusqu'à la fin de sa vie. Il hérita de la majeure partie de la fortune de Hoover, officiellement évaluée à un demi-million de dollars (soit 1,5 million de dollars d'aujourd'hui) mais des enquêteurs du ministère de la Justice devaient plus tard soupçonner l'existence de comptes secrets. Clyde ne tarda pas à vendre les myriades de bricoles que son ami avait amassées au cours des ans. Elles furent dispersées au cours d'une vente aux enchères de la galerie Sloan et le nom du vendeur figurait sous le code JET – pour John, Edgar et Tolson. Dans son testament, Hoover avait confié le soin de ses deux chiens à Clyde. Mais ce dernier ne tarda pas à s'en débarrasser. Il sombra dans une existence apathique, tuant le temps en suçant des bonbons, son péché mignon, et en regardant la télévision. Au cours des années qui lui restèrent, Clyde ne réapparut dans l'actualité qu'une fois, en 1973, lorsque William Sullivan parla, sous Nixon, du transfert à la Maison-Blanche des bandes magnétiques d'écoute. L'administration, déclara Sullivan, avait craint que Hoover ne s'en serve comme moyen de chantage afin de conserver son poste, et pas seulement parce que « les dernières années, il avait l'esprit malade ».

Cette déclaration incita Clyde à adresser au *Washington Post* une lettre de protestation dans laquelle il qualifiait Sullivan d'« ancien employé aigri ». Cependant, environ un mois plus tard, lorsque les enquêteurs du Watergate interrogèrent Clyde, ils mirent en doute sa « compétence mentale ». Il fut transporté à l'hôpital dans les premiers jours d'avril 1975 et y mourut quelques jours plus tard d'une embolie. Le nouveau directeur du FBI, Clarence Kelley, déclara à l'époque que la mort de Clyde Tolson laissait « un grand vide ». En réalité, il était complètement oublié. Pendant ses trois dernières années, il ne sortait que pour se rendre sur la tombe de Hoover. Suivant leur désir, Clyde fut enterré à quelques mètres de l'homme qu'il avait aimé.

Le matin du décès de Hoover, le président Nixon avait réagi avec cynisme. Il avait d'abord choisi Clyde pour le remplacer, non pas en dépit mais à cause du fait qu'il était presque invalide. Il avait dit à Haldeman : « L'incapacité de Tolson peut être un avantage. » Nixon voulait maintenant exercer son contrôle sur le FBI, ce que Hoover lui avait toujours refusé, et dans ce cas un homme malade semblait le candidat idéal. Nixon avait expliqué à son assistant John Dean : « Le pouvoir nous a échappé pendant ces quatre années. Nous n'avons pas pu nous servir du FBI ni du ministère de la Justice, mais les choses vont changer maintenant. »

Lorsque Clyde eut refusé le poste de directeur, Nixon se décida pour L. Patrick Gray, un bouche-trou pour l'année de l'élection présidentielle. Gray était un ancien officier de la marine dont ses détracteurs disaient qu'il était le champion du « A vos ordres, mon commandant ! ». Désormais, le commandant en question était Nixon, qui appréciait particulièrement ce comportement.

Edgar avait régi son empire comme s'il devait être éternel, et il allait subsister dans le désordre pendant des années, notamment à la suite du chaos que provoqua le scandale du Watergate. Mais cependant, graduellement, d'abord avec Gray, puis sous les ordres de Clarence Kelley, vétéran du FBI et ancien chef de la police, mais surtout durant les neuf années de la direction de William Webster, le FBI s'adapta au monde moderne. Les femmes furent admises en son sein et les hommes ne furent plus condamnés à vivre sous les règlements stupides de Hoover et à craindre des punitions irrationnelles. Les chefs âgés que Hoover avait réunis autour de lui furent progressivement écartés ou partirent de leur plein gré. Et les pires abus de pouvoir du FBI contre les membres du Congrès et les simples citoyens cessèrent petit à petit.

« La grandeur de J. Edgar Hoover, écrivit fin 1972 son vieil adjudant Louis Nichols, s'amplifiera avec le temps. » Les loyalistes de la vieille garde s'efforcèrent de perpétuer la mémoire de Hoover. Ils faisaient un pèlerinage annuel au cimetière. Mais leur nombre déclina rapidement et la tombe de Hoover ne tarda pas à être délaissée et envahie par les mauvaises herbes. Il en fut ainsi jusqu'en 1992, date à laquelle la nouvelle administration du cimetière reprit l'entretien avec l'aide des francs-maçons.

Le 30 septembre 1975, une fanfare du corps des Marines joua la « Marche de J. Edgar Hoover », spécialement composée pour lui, dans la cour du vaste complexe de béton que Hoover avait espéré voir terminer et qui est maintenant le quartier général du FBI. La façade du bâtiment porte le nom de J. Edgar en lettres étincelantes comme l'avait décidé Nixon juste après sa mort.

L'édifice était inauguré par le successeur de Nixon, le président Gerald Ford, qui choisit ses mots avec circonspection. L'essentiel de ses louanges était adressé non à la mémoire de Hoover mais à « ces agents spéciaux, symboles légendaires de la justice américaine pendant des décennies ». Il parla peu d'Edgar et avec discrétion, l'appelant « un pionnier du service public ». Il faut dire qu'à cette époque, la fin de 1975, la prudence était de rigueur. On commençait à découvrir tous les maux des années Hoover. Des sénateurs et des représentants consternés épluchaient les documents et écoutaient les témoignages qui confirmaient les abus de pouvoir et les violations des libertés civiques commis par Hoover. Son nom en lettres dorées sur la façade du quartier général du FBI devenait de plus en plus terne, au propre et au figuré. Même vingt après sa mort, il soulève encore des controverses. Ou bien les Américains ont la nostalgie des convictions qu'il semble avoir incarnées, ou bien ils se demandent comment ses abus d'autorité furent supportés si longtemps.

Le Dr Harold Lief, professeur de psychiatrie à l'université de Pennsylvanie, explique : « Il n'y a pas de doute que Hoover souffrait d'un désordre de la personnalité, un désordre narcissique avec des obsessions diverses. Je relève dans son cas des éléments de paranoïa, une méfiance injustifiée et du sadisme. La combinaison du narcissisme et de la paranoïa correspond à l'image d'un parfait dignitaire nazi. » Lief fut frappé par des éléments similaires dans la personnalité du chef de la police secrète nazie Heinrich Himmler. Comme Hoover, Himmler avait eu un père faible et était profondément dépendant de sa mère. Lui aussi tenait un journal à un âge anormalement précoce. Il était en tête de sa classe à l'école mais trop faible pour faire du sport. Il faisait partie des amicales de son école et eut très tôt des idées d'extrême droite. Bien qu'il ait été un élève officier zélé, Himmler s'efforça d'échapper au service militaire. C'était un moulin à paroles qui dominait toutes les conversations. Il était très dur avec ses subordonnés mais très soumis à l'égard de ses supérieurs. Il dénonçait autrui dès qu'il en avait l'occasion. Il gardait ses distances émotionnellement, s'éloignait des femmes et témoignait un intérêt malsain à l'égard des comportements sexuel et moral d'autrui. De son côté, le psychanalyste Erich Fromm considérait que Himmler était un représentant banal de l'autoritarisme sadique. Il a écrit : « Il y a des milliers de Himmler qui vivent parmi nous. Nous ne devons pas sous-estimer le nombre de gens auxquels ils nuisent et qu'ils rendent malheureux. »

Mais c'est heureusement le système social dans lequel on vit qui détermine les conséquences de cet autoritarisme. Par chance, Hoover et son psychisme malade appartenaient à une société très différente de l'Allemagne nazie. Même s'il a persécuté de nombreuses personnes, il ne pouvait dépasser certaines limites. Néanmoins, il existait des domaines dans lesquels il avait les mains libres.

Le Dr Lief a posé la question en 1992 : « Pourquoi la société continue-t-elle à honorer des gens comme Hoover ? Il connut le succès à une période où l'anticommunisme était le thème unificateur de l'Occident. La société semble toujours avoir besoin de démons et le communisme était celui de l'époque, même si, dans des circonstances différentes, cela aurait pu être les juifs ou Satan. En tant qu'anticommuniste, Hoover a été honoré parce qu'il luttait contre le diable... La société américaine a une attitude curieusement polarisée à l'égard de ses héros. D'un côté, les gens aiment découvrir que leur idole a des pieds d'argile, et ils cherchent la faille chez un homme célèbre. De l'autre, des milliers d'entre eux semblent avoir besoin de s'identifier à un héros, d'accroître leur propre sentiment de force en croyant en quelqu'un qui se présente comme plus intelligent ou plus puissant qu'eux-mêmes. Alors ils répugnent à faire descendre le héros de son piédestal même lorsqu'ils découvrent qu'il n'est pas ce qu'il semble être. C'est une des contradictions les plus étranges de notre société, et parfois une des plus dangereuses. »

En 1990, Richard Cohen, éditorialiste au *Washington Post*, écrivit : « Vous influez sur l'avenir selon ce que vous faites du passé et comment vous l'interprétez. Dans le monde entier, lorsque les régimes changent, les noms changent aussi. Dantzig est devenu Gdansk. La Moldau s'appelle la Vltava. Les portraits de Lénine sont décrochés partout en Europe de l'Est et en Union soviétique, Stalingrad est désormais Volgograd. Ce sont des actes politiques. Ils signifient : "Voici la nouvelle façon de faire." Mais un agent du FBI qui entre dans le bâtiment voit toujours en levant les yeux le nom de J. Edgar Hoover. Quelle leçon est-il censé en tirer – que l'efficacité et la bonne gestion bureaucratique excusent et rachètent les abus de pouvoir ? »

Qu'Edgar Hoover ait créé un service efficace pour faire respecter la loi n'aurait pas dû suffire à en faire un héros américain pendant un demi-siècle. Un autre, plus équilibré et plus attentif aux droits des citoyens aurait très bien pu mettre sur pied le FBI. Juger Edgar seulement sur les apparences était aussi dangereux que tolérer un dictateur seulement parce qu'il « fait arriver les trains à l'heure ».

Quand Edgar était vivant, un écrivain subtil remarqua qu'il était entré « dans le royaume des intouchables, cette contrée éloignée où tout est rose, pensée, humeur et comportement, au-delà des arêtes dures de la réalité ». Maintenant que nous savons ce qu'étaient ces dures réalités, il ne suffit pas de se plaindre parce qu'Edgar a dupé l'Amérique. Le fait que J. Edgar Hoover ait tenu si longtemps et dans une telle atmosphère de flagornerie n'a pu se produire que dans une société dirigée par des hommes qui cautionnaient ses infamies secrètes et son hypocrisie publique, tout en prétendant le contraire. Hoover a eu de nombreux complices, y compris les présidents, démocrates aussi bien que républicains, qui ont supporté ses abus parce que cela convenait à leurs objectifs politiques.

S'il existe une morale à cette histoire, c'est peut-être celle qu'a exprimée le futur vice-président démocrate Walter Mondale lorsqu'il a participé, en 1975, à l'enquête du Sénat sur la CIA et le FBI : « La leçon que nous devons en tirer est que nous ne pouvons garantir notre liberté en nous contentant de faire confiance à la bonne foi de ceux qui détiennent le pouvoir. »

Sources et documents

A l'exception de son étrange correspondance avec Melvin Purvis qui est mentionnée ici, J. Edgar Hoover n'a laissé ni journal ni papiers intimes. Ses dossiers personnels, qui contenaient probablement des lettres privées ainsi que des documents extrêmement sensibles, ont été, suivant ses ordres, détruits pour l'essentiel après sa mort. Une grande quantité d'affaires personnelles – photographies, cahiers de classe, même sa robe de baptême et ses chaussons de bébé – sont conservées et exposées au siège de la loge maçonnique de Washington. Pour être bien informé, le chercheur doit fouiller dans les millions de documents qui sont passés par le bureau du directeur du FBI. Les notes qu'il y griffonnait de son écriture ronde, toujours à l'encre bleue, sont révélatrices.

L'obsession de Hoover pour tout ce qui le concernait, alliée à l'inexorable efficacité de sa machine bureaucratique, nous offre un autre trésor historique. Chaque article mentionnant son nom, en provenance des grands journaux nationaux aussi bien que des petites publications locales, était découpé, lu attentivement par Hoover, puis classé. Ces papiers emplissent trente-trois grands cartons qui sont maintenant aux Archives nationales.

Tous ces documents ainsi que les dizaines de milliers du FBI obtenus grâce à la loi sur la liberté de l'information (*Freedom of Information Act*), auxquels s'ajoutent plus de 800 interviews réalisées pour ce livre, sont les pièces du puzzle qui ont permis de dresser le portrait de Hoover.

Des millions, peut-être des milliards de documents ont transité par le bureau du directeur. Les notes qu'il griffonnait de son écriture ronde (qu'on a appelées les « perles bleues » d'après la couleur de son encre) sont très révélatrices de l'homme : « le correspondant d'UPI doit fumer des joints » ; « écouter seulement. Ne rien révéler ». En 1964, voyant une coupure de presse sur Jean-Paul Sartre, Hoover écrivit l'ordre bref : « Trouvez-moi qui est ce Sartre. »

Les informations rapportées dans cet ouvrage s'appuient sur des sources – écrites ou orales – qui ne sont pas toutes ici répertoriées pour des raisons de concision. Pour toute précision, le lecteur curieux peut écrire à l'éditeur qui transmettra à l'auteur : celui-ci sera heureux de lui répondre directement.

PROLOGUE

Personnes interviewées : employés des pompes funèbres, William Reburn et John van Hoesen ; personnalités du Watergate, Frank Sturgis et Felipe DeDiego ; collaborateurs de Nixon, H. R. Haldeman et John Ehrlichman ; fonctionnaires du ministère de la Justice, Robert Mardian, Mitchell Rogovin et Harold Tyler ; les psychiatres Dr Harold Lief et Dr John Money.

Événements à la Maison-Blanche sous Nixon : transcription des enregistrements 587-003, 601-033, annotés par Haldeman : « 9 h 15, 2 mai 1972. »

CHAPITRE 1

Interviews des membres de la famille de Hoover : Dorothy Davy, Fred Robinette, Virginia Hoover, Anna Hoover-Keinast, Marjorie Stromme. Amis d'enfance : Monica Dwyer, Francis Gray, Guy Hottel. Informations médicales : Dr Lawrence McDonald. Lettres de parents, carnets scolaires, correspondance avec Harold Burton : archives Hoover au siège de la franc-maçonnerie.

CHAPITRE 2

Interviews : l'ancien directeur adjoint du FBI, Cartha DeLoach, l'agent Leo Mc-Clairen. Souvenirs d'école : lettre de Dave Stephens du 25 mai 1955 et lettre de C. W. Collier publiée dans le *Time* du 1ᵉʳ juin 1936. Détails sur le début de la carrière de Hoover : William Dufty, pour le *New York Post* de 1958, avec une interview de Bruce Bielaski. Archives de l'université de droit de Buffalo. Première Guerre mondiale : archives du ministère de la Justice, dossiers de Felix Frankfurter à la Bibliothèque du Congrès. Dispense militaire : tome 56 des archives du Congrès et interview de Barbie Richardson. Relations avec Alice : interviews d'un membre du FBI qui a demandé l'anonymat, et de Cartha DeLoach.

CHAPITRE 3

Interviews : le filleul de Hoover, J. Edgar Ruch ; Guy Hottel ; le juriste Joseph Rauh ; James Thompson ; Aspin Hill. La thèse de doctorat de David William *The FBI and Political Surveillance 1908-1941* a été particulièrement utile, ainsi que les archives du sénateur Thomas Walsh, le journal de Drew Pearson et les dossiers de Felix Frankfurter.

CHAPITRE 4

Interviews : J. Edgar Nichols, Ralph de Toledano et Roger Baldwin, anciens du FBI ; Charles Bates, Cartha DeLoach, Edward Armbruster, Robert Domalewsky, Aubrey Lewis, Neil Welch, Leo McClairen, Ed Duff, Erwin Piper, Kenneth Whittaker, Mervin O'Melia ; Lavonne Cowley, veuve de l'agent Sam Coley.
Documents d'archives du président Herbert Hoover, et correspondance de Harlan Stone (de 1889 à 1946) à la Bibliothèque du Congrès ; archives personnelles de Melvin Purvis ; lettres de Denis Dickason.

CHAPITRE 5

Interviews : le voisin de Hoover Anthony Calomaris ; le journaliste de télévision Eames Yates ; les anciens agents du FBI Duane Eskridge, Erwin Piper, Joseph Schott et Kenneth Whittaker ; également Ralph de Toledano ; sur les femmes du FBI, l'historienne Susan Falb ; la restauratrice de Floride Jo-Ann Weiss ; sur Hoover et les juifs, Robert Mardian du ministère de la Justice ; sur la xénophobie de Hoover, le journaliste Ben Bradlee ; sur l'ère Kennedy, Edwin Guthman, John Seigenthaler, l'ancien ministre de la Justice Ramsey Clark, Aubrey Lewis, James Barrow, Donald Stewart, Gerald Tracey et Cartha DeLoach ; sur l'écoute clandestine de James Farley, le journaliste Guy Richards.
Dossiers de l'Association nationale pour l'avancement des gens de couleur (*National Association for the Advancement of Colored People*, ou NACCP) ; la lettre du 26 mars 1929 de Joseph Bayliss à Carl Maps ; archives de Cummings à l'université de Virginie ; la conversation entre Herbert Hoover et Roosevelt provient d'une note de Scheidt du 2 juin 1950 ; note de Nichols à Tolson du 24 février 1959 ; l'histoire du Ku Klux Klan provient du journal de Drew Pearson.

CHAPITRE 6

Interview d'Alston Purvis, fils de Melvin Purvis, sur les relations de son père avec Hoover, ainsi que les lettres des archives Purvis conservées à l'université de Boston. Interviews de Doris Lockerman, de la nièce de Hoover Marjorie Stromme, de l'ancien agent William Turner à propos de Kathryn Kelly, et d'Anita Colby.

CHAPITRE 7

Interviews : Katherine Miller, Betty Kelly, Jo-Ann Weiss, Carta DeLoach, Mark Felt, Charles Bates ; les anciens agents Jen Clawson, Neil Welch, John O'Beirne, John Doyle, Harry Whidbee, Pete Pitchess, Joseph Schott, Leo McClairen ; l'hôtelier Arthur Forbes ; les employés de Harvey Pooch Miller, Charles Harvinson, George Dunson, Aaron Shainus ; le reporter Walter Trohan ; au sujet des plaisanteries sur Hoover et Tolson, interviews du neveu de Hoover, Fred Robinette, de Julia Cameron et de Jan Wenner ; sur l'histoire Corcoran, de Joseph Shimon ainsi que de Thomas Corcoran, Betty Corcoran et James Dowd ; sur les relations de Hoover avec Winchell, de Herman Klurfeld et de Curly Harris ; sur le Stork Club, de Guy Hottel, Chandler Brossard, Anita Colby et Luisa Stuart.
Dossier du FBI 62-38973 sur Ray Tucker, ainsi que le dossier 62-320-1 sur les notes de Nichols à Hoover.

CHAPITRE 8

Interviews : Curtis Lynum, Edna Daulyton, les agents Joe Wickman et Jim Barrow, Alvin Malnik, Fred Robinette, Ginger Rogers, Effie Cain, Leo McClairen, Walter Trohan, Richard Auerbach, Guy Hottel, Joan, Richard et Manee Thompson. Au sujet de Dorothy Lamour, interviews de Charles Harvinson, John Howard, Joseph Schott, Joseph Griffin, Arthur et Mara Forbes. Sur l'épisode Sumner Welles, de Walter Trohan et Beatrice Berle. Au sujet de l'homosexualité de Hoover, de l'ancien agent Joe Wickman. Le traitement de Hoover par le Dr Marshall Ruffin est décrit par sa femme Monteen ainsi que par le Dr Hill Carter, Jack Anderson et le Dr Robert Sjogren. William Stutz se souvient d'avoir livré ses fleurs pour Hoover. Sur la famille de Tolson, témoignages de Hillary Tolson. Dorothy Lamour a écrit à l'auteur qui a également puisé dans son livre *My Side of the Road*.

CHAPITRE 9

Interviews : l'ancien agent C. W. Toulme sur l'arrestation d'Alvin Karpis ; J. Edgar Nichols sur son père ; l'ancien agent Joseph Purvis sur les relations de Hoover avec la presse ainsi que Karl Hess, Fletcher Knebel et Nancy Wechsler ; Roland Evans, Mrs Stewart Alsop et Mrs E. Chubb au sujet de Joseph Alsop ; Charles Bates et Cartha DeLoach ont évoqué les relations du FBI avec Jimmy Stewart.
L'information sur Louis Nichols provient des archives privées de la famille. A été utilisé également *The Price of Vision : the Diary of Henry A. Wallace*. L'affirmation de Hoover selon laquelle Alsop était homosexuel figure dans un mémo du 1er février 1962 dans les archives de Lewis Strauss. La description du bureau de Hoover par Jack Alexander est dans le dossier 62-11607 du FBI.

CHAPITRE 10

Interviews : Edward Turrou, sur le procès nazi de 1938 ; Thomas DeWald, sur Henry Bennett de chez Ford. Ont également été interrogés : Norman Littell, le reporter

William Duffy, Wesley Swearingen. L'archiviste de la bibliothèque Franklin-D.-Roosevelt a informé l'auteur dans une lettre du 4 avril 1990 qu'il n'y avait aucune trace d'un mémorandum de Roosevelt sur l'enquête contre les services secrets soviétiques et nazis comme l'a prétendu Hoover.

Les Mémoires de Francis Biddle se trouvent à la bibliothèque Franklin-D.-Roosevelt. Les écrits de James Lawrence Fly sont à l'université de Columbia, et les œuvres de Athan Theoharis à l'université Marquette.

CHAPITRE 11

Interviews : Hilton Simmons, Robert Fink, Anthony Calomaris et Anthony Cave Brown, à propos de la description de la maison de Hoover. William Corson parle d'une instruction écrite du président pour collaborer avec Stephenson, mais, dans une lettre du 15 juin 1992 adressée à l'auteur, l'archiviste de la bibliothèque Franklin D.-Roosevelt déclare qu'il n'y a aucune trace d'un tel document.

L'histoire officielle de l'opération Stephenson, écrite mais non publiée, a été communiquée à l'auteur par William Stevenson. Les papiers Van Deman sont aux Archives nationales. L'épisode Popov a été discuté avec Jill et Marco Popov, Celia Jackson, Rodney Dennys, le colonel Robertson, William Stevenson, Chloe McMillan et Arthur Thurston. Autres documents : *The British Assault on J. Edgar Hoover*, par Thomas Troy ; *Intelligence and Counterintelligence*, tome 3 du 3 novembre 1989 ; *British Intelligence in the Second World War*, tome 4 ; et l'article de John Bratzel et Leslie Tous dans *American Historical Review* de décembre 1982.

CHAPITRE 12

Interviews de Duane Eskridge, George Allen, Tom Flynn, Saburu Chiwas sur Pearl Harbor ; de David Ketchum au sujet de son père, le colonel Carlton Ketchum ; de A. M. Ross-Smith et Deborah Payne à propos des remarques de Hoover sur l'espionnage britannique ; de J. Edgar Nichols sur le projet de Hoover d'assassiner Hitler ; des anciens agents du FBI John Holtzman, Duane Traynor, Noval Wills et le procureur Lloyd Cutler sur les saboteurs nazis.

Documents sur Pearl Harbor : *And I Was There* par Edwin Layton, Roger Pineau et John Costello, *Pearl Harbor, Final Judgement*, par Henry Clausen et Bruce Lee, *Eight Spies against America*, par George Dasch, et *The Atlanta Constitution*, 4 juillet 1980, à propos des saboteur nazis.

CHAPITRE 13

Interviews : Cartha DeLoach raconte l'histoire de Hoover imitant Eleanor Roosevelt ; G. Gordon Liddy, le jugement de Hoover sur elle ; Edna Daulyton, la rencontre à l'hôtel ; Trude Lash, les rapports entre son mari Joseph et Mrs Roosevelt ; le Dr Beatrice Berle, la fin des relations entre Roosevelt et Hoover.

Documents : surtout *FDR* par Ted Morgan, et *Eleanor Roosevelt* par Blanche Wiesen Cook.

CHAPITRE 14

L'anecdote Steelman a été rapportée par l'ex-agent Curtis Lynum. L'ancien directeur de la CIA Richard Helms parle de l'antipathie de Hoover à l'égard de la CIA.

Ouvrages : *The Private Papers of Harry Truman, Letters from Harry to Bess Truman* et *Truman* par David McCullough.

CHAPITRE 15

Sur l'affaire Alger Hiss, l'avocat Cal Barksdale parle au nom de son client ; également interviewés : Stephen Salant, William Reuben et le Dr Edward Elson ; Robert Morgenthau, au sujet de son père, et Robert McGaughey.

Documents : *Dangerous Dossiers* par Herbert Mitgang et *Alien Ink* par Natalie Robbins, sur les relations entre Hoover et les artistes et écrivains. Le dossier de Charlie Chaplin au FBI porte le numéro 96100-127090. Les articles de Fred Cook et Gil Green dans *Nation* ont été également très utiles.

CHAPITRE 16

Le Pr Howard Higman, de l'université du Colorado, a obtenu pour moi son dossier du FBI. Le Pr John Murphy l'a analysé et Marilyn Van Derbur a été interviewée. Les attaques de Hoover contre Max Lowenthal ont été évoquées par John Lowenthal, Al Bernstein, Telford Taylor et Joseph Rauh. Carol Hanley, l'assistante de Meryl Miller, a correspondu avec l'auteur. L'implication du sénateur Hickenlooper dans l'affaire Lowenthal se trouve dans les dossiers du Congrès.

CHAPITRE 17

Interviews : les relations entre Hoover et le sénateur McCarthy ont été évoquées par Guy Hottel, Donald Surine, Walter Trohan et Thomas Reeves. Virginia Murchison Linthicum, Madeleine Brown et Jim Johnson ont parlé de Sid Richardson et de Clint Murchison. William Rogers a été interrogé sur les relations entre Hoover et Eisenhower. Les vacances de Hoover au Del Charro ont été rapportées par Allan Witwer, les anciens agents Harry Whidbee, Erwin Piper et Frenchie LaJeunesse, les hôteliers Arthur et Mara Forbes, ainsi que par Donald King, Richard Auerbach, Billy Byars, J. Effie Cain. Les rapports entre les industriels du pétrole et les investissements de Hoover ont été dévoilés par John Connally, Peter Sprague, Leland Redline, Henry Darlington, Robert Morgenthau, William Hundley, John Dowd et William Pennington. Cornelius Gallagher et David Shine ont été interrogés sur les relations entre Hoover et Roy Cohn.

CHAPITRE 18

Interviews de : John Williams, citant Allard Lowenstein, à propos de la réunion des sénateurs ; Harold Leinbauch, Peter Eikenberry, Leon Friedman et Ralph Salerno, au sujet de John Rooney ; Robert Winter-Berger, sur John McCormack, et Jack Anderson, sur Thomas Dodd. Le juge George McKinnan, Edna Daulyton, Julius Knutson, Quentin Burke et Joseph Shimon ont fourni des informations sur le représentant Knutson. Les anciens agents Amos Teasley, Joseph Woods, John Tierney, Paul Ertzinger, Conrad Trahern, Alfred Nicholas, Joseph Purvis et Harold Charron sur les dossiers « Officiel et confidentiel ». J'ai interviewé également Gordon Liddy et l'ancien directeur de la CIA Richard Helms sur les pressions exercées par Hoover sur les hommes politiques, ainsi qu'Arthur Murtaugh, Walter Trohan et l'ancien sénateur George Smathers.

Sur la corruption au Congrès, je me suis rapporté à l'ouvrage *The Washington Pay-off* de Robert Winter-Berger. Les relations entre Hoover et les hommes politiques sont éclairées par les dossiers de McCormack, à l'université de Boston, et ceux de Keenan, à la bibliothèque de Harvard. Ainsi que *Above the Law* de James Boyd et le dossier du FBI 58-6157, OC 92 sur Thomas Doss.

CHAPITRE 19

Interviews de Laurence Silberman, du sénateur Ralph Yarborough, de Thomas Boggs et Abigail McCarthy, Thomas P. O'Neill, Gary Hymel, Henry Reuss, Charles

Percy et Birch Bayh. Au sujet du sénateur Long, j'ai rencontré son ancien assistant Robert Bevin, Bernard Fensterwald et Cartha DeLoach. Sur l'affaire Gallagher, témoignages de Cornelius Gallagher et de sa famille, ainsi que ceux de Charles Joelson, William Lambert, Russell Sackett, Elizabeth May, Joseph Zicarelli, Larry Weisman, Ramsey Clark, et aussi de l'ancien membre du ministère de la justice Mitchell Rogovin, des agents du FBI John Lelwica, John Connors, Lincoln Stokes et Victor Carelli. William Hundley, le journaliste Mike Royko et l'ancien agent William Turner ont été interrogés au sujet de Sandy Smith, le reporter de *Life*.

Documents : sur le FBI et la Cour suprême, l'émission du 16 septembre 1991 *Now it Can Be Told* ; l'ouvrage *Cloak and Gavel* d'Alexander Charns, *The Intruders*, d'Edward Long. Les papiers personnels de Bernard Fensterwald, qui a fait une déclaration signée sur la visite de DeLoach au sénateur Long.

CHAPITRE 20

Interviews : Cartha DeLoach a décrit Hoover pleurant. Mrs L. B. Brown a parlé des épreuves de son mari. Les anciens agents Turner, Nate Ferris, Gordon Liddy, Joseph Scott, Francis Flanagan, Jack Shaw, Bernard Conners et Nelson Gibbons ont évoqué leurs conditions de travail, le Dr Robert Choisser et Marilyn Bell de la santé de Hoover. John Dowd, Joseph Griffin, Homer Boynton, Mrs Leo Gauthier, John Dunphy, Martin Kaiser et Harold Tyler ont été interrogés à propos de l'enquête sur la corruption du FBI diligentée en 1977.

Documents : le dossier du FBI de Nelson Gibbons. Le rapport du 11 novembre 1976 par le procureur John Dowd.

CHAPITRE 21

Interviews ; la citation de Lombardozzi est de l'avocat Pepper ; Guy Hottel a parlé de Hoover et des courses de chevaux ; les anciens agents Pete Pitchess, Roemer et Neil Welch du comportement du FBI envers le crime organisé. Joseph Nellis, William Turner et Neil Welch ont été interrogés sur le sénateur Kefauver. L'ancien procureur Herbert Brownell, William Rogers, Ramsey Clark, le procureur de l'État de New York Robert Morgenthau, l'ancien chef de la police de Los Angeles Tom Reddin, Ralph Salerno, les anciens membres du ministère de la Justice Robert Pelaquin, William Hundley et Edwin Guthman, le Pr Fred Inbau, les anciens du FBI Courtney Evans, Mark Felt et Cartha DeLoach, ainsi que quatorze ex-agents du FBI ont évoqué la passivité de Hoover à l'égard du crime organisé. Les liens de Winchell avec la pègre ont été rappelés par Herman Klurfeld et Mrs Meyer Lansky. Ont également été interrogés : les restaurateurs Jesse, Grace et Jo-Ann Weiss. Allan Witwer a parlé d'Ed Levinson ; Gallinaro d'Art Samish ; John Daly, Robert Baskett, William Wilson et William Gallinaro de Dub McClanahan. J'ai également reçu les témoignages d'Irving Davidson, Bobby Baker. Parmi les 22 personnes interviewées sur Hoover et les courses de chevaux, ont été particulièrement instructifs : Virginia Linthicum, Effie Cain, Bud Brubaker, Guy Hottel, Curly Harris, Cliff Wickman et Chick Lang.

CHAPITRE 22

Interviews : la défunte Norma Abrams en 1988 ainsi qu'Eduardo Disano. Le cas Lepke a été évoqué par Herman Klurfeld, Joseph DiMona et Lyle Stuart. Sam Giancana (le neveu) a donné la version de son père sur l'attitude de la pègre de Chicago à l'égard de Hoover. Seymour Pollock fut interviewé à deux reprises. Le défunt Jimmy Fratianno fut questionné en 1990 et sa rencontre avec Hoover est décrite par Nicholas Lore, Jim Henderson et George Carr. Témoignages également d'Irving Resnick et de sa fille Dana. Au restaurant Gatti, le propriétaire Mike Gatti et Edidio Crolla ont parlé de Hoover et de Lansky. Gallinaro a raconté la conversation de Lansky captée par la police montée canadienne.

CHAPITRE 23

Interviews : la réponse de Hoover à la réunion d'Apalachin a été relatée par Milton Wessel et Laurence Walsh. Susan Rosenstiel a été interviewée en France et a signé une attestation pour certifier la véracité de ses dires. Sur Rosenstiel, témoignages d'Edward McLaughlin, de l'enquêteur William Gallinaro, de Hank Messick, de Jackie Somerville, Sidney Stricker, Stanley Penn, Jim Savage, du Dr Elaine Needel et du Dr Henry Foster, de Robert Morgenthau et Cartha DeLoach.

Documents : les dossiers des auditions des sous-commissions des 5 et 6 mars 1961 ont été utilisés. Les témoignages de James Kelly, Yolanda Lora, John Harrington, Jeremiah McKenna et Louis Nichols sur Rosenstiel sont dans les dossiers de la Commission sur le crime de l'État de New York. L'auteur a obtenu un mémorandum de Gallinaro du ministère de la Justice en date du 27 juillet 1970. La retraite de Nichols est mentionnée dans une collection privée. Les fiches du bureau de Hoover du 6 mai et du 15 juillet 1958 établissent ses contacts avec Rosenstiel. Le rapport du FBI sur la pègre de 1958, daté du 14 juillet 1958, porte le numéro 94-8-350-943.

CHAPITRE 24

Interviews : l'ancien agent Kennett Whittaker et Jesse Weiss ont parlé des relations entre Hoover et Robert Kennedy. Celles entre Hoover et Lyndon Johnson ont été relatées par Lady Bird Johnson, Lynda Robb, Curtis Lynum, Robert Parker, Joseph Schott, Bobby Baker et Cartha DeLoach. Joseph Shimon et Edna Daulyton ont évoqué les liens entre la pègre et Joseph Kennedy. Judith Campbell Exner a été interviewée plusieurs fois. Evelyn Lincoln et Pierre Salinger ont parlé de la convention de 1960 ; Ben Bradlee, Igor Cassini, Gore Vidal et Jack Anderson de l'attitude de John Kennedy à l'égard de Hoover. Philip Hochstein a rapporté l'affirmation de Hoover selon laquelle l'élection de Kennedy n'était pas légitime.

Documents : ils sont trop nombreux pour les citer tous. Mentionnons seulement la lettre de Joseph Kennedy à Hoover en 1955 dans *The FBI Pyramid* de Mark Felt. Les rapports du FBI sur Inga Arvad dans le dossier OC 7. Lettre de Jones à DeLoach du 13 juillet 1960, dossier OC 96. Au sujet de Marcello, voir *Pay-off*, de Michel Dorman. Sur les relations féminines de JFK, voir aussi l'ouvrage de l'auteur : *Les Vies secrètes de Marilyn Monroe*. La lettre de Hoover à JFK après l'élection, datée du 9 novembre 1960, est dans le dossier FBI 94-37374.

CHAPITRE 25

Interviews : Mitchell Rogovin a raconté l'anecdote sur le buste de Stanley Finch. Les relations entre Hoover et Robert Kennedy ont été évoquées par Courtney Evans, Curtis Lynum, Joseph Schott, Jack Danahee, Gordon Liddy, ainsi que par Arthur et Mara Forbes, William Hundley, Joe Dolan et Angie Novello. Jesse et Grace Weiss ont parlé de Hoover et des familles Weiss et Byars. Le cas d'Alicia Purdom a été abordé par Edward Munden et Robert Garvey. L'attitude de Hoover envers les agents de couleur a été rapportée par John Seigenthaler et William Hundley ; sa colère contre Robert Kennedy par Kenneth Whittaker. Robert Morgenthau et Joe Dolan ont évoqué le fiasco *Des Moines*.

Documents : l'épisode Purdom est dans le dossier OC 13. Le mémo de Hoover sur Robert Kennedy et le communisme dans le dossier IC 6.

CHAPITRE 26

Interviews : Evelyn Lincoln et Judith Exner ont relaté la rencontre du 22 mars 1962 entre Hoover et John Kennedy. L'histoire du « premier mariage » a été racontée par Ben Bradlee, Tom Wicker, Courtney Evans, Igor Cassini, Walter Trohan, J. B. Stoner et Bobby Baker. Les relations entre Kennedy et Angie Dickinson ont été évoquées par

Cartha DeLoach, l'ancien agent Homer Young et Dick Schumacher ; celles entre les Kennedy et Marilyn Monroe par Gordon Liddy, Eunice Murray, Cartha DeLoach, John Sherlock, Harry Hall, Liz Renay, Billy Byars, Arthur et Maria Forbes ainsi que par Anthony Calomaris. La rencontre de mars 1962 entre Kennedy et Hoover est mentionnée dans les archives de la bibliothèque John-F.-Kennedy. L'interview du 7 décembre 1976 a été procurée par le Pr Herbert Parmet.

Documents : Angie Dickinson, dans *A Woman Named Jackie* de David Heymann et dans *Those Wild, Wild Kennedy Boys* de Stephen Dunleavy et Peter Brennan. L'essentiel du matériel sur Monroe provient de mon livre *Goddess*, mais la description par Peter Lawford est dans l'ouvrage *Jackie* de David Heymann. L'article de Winchell sur Marilyn et JFK se trouve dans le dossier 105-40018 du FBI du 9 juillet 1963.

CHAPITRE 27

Interviews : la décision de se débarrasser de Hoover en 1963 a été relatée par Edwin Guthman, l'ancien ministre de la Justice Nicholas Katzenbach, Abba Schwartz, Robert Morgenthau et William Hundley. Le remplacement par Yarmolinsky a été discuté avec Joe Dolan et Yarmolinsky. Selon Abba Schwartz, JFK avait un dossier sur Hoover. L'épisode Rometsch a été raconté par Ben Bradlee et Bobby Baker.

Documents : le cas Profumo dans *Honeytrap* écrit par l'auteur et Stephen Dorril, grâce au dossier 65-68218 du FBI et les documents du Département d'État et de la CIA. La conversation entre JFK et Martin Luther King prend ses sources dans *Christianity and Crisis* d'Andrew Young et *My Soul is Rested* de Howell Raines.

CHAPITRE 28

L'assassinat de Kennedy a donné lieu à des quantités considérables d'ouvrages. Notons, entre autres, la contribution de l'auteur au livre *Conspiracy* et à des documentaires télévisés.

Interviews : pour ce chapitre, Robert Morgenthau, Burke Marshall, William Manchester, Edwin Guthman, Mark Felt et Joseph Schott ont raconté comment Hoover et Robert Kennedy avaient appris la nouvelle de la mort de JFK. Bill Koras et Joe Kelly ont confirmé que Hoover avait été aux courses de chevaux le lendemain. Autres interviews : Courtney Evans, Thomas Boggs, Ruth Paine, l'agent James Hosty (qui était le supérieur d'Oswald avant l'assassinat) ; le colonel Philip Corso au sujet d'un éventuel « double » d'Oswald ; les anciens agents Paul Scranton et George Davis sur les contacts du FBI avec Aleman et Ed Becker ; les anciens agents Julian Blodgett et George Bland à propos de la menace de Marcello.

Documents : les préoccupations de Johnson sur sa propre sécurité dans le rapport du 29 novembre de Hoover, dossier OC 92. Voir les notes de Johnson à la bibliothèque présidentielle. Le dossier du FBI sur Banister a été obtenu grâce à Dale Myers. Bien entendu, j'ai largement utilisé les rapports de la commission Warren et les ouvrages s'y rapportant.

CHAPITRE 29

Interviews : William Manchester a décrit sa rencontre de 1964 avec Hoover tandis que George Ball et Nicholas Katzenbach ont donné leurs impressions sur lui. Les relations de Hoover avec Lyndon Johnson ont été décrites par Mrs Johnson, Hugh Sidey, George Reedy, Madeleine Brown, Richard Goodwin et Cartha DeLoach. Allan Witwer m'a accordé une interview, tandis que William Lambert, Robert Pelaquin, Wallace Turner, David Nevin, Joseph Dolan et Richard Billings m'ont parlé de lui. Robert Sherrill a été interrogé à propos de la pression de la Maison-Blanche sur *Life* ; Charles Bates et George Ball sur l'intervention de Hoover lors de la visite de Wilson, le Premier ministre de Grande-Bretagne. L'affaire Walter Jenkins a été évoquée par Harold Leinbauch, Kenneth Whittaker, Ramsey Clark, Bill Brown et le Dr Joseph

Rankin ; l'incident Goldwater par Laurence Silberman, Robert Mardian, John Daley, Edwin Guthman et Jeffrey Shulman.

Documents : dossiers 58-7086, 94-4-3830, 47-50152 et 47-44945 du FBI sur Johnson. L'action du FBI lors de la convention d'Atlantic City est dans le dossier IC 6.

CHAPITRE 30

Interview : le défunt Ralph Abernathy a été interviewé en 1989. William Dufty et Gore Vidal ont rapporté les rumeurs concernant le sang noir de Hoover, et Robert Parler les commentaires de Hoover sur King. L'attitude du FBI à propos des droits civiques a été évoquée par : John Williams, Roy Moore, Neil Welch, Cartha DeLoach, Charles Bates, Tip O'Neill, Cornelius Gallagher, Don Edwards et Joe Waggoner. Les efforts pour souiller King dans la presse : Ben Bradlee, Nicholas Katzenbach, John Herbers, David Kraslow, Mike Royko, Eugene Patterson, Newbold Noyes et Joseph Woods. La réaction du FBI à l'assassinat de King : Ramsey Clark, Mitchell Rogovin, Arthur Murtagh et Donald Wilson. Sur l'assassinat de Robert Kennedy, ont été interrogés : Philip Melanson, le défunt Gregory Stone, l'ancien agent Frenchie LaJeunesse. Le comportement de Hoover à l'égard d'Edward Kennedy a été développé par Connie Ring et Donald King.

Documents : sur King, les meilleurs sont à mon avis *Bearing the Cross*, *The FBI et Martin Luther King Jr* de David Garrow, ainsi que *Parting the Waters* de Taylor Branch. Daniel Selznick m'a communiqué son interview de Cartha DeLoach sur King et les prostituées. La lettre anonyme non datée adressée à King est dans le dossier OC 24. La réaction du FBI à l'accident de Chappaquiddick du 19 juillet 1969 est dans le dossier 94-55752-108.

CHAPITRE 31

Interviews : le Dr Edmund Keeney et le Dr Robert Choisser ont été interrogés sur la santé de Hoover, et Mark Felt et Jack Danahee sur celle de Tolson. Les relations entre Hoover et le président Nixon ont été évoquées par J. Edgar Nichols, H. R. Haldeman, John Ehrlichman, Pete Pitchess, John Connally et Kennett Whittaker. Ehrlichman, Haldeman, Joe Trento et Jack Anderson ont rapporté les accusations d'homosexualité de Hoover contre les assistants de Nixon.

CHAPITRE 32

Interviews : l'attitude du FBI lors des manifestations contre la guerre au Viêt-nam a été relatée par Kennett Clawson : l'histoire de Jean Seberg par Charles Bates, Richard Held, Bill Thomas, Larry Heim et George Moore ; l'action du FBI contre les Panthères noires par Wesley Swearingen et Lynn Atkinson ; l'attitude de Hoover à l'égard de la CIA par Ray Cline, Noel Gayler et Richard Helms.

Documents : au sujet des Panthères noires, consultation des dossiers des commissions IC 3 et IC 6. Affaire Seberg dans les dossiers 157-13876, 157-3912 et 157-13870 du FBI. Voir également l'ouvrage *Played out : The Jean Seberg Story* de David Richards.

CHAPITRE 33

L'histoire de la poubelle de Hoover a été racontée par Charles Elliott et Jack Anderson. La surveillance du FBI a été décrite par Edmund Muskie et Henry Reuss. Robert Mardian s'est souvenu de la menace de Hoover de « dire TOUT ». Sur l'affaire Ellsberg : Daniel et Patricia Ellsberg ainsi que John Ehrlichman.

Documents : *Richard Nixon's Secret Files* de Bruce Oudes, *Years of Upheaval* et *White House Years* de Henry Kissinger. Bien que la description de la chute de Sullivan provienne de nombreuses sources, il faut surtout mentionner les archives de Mardian à la Fondation J.-Edgar-Hoover.

CHAPITRE 34

Interviews : Robert Mardian et John Ehrlichman ont été interrogés sur leur rencontre du 3 octobre 1971. Mardian a d'ailleurs été très utile pour l'ensemble du chapitre. H. R. Haldeman et Kenneth Whittaker se sont souvenus de Hoover et Nixon à Key Biskayne. David Young et Gordon Liddy ont décrit les événements antérieurs au Watergate.

Documents : les discussions à la Maison-Blanche du 8 octobre 1971 figurent sur les transcriptions des enregistrements pour le procès du Watergate (Archives nationales). Voir également *RN* de Richard Nixon, *The Price of Power* de Seymour Hersch, *An American Life* de Jeb Magruder.

CHAPITRE 35

Interviews du journaliste Mark Frazier, au sujet de son article publié dans le *Harvard Crimson*, et du médecin légiste expert en toxicologie, le Dr Michael Slade. Scott Armstrong, Emily Sheketoff et Nathaniel Akerman ont affirmé que les enquêteurs du Watergate ont été informés des opérations contre la maison de Hoover, et ont été également interrogés sur ce sujet Gordon Liddy, Howard Hunt, H. R. Haldeman et Felipe DeDiego. Marilyn Bell, veuve du Dr Bell, s'est souvenue de l'opération de Hoover, et Cartha DeLoach a raconté les derniers jours de Hoover. James Crawford et les Drs Robert Choisser, James Luke et Richard Welton ont également été interrogés sur son décès ; H. R. Haldeman, John Ehrlichman, Richard Kleindienst et Gordon Liddy sur les réactions du gouvernement après la mort de Hoover. Les événements dans la maison de Hoover ont été relatés par l'employé des pompes funèbres William Reburn et par les voisins, Helen et Anthony Calomaris. La destruction des documents a été révélée par l'ancien secrétaire du FBI Joe Diamond.

Documents : le journal *Rolling Stone* du 10 octobre 1974 au sujet des cambriolages liés au Watergate. *Esquire*, de novembre 1972, où Roy Cohn parle de sa dernière rencontre avec Hoover. Le coup de téléphone de Nixon la dernière nuit est mentionné dans une conversation de Helen Gandy avec Ladislas Farago (archives de l'université de Boston). Voir également *J. Edgar Hoover. The Man and the Secrets*, de Curt Gentry.

ÉPILOGUE

Interviews : ont été interrogés, au sujet de l'enterrement et des événements qui ont suivi, Cartha DeLoach, Mark Felt, Neil Welch, Bill Koras, le Dr Edward Elson, le neveu Fred Robinette, la filleule Marianita Mattusch, Anthony Calomaris, Ethel Robertson, Lee Jenney et Audrey Jones.

Documents : *J. Edgar Hoover Memorial Tributes in the Congress* par le gouvernement des États-Unis (1974), *Tribute of Admiration and Affection* du 1er octobre 1972, Temple des francs-maçons de rite écossais, *Blind Ambition* de John Dean. Sur Himmler, *The Anatomy of Human Destructiveness* d'Erich Fromm, *Inside the FBI* de Norman Ollestad.

Index

Aarons, Slim, 248.
Abernathy, Ralph, 292-301.
Abrams, Norma, 202.
Adenauer, Konrad, 323.
Adonis, Joe, 195.
Agnew, Spiro, 355.
Aleman, Jose, 274.
Alessio, John, 340.
Alexander, Jack, 88.
Allen, George, 113, 201, 204.
Alsop, Joseph, 86, 236.
Anastasia, Albert, 208.
Anderson, George, 35.
Anderson, Jack, 197, 231, 298, 302, 325, 326, 340, 342, 343, 345, 348.
Anderson, Robert, 156.
Angleton, James, 206.
Armbruster, Edward J., 42.
Arnett, Peter, 286.
Arnold, Henry, 125.
Arthur, Art, 73, 74.
Arvad, Inga, 223, 229.
Auenrode, Kremer von, 105, 106, 110.
Auerbach, Richard, 77.

Bacall, Lauren, 139.
Baker, Robert, 200, 225, 228, 248, 260, 261, 267.
Baldwin, Roger, 40.
Ball, George, 279, 285.
Banister, Guy, 271-273.
Barbara, Joe, 208.
Barker, Fred, 65.
Barker, Kate, *dite* Ma, 65.
Barrow, Clyde, 58.
Barrow, James, 53.
Barry, Joan, 141.
Bates, Charles, 258, 259, 285, 296, 319.

Baughman, Frank, 54.
Bayliss, Joseph, 55.
Beard, Dita, 340, 342.
Beck, Dave, 238.
Becker, Ed, 274, 275.
Beecher, William, 329.
Bell, Gordon, 344, 345.
Belmont, Alan, 197.
Bender, George, 170.
Bennett, Harry, 92.
Bennett, James, 198.
Bentley, Elizabeth, 142, 143.
Berckjman, Alexander, 34.
Berle, Adolf, 79, 118, 129.
Berle, Beatrice, 79, 129.
Bernhard, Berl, 295.
Biddle, Francis, 80, 93, 95, 118, 119, 124, 125.
Bielaski, Bruce, 26, 27, 31.
Billingsley, Sherman, 73, 198.
Birch, John, 36.
Blodgett, Julian, 275.
Bobak, Joe, 216.
Bogart, Humphrey, 139.
Boggs, Hale, 327-330, 355.
Bompensiero, Frank, *dit* Bump, 205.
Bonanno, Joseph, 204.
Boswell, William, 243.
Boyer, P. F., 127.
Braddock, Jim, 73.
Bradlee, Ben, 52, 230, 231, 247, 256, 263, 297.
Bradlee, Tony, 230.
Brennan, Charles, 136.
Bridges, Harry, 97, 98.
Brinkley, David, 286.
Brooks, Lawrence, 314.
Brown, Madeleine, 276, 280, 281.
Brown, Steven, 280.
Bryant, Anita, 72.
Buchalter, Louis, 203, 211.
Buchanan, Patrick, 327.
Buchwald, Art, 86.

Buck, Pearl, 140.
Buckley, William F., Jr, 150.
Bullit, William, 79.
Burger, Ernst, 120.
Burke, Frank, 35, 36.
Burns, John, 113, 114.
Burns, William, 36, 39, 52.
Burton, George, 125, 127.
Byars, Billy, 276, 313, 314.

Caldwell, Erskine, 140.
Callahan, Nicholas, 171.
Calomaris, Anthony, 351.
Camil, Scott, 317.
Campbell, Judith, 227, 244-246, 253, 259, 260.
Canaris, Wilhelm, 104.
Capone, Al, 194, 199.
Capote, Truman, 71, 140.
Carter, Thomas, 187.
Castro, Fidel, 241, 244-246, 270, 271, 273, 277, 296, 342.
Celler, Emmanuel, 175.
Chambers, Whittaker, 143, 144.
Chang, Suzy, 259, 260.
Chapin, Dwight, 312.
Chaplin, Charlie, 141, 142.
Choisser, Robert, 347.
Churchill, Randolph, 101.
Churchill, Winston, 100, 101, 108, 117, 118.
Clark, Leo, 287.
Clark, Mark, 81, 320.
Clark, Ramsey, 182, 183, 306, 313, 327.
Clausen, Henry, 114.
Clifford, Clark, 136.
Cody, William, dit Buffalo Bill, 59.
Coffman, Barbara, 155.
Cohen, Larry, 338.
Cohen, Richard, 362.
Cohn, Roy, 163-165, 180-182, 211-214, 235, 345.
Colby, Anita, 67, 75, 77.
Collier, Rex, 146.
Colson, Charles, 336, 337, 341, 344, 349.
Connally, John, 255, 308.
Connelley, Earl, 106.
Cook, Blanche, 124.
Coolidge, Calvin, 55.
Cooper, Coutney Ryley, 59.
Cooper, Gary, 138.
Coplon, Judith, 148.
Corcoran, Tommy, 131, 132.
Costello, Frank, 195, 196, 198, 199, 202-205, 208-210, 221, 268.
Cowley, Sam, 63, 64.
Crawford, James, 52, 53, 290, 347.
Cronin, John, 144, 145.
Cummings, Homer, 57, 58, 63, 91.

Curtis, Tony, 239.
Cushing, Richard (cardinal), 235.

Danoff, John, 250.
Dasch, George, 119, 120.
Daugherty, Harry, 37, 39.
Daulyton, Edna, 171.
Davis, Angela, 81.
Davy, Dorothy, 16-19, 21-23.
DeDiego, Felipe, 343, 344.
DeLoach, Cartha, 179, 182, 184, 191, 212, 223, 230-232, 245, 252, 267, 270, 281-288, 293, 296, 297, 301, 307, 323, 326, 334, 356.
De Valera, Eamon, 51.
De Voto, Bernard, 149.
Dean, John, 324, 337, 339-341, 349, 358, 359.
Dewey, Thomas E., 132, 146, 147, 194, 195, 203.
Diamond, Joe, 351.
Dickinson, Angie, 248, 249.
Dillinger, John, 10, 57, 62-64, 67, 89, 279.
DiMaggio, Joe, 73.
Dirksen, Everett, 262.
Disano, Eduardo, 202.
Disney, Walt, 138.
Dodd, Thomas, 170.
Dodge, Franklin, 54.
Dolan, Joe, 241.
Dondero, George, 151, 152.
Donovan, William, 103, 104, 111, 118, 119, 133, 206, 207.
Douglas, William, 177.
Dowd, John, 163, 192, 193.
Doyle, Jim, 69.
Duffy, La Verne, 261.
Dufty, William, 289.
Duggan, Laurence, 143.
Dulles, Allen, 231.
Dulles, John Foster, 59.
Duncan Sisters, 135.
Dunson, George, 70.

Eakins, Henry, 167.
Edison, Tony, 15.
Ehrlichman, John, 311, 312, 331, 332, 334-338, 349, 350.
Einstein, Albert, 140, 141.
Eisenhower, Dwight, 11, 53, 57, 59, 98, 128, 155-159, 165, 173, 208, 220, 221, 223, 244, 265, 306, 357.
Elliott, Charles, 325.
Ellsberg, Daniel, 11, 330, 337, 339, 342, 343.
Elson, Edward, 136.
Engels, Friedrich, 33.
Ennis, Edward, 95.
Eskridge, Duane, 111, 112.

Evans, Courtney, 241, 254-256, 258, 266, 281.

Factor, John, 61.
Farley, James, 57, 96.
Felt, Mark, 332, 352, 354, 356.
Fennell, Anna, 30.
Fennell, Margaret, 19, 23, 29, 30, 38, 357.
Fensterwald, Bernard, 179.
Ferrie, David, 271, 272.
Ferry, W. H., 253.
Fields, Annie, 347, 351, 352.
Fields, W. C., 122.
Finch, Stanley, 233.
Flanagan, Francis, 186.
Fleming, Ian, 103, 109.
Floyd, Charles Arthur, *dit* le Beau Gosse, 57, 65, 279.
Fly, James Lawrence, 96, 115, 116.
Flynn, William, 32, 34.
Fonda, Jane, 316, 317.
Fooner, Michael, 55.
Ford, Gerald, 183, 267, 303, 360.
Ford, Henry, 26, 92.
Foster, Wallace, 57.
Foxworth, Percy, 106, 116.
Frankfurter, Felix, 35.
Franklin, Benjamin, 17.
Fratianno, Jimmy, 205.
Frazier, Mark, 343, 344.
Freud, Sigmund, 26.
Fromm, Erich, 361.

Gable, Clark, 62, 289.
Gabor, Zsa Zsa, 159.
Gale, James, 174.
Gallagher, Cornelius, 180-184, 349.
Gallagher, Neil, 336.
Gambino, famille, 194, 356.
Gandy, Helen, 28, 30, 60, 61, 69, 123, 152, 171, 223, 235, 264, 290, 323, 334, 346, 350, 352, 353, 357.
Garrison, Jim, 206, 272.
Garvan, Francis, 33, 58.
Gary, Romain, 319.
Gaulle, Charles de, 271, 323.
Genovese, Vito, 195.
Gerstein, Richard, 344.
Giancana, Chuck, 245, 252.
Giancana, Sam, 203, 218, 227, 240, 244-246, 250, 252, 272, 273.
Gibbons, Nelson, 187, 188.
Gill, Michael, 173.
Godfrey, John, 103.
Goering, Hermann, 223, 229.
Goldman, Emma, 34.
Goldwater, Barry, 85, 176, 288.
Golos, Jacob, 144.
Goodelman, Leon, 97, 98.

Goodwin, Richard, 282, 294.
Gourzenko, Igor, 144.
Gray, Francis, 20.
Gray, L. Patrick, 351, 352, 358-360.
Gregory, Dick, 320.
Greene, Graham, 109.
Greenglass, David, 146.
Greenson, Ralph, 252.
Griffin, Burt, 273.
Griffin, Joseph, 78.
Grove, Dan, 309, 310.
Guggenheim, famille, 173.

Haber, Joyce, 319.
Haig, Alexander, 312, 331.
Haldeman, H. R., 307, 308, 312, 321, 322, 329, 336, 339, 343, 344, 349, 350, 359.
Halifax, lord, 118.
Hamill, Pete, 205.
Hamilton, James, 253.
Hamm, William, 61, 65.
Hammett, Dashiell, 140.
Hampton, Fred, 320.
Harding, Warren G., 36, 41.
Hardy, Robert, 317, 318.
Hart, Al, 200.
Hauptmann, Bruno, 56.
Hauser, Joseph, 274.
Hay, Harry, 72.
Hayden, Sterling, 139.
Hearst, Randolph, 258.
Held, Richard, 318, 319.
Helm, Edith, 123.
Helms, Richard, 134, 175.
Helphern, Milton, 348.
Hemingway, Ernest, 140.
Hemingway, Mary, 140.
Hepburn, Katharine, 139.
Herbers, John, 298.
Hess, Karl, 85.
Hewitt, Raymond, 318, 319.
Hickok, Lorena, 124.
Higham, Charles, 79.
Higman, Howard, 150.
Himmler, Heinrich, 361.
Hiss, Alger, 138, 143-145.
Hitler, Adolf, 90, 93, 130, 223, 229, 328.
Hitz, John, 18.
Hitz, William, 25, 26.
Hochstein, Philip, 231.
Hoffa, Jimmy, 180, 200, 226, 238, 250, 252, 273.
Hood, Richard, 138.
Hoover, Annie, 16-19, 22, 23, 29, 37-39, 75-76.
Hoover, Dickerson, 16-18, 22, 23, 25.
Hoover, Dickerson, Jr., 16, 18, 23, 24, 37, 55.

Hoover, Herbert, 36, 39, 40, 55, 57, 201, 220, 335.
Hoover, Lillian, 16, 18, 24.
Hoover, Sadie, 16.
Hoover, Virginia, 25.
Hopkins, Harry, 89.
Hosty, James, 268.
Hottel, Guy, 74, 76.
Houston, Leonore, 50.
Howard, Bill, 78.
Howard, John, 78.
Hughes, Howard, 49.
Hull, Cordell, 91, 119.
Hummer, Ed, 145.
Humphrey, Hubert, 222, 286, 287, 306.
Hundley, William, 199, 235, 256, 277.
Hunt, E. Howard, 337, 341-343.
Huston, John, 139.
Huston, Luther, 239.
Huston, Tom, 322-324.
Huxley, Aldous, 140.
Hyde, Montgomery, 109, 116.

Ickes, Harold, 79, 94.
Irey, Elmer, 56.
Ivanov, Yevgeni, 256.

Jackson, Robert H., 93, 95, 97.
James, Jesse, 68.
Jebsen, Johann, 104, 105, 116.
Jenkins, Herbert, 296.
Jenkins, Walter, 287, 288, 293.
Johnson, Al, 73.
Johnson, Lyndon, 98, 176, 180, 191, 199, 213, 222-230, 236, 248, 255, 264-267, 276, 277, 278-288, 291, 294, 307, 308.
Johnson, Marlin, 320.
Johnson, Rubye, 62.
Jones, Lawrence, *dit* Biff, 19.

Kalb, Marvin, 329.
Karpis, Alvin, 84.
Kassem, Abdul Karim al-, 342.
Kater, Florence, 225, 236.
Kater, Leonard, 225.
Katzenbach, Nicholas, 255, 267, 268, 279, 280.
Kefauver, Estes, 166, 196, 198, 357.
Kelley, Clarence, 108, 303, 359, 360.
Kelly, George, *dit* la Mitraillette, 10, 58, 61, 62, 63.
Kelly, Grace, 73.
Kelly, Kathryn, 62.
Kennedy, Edward, 167, 303, 304, 355.
Kennedy, Jacqueline, 230, 294.
Kennedy, John F., 12, 15, 20, 98, 132, 174, 180, 206, 220-233, 235-265, 267-277, 279-283, 286, 287, 291, 292, 301, 308, 311, 357.

Kennedy, Joseph P., 220, 222-229, 238, 239, 242, 247.
Kennedy, Kathleen, 220.
Kennedy, Robert, 12, 53, 180, 181, 219, 227-230, 232-247, 250-264, 267, 274, 275, 277, 283-287, 292, 294, 303, 304, 311, 313, 349.
Kerr, Jean, 164.
Ketchum, Carlton, 117.
Khrouchtchev, Nikita, 146, 158.
King, Coretta Scott, 299, 301, 355.
King, Martin Luther, Jr., 13, 80, 181, 257, 262, 289-303, 306, 312, 327, 355.
Kissinger, Henry, 312, 328, 329, 333, 336.
Kleindienst, Richard, 326, 329, 333, 351, 352, 355.
Knebel, Fletcher, 86.
Knutson, Harold, 171.
Koch, Norman, 174.
Kraft, Joseph, 286, 329.
Kraslow, David, 298.
Krebs, Charles, 313-315.
Krogh, Egil, 337, 338, 342, 349.
Ku Klux Klan, 57, 162, 237, 291, 301.

Lambert, William, 279.
Lamour, Dorothy, 77, 78.
Lansky, Jake, 210.
Lansky, Meyer, 12, 195, 196, 198, 199, 203-205, 207, 210-212, 217.
Lash, Joseph, 124-129.
Lawford, Peter, 249-252, 257.
Layton, Edwin, 110.
Lénine, Vladimir, 33, 362.
Levine, Jack, 51, 54.
Lewis, Sinclair, 140.
Liddell, Guy, 107, 108.
Liddy, G. Gordon, 175, 237, 337, 341-343, 350.
Lief, Harold, 81, 361.
Lincoln, Abraham, 10, 13, 17, 327.
Lincoln, Evelyn, 229, 235, 246.
Lindbergh, Charles, 56, 61.
Lippmann, Walter, 86, 287, 288.
Liu, Marianna, 308-311.
Lockerman, Doris, 66.
Lodge, Henry Cabot, 225.
Lombardozzi, Carmine, 194, 203.
Long, Edward, 178-180, 184.
Lowenthal, John, 151.
Lowenthal, Max, 151-153.
Luce, Clare Boothe, 230.
Luciano, Charles, *dit* Lucky, 195, 203, 207.
Ludlum, Robert, 71.
Luke, Bill, 348.
Lumumba, Patrice, 342.
Lynum, Curtis, 131, 170.

MacArthur, Douglas, 211, 335.
McCarthy, Joseph, 47, 154-157, 163-166, 180, 222, 288, 357.
McClairen, Leo, 77.
McClanahan, Dub, 199.
McCormack, John, 169.
McCoy, Ronald, 224.
McGaughey, Robert, 145.
McGovern, George, 167.
McGrath, Howard, 153.
McGuire, Phyllis, 240.
McKellar, Kenneth, 57, 83.
Macmillan, Harold, 256-258.
McNamara, Robert, 285.
McWilliams, Carey, 86.
Magruder, Jeb, 341.
Maguire, Andrew, 354.
Mailer, Norman, 13.
Malcolm, Durie, 247.
Malone, John, 189.
Manchester, William, 279, 316.
Mann, Thomas, 140.
Mansfield, Jayne, 80.
Mansfield, Mike, 167, 262.
Marcello, Carlos, 226, 227, 240, 272-275.
Mardian, Robert, 51, 201, 329-334, 336.
Margenau, Henry, 150.
Marion, Frances, 77.
Marshall, Burke, 326.
Martin, Jack, 271, 272.
Marvin, Langdon, 224.
Marx, Karl, 26, 33.
May, Elizabeth, 181.
Melish, William, 150, 151.
Menhinick, George, 55.
Menzies, Stewart, 105, 109.
Merman, Ethel, 72.
Messick, Hank, 205, 346, 348.
Michaelson, George, 26.
Miller, Arthur, 140, 249.
Miller, Earl, 124.
Miller, Merle, 148.
Mintener, Bradshaw, 137.
Mitchell, John, 9, 311, 312, 326, 328, 330, 332-335, 339, 341, 349, 350, 355.
Modigliani, 109.
Mohr, John, 351, 352, 356, 357.
Mollenhoff, Clark, 261.
Mondale, Walter, 362.
Money, John, 81.
Monroe, Marilyn, 227, 248-254, 259.
Montagu, Ewen, 116.
Moore, Henry, 140.
Moore, Roy, 191.
Morgenthau, Henry, 144.
Morgenthau, Robert, 144, 162.
Morrison, James, 173.
Morse, Wayne, 178.
Moyers, Bill, 282.

Mundt, Karl, 145, 167.
Murchinson, Clint, 156, 157, 159-161, 163, 191, 199-201, 222, 223, 276, 284, 306, 344.
Murchinson, Virginia, 156.
Murphy, Frank, 93.
Murret, Dutz, 273.
Murtagh, Arthur, 291, 302.
Muskie, Edmund, 342.
Mussolini, Benito, 60, 88, 130.

Nash, Jay Robert, 64, 346.
Nasser, Gamal Abdel, 342.
Nellis, Joseph, 197.
Nelson, George, dit Face de bébé, 65.
Nelson, Jack, 86.
Nichols, Bill, 146,
Nichols, J. Edgard, 119.
Nichols, Louis, 46, 84-86, 119, 128, 144-147, 150, 152, 161, 212, 213, 306, 360.
Nixon, Pat, 339.
Nixon, Richard, 9, 10, 11, 51, 98, 137, 138, 144, 145, 155, 160, 165, 174, 176, 201, 221, 235, 287, 304, 306-316, 319, 321-324, 327-340, 343, 346, 348-350, 355, 357-360.
Nixon, Tricia, 330.
Noisette, Sam, 50, 52, 53, 290.
Norman, Terence F., 316.
Norris, George, 94.
Novel, Gordon, 206.
Novotny, Mariella, 257-259.

O'Brian, John Lord, 27, 29-32.
O'Brien, Barney, 182, 184.
Odets, Clifford, 138.
O'Donnell, Kenneth, 231, 233, 235, 236, 243, 244, 256, 267.
O'Farrell, Val, 57.
Ogilvie, Richard, 208.
O'Leary, Jeremiah, 85.
Olney, Warren, 169.
Osten, Ulrich von der, 108.
Oswald, Lee Harvey, 265, 266, 268-274, 276.
Oswald, Marina, 269.
Owen, David, 157.

Paine, Ruth, 268.
Palmer, Mitchell, 32-36, 56.
Parker, Bonnie, 58.
Patterson, Eugene, 298.
Paul VI (pape), 296.
Payne, Cyril, 356.
Pearson, Drew, 86, 112, 238, 243.
Pecora, Nofio, 273.
Pendergast, Tom, 132.
Phillips, David, 266.

Picasso, Pablo, 140.
Pierce, Samuel, 293.
Pitchess, Pete, 196, 308.
Pollock, Seymour, 204.
Popov, Dusan, *dit* Dusko, 104-110, 116, 141.
Post, Louis, 34.
Powers, David, 267.
Pratt, Elmer, *dit* Geronimo, 321.
Pratt, Trude, 126-129.
Profumo, John, 256-258.
Prokofiev, Sergeï, 138.
Purdom, Alicia, 236, 256.
Purdom, Edmund, 236.
Purvis, Alston, 66.
Purvis, Joseph, 65.
Purvis, Elwin, 60-67, 174.

Ragano, Frank, 273.
Ragen, James, 195, 196.
Rankin, Lee, 269.
Rather, Dan, 343.
Ray, James Earl, 301, 302.
Rayburn, Sam, 158.
Reagan, Neil, 139.
Reagan, Ronald, 139, 293, 355.
Rebozo, Bebe, 309, 310.
Reburn, William, 350, 357.
Reedy, George, 280, 282.
Reid, Ed, 275.
Remington, William, 143.
Resnick, Irving, 205.
Reuther, Walter, 92.
Richardson, Sid, 154-156, 158, 162, 222.
Richey, Lawrence, 39.
Roberts, Delphine, 271.
Robertson, T. A., 105, 107, 108, 110.
Robeson, Paul, 291, 292.
Robinette, Fred, 18, 358.
Rockfeller, Nelson, 73, 299.
Roemer, William, 196, 218, 240, 241, 277.
Rogers, Ginger, 76, 77.
Rogers, Lela, 76, 77, 138, 139.
Rogers, William, 158, 208, 218.
Rometsch, Ellen, 260-263.
Rooney, John, 168, 169, 181, 185, 295, 355, 358.
Roosevelt, Alice, 17.
Roosevelt, Anna, 128.
Roosevelt, Eleonor, 89, 90, 121-129.
Roosevelt, Franklin, 10, 56-58, 71, 79, 83, 87-91, 93-101, 108, 112, 113, 117, 121, 123, 124, 127-131, 133, 143, 221, 230.
Roosevelt, Franklin, Jr., 128.
Roosevelt, Theodore, 17, 52.
Roselli, John, 226, 227, 240, 244, 273.
Rosenberg, Ethel, 146, 152, 177.
Rosenberg, Julius, 143, 146, 177.

Rosenstiel, Lewis Solon, 209-215, 217, 220, 306, 346.
Rosenstiel, Susan, 209-216, 217.
Rowan, Carl, 295.
Royko, Mike, 298.
Ruby, Jack, 266, 269, 273, 276.
Ruch, George, 33, 34, 40.
Ruffin, Monteen, 81, 135, 326.
Rusk, Dean, 183.
Russel, Bertrand, 26.
Russel, Richard, 267.
Rustin, Bayard, 295, 296, 299.

Sage, Anna, 64.
Salerno, Ralph, 169.
Salinger, Pierre, 228, 236, 237, 247.
Salisbury, Harrison, 92, 286.
Salk, Jonas, 140.
Saroyan, William, 140.
Savage, James, 36.
Scalise, Frank, 208.
Scalise, Joseph, 208.
Schlei, Norbert, 266.
Schlesinger, Arthur, Jr., 228, 243.
Schultz, Dutch, 194.
Schumacher, Dick, 248.
Schwartz, Abba, 165.
Scranton, Paul, 274.
Seberg, Jean, 318, 319.
Seigenthaler, John, 236.
Service, Robert, 26.
Shaw, George Bernard, 26.
Shaw, Irwin, 140.
Shaw, Jack, 186, 189, 190.
Shaw, May, 189, 190.
Sheehan, Neil, 330.
Shimon, Jon, 70.
Shine, David, 164.
Shine, Myer, 164.
Shivers, Robert, 113, 114.
Short, Walter, 113.
Sidey, Hugh, 280.
Siegel, Benjamin, *dit* Bugsy, 195, 196.
Silberman, Laurence, 286.
Simon, William, 252.
Sirhan, Sihran, 283, 303.
Skillman, Dorothy, 354.
Smathers, George, 176.
Smith, Arnholt, 340.
Smith, Don, 314.
Smith, Hedrick, 329.
Smith, Holland, 201.
Smith, Marvin, 143.
Smith, Raymond, 352.
Smith, Sandy, 183, 184.
Smith, Walter Bedell, 134.
Sobell, Morton, 146.
Sokolsky, 164.
Sorensen, Theodore, 243.

Spellman, Francis (cardinal), 136, 210, 296.
Spindel, Bernard, 178.
Spock, Benjamin, 13, 356.
Staline, Joseph, 90.
Stassen, Harold, 147.
Steelman, John, 131.
Steinbeck, John, 140.
Stephenson, William, 100-103, 108, 109, 118, 119.
Stevenson, Adlai, 80, 157, 167, 220, 221, 236.
Stewart, James, 87,
Stimson, Henry, 103, 120.
Stone, Harlan, 39, 40.
Starsky, Morris, 317.
Stuart, Luisa, 73, 74.
Sturgis, Frank, 344.
Sullivan, William, 12, 20, 23, 24, 36, 81, 87, 89, 95, 122, 128, 131, 132, 134, 144, 146, 147, 152, 153, 155, 161, 162, 166, 168, 170, 190, 225, 233, 260, 268, 280, 297, 300, 301, 303, 309, 310, 329-333, 336, 338, 359.
Summersby, Kay, 159.
Suydam, Henry, 58, 59.
Swearingen, Wesley, 320.
Szulc, Tad, 338, 343.

Taylor, Elizabeth, 159, 260.
Taylor, Henry, 247.
Taylor, Robert, 138.
Tchang Kaï-chek, Mme, 73.
Teasley, Amos M., 173.
Temple, Shirley, 147.
Thomas, Parnell, 137.
Thompson, Bill, 260.
Thompson, Malvina, 123, 126.
Tocqueville, Alexis de, 346.
Tolson, Clyde, 67-76, 78, 80, 83-85, 87, 94, 101, 102, 107, 114, 121-123, 146, 147, 149, 153, 159-162, 164, 171, 186, 190-192, 194, 199, 200, 204-207, 212, 215, 221, 223, 230, 234, 281, 297, 300, 303, 305, 307, 313, 314, 323, 326, 334, 344-347, 350, 354-359.
Tolson, Hillory, 75.
Trafficante, Santos, 272-275.
Trahern, Conrad, 172-174.
Troy, Thomas, 108.
Truman, Bess, 142.
Truman, Harry, 10, 80, 98, 130-133, 136, 137, 142, 143, 145-149, 150-156, 177, 221, 230, 265.
Tully, Andrew, 339, 344.
Tunney, Gene, 100, 101.
Tuohy, Roger, 61, 67.
Turner, William, 197, 218.
Turnure, Pamela, 225, 236, 247, 248, 256.

Tyler, Harold, 53, 192.

Urschel, Charles, 61, 62.

Valentino, Rudolph, 289.
Van Deman, Ralph, 103.
Van Derbur, Marilyn, 150.
Vaughan, Harry, 131.
Vidal, Gore, 231, 289, 290.
Villano, Anthony, 218.
Viner, Harry, 70.

Wainwright, Loudon, 278.
Wallace, George, 306.
Wallace, Henry, 89.
Walsh, Thomas, 54, 57.
Walton, Bill, 231.
Warner, Jack, 87.
Warren, Earl, 265, 267.
Warren, commission, 266-269, 272, 273, 275, 277, 278, 296.
Watson, Marvin, 277.
Wayne, John, 159.
Webb, Del, 199.
Webb, Thomas, 276, 344.
Webster, William, 360.
Weiss, Jesse, 199.
Weitz, John, 206.
Welch, Neil, 81, 196, 198, 240, 326.
Welles, Summer, 79, 80, 129.
Welton, Richard, 347, 348.
Wessel, Milton, 208.
Whidbee, Harry, 266.
White, Harry Dexter, 143, 144.
Whittaker, Kenneth, 240, 310, 339, 356.
Wicker, Tom, 86.
Williams, Marcia, 285.
Williams, Tennessee, 140.
Wilson, Donald, 302.
Wilson, Harold, 285.
Wilson, Woodrow, 21, 27, 28.
Winchell, Walter, 72-74, 112, 146, 198, 203, 220, 247, 254.
Windsor, duchesse de, 73.
Windsor, duc de, 73.
Winter-Berger, Robert, 169.
Witwer, Allan, 199-201, 284.
Woods, Joseph, 173, 312.
Woods, Rose Mary, 312.
Wright, Orville, 19,

X, Malcolm, 291.

Young, Andrew, 302.
Young, David, 337.

Zanuck, Darryl, 66.
Zicarelli, Joe, 181-183.
Ziegler, Ron, 339.

Table

Prologue : le mythe 9

1. Dans le giron de sa mère 15
2. L'échec d'un amour de jeunesse 24
3. La terreur des « Rouges » 32
4. « Napoléon le Kid » 39
5. Le gendarme de la Dépression 49
6. Les célèbres « G-Men » 60
7. Le fidèle compagnon 68
8. Homosexuel et puritain 75
9. A la une des journaux 83
10. La Gestapo américaine 89
11. L'agent double et les Japonais 100
12. Le désastre de Pearl Harbor 111
13. La « vieille chouette » de la Maison-Blanche 122
14. Les réticences de Truman 130
15. La chasse aux sorcières 136
16. Le Grand Inquisiteur 148
17. Magouilles financières 154
18. Tout le monde sous surveillance 167
19. Faux et usage de faux 177
20. Le culte de la personnalité 185
21. Les amis de la Mafia 194
22. Des photos compromettantes 202
23. Le travesti du Plaza 208
24. Les Kennedy au pouvoir 220
25. Le ministre inopportun 233
26. Des relations orageuses 243
27. Chantage sur le président 255
28. Dallas 264
29. Le complice Johnson 279
30. Le « négro » Martin Luther King 289

31. Le « copain » Nixon 305
32. Jane Fonda et Jean Seberg 316
33. Des fuites au Pentagone 325
34. Les « plombiers » du président 333
35. L'enterrement d'un héros national 341

Épilogue 355

Sources et documents 363
Index 373

CRÉDITS ICONOGRAPHIQUES

1. National Archives
2. J. Edgar Hoover Foundation
3. National Archives
4. FBI
5. FBI
6. UPI/Bettman Newsphotos
7. Collection famille Gandy
8. UPI/Bettman Newsphotos
9. King Features Syndicate, Inc.
10. National Archives
11. *Florida News*
12. National Archives
13. National Archives
14. Collection Ruch
15. UPI/Bettman Newsphotos
16. FBI
17. AP/Wide World Photos
18. UPI/Bettman Newsphotos
19. Copyright 1949, Time Inc.
20. UPI/Bettman Newsphotos
21. Historical Pictures/Stock Montage
22. Collection Popov
23. AP/Wide World Photos
24. National Archives
25. Clint Murchison Memorial Library
26. National Archives
27. National Archives
28. UPI/Bettman Newsphotos
29. New York *Daily News*
30. *The Dallas Morning News*
31. FBI
32. Cecil Stoughton/*Life* magazine, © Time Warner, Inc.
33. UPI/Bettman Newsphotos
34. Aubrey Lewis
35. *San Diego Union Tribune*
36. Hong Kong Hilton
37. AP/Wide World Photos
38. National Archives
39. *The Washington Post*
40. National Archives
41. AP/Wide World Photos

RÉALISATION : IGS CHARENTE-PHOTOGRAVURE À L'ISLE-D'ESPAGNAC
IMPRESSION : BCI À SAINT-AMAND (CHER)
DÉPÔT LÉGAL : SEPTEMBRE 1995. N° 20713 (1/2026)